7日でおぼえる DraftSight

［DraftSight 2020 対応］

アーキビット 阿部秀之 著

本書をご購入・ご利用になる前に必ずお読みください

- 本書の内容は、執筆時点(2020年7月)の情報に基づいて制作されています。これ以降に製品、サービス、その他の情報の内容が変更されている可能性があります。また、ソフトウェアに関する記述も執筆時点の最新バージョンを基にしています。これ以降にソフトウェアがバージョンアップされ、本書の内容と異なる場合があります。

- 本書は、DraftSight 2020の解説書です。本書の利用に当たっては、DraftSight 2020がパソコンにインストールされている必要があります。

- DraftSightのダウンロード、インストールについてのお問合せは受け付けておりません。また、DraftSight無償体験版については、開発元・販売元および株式会社エクスナレッジはサポートを行っていないため、ご質問は一切受け付けておりません。

- 本書はWindows 10がインストールされたパソコンで、DraftSight 2020 Professional版を使用して解説を行っています。内容はDraftSight 2020 Standard版/Premium版でも検証済みです。ただし、ご使用のOSやアプリケーションのバージョンによって、画面や操作方法が本書と異なる場合がございます。

- 本書は、パソコンやWindowsの基本操作ができる方を対象としています。

- 本書の利用に当たっては、インターネットから教材データをダウンロードする必要があります(P.16参照)。そのためインターネット接続環境が必須となります。

- 教材データを使用するには、DraftSight 2020が動作する環境が必要です。これ以外のバージョンでの使用は保証しておりません。

- 本書に記載された内容をはじめ、インターネットからダウンロードした教材データ、プログラムなどを利用したことによるいかなる損害に対しても、データ提供者(開発元・販売元等)、著作権者、ならびに株式会社エクスナレッジでは、一切の責任を負いかねます。個人の責任においてご使用ください。

- 本書に直接関係のない「このようなことがしたい」「このようなときはどうすればよいか」など特定の操作方法や問題解決方法、パソコンやWindowsの基本的な使い方、ご使用の環境固有の設定や特定の機器向けの設定などのお問合せは受け付けておりません。本書の説明内容に関するご質問に限り、P.263のFAX質問シートにて受け付けております。

以上の注意事項をご承諾いただいたうえで、本書をご利用ください。ご承諾いただけずお問合せをいただいても、株式会社エクスナレッジおよび著作権者はご対応いたしかねます。予めご了承ください。

カバー・本文デザイン……長 健司(kinds art associates)
編集協力……杉山 梢
印刷……図書印刷株式会社

はじめに

本書は、ダッソー・システムズの汎用CAD「DraftSight」の解説書です。DraftSightの最大の特徴は、CADの世界で広く使われているDWGファイルとDXFファイルの読み込み／書き出しに対応していることです。Draftsightの製品ラインアップには、基本的な2D図面ツールを搭載した初心者向けの「Standard版」、製造系のシンボルライブラリやカスタマイズ機能を備える「Profesional版」、さらに3Dモデリングに対応した「Premium版」が用意されています。

本書は、DraftSightでの作図に必要不可欠なツールを効率よく最短で習得することを目的として、7日間に区切った構成にしています。途中で挫折しないように1日の分量はさほど多くありません。また、CAD初心者にも手順を確実に実行していけるように、ひと手順ずつ丁寧に解説しています。

1日目では、DraftSightの起動や終了、マウスでの画面の操作、コマンドの実行方法などを解説しています。

2日目では、線や円などの基本図形の描き方から、図面の一部を隠す、雲マークを付けるといった、プレゼンテーション資料の作成に利用できる機能までを解説しています。

3日目では、文字と寸法と表の作成について解説しています。DraftSightには「スタイル」という、文字や寸法値の属性を設定して保存する機能があります。これにより、さまざまな図面で同じ設定を活用でき、図面の統一性を保つことができます。

4日目では、図形を移動する、コピーするといった、作図編集に関わるコマンドを解説しています。

5日目では、座標系の操作や重なり順を変更するなど、少し応用的な操作、知っておくと便利な機能を解説しています。また、テンプレートの作成手順を解説しています。

6日目では、印刷について解説しています。「印刷スタイル」「印刷コンフィギュレーション」などのDraftSight独自の設定項目があり、慣れるまでは少し複雑に感じるかもしれませんが、一度理解すれば効率的に印刷できるようになります。

7日目では、総仕上げとして、テーブルの三面図を作図する手順を解説しています。実際の業務では、効率よく入力する、なるべくきれいな図面に仕上げるといったことがとても重要です。そのため、コピー機能を活用したり、寸法の位置を揃えるなど、実際の業務に即した手順にしています。

最近の建築設計業界では3次元で設計するBIM(Building Information Modeling)ソフトが少しずつ普及してきました。BIMなどの3次元設計が普及してきたとはいえ、まだまだ2次元CADの活躍の場がなくなることはないでしょう。また、図面の一部分だけを修正したいときや、手早く図面を作りたいときなどはCADのほうが効率的です。今後もまだまだDraftSightが活躍する場は多くあると思います。

本書がDraftSightをはじめる方にとって、少しでもお役に立てばうれしいです。

阿部秀之

CONTENTS

Day 2

Day 5

Day 6

Day 7

本書の読み方

本書について

本書では、「DraftSight 2020 x64 SP0 Professional版」を使って図面を作成する、実践的な操作方法について解説しています。そのため、WindowsまたはmacOSパソコンの基礎知識および基本操作をマスターされている人を対象としています。

本書におけるDrafiSightのバージョンとOS

本書は「DraftSight 2020 x64 SP0 Professional版」の使用に即した内容になっています。最新バージョンとは一部表示が異なる点があることをご了承願います。また、macOS版をご利用の場合、ほぼ同様に操作できますが、マウスボタンやショートカットキーなどについては適宜読み替える必要があります。

たとえばキー操作の場合、

- WindowsのShiftキーは、macOSではShiftキー
- WindowsのCtrlキーは、macOSではcommandキー
- WindowsのAltキーは、macOSではoptionキー
- WindowsのEnterキーは、macOSではreturnキー

に置き換えられます。

【ご注意ください】

本書は、2020年6月現在リリースされている「DraftSight 2020 x64 SP0 Professional版」に即した内容となっています。また、「DraftSight 2020 x64 SP0 Professional版」は本書には付属していません、11〜15ページで解説または紹介しているWebサイトよりダウンロードし、インストールしてください。

本書の構成について

本書では、実際に操作を行いながら順番に学習することを想定しています。

ページ構成

本書は、１日目から７日目までの７章構成で解説しています。１日目から７日目まで順番にお読みいただき、作図練習を進めてください。

ファイルマーク

本文にファイルマークがついている場合、P.016に記載された方法で教材データをダウンロードし、その項目に対応するファイルを解説と合わせて利用してください。

「図面」−「1st_day」−「01-06.dwg」

HINT

操作を進めていく上での注意点や操作のコツ、応用テクニックなどは随時、HINTとして紹介しています。

HINT **画層「Defpoints」について**

「Defpoints」は、寸法を作成すると生成される画層で、印刷されない特別な画層。寸法エンティティの基点に使用されている。

本文中の表記について

本書においては、次のとおりに表記します。

画面に表示されるコマンドやダイアログ

DraftSightの画面に表示される、コマンドやダイアログ、ボタンなどの名称は、[ ]で括って表記します。また、メニューが階層になっている場合は、「－」でつないで表記します。

例1：[線]コマンド、[印刷]ダイアログ、[プロパティ]パレット、[OK]ボタン
例2：[ホーム]タブ－[作成]パネル－[線]をクリックする。

キー操作

任意の数字や文字をキーボードから入力する場合は、「 」で括って太字で表記します。また、キーボードのキーについては白の囲み文字で表記します。2つのキーを組み合わせて押す場合は、「＋」でつないで表記します。

例1：キーボードから「**600**」と入力して Enter キーを押す。
例2：Alt ＋ A キー

推定点

推定点(66ページ 2-3-4「既存の点を正確に指定して図形を描く」参照)については黒の囲み文字で表記します。

例：終点 と表示される位置をクリックする。

マウス操作

マウス操作について解説する際の用語と意味は下記のとおりです。

クリック：マウスの左ボタンを1度押し、すぐ放す動作
ダブルクリック：クリック操作を2回行う動作
右クリック：マウスの右ボタンを1度押し、すぐ放す操作
移動：ボタンに触れずにマウスを動かし、画面上のカーソルなどを移動させる動作
ドラッグ：マウスの左ボタンを押したままマウスを動かし、左ボタンを放す動作

DraftSightについて

DraftSightはダッソー・システムズが提供する汎用CADソフトで、製造業から建築業まで幅広い分野で活用されています。4種類の製品ラインアップから設計方法や目的に応じて選択できます。本書では、「DraftSight Professional」を使用して解説します。

DraftSightの製品ラインアップ

2020年6月時点では、基本的な2D図面ツールを搭載した初心者、学生向けの「DraftSight Standard」、2D図面作成の作業時間を短縮できる機能とAPIを備えたプロ向けの「DraftSight Professional」、3Dモデリングにも対応している「DrafiSight Premium」、すべての機能を搭載した企業向けの「DraftSight Enterprise」の4種類が用意されています。主な機能の違いは次の表のとおりですが、最新情報や詳細についてはDraftSightのWebサイト(https://www.3ds.com/ja/products-services/draftsight-cad-software/)をご参照ください。

	Standard	Professional	Premium	Enterprise
価格(／年、税別)	¥10,900	¥21,900	¥54,900	※
2次元設計ツール	○	○	○	○
2Dドキュメント作成ツール	○	○	○	○
PDFアンダーレイ	○	○	○	○
Toolbox		○	○	○
バッチ印刷		○	○	○
図面比較ツール		○	○	○
パワートリム		○	○	○
DGNインポート		○	○	○
DraftSight API		○	○	○
テーブルセルで数式を使用		○	○	○
3次元モデリングツール			○	○
2D拘束			○	○

※Enterprise版の価格については、ダッソー・システムズのWebサイトから要問合せ

OS別動作環境

DraftSightには、Windows版とmacOS版が用意されており、動作環境は次の表のとおりです。

	Windows版	macOS版
OS	32bit版:Windows 7 SP1 64bit版:Windows 7 SP1、Windows 8.1、Windows 10	macOS 10.13/10.14/10.15
メモリ	2GB以上	2GB以上
CPU	Intel Core 2 Duo またはAMD Athlon X2 DualCore processor	Mac with Intel Core 2 Duo processor以上
HDD	500MB以上の空きスペース	500MB以上の空きスペース
その他	インターネット接続環境、Microsoft EdgeなどのWebブラウザソフト、メールアドレス	インターネット接続環境、SafariなどのWebブラウザソフト、メールアドレス

DraftSightのダウンロードと インストール

DraftSightのWebサイトには、「DraftSight Premium」を30日間利用できる無償体験版が用意されています。無償体験版は30日を過ぎると使用できなくなり、継続利用する場合はライセンスを購入してアクティブ化する必要があります。ここでは、OSはWindows 10、WebブラウザはMicrosoft Edgeを使用した場合のダウンロードおよびインストール手順を紹介します。

【ご注意ください】

ここで掲載している情報は2020年6月時点のものです。それ以降、Webサイトの画面およびダウンロードやインストール、アクティブ化の手順が予告なく変更される場合があります。また、著作権者、当社では、ダウンロードとインストール、ライセンスの購入、アクティブ化に関するご質問については一切受け付けておりませんのであらかじめご了承ください。ご自身の責任においてインストール、アクティブ化を行ってください。

無償体験版のダウンロード

ダッソー・システムズのWebサイトにあるDraftSightの製品ページから、DraftSightのインストールファイルをダウンロードします。

❶ Microsoft EdgeなどのWebブラウザソフトを起動し、ダッソー・システムズのWebサイトにあるDraftSightの製品ページ(https://www.3ds.com/ja/products-services/draftsight-cad-software/)に接続する。ページが表示されたら、[DRAFTSIGHT]メニューをクリックし、表示されるリストから[DraftSight無償体験版]をクリックする。

❷ DraftSight無償体験版のページに移動する。下部にあるダウンロードボタンから、使用しているOSに対応したバージョンのダウンロードボタン(ここでは、[ダウンロード WINDOWS用(64-BIT)])をクリックする。

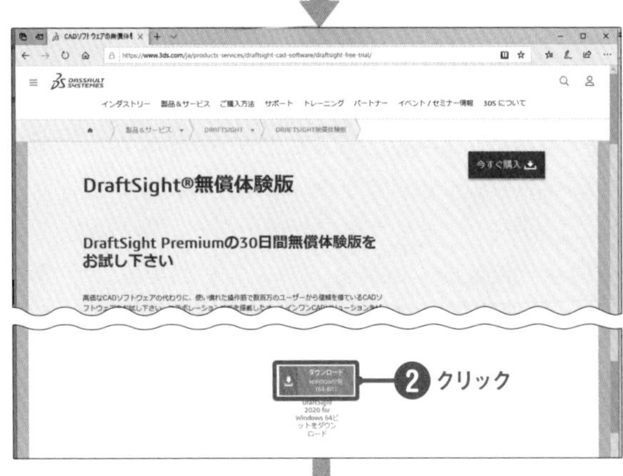

❸ [DraftSightライセンスとサブスクリプション・サービス契約]に関するダイアログが表示されるので、内容を確認し、同意してダウンロードする場合は[OK]ボタン、同意せずダウンロードも行わない場合は[Cancel]ボタンをクリックする。

❹ WebブラウザにMicrosoft Edgeを使用している場合は、ブラウザウィンドウ最下部に警告が表示される。DraftSightのインストールファイルをダウンロードして保存する場合は[保存]ボタン、ダウンロードしない場合は[キャンセル]ボタンをクリックする。

❺ ダウンロードが完了すると、指定のフォルダ(ここでは、「ダウンロード」フォルダ)にDraftSightのインストールファイル「DraftSight64.exe」が保存される。

HINT ダウンロードしたファイルが保存される場所(Microsoft Edgeの場合)

DraftSightのインストールファイルは、OSがWindows 10の場合、Microsoft Edgeの標準設定では、「ダウンロード」フォルダ(C:¥Users¥(ユーザー名)¥Downloads)にダウンロードされる。ダウンロード先のフォルダはMicrosoft Edgeの[設定など]−[設定]−[全般]−[ダウンロード]で確認できる。変更する場合は、[変更]ボタンをクリックし、表示される[フォルダーの選択]ダイアログで変更先の場所を指定する。

DraftSight(無償体験版)のインストール

ダウンロードしたDraftSightのインストールファイルを実行してDraftSightをインストールします。

❶ダウンロードしたDraftSightのインストールファイル「DraftSight64.exe」を右クリックする。

❷表示されるコンテキストメニューから[管理者として実行]をクリックして選択する。セキュリティの設定によっては[ユーザーアカウント制御]ダイアログが表示されるので、[はい]ボタンをクリックして作業を進める。

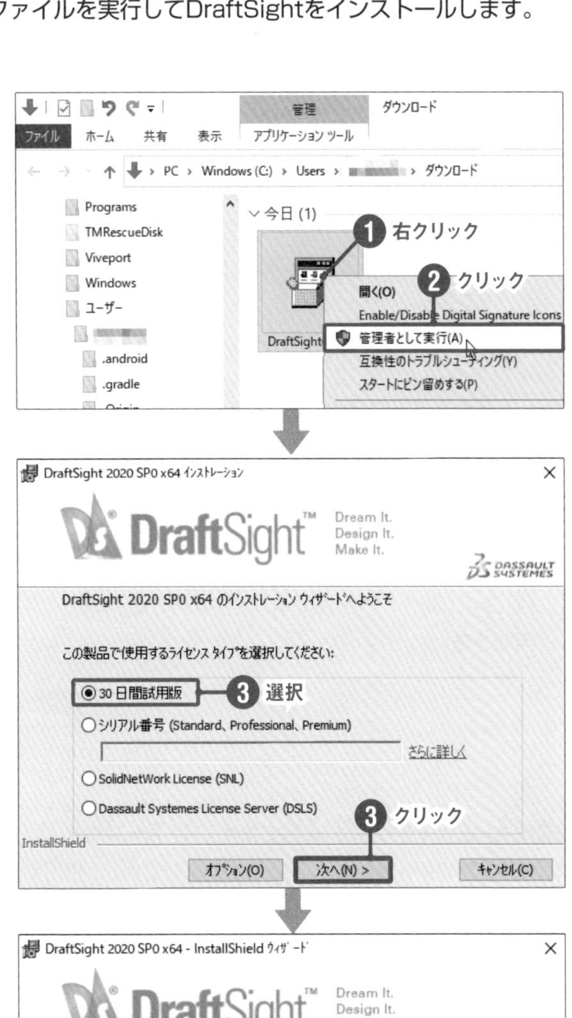

❸インストールの準備が開始され、[DraftSight 2020 SP0 x64 インストレーション]ダイアログが表示される。[この製品で使用するライセンスタイプを選択してください:]の[30日間試用版]を選択し、[次へ]ボタンをクリックする。

HINT DraftSightのインストール

使用しているパソコンのハードウェア、ソフトウェア環境によっては、動作条件を満たしていても動作しない、またはインストールできない場合がある。

※インストールできないなどの問題については、お問い合わせやご質問を一切受け付けておりません。あらかじめご了承ください。

❹[使用許諾契約]が表示される。内容を確認し、同意する場合は[使用許諾契約の条項に同意します]を選択して[インストール]ボタンをクリックする。
同意しない場合は[使用許諾契約の条項に同意しません]を選択するか、[キャンセル]ボタンをクリックしてインストールを中止する。

❺インストールが完了すると、メッセージが表示されるので[完了]ボタンをクリックする。

❻DraftSightが起動する。試用期間中は起動時に図のようなメッセージが表示されるので、[試用を続行]をクリックする。30日間は「DraftSight Premiun」と同じ機能を利用できる。

試用期間が終了した場合(ライセンスの購入)

30日間の試用期間が終了すると、DraftSightを利用できなくなります。ライセンスを購入してアクティブ化すれば、購入したDraftSightの機能を利用できます。

❶30日間が経過すると「Your trial has expired.」というメッセージが表示されて使用できなくなるので、[今すぐ購入]をクリックする。

❷DraftSightの購入サイトが表示されるので、種類を選択して購入手続きを行う。購入手続きが完了すると、登録したメールアドレス宛にシリアル番号を記載したメールが届く。

❸ DraftSightに戻り、[アクティブ化]ボタンをクリックする。

❹ [SOLIDWORKS製品のアクティベーション]ダイアログが表示されるので、❷で入手したシリアル番号を入力して[次へ]ボタンをクリックする。

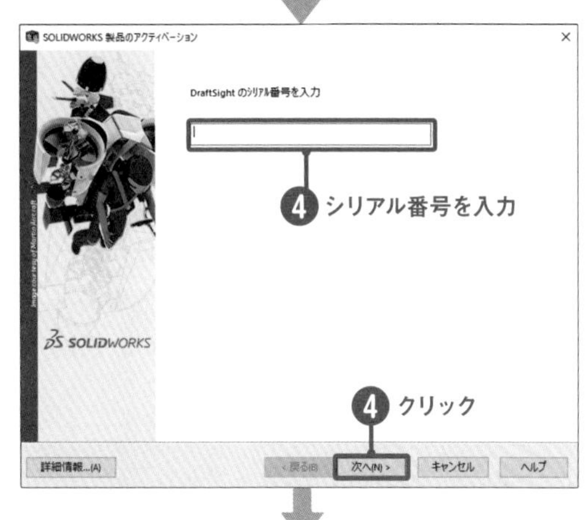

❺ アクティブ化の方法を選択できるので、[インターネットを自動的に使用]または[電子メールをマニュアルで送信]のいずれかを選択して[次へ]ボタンをクリックする。

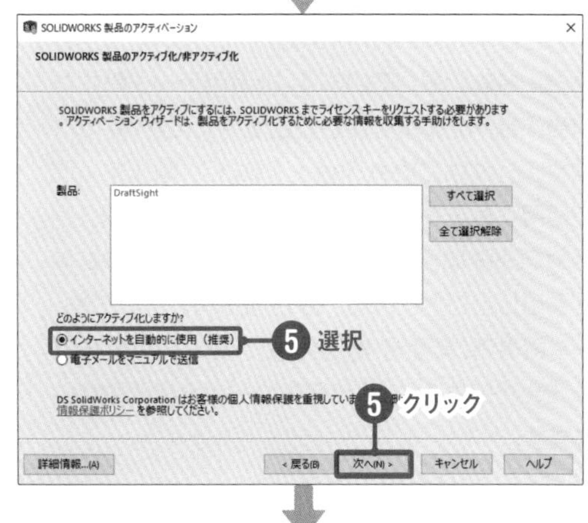

❻ [アクティベーションに成功しました]というメッセージが表示されるので、[完了]ボタンをクリックする。これで、購入したDraftSight(ここでは「DraftSight Standard」)を使用できるようになる。

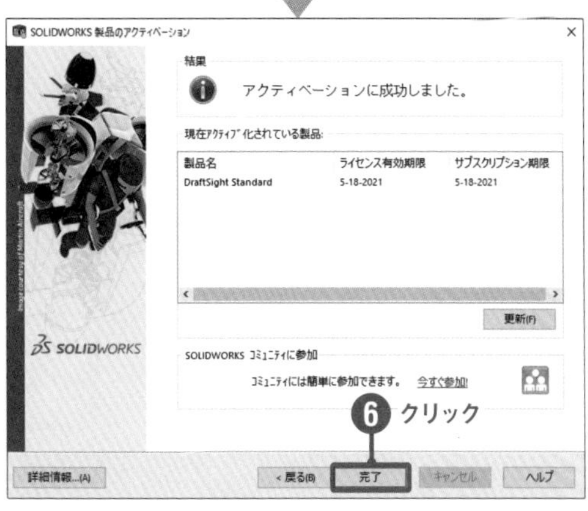

教材データの
ダウンロードについて

本書を使用するにあたって、解説で使用する練習用データをインターネットからダウンロードする必要があります。

教材データのダウンロード方法

●Webブラウザ（Microsoft Edge、Google Chrome、FireFox）を起動し、下記のURLのWebページにアクセスしてください。

http://xknowledge-books.jp/support/9784767828077/

●図のような本書の「サポート＆ダウンロード」ページが表示されたら、記載されている注意事項を必ずお読みになり、ご了承いただいたうえで、練習用データをダウンロードしてください。

●教材データはZIP形式で圧縮されています。ダウンロード後は解凍（展開）して、デスクトップなどわかりやすい場所に移動してご使用ください。

●本書各記事内には、使用するデータのフォルダとファイル名を記載しています。練習用データの中から該当するファイルを探してご使用ください。

●教材データは、DraftSight 2020が動作する環境で使用できます。

●教材データに含まれるファイルやプログラムなどを利用したことによるいかなる損害に対しても、データ提供者（開発元・販売元等）、著作権者、ならびに株式会社エクスナレッジでは、一切の責任を負いかねます。

●動作条件を満たしていても、ご使用のコンピュータの環境によっては動作しない場合や、インストールできない場合があります。予めご了承ください。

教材データのフォルダ構成

ダウンロードした圧縮ファイル（「7days_draftsight2020.zip」）を解凍した後のフォルダ構成は以下のようになっています。

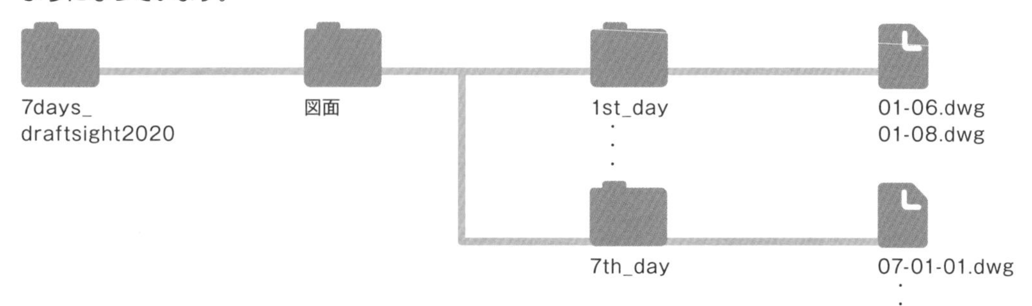

本書を使用するための準備

本書では、紙面での見やすさを考慮し、DraftSightのグラフィックス領域の背景色を初期設定の黒から白にするなど、表示の設定を変更しています。また、本書ではProfessional版を使用して解説しますが、ほかの製品でも同様に操作できるような設定にしています。ここでは、本書と同じ表示設定に変更する方法を解説します。

❶ DraftSightには画面表示や各種環境設定をカスタマイズし、保存できる「プロファイル」という機能がある。そのプロファイル機能を利用してグラフィックス領域の環境を設定する。まずは、今の設定を保存するプロファイルを作成する。
[管理]タブー[カスタマイズ]パネルー[オプション]をクリックする。

❷ [オプション]ダイアログが表示されるので、左側の項目にある[プロファイル]をクリックする。
❸ 右側にある[追加]ボタンをクリックする。

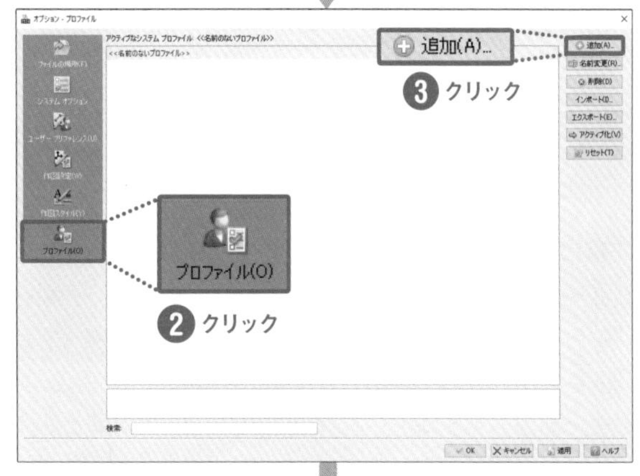

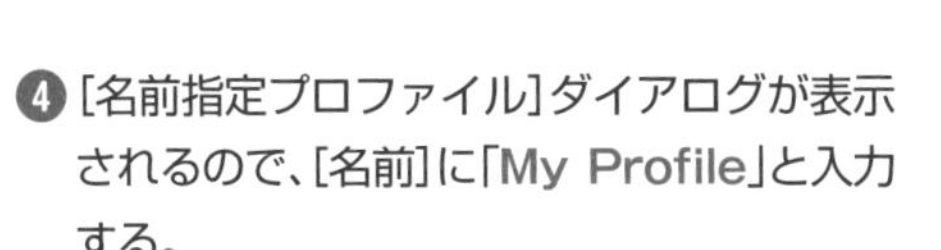

❹ [名前指定プロファイル]ダイアログが表示されるので、[名前]に「My Profile」と入力する。
❺ [OK]ボタンをクリックする。

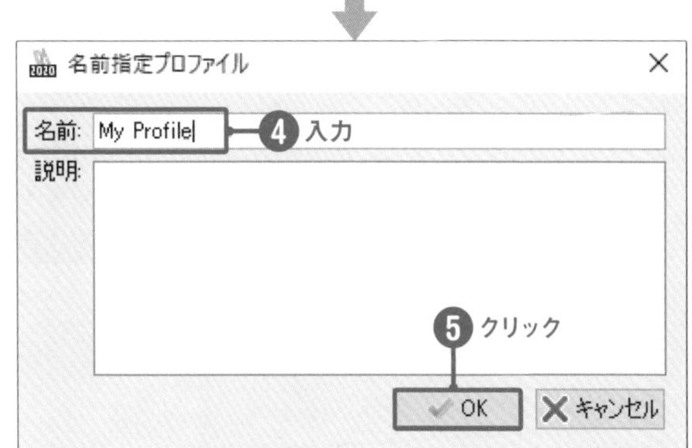

❻ [オプション]ダイアログに戻り、新しく「My Profile」が作成されていることが確認できる。「My Profile」をクリックして選択状態にする。

❼ [アクティブ化]ボタンをクリックする。これで今後の画面表示の変更は、プロファイル「My Profile」に自動保存される。

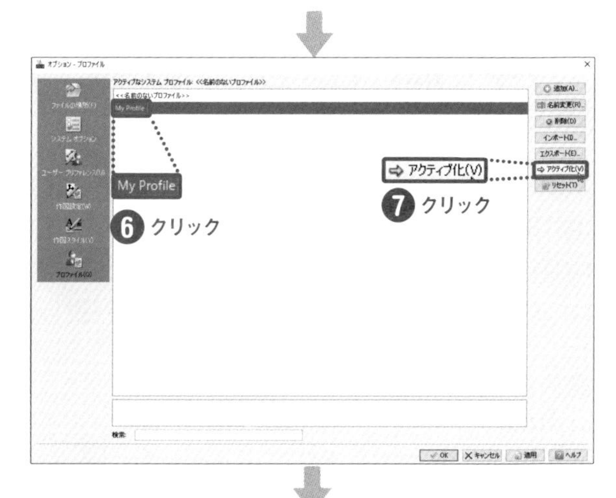

❽ エンティティ選択ハイライトの設定を行う。[オプション]ダイアログの左側の項目にある[システム オプション]をクリックする。

❾ [表示]の[+]マークをクリックする。

❿ [要素の色]の[+]マークをクリックする。

⓫ [ダッシュ付きエンティティ選択ハイライト表示を使用]にチェックを入れる。

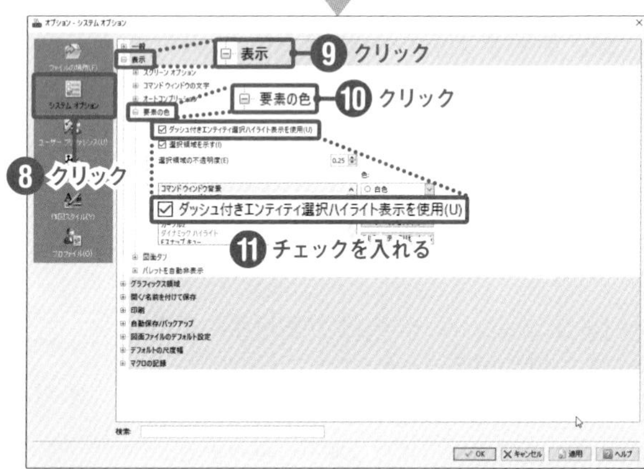

HINT エンティティ選択ハイライト設定について

エンティティを選択する際、カーソルをエンティティに合わせると「プレビューハイライト」となり、クリックや窓選択、交差選択(42ページ 1-6「エンティティの選択」参照)などによってエンティティを選択すると「選択ハイライト」となる。

プレビューハイライトと選択ハイライトは、破線で表示するか色で表示するかを選択できる。[オプション]ダイアログの[システムオプション]ー[表示]ー[要素の色]ー[ダッシュ付きエンティティ選択ハイライト表示を使用]にチェックを入れると破線、チェックを外すと色で表示される。本書では⓫で破線で表示するように設定している。

破線で表示する場合

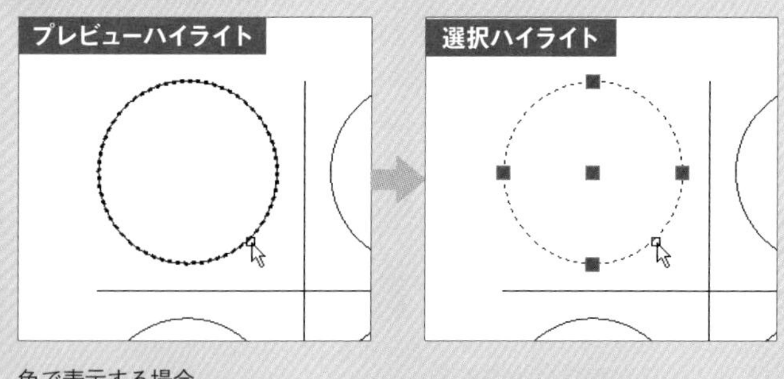

色で表示する場合

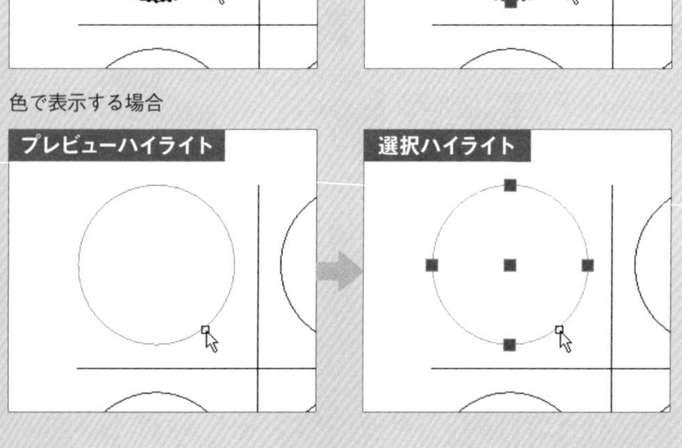

⓬背景色を黒色から白色に変更する。[要素の色]のリストから[モデルの背景]をクリックして選択状態にする。

⓭[色]のプルダウンリストから[白色]を選択する。

⓮[適用]ボタンをクリックすると、グラフィックス領域の色が黒色から白色に変更される。

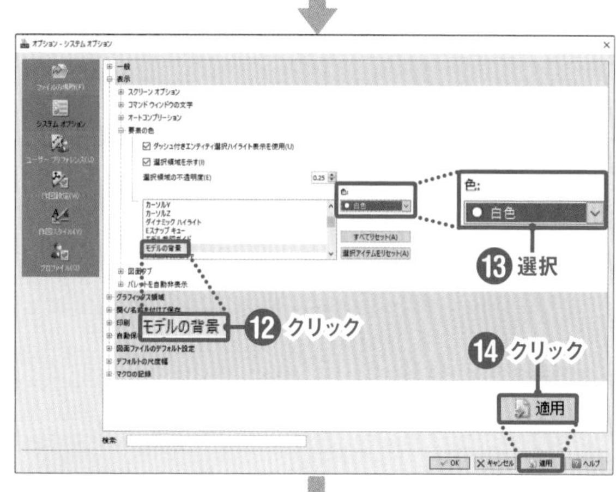

⓯続けて、エンティティスナップのマーカーの色を黄色から紫色に変更する。[オプション]ダイアログの左側の項目にある[ユーザー プリファレンス]をクリックする。

⓰[作図オプション]の[+]マークをクリックする。

⓱[表示]の[+]マークをクリックする。

⓲[ポインタ キュー]の[+]マークをクリックする。

⓳[Eスナップ キューを表示]のプルダウンリストから[紫色]を選択する。

⓴[Eスナップのキューサイズ]のスライダをドラッグして、左から5目盛りの位置にする。

㉑[適用]ボタンをクリックすると、エンティティスナップのマーカーの色が黄色から紫色に変更される。

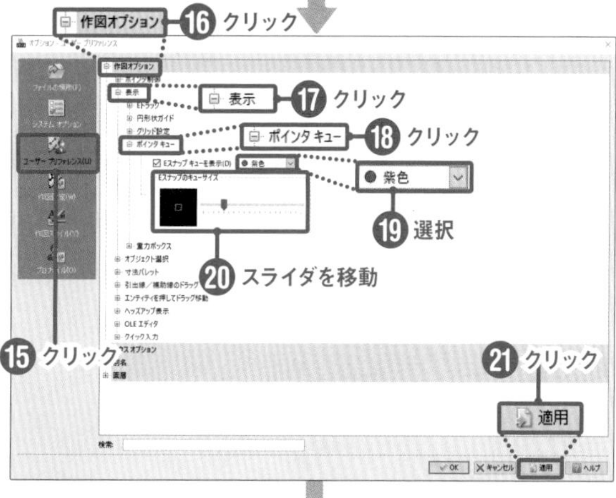

Professional版、Premium版、Enterprise版は、㉒〜㉕の設定を行ってください(Standard版は㉑まで)。

㉒[ヘッズアップ表示]の[+]マークをクリックする。

㉓[ヘッズアップツールバーを有効化]のチェックを外す。

㉔[OK]ボタンをクリックして、[オプション]ダイアログを閉じる。

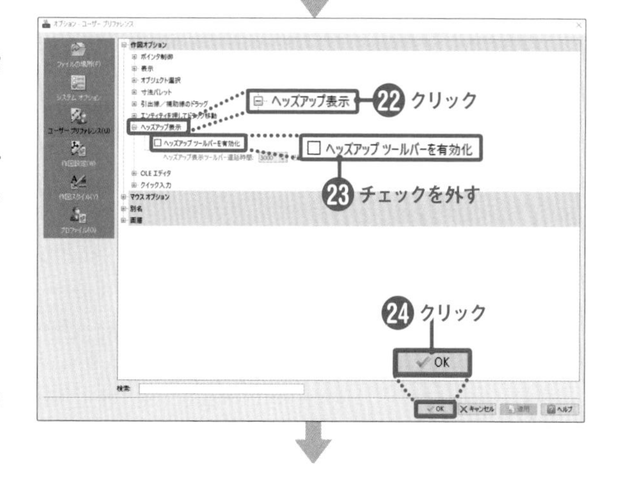

HINT ヘッズアップツールバーについて

エンティティを選択すると、カーソルの近くにヘッズアップツールバーが表示される(Professional版、Premium版、Enterprise版)。選択したエンティティの画層や線種をその場で変更できるので便利だが、本書では非表示に設定する。

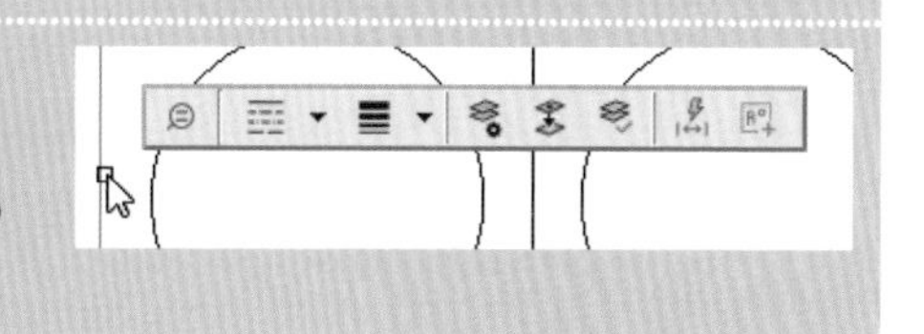

㉕ステータスバーの[QInput]がオン(ボタンが青色)になっている場合は、クリックしてオフ(ボタンが無色)にする。

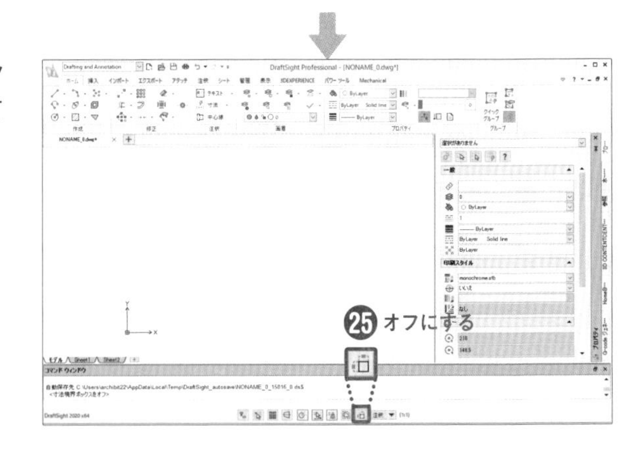

HINT [QInput]をオンにした場合

[QInput]はProfessional版、Premium版、Enterprise版に搭載されている機能。[QInput]をオンにすると、入力したコマンドや数値がカーソルの横に表示される。オフにすると、入力したコマンドや数値はコマンドウィンドウに表示される。本書では、グラフィックス領域が見やすいようにオフに設定する。

[QInput]がオンの場合

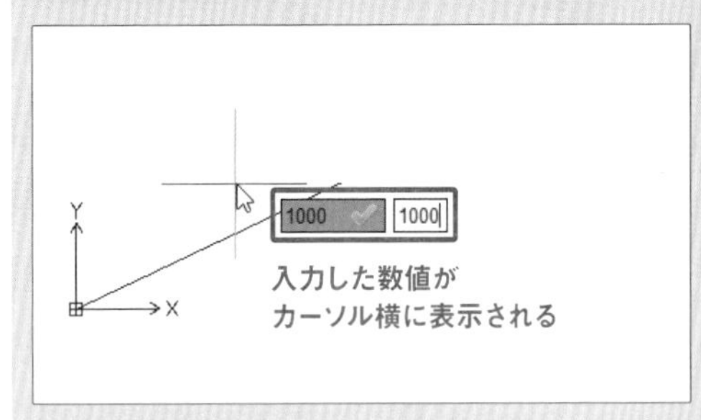

[QInput]がオフの場合

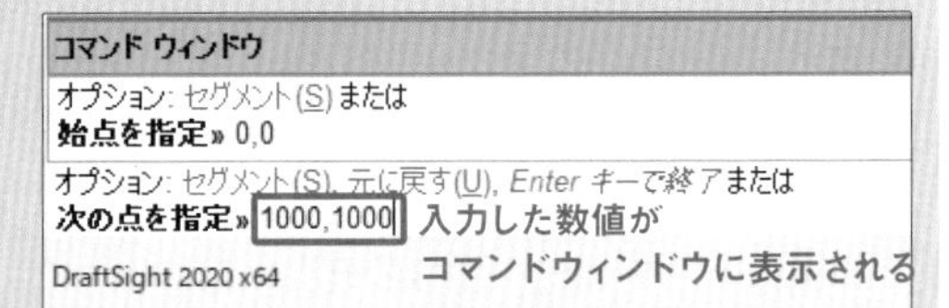

HINT 表示を初期設定状態に戻す

グラフィックス領域の背景色を黒色、エンティティスナップのマーカーの色を黄色に戻す場合は、[オプション]ダイアログ(18ページ❻〜❼)の[プロファイル]項目で、リストから[《名前のないプロファイル》]をクリックして選択状態にしたうえで、[アクティブ化]ボタンをクリックする。続けて[OK]ボタンをクリックすると、元の画面表示の状態に戻る。背景色はプロファイルを変更した直後には更新されないが、[モデル]タブと[Sheet]タブを切り替えて表示すると設定が更新される。

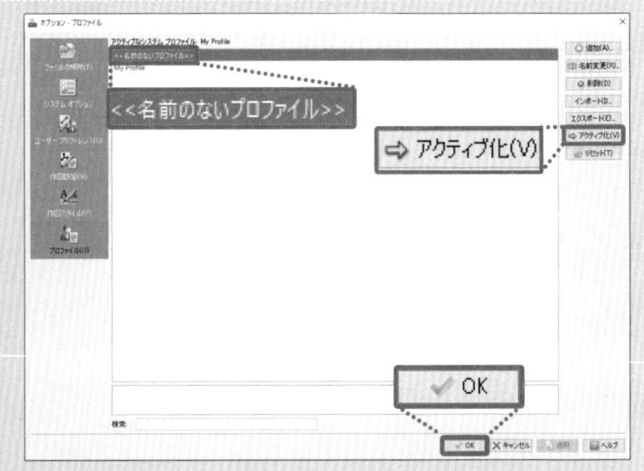

基本操作を
おぼえる

基本操作をおぼえる

1日目は、DraftSightを操作するうえでの基本となる、DraftSightの起動、ファイルの読み込みや保存、画面の各部名称、画面操作やエンティティの選択方法などを練習します。

1-1 ● 起動と終了

- → DraftSightの起動と終了

1-2 ● 画面の各部名称

- → DraftSightの画面構成
- → リボンタブについて
- → ステータスバーについて
- → パレットについて

1-3 ● ファイル操作

- → ファイルを開く
- → ファイルを切り替える
- → ファイルを保存する

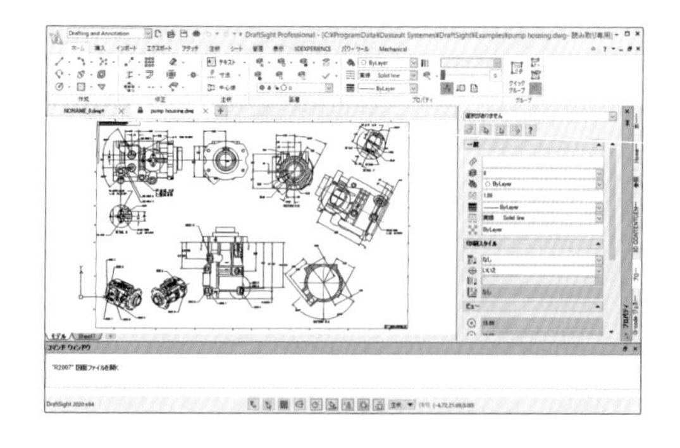

1-4 ● 画面操作

- → マウスによる画面操作
- → コマンドによる画面操作

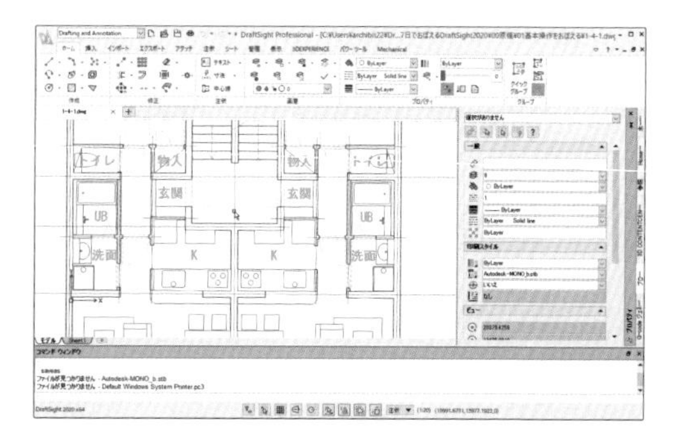

1-5 ● コマンドの実行方法

- コマンドの呼び出し
- コマンドのキャンセル
- 元に戻す／やり直す

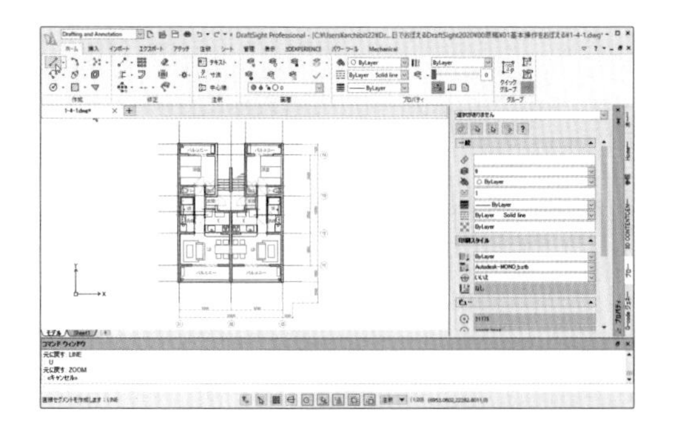

1-6 ● エンティティの選択

- クリックによる選択
- 範囲指定による選択
- 選択オプション

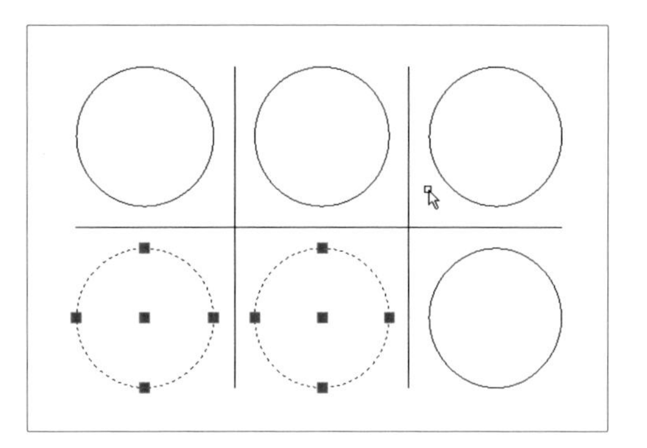

1-7 ● エンティティの削除

- エンティティの削除

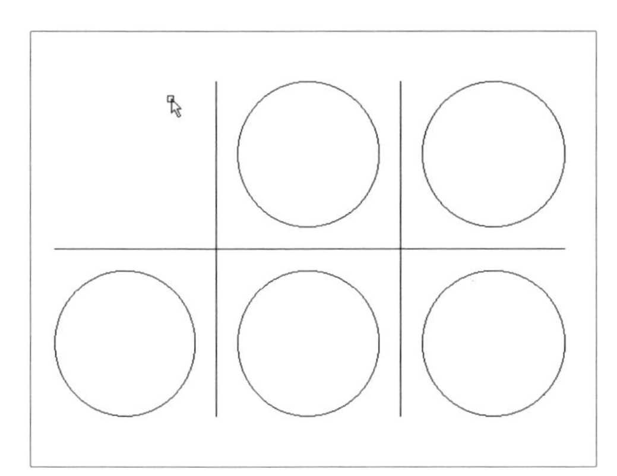

1-8 ● 画層

- 画層とは
- 画層マネージャーの操作
- 画層を作成する

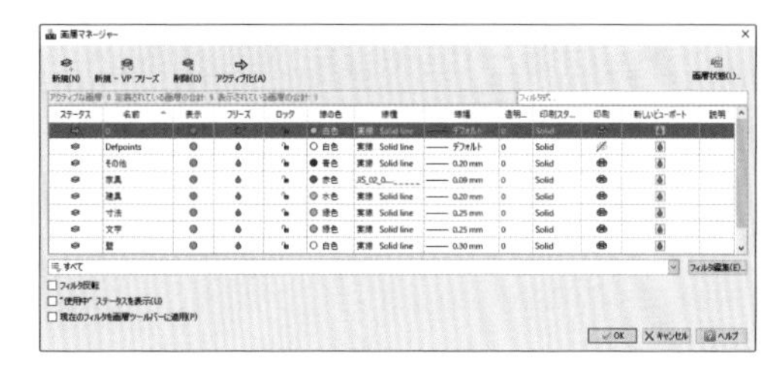

起動と終了

ここでは、DraftSightの起動と終了の方法を解説します。

1-1-1 DraftSightの起動

DraftSightを起動するには、3種類の方法があります。

1 ショートカットアイコンから起動する

❶インストールするとデスクトップに作成されるDraftSightのショートカットアイコンをダブルクリックすると、DraftSightが起動する。

2 スタートボタンから起動する（Windows 10の場合）

❶デスクトップの左下端にあるスタートボタンをクリックする。

❷表示されるメニューの[Dassault Systemes]－[DraftSight 2020 x64]をクリックすると、DraftSightが起動する。

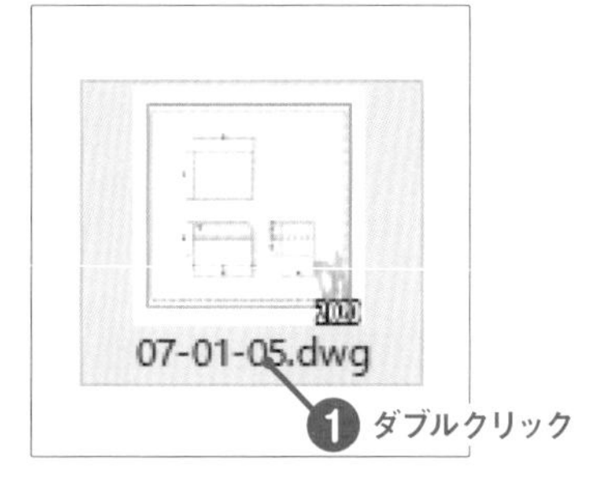

3 ファイルから起動する

❶DWGファイルのサムネイルが表示されているアイコンをダブルクリックすると、DraftSightが起動して図面ファイルが開く。ただし、DWGファイルに関連付けされているソフトウェアがDraftSight以外のCADソフトである場合は、そのソフトが起動するので、あらかじめ次ページのHINTを参照してDraftSightを関連付けしておく必要がある。

HINT DWGファイルにDraftSightを関連付ける

DWGファイルに関連付けされているソフトウェアを確認するには、❶DWGファイルを右クリックして表示されるメニューの[プロパティ]を選択 ❷表示されるファイルのプロパティダイアログで、[全般]タブをクリック ❸[プログラム]項目の関連付けされているソフトウェアを確認し、DraftSight以外になっている場合は[変更]ボタンをクリック ❹表示される[ファイルを開くプログラムの選択]ダイアログでDraftSightを選択し、[OK]ボタンをクリックする。

1-1-2 DraftSightの終了

DraftSightを終了するには、2種類の方法があります。

1 [アプリケーション]ボタンから終了する

❶[アプリケーション]ボタンをクリックする。
❷[終了]をクリックすると、DraftSightが終了する。

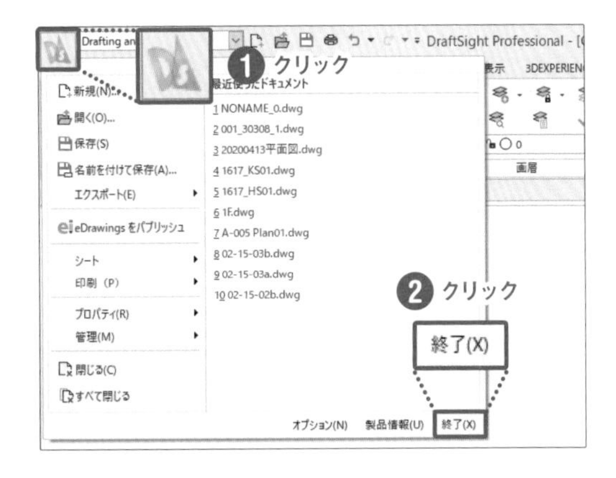

2 [閉じる]ボタンから終了する

❶ウィンドウ右上にある×([閉じる]ボタン)をクリックすると、DraftSightが終了する。

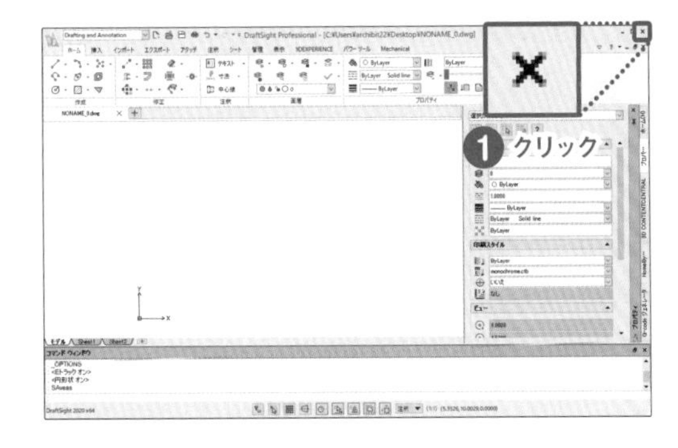

HINT ファイルを保存せずに終了した場合

作成しているファイルが保存されていない場合は、図のようなメッセージが表示される。[はい]ボタンをクリックすると、ファイルを保存して終了する。[いいえ]ボタンをクリックすると、ファイルを保存しないで終了する。[キャンセル]ボタンをクリックすると、DraftSightの終了がキャンセルされる。

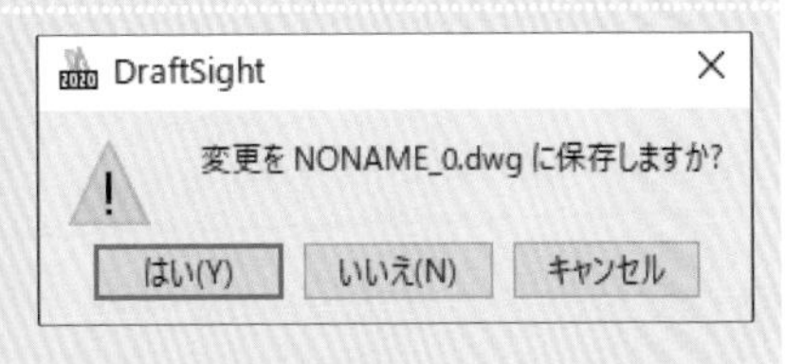

1-2 画面の各部名称

ここでは、DraftSightの画面の構成と各部名称について解説します。

1-2-1 画面の構成と名称

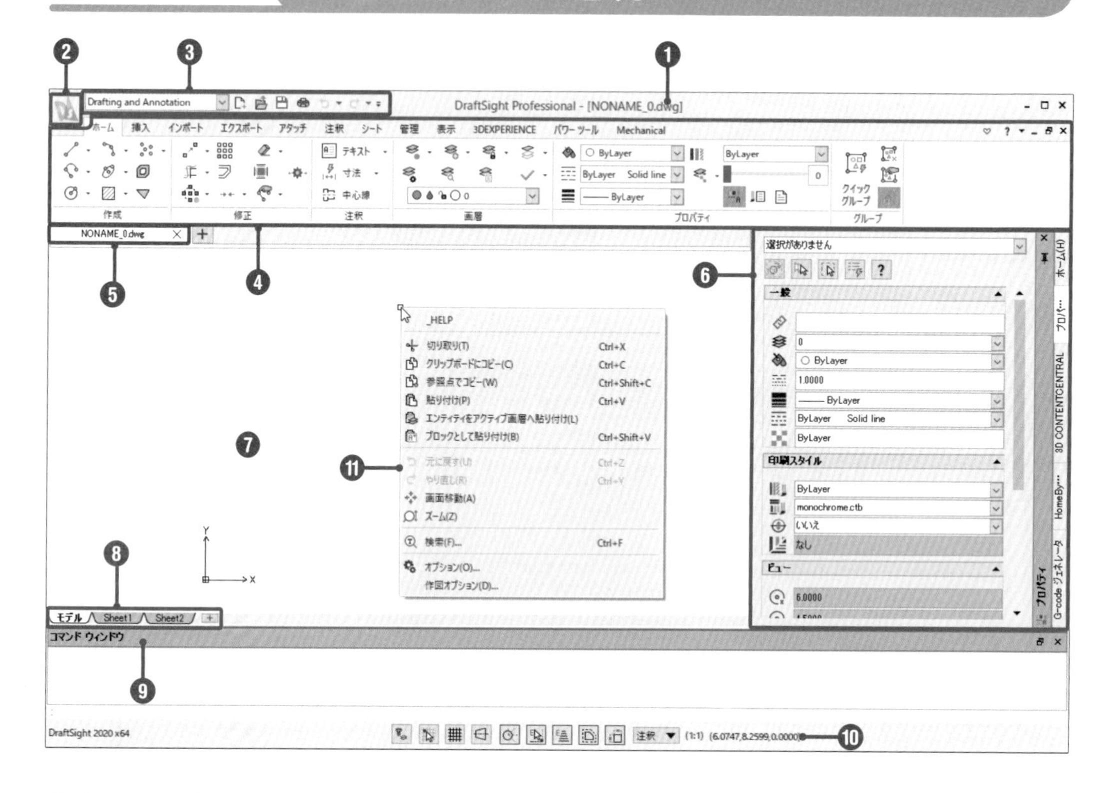

❶ タイトルバー

現在開いているファイルの名前が表示される。ファイルに変更を加えたときには、ファイル名の最後に「*」(アスタリスク)が表示される。

❷ [アプリケーション]ボタン

[開く][名前を付けて保存]などのファイル操作のコマンドのほか、[エクスポート][印刷]などのコマンドが用意されている。

❸ クイックアクセスツールバー

インターフェイスの表示を切り替える[ワークスペース]プルダウンのほか、[開く][保存][印刷]などの使用頻度の高いコマンドが用意されている。右端の[▼]ボタンをクリックし、リストから選択することでコマンドを追加できる。

❹ リボンタブ

目的の操作に素早くアクセスできるように、関連するコマンドがタブごとにまとめられている。[ホーム][挿入][インポート][エクスポート][アタッチ][注釈][シート][管理][表示][3DEXPERIENCE][パワー ツール][Mechanical]の12個※のタブがあり、クリックすることで切り替わる。よく使うタブやコマンドについては、28ページ 1-2-2「リボンタブについて」を参照。

※[Mechanical]タブはStandard版にはない。

❺ [図面] タブ

開いている図面名がタブとして表示される。タブをクリックすると、現在の図面を切り替えられる。タブ上にマウスカーソルを置いて表示される[モデル]タブと[シート]タブのサムネイルをクリックして表示を切り替えることもできる。

❻ パレット

エンティティのプロパティの表示や変更などを行う。[プロパティ]や[参照]などのパレットが用意されており、表示/非表示や内容については、30ページ 1-2-4「パレットについて」を参照。

❼ グラフィックス領域

線や円といった図形をはじめ、文字、寸法などの作図を行う領域。

❽ [モデル] タブと [シート(Sheet)] タブ

グラフィックス領域の[モデル]と[シート(Sheet)]とを、クリックして切り替えるタブ。[モデル]タブで作図を行い、[シート]タブで印刷用にレイアウトして印刷する。

❾ コマンドウィンドウ

コマンドを入力して実行するための画面。コマンドの実行中は、次の操作の指示やメッセージが表示される。F2 キーを押すと新しいウィンドウが開き、コマンド履歴を確認できる。

❿ ステータスバー

ツールチップ、作図オプション、座標表示の3つの部分に分かれている。左側がツールチップで、コマンドボタンにカーソルを合わせると、コマンドの簡単な説明が表示される。中央には、[スナップ] [直交] [エンティティスナップ]など作図オプションのオン/オフを切り替えるボタンが用意されている。右側には、カーソルの座標値が表示される。

⓫ コンテキストメニュー

グラフィックス領域で右クリックすると表示されるメニュー。実行中のコマンドや Shift キーなどの組み合わせで表示内容が変わる。

HINT ツールバーのインターフェイスに切り替える

クイックアクセスツールバーにある[ワークスペース]プルダウンをクリックし、表示されるリストから「Classic」を選択すると、DraftSight 2015以前のツールバーのインターフェイスに切り替わる。リボンインターフェイスに戻すときは、「Drafting and Annotation」を選択する。

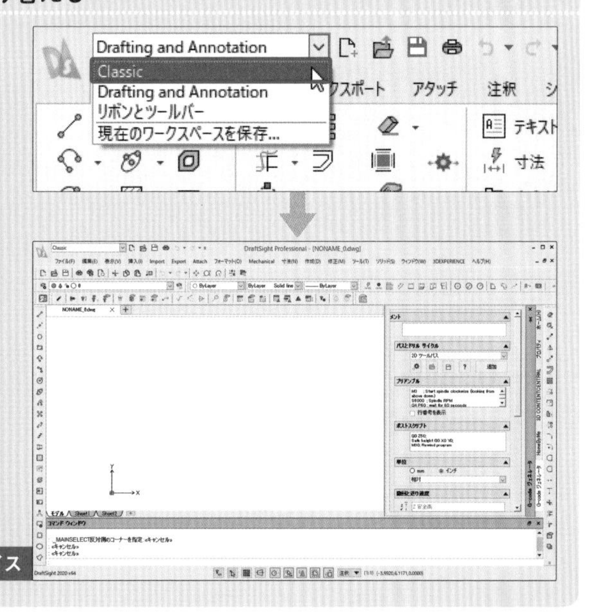

ツールバーのインターフェイス

1-2-2 リボンタブについて

リボンタブにあるコマンドの実行方法と、使用頻度の高いタブやコマンドについて解説します。

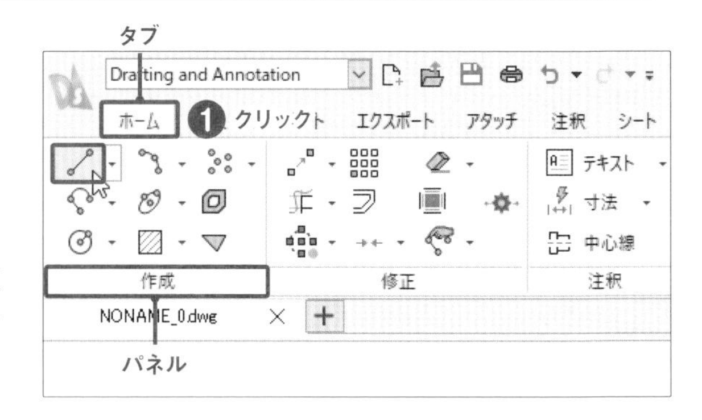

1 コマンドの実行

❶ タブをクリックし、表示されるコマンドパネルのなかから実行したいコマンドボタンをクリックする。
[線分]コマンドを実行する場合、[ホーム]タブ－[作成]パネル－[線分]をクリックする。

❷ コマンドボタン横の[▼]をクリックすると、関連コマンドが表示される。リストからコマンドを選択すると実行できる。

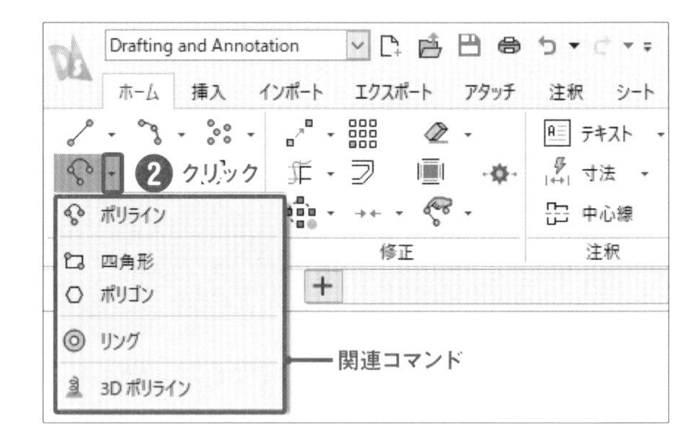

2 使用頻度の高いタブ

[ホーム]タブ

エンティティの作成を行うコマンドを集めた[作成]パネル、エンティティの修正に使用する[修正]パネル、文字や寸法のコマンドが配置されている[注釈]パネル、画層のコントロールを行う[画層]パネルなど、よく使うコマンドが集められている。

[注釈]タブ

文字の記入やスタイルの変更など文字関連のコマンドがある[文字]パネル、寸法の記入やスタイルの変更など寸法関連のコマンドがある[寸法]パネル、表の作成に関するコマンドがある[テーブル]パネル、雲マークの作成やマスクを行う[マークアップ]パネルなどが集められている。

1-2-3 ステータスバーについて

ステータスバーの中央にある作図オプションボタンの内容について解説します。作図の際にボタンをクリックする、またはショートカットキーを押すと、機能のオン／オフを切り替えることができます(63ページ 2-3-1「作図オプションの切り替え」参照)。

1 作図オプションボタンの内容

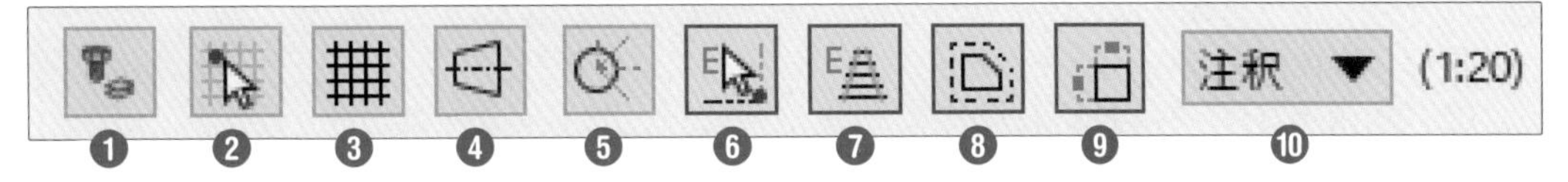

❶**TBLayers**:オンにすると、現在の画層に関係なく、定義済みの画層で作図される。
❷**スナップ**(F9キー):オンにすると、設定した間隔でカーソルが移動する。
❸**グリッド**(F7キー):オンにすると、設定した間隔で点が表示される。
❹**直交**(F8キー):オンにすると、カーソルの移動が垂直／水平方向のみに拘束される。
❺**円形状**(F10キー):オンにすると、設定した角度に傾いたガイド(補助線)が表示される。終点指示のときなどに正確なカーソル指示が行える。
❻**Eスナップ**(F3キー):オンにすると、エンティティ上の終点や中点などを正確に指示できる。
❼**Eトラック**(F11キー):[Eスナップ]ボタンと組み合わせて使用する。オンにすると、Eスナップの点からガイドが表示され、ガイドの交点などを指示できる。
❽**寸法境界ボックス**:オンにすると、寸法境界線ボックスが表示される。
❾**QInput**(F12キー):オンにすると、カーソルの横でコマンドや数値の入力が行える。
❿**注釈**:注釈尺度の設定や注釈尺度寸法の表示設定が行える。
※❶❽❾はProfessional版、Premium版、Enterprise版の機能で、Standard版にはない。

2 作図オプションボタンの詳細設定

作図オプションボタンを右クリックして[設定]を選択すると、作図オプションの詳細設定が行えます。

❶作図オプションボタンを右クリックする。
❷表示されるメニューから[設定]をクリックして選択する。

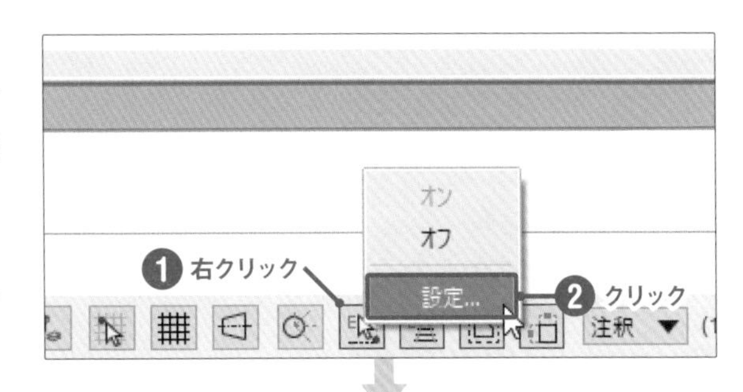

❸[オプション]ダイアログが表示され、作図オプションの詳細な設定を行える。

1-2-4 パレットについて

パレットの表示／非表示方法や種類について解説します。

1 パレットの表示／非表示

❶リボンの何もない位置を右クリックする。

❷コンテキストメニューに[プロパティ][ホーム][参照]などのパレット名が表示される。表示するパレット名をクリックしてチェックを入れる。チェックの入っているパレット名をクリックするとチェックが外れ、非表示になる。

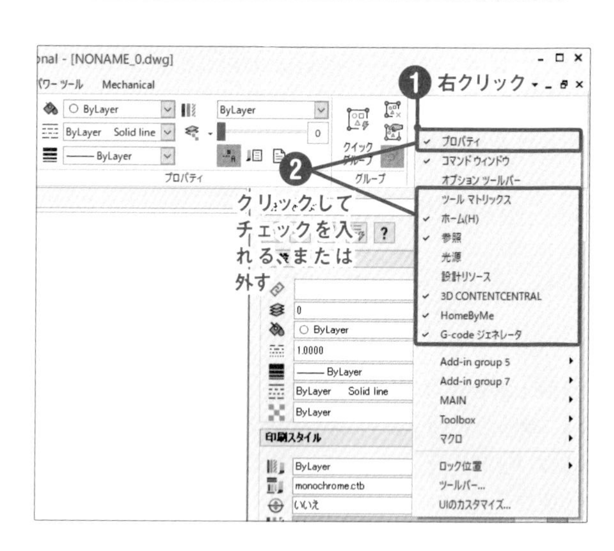

2 パレットの切り替え

❶初期設定では[プロパティ][ホーム][参照][3D CONTENTCENTRAL][HomeByMe]パレットが表示されている※。表示中のパレットを切り替えるには、パレットの横にあるタブをクリックする。

※Professional版、Premium版、Enterprise版の場合。Standard版では[ホーム][プロパティ][参照]のみ。

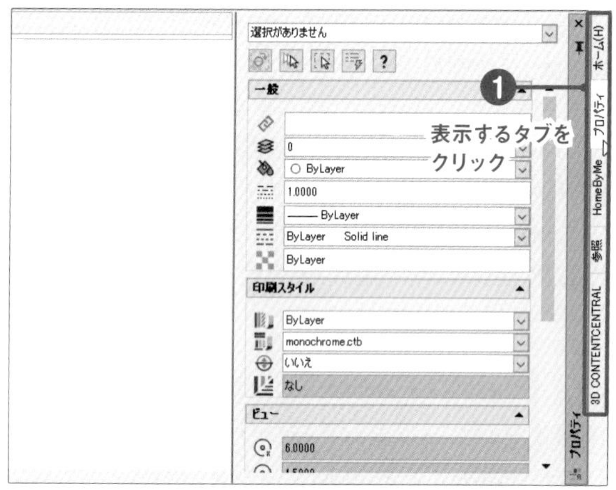

3 パレットの移動

❶パレットの横にあるタイトルバー部分にカーソルを合わせる。

❷マウスの左ボタンを押したままカーソルを移動（ドラッグ）する。

❸パレットを移動する場所でマウスの左ボタンを放す（ドロップ）と、パレットが独立したウィンドウになる。

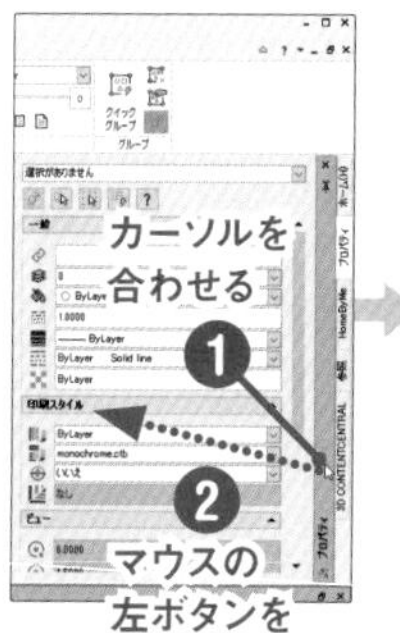

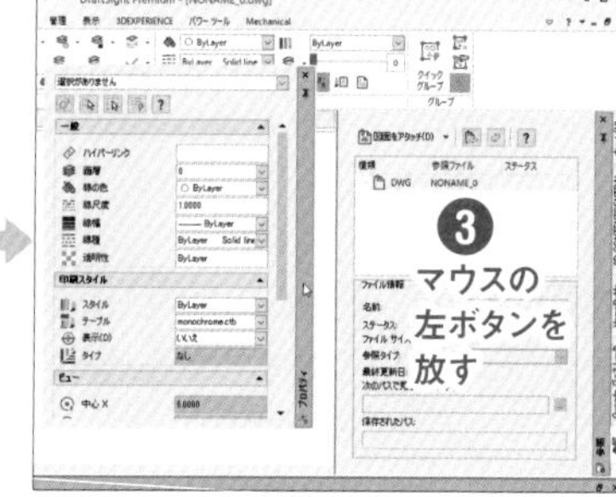

4 パレットの自動非表示

❶パレットの横にあるタイトルバー部分の上部にあるピンのマークをクリックする。

❷ピンのマークが傾き、パレットが自動非表示設定になる。自動非表示設定では、カーソルがグラフィックス領域にあるときはパレット名のバーのみの表示になり、バーの上にカーソルを重ねるとパレットが表示される。

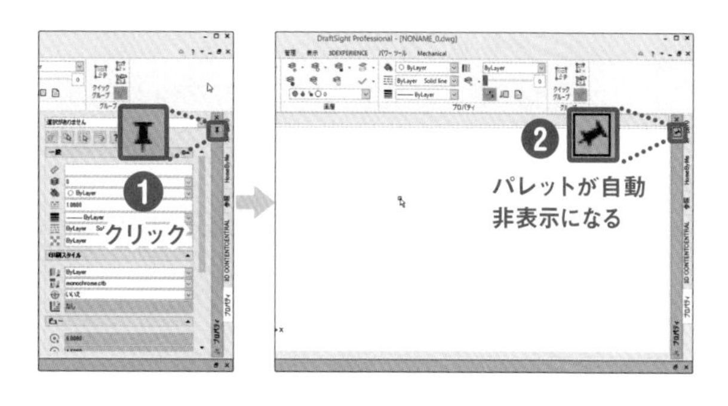

5 パレットのラベル表示

❶パレット上部の何もない位置を右クリックする。

❷[アイコンのみ表示][ラベルのみ表示][アイコンとラベルを表示]のいずれかをクリックして選択すると、パレットのアイコン／ラベル表示を変更できる。

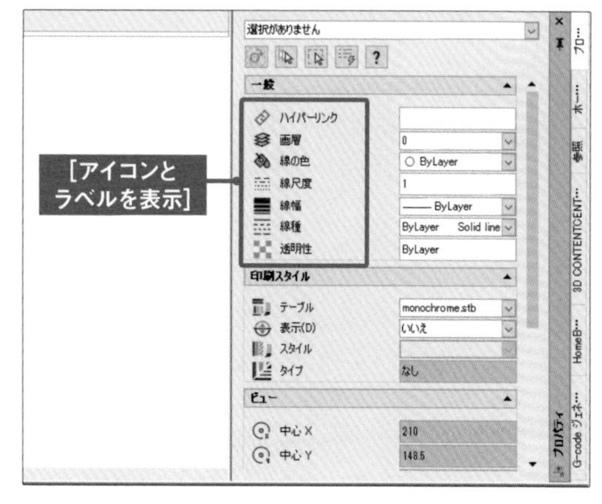

6 パレットの種類

ここでは、使用頻度の高い[ホーム][プロパティ][参照]パレットを紹介する。ほかにも[ツール マトリックス][光源][設計リソース][3D CONTENTCENTRAL][HomeByMe][G-codeジェネレーター]パレットがある。

※[設計リソース]以降の4つのパレットはProfessional版、Premium版、Enterprise版の機能で、Standard版にはない。

[ホーム]パレット

DraftSightの最新情報へのリンクなどが表示される。

[プロパティ]パレット

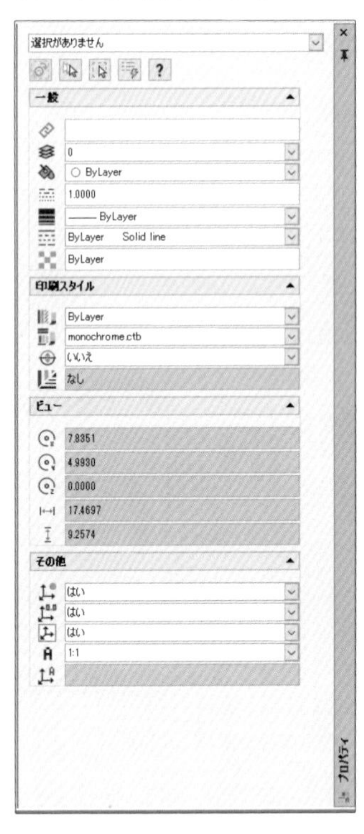

選択しているエンティティのプロパティが表示され、設定の変更が行える。

[参照]パレット

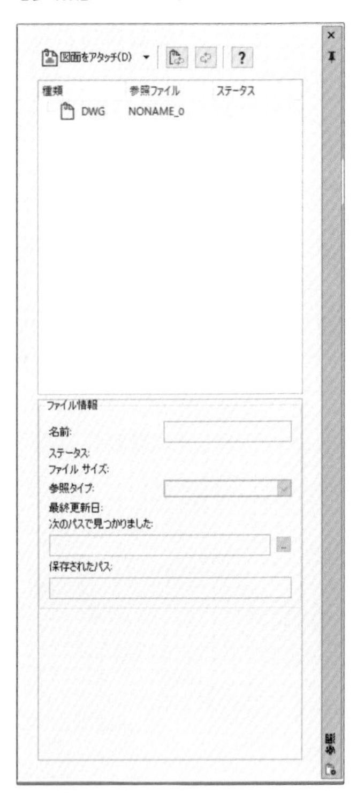

現在のファイルに読み込まれている図面ファイルやイメージファイルのリストと参照先などが表示され、設定の変更が行える。

1-3 ファイル操作

ここでは、ファイルを開く、閉じる、別のファイルに表示を切り替える、ファイルを保存するといったファイル操作について解説します。

1-3-1 既存ファイルを開く

DraftSightを起動すると、新規図面ファイル「NONAME_0.dgw」が開きます。ここでは、起動後に別の作図済みDWGファイルを開く方法を解説します。

❶ [アプリケーション] ボタンの [開く] をクリックする。または、クイックアクセスツールバーの [開く...] アイコンをクリックするか、Ctrl + O キーを押す。

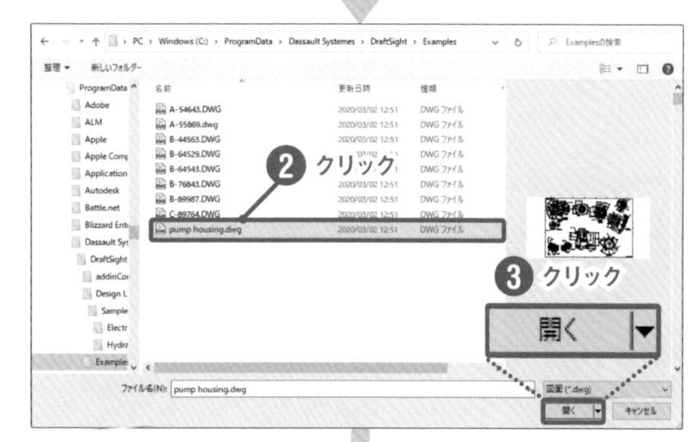

❷ [開く] ダイアログが表示されるので、開くファイルをクリックして選択する。

❸ [開く] ボタンをクリックする。

選択したファイルが開きます。この時点では、「NONAME_0.dgw」も開いた状態になっています。

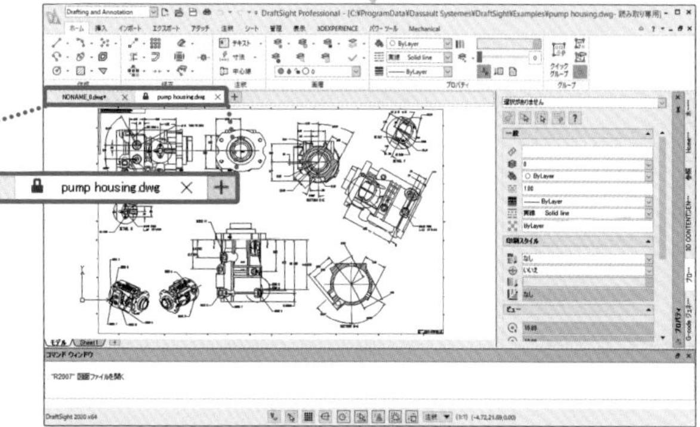

HINT ファイルを閉じる

開いているファイルを閉じるには、[アプリケーション] ボタンの [閉じる] をクリックするか、[図面] タブの ☒ をクリックする。ファイルを保存しないまま閉じようとすると、ファイルを保存せずにDraftSightを終了したときと同じメッセージが表示される(25ページHINT参照)。

1-3-2 開いているファイルを切り替える

DraftSightでは、複数のファイルを同時に開くことができます。ここでは、複数のファイルを開いた後、表示するファイルを切り替える方法を解説します。

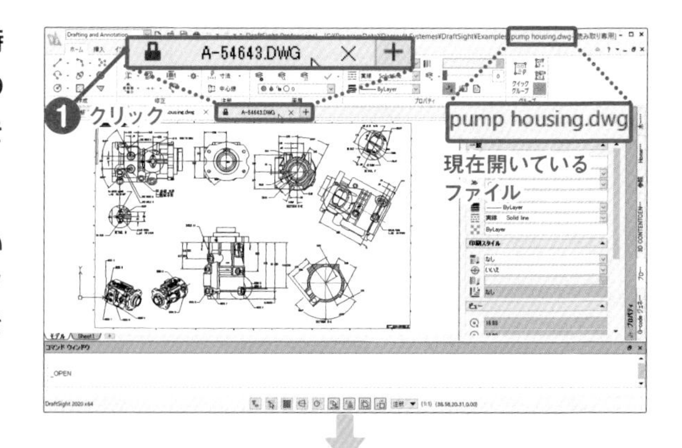

1 [図面]タブにあるタブのうち、表示したい名前(ここでは、「A-54643」)のタブをクリックする。または、Ctrl + Tab キーを押す。

ファイルの表示が切り替わります。

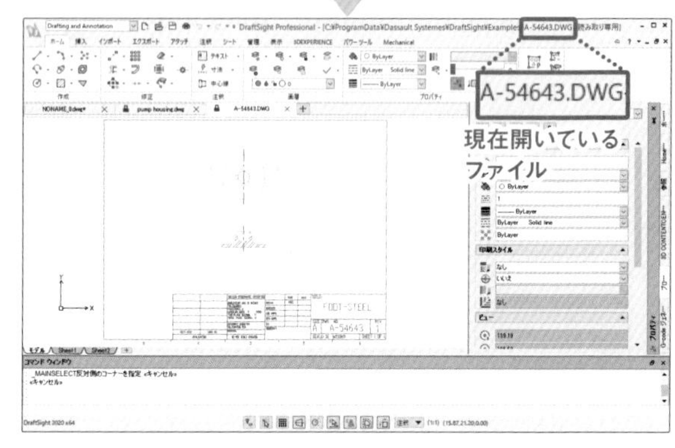

1-3-3 新規ファイルを作成する

DraftSightが起動している状態から、ファイルを新規作成する方法を解説します。

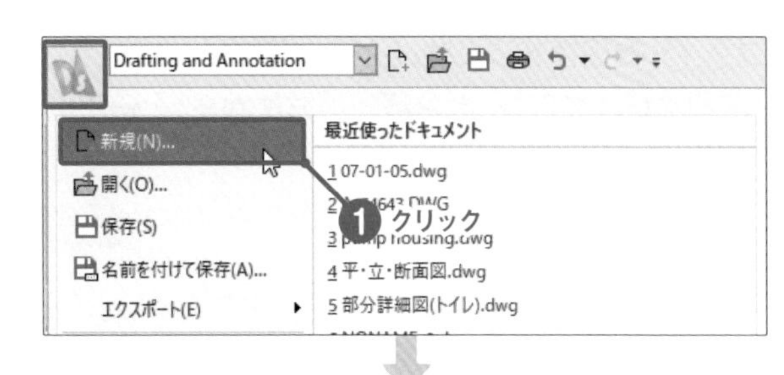

❶ [アプリケーション]ボタンの[新規]をクリックする。または、クイックアクセスツールバーの[新規]アイコンをクリックするか、Ctrl + Nキーを押す。

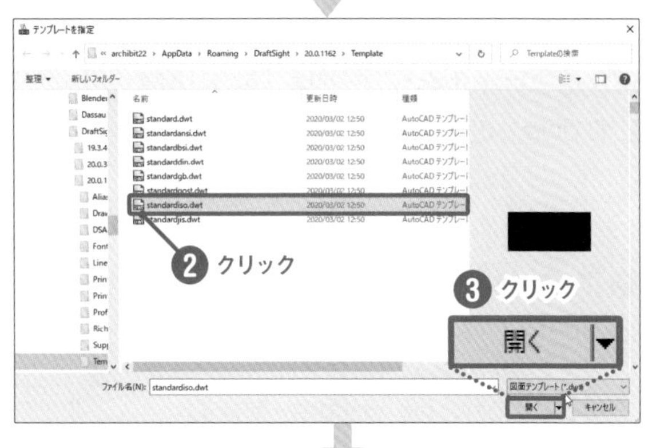

❷ [テンプレートを指定]ダイアログが表示されるので、使用するテンプレートをクリックして選択する。

❸ [開く]ボタンをクリックする。

HINT テンプレートファイルについて

テンプレートファイルは、あらかじめ単位や文字スタイル、寸法スタイルが設定されたファイル。新規ファイルを作成するときに利用すると、さまざまな設定を行う手間が省ける。用意されている「standardiso.dwt」などのテンプレートは最低限の設定がされているシンプルなものである。そのため、プロジェクトや図面の種類によってオリジナルのテンプレートファイルを作成しておけば、設定の手間が省けるとともに、設定が異なってしまうことを防ぐことができる。

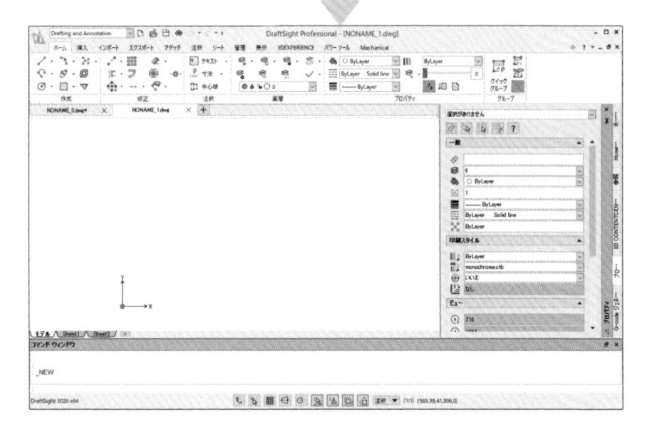

テンプレートを基に新規ファイルが作成される。

HINT テンプレートを利用しない場合

テンプレートを使わないで新規ファイルを作成する場合は、❷でテンプレートファイルを選択せずに、[開く]ボタンの右にある▼をクリックする。表示されるプルダウンメニューの[テンプレートを使用せずに開く - インチ]または[テンプレートを使用せずに開く - メートル]または[以前のバージョンを表示する]をクリックする。

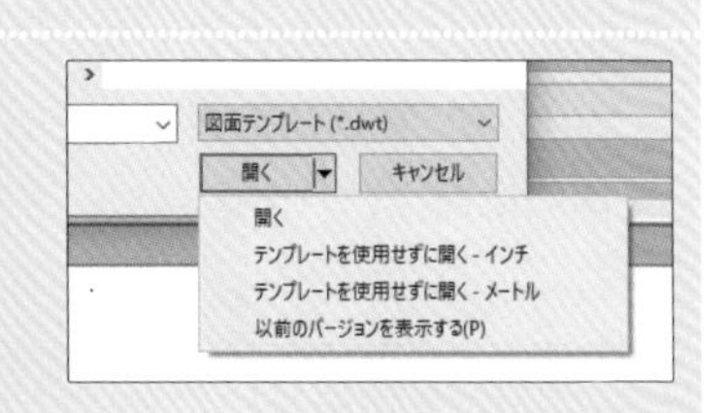

1-3-4 ファイルを保存する

ファイルを保存するには、[上書き保存]と[名前を付けて保存]の２種類の方法があります。

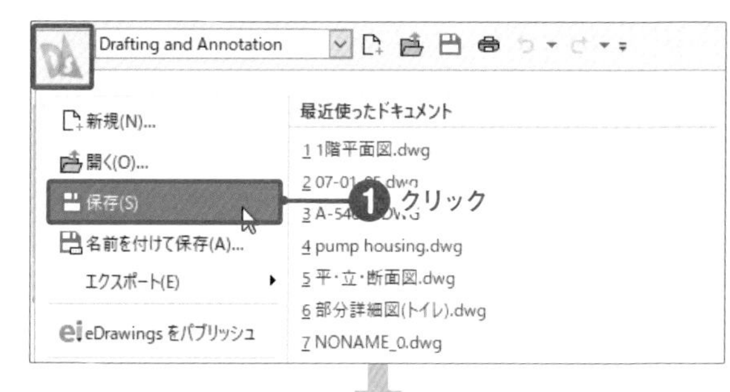

1 上書き保存する

❶ [アプリケーション]ボタンの[保存]をクリックする。

現在のファイル名(ここでは、「NONAME_0.dwg」)のまま、上書き保存されます。

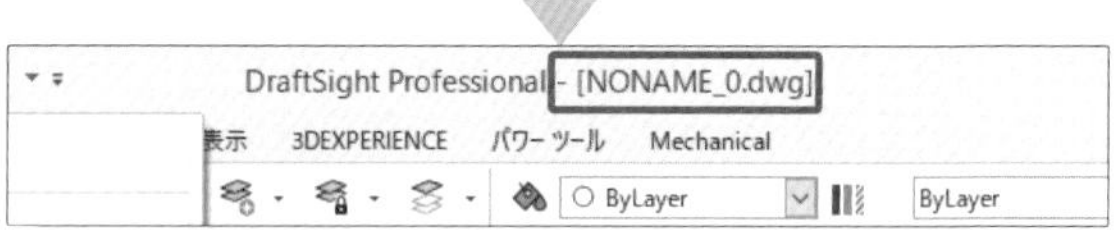

2 名前を付けて保存する

❶ [アプリケーション]ボタンの[名前を付けて保存]をクリックする。または、クイックアクセスツールバーの[保存]アイコンをクリックするか、Ctrl ＋ S キーを押す。

❷ [名前を付けて保存]ダイアログが表示されるので、保存する場所を指定して、[ファイル名]に任意の名前(ここでは、「１階平面図」)を入力する。

❸ [保存]ボタンをクリックする。

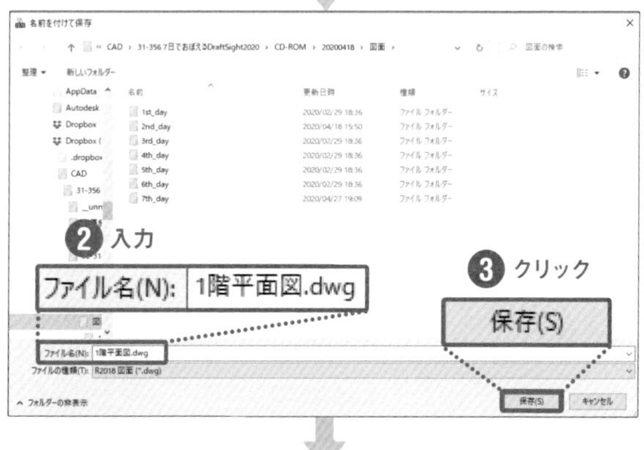

入力したファイル名(ここでは、「１階平面図.dwg」)で、新しいファイルとして指定した場所に保存されます。

HINT ファイル形式を選択して保存する

2 の場合、[名前を付けて保存]ダイアログの[ファイルの種類]で、保存するファイル形式やバージョンを選択できる(図)。1 の場合、[アプリケーション]ボタンの[オプション]－[システムオプション]－[開く/名前を付けて保存]－[デフォルトのファイル タイプ]－[ドキュメントを次のタイプとして保存]で設定されたファイル形式で保存される。

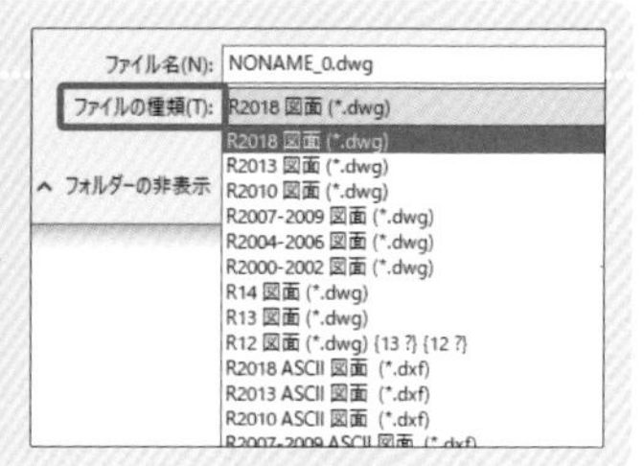

1-4 画面操作

作図中は、画面の拡大／縮小／移動といった画面操作を頻繁に行います。画面操作はマウスホイールやコマンドを使って行います。自分が効率的に作業できる方法で行ってください。

1-4-1 マウスによる画面操作

マウスを使って拡大／縮小などの画面操作を行うと、ほかのコマンドの実行中でもコマンドを中断せずに済みます。

1 画面の拡大／縮小

マウスホイールを前に回転すると、カーソルを中心に画面が拡大される。
マウスホイールを後ろに回転すると、カーソルを中心に画面が縮小される。

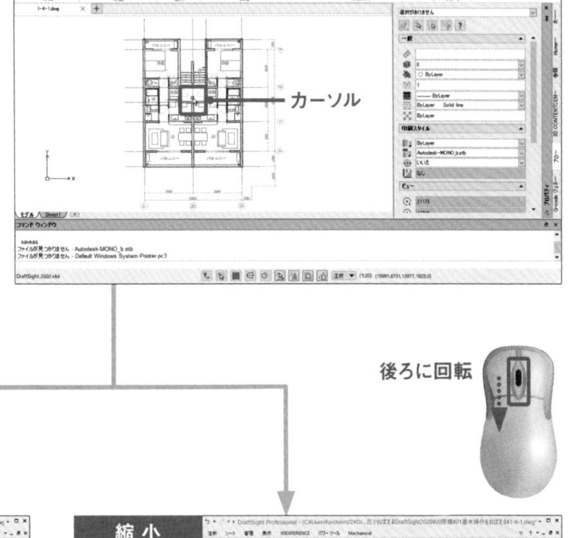

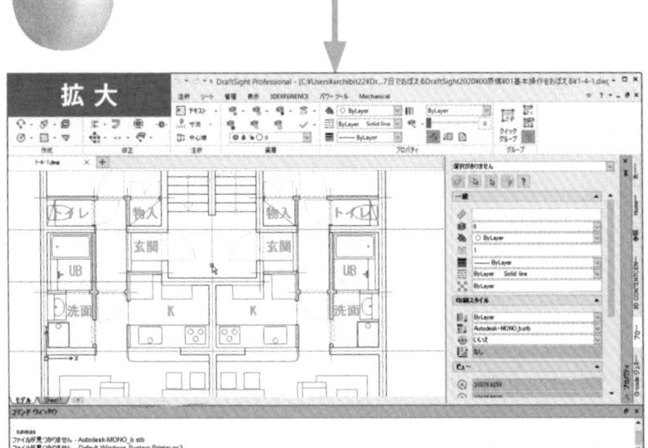

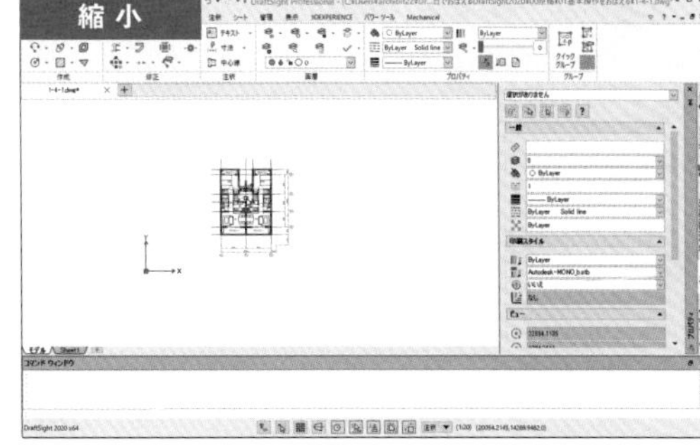

2 画面の移動

マウスホイールを押しながらマウスを移動（ドラッグ）すると、カーソルを基点として画面が移動する。

ただし、コントロールパネルやマウス専用のソフトウェアで、マウスの設定が「中央ボタン」や「中クリック」に設定されている必要がある。

3 フィットズーム

マウスホイールをダブルクリックすると、作図した図面全体が表示（フィットズーム）される。ただし、コントロールパネルやマウス専用のソフトウェアで、マウスの設定が「中央ボタン」や「中クリック」に設定されている必要がある。

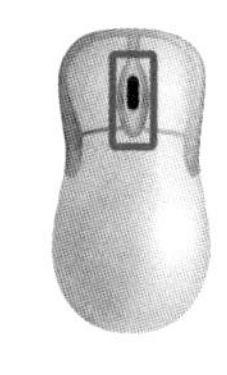

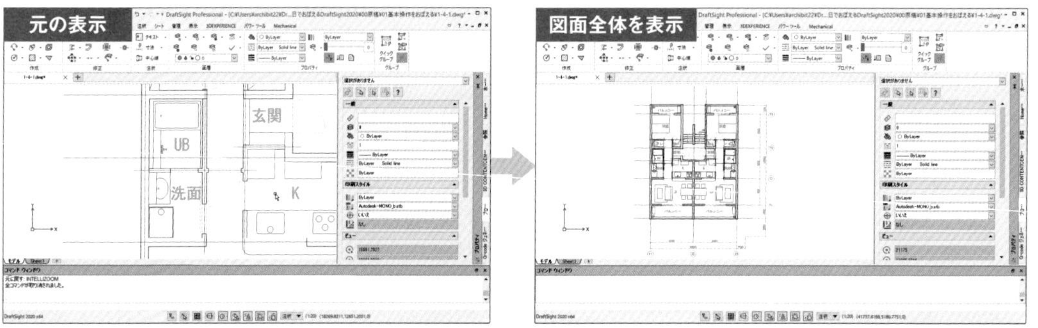

1-4-2 コマンドによる画面操作

[表示]タブー[移動]パネルには、マウスのホイールボタンでは操作できない、さまざまな画面操作コマンドが用意されています。コマンドについては、1-5「コマンドの実行方法」で詳しく解説します。

[表示]タブー[移動]パネルー[窓ズーム]の[▼]をクリックすると、サブメニューに[ズーム境界][中心点ズーム]などのさまざまな画面操作コマンドが表示される。

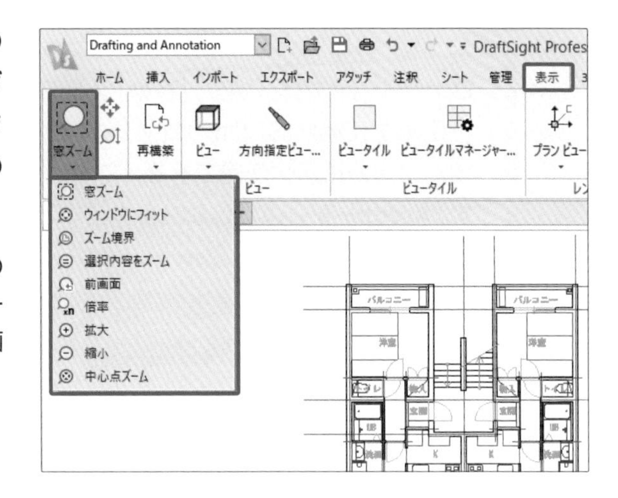

■ズームコマンドの種類

オプション名	内容
窓ズーム	拡大する範囲を囲う矩形の対角線上の2点をクリック指示すると、画面が拡大表示される。
ウィンドウにフィット	ファイル内のすべてのエンティティが表示される。
ズーム境界	図面範囲もしくは、エンティティの範囲の大きいほうを表示する。
選択内容をズーム	選択したエンティティを画面全体に表示する。
前画面	1段階前の画面表示に戻る(画面操作のみ)。
倍率	現在の倍率を1とした倍率を指示すると画面が拡大表示される。
拡大	現在の表示を2倍で拡大する。
縮小	現在の表示を0.5倍で縮小する。
中心点ズーム	ズームの中心点を指示し、拡大率または高さを指定すると画面が拡大表示される。
ダイナミックズーム	カーソルが虫メガネの形になり、上方向へドラッグすると画面が拡大、下方向へドラックすると縮小表示される。

HINT コマンド入力から実行する

キーボードから「z」と入力して Enter キーを押すと、[ズーム]コマンドが実行されてコマンドウィンドウにオプションの指示を求められる。実行するズームのオプションを入力すると、その画面操作コマンドを実行できる。

```
コマンド ウィンドウ
デフォルト: ダイナミック(D)
オプション: 境界(B), 中心(C), ダイナミック(D), フィット(F), 左(L), 前の(P), 選択(SE), 尺度係数を指定 (nX または nXP)または
1つ目のコーナーを指定» «キャンセル»
```

1-5 コマンドの実行方法

DraftSightでは、[線分][移動]などの各種コマンドを実行することで作図が行えます。DraftSightのコマンドは対話形式になっており、コマンドを実行すると次の指示や使用できるオプションがコマンドウィンドウに表示されます。メッセージを確認しながら作業することで、ミスの軽減につながります。

1-5-1 コマンドの呼び出し

コマンドを呼び出すには、3種類の方法があります(一部コマンドウィンドウからしか実行できないコマンドもあります)。ここでは例として、[線分]コマンドを呼び出します。

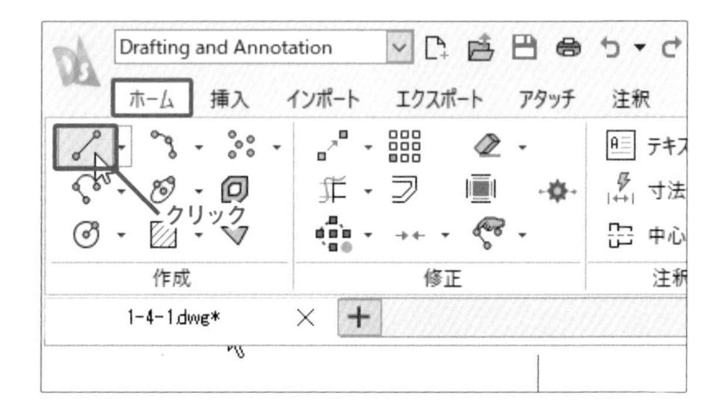

1 リボンから呼び出す

リボンのタブをクリックし、パネルに分類されているコマンドボタンをクリックして選択すると実行できる。ここではリボンの[ホーム]タブー[作成]パネルー[線分]をクリックする。

2 コマンドを入力して呼び出す

キーボードからコマンドを入力して Enter キーを押すと実行できる(ここでは「LINE」(小文字でも可)と入力)。コマンドの入力には、必ず半角の英数字および記号を使用する。ステータスバーの[QInput](29ページ 1-2-3「ステータスバーについて」参照)がオンになっているときはカーソル横に、オフのときはコマンドウィンドウに入力内容が反映される。

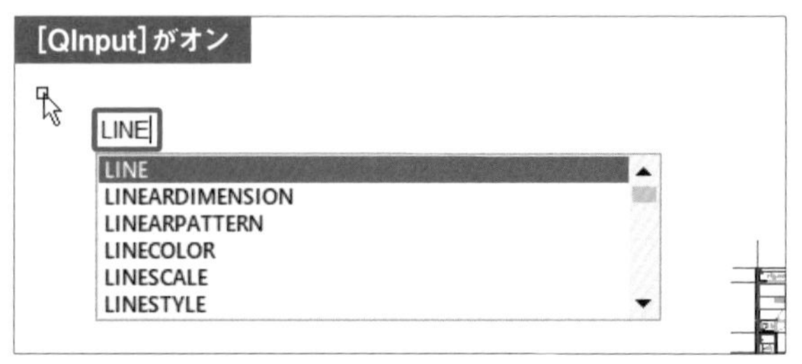

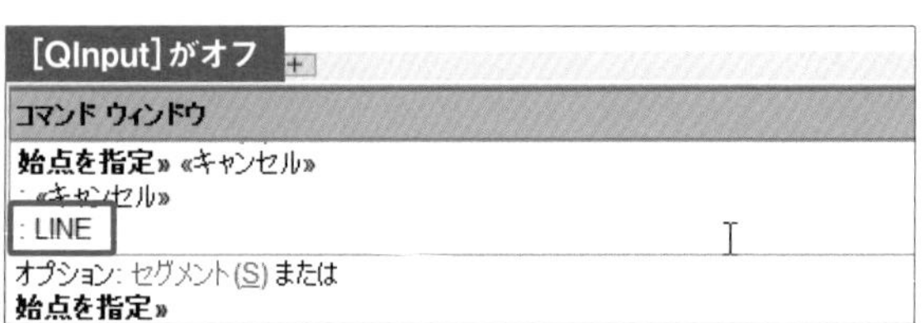

HINT コマンドの別名

よく利用するコマンドには、たとえば「line」は「L」といったように略称が用意されており、より少ない文字の入力で呼び出せるようになっている。略称は[アプリケーション]ボタンー[オプション]ー[ユーザー プリファレンス]ー[別名]で追加／変更できる。

1-5-2 コマンドの順序

[コピー]や[移動]などのコマンドは、実行するためにエンティティを選択する必要があります。その場合、コマンドを実行する順序に決まりはありません。

❶コマンドを実行→エンティティを選択

❷エンティティを選択→コマンドを実行

❶❷の結果はどちらも同じになります。

1-5-3 コマンドのキャンセル

コマンドの実行中に Esc キーを押すと、コマンドをキャンセル(中止)できます。

コマンド ウィンドウ
アクティブ設定: アクティブ画層上のコピー = オフ
エンティティを指定»
155 個検出
エンティティを指定» «キャンセル»
:
DraftSight 2020 x64

1-5-4 元に戻す／やり直す

クイックアクセスツールバーにある[元に戻す]コマンドは、実行したコマンドを1つ前の状態に戻すコマンドです。コマンドを実行するたびに、さかのぼってコマンドの実行前に戻ります。元に戻したコマンドを再び実行した状態にする場合は、[やり直し]コマンドを実行します。

❶ [コピー]コマンドで円を6個コピーする。

❷ [元に戻す]コマンドを実行すると、最後にコピーした円のみが戻るのではなく、1回の[コピー]コマンドの実行でコピーした6個すべてが元に戻る。

❸ [やり直し]コマンドを実行すると、6個コピーした状態に戻る。

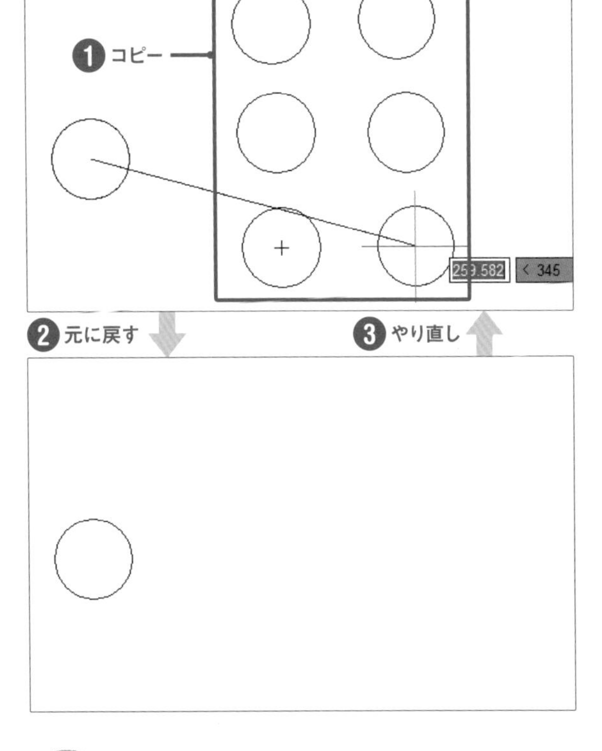

1-6 エンティティの選択

コピーや移動などの編集作業には、エンティティ（線や円、文字などのCADで扱う図形要素）の選択が欠かせません。エンティティの選択には、クリックによる選択以外にもさまざまな選択オプションが用意されています。選択オプションを使うと、目的のエンティティを効率よく選択でき、作業効率が上がります。

「図面」－「1st_day」－「01-06.dwg」

1-6-1 クリックして選択する

コマンドを実行していない状態でエンティティをクリックすると、エンティティを選択できます。選択するエンティティの数が少ないときに使用します。

❶ 選択するエンティティにカーソルを合わせると、そのエンティティが太い破線で表示される。

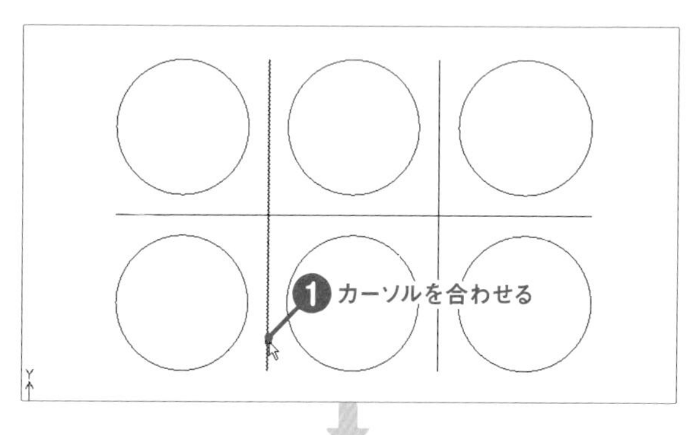

❷ クリックすると、破線表示されたエンティティがマーカー付きの破線で表示され、選択状態になる。

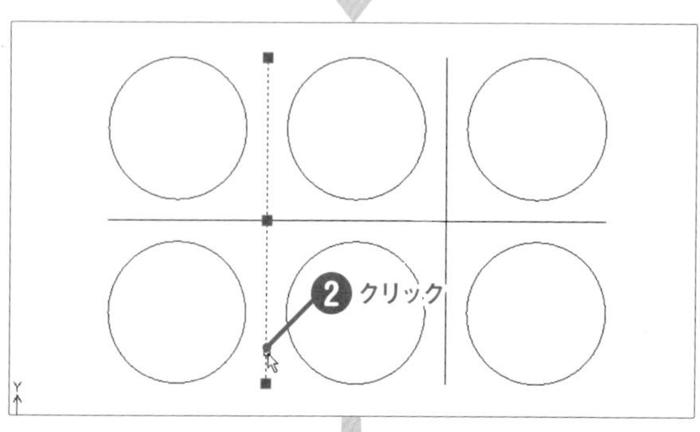

❸ 続けてほかのエンティティをクリックすると、追加選択される。

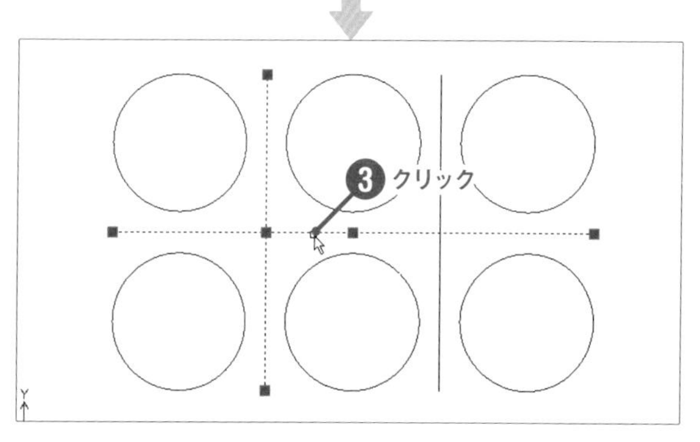

1-6-2 範囲を指定して選択する

複数のエンティティを選択する場合は、範囲を指定して選択します。範囲の指定には2種類の方法があります。

1 ウィンドウ選択

矩形の対角コーナー2点を「左から右に」指示すると、ウィンドウ選択になります。

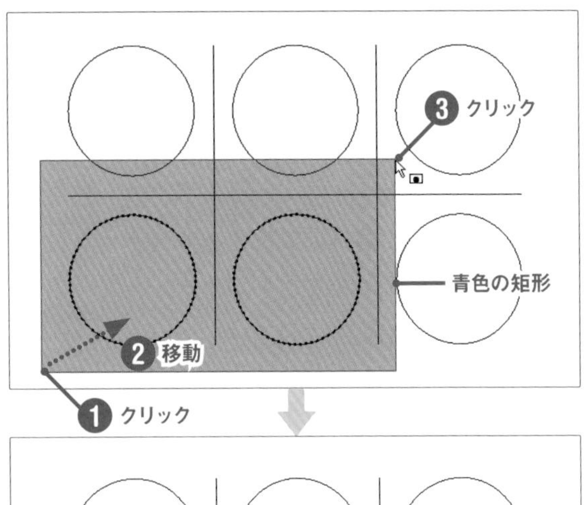

1. 矩形範囲の対角コーナー2点のうち左側の点をクリック指示する。
2. カーソルを対角方向に移動すると、青色の矩形が仮表示される。
3. 矩形範囲の対角コーナー2点のうち右側の点をクリック指示する。

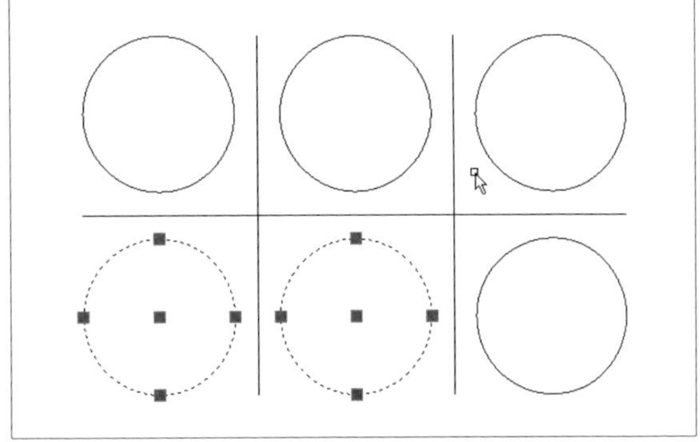

矩形範囲に「完全に」含まれたエンティティが選択されます。

2 交差選択

矩形の対角コーナー2点を「右から左に」指示すると、交差選択になります。

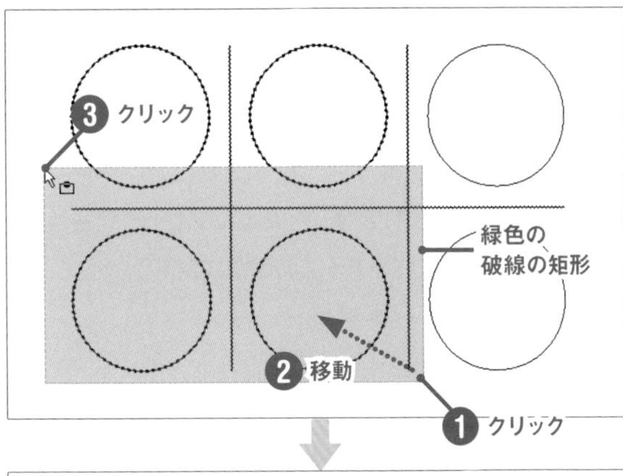

1. 矩形範囲の対角コーナー2点のうち右側の点をクリック指示する。
2. カーソルを対角方向に移動すると、緑色の破線の矩形が仮表示される。
3. 矩形範囲の対角コーナー2点のうち左側の点をクリック指示する。

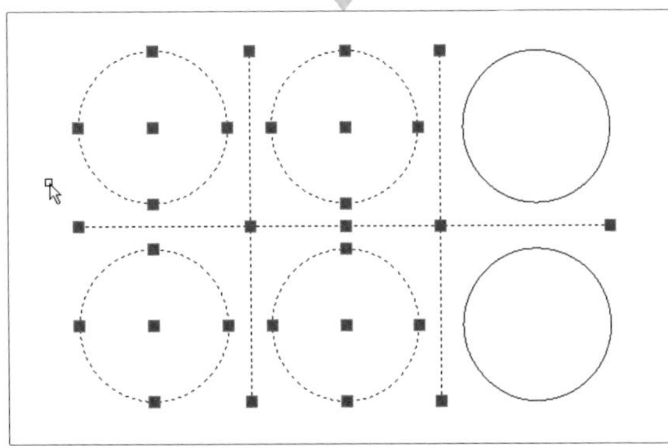

矩形範囲に「一部でも」含まれたエンティティが選択されます。

1-6-3 選択オプションを使って選択する

選択オプションは、ほかのコマンドの実行中に利用でき、キーボードから入力して指定します(オプションの種類については、44ページ「選択オプション一覧」の表を参照)。ここでは、例として[コピー]コマンドの実行中にウィンドウ選択を実行する方法を解説します。

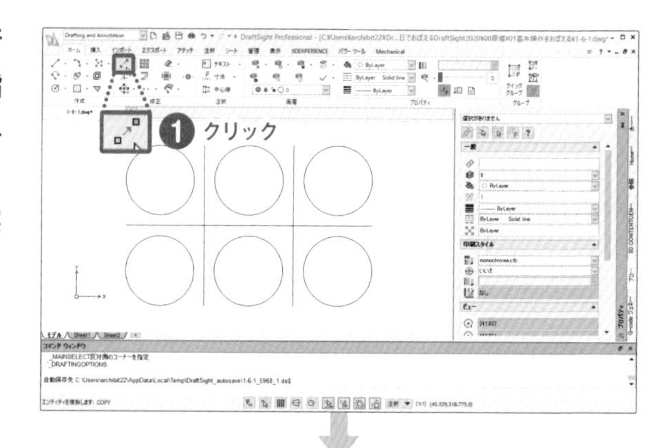

❶ [ホーム]タブ－[修正]パネル－[コピー] をクリックする。

❷ コマンドウィンドウに「エンティティを指定」と表示されるので、キーボードから「w」と入力して Enter キーを押す。

エンティティを指定» w

ウィンドウ選択ができる状態になります。

エンティティを指定» _Window 1つ目のコーナーを指定»
反対側のコーナーを指定»

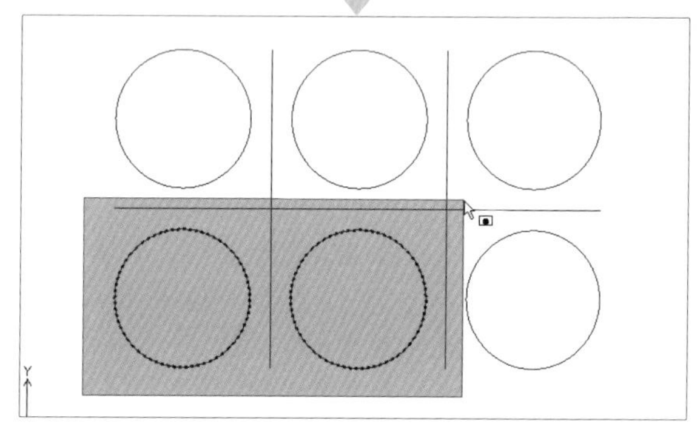

1-6-4 すべてのエンティティを選択する

Ctrl ＋ A キーを押すと、すべてのエンティティが選択されます。ただし、フリーズ(50ページ ❾[フリーズ]参照)されている画像は選択されません。

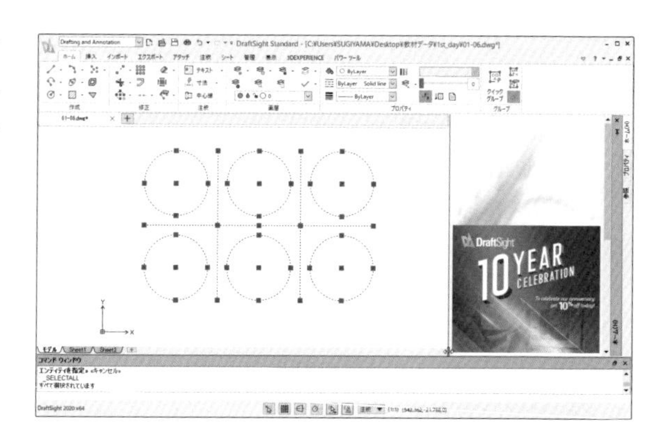

HINT 選択時の表示について

エンティティの選択プレビューまたは選択状態の表示は、破線または色のどちらで表示するかを選択できる。詳細は18ページのHINT参照。

1-6-5 エンティティの選択を解除する

Esc キーを押すと、選択状態のエンティティすべての選択を解除できます。

Shift キーを押しながら選択状態のエンティティをクリックすると、そのエンティティの選択が解除されます。また、Shift キーを押しながらウィンドウ選択または交差選択すると、選択状態のエンティティの選択が解除されます。

■選択オプション一覧

オプション名	コマンドウィンドウへの入力（略称）	内容
ウィンドウ	w	対角線上の2つの点を指定して定義される矩形に完全に入るエンティティを選択する。
交差	c	対角線上の2つの点を指定して定義される矩形に一部でも含まれるエンティティを選択する。
ポリゴン窓	wp	指定した点で定義されるポリゴン内に完全に入るエンティティを選択する。
ポリゴン交差	cp	指定した点で定義されるポリゴンに一部でも含まれるエンティティを選択する。
フェンス（交差線）	f（cr）	連続する線を描くように指定し、その線に交差するエンティティを選択する。
自動	au	エンティティをクリックして選択。何もないところをクリックすると、[直方体]オプションに切り替わる（デフォルト）。
直方体	box	対角線上の2点を定義する際に左から右に指定するとウィンドウ、右から左に指定すると交差になる。
エンティティグループ	eg	グループの名前を入力してエンティティを選択する。
All	all	すべての画層のすべてのエンティティを選択する。Ctrl＋A キーでも実行できる。
前の	p	直近に選択したエンティティをもう一度選択する。
最後の	l（エル）	直近に作成された表示状態のエンティティを選択する。
追加	a	追加モードにする。現在の選択に追加する（デフォルト）。
削除	r	削除モードにする。選択から解除する。
元に戻す	u	直前に選択されたエンティティを選択から解除する。
単一	si	単一モード。1つのエンティティを選択した時点で選択を終了する。
複数	m	複数モード。Enter キーを押すまで選択を続けられる。

1-7 エンティティの削除

ここでは、エンティティの削除方法について解説します。

1-7-1 エンティティを削除する

「図面」−「1st_day」−「01-06.dwg」

エンティティを削除するには、2種類の方法があります。Delete キーを使う場合は、あらかじめエンティティを選択しておく必要がありますが、[削除]コマンドを使う場合は、コマンド実行後に選択オプション(45ページ「選択オプション一覧」参照)を指示できます。

1 Delete キーを使う

❶削除するエンティティをあらかじめ選択状態にする。

❷ Delete キーを押すと、選択状態のエンティティが削除される。

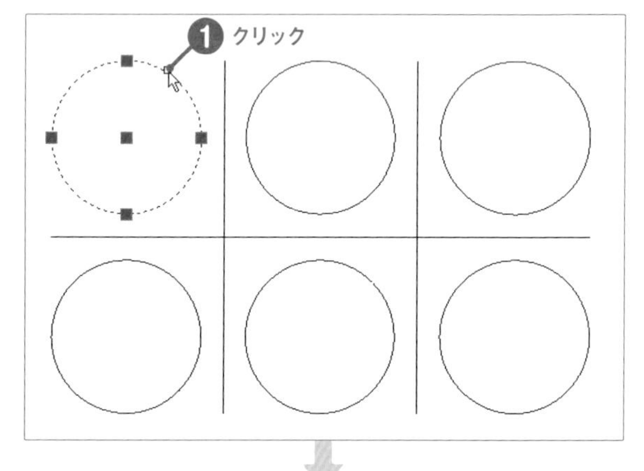

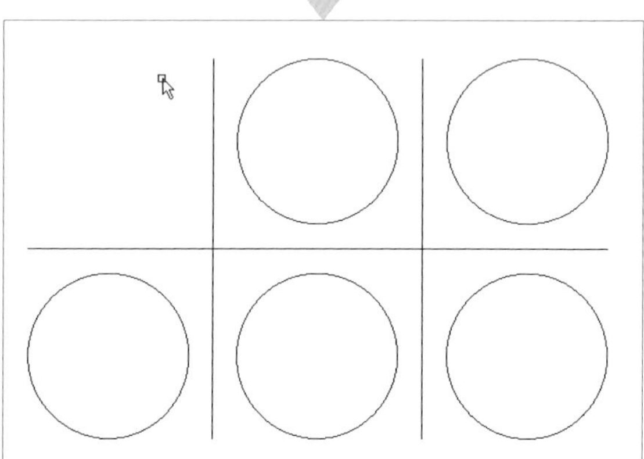

2 ［削除］コマンドを使う

❶［ホーム］タブ－［修正］パネル－［削除］をクリックする。

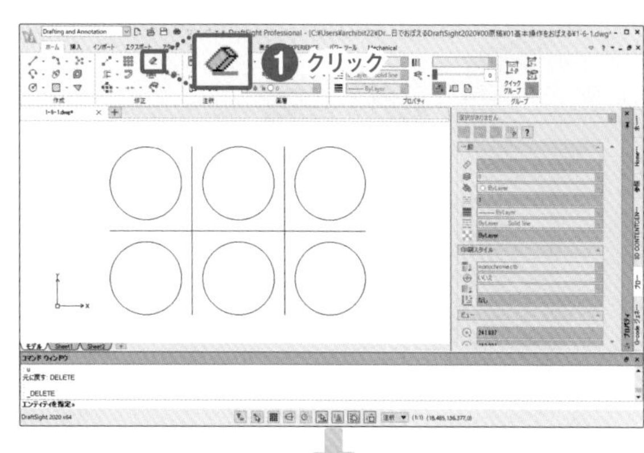

❷コマンドウィンドウに「エンティティを指定»」と表示されるので、キーボードから選択オプション(45ページ「選択オプション一覧」参照。ここでは、ポリゴン窓の「wp」)を入力して Enter キーを押す。

エンティティを指定» wp

❸コマンドウィンドウに「最初のポリゴン点»」と表示されるので、任意の始点位置をクリックする。続けて「次の点を指定»」と表示されるので、任意の位置をクリックしてポリゴン(多角形)を作成する。

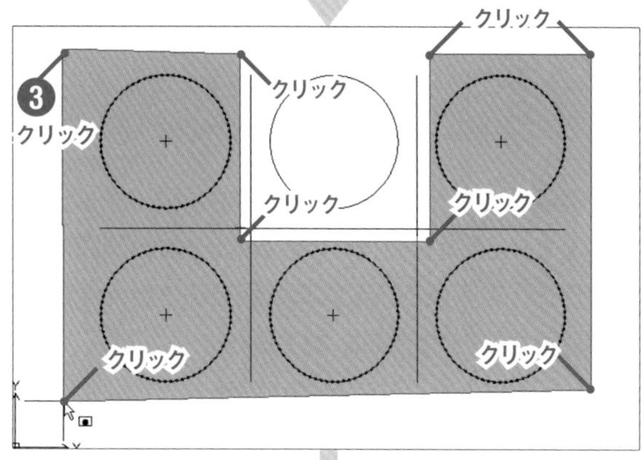

❹ Enter キーを押すと、ポリゴン内に完全に含まれているエンティティが選択状態になる。

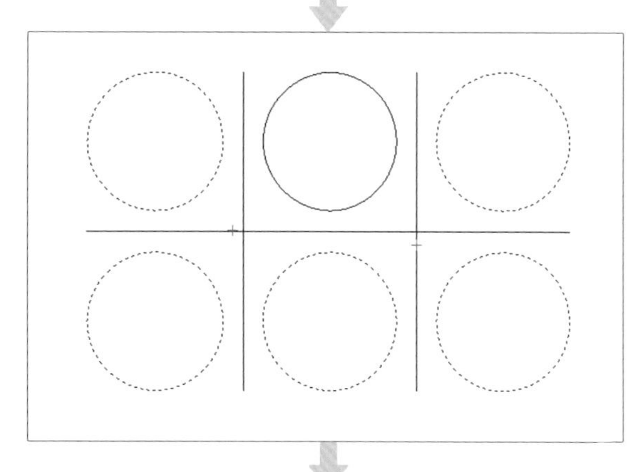

❺再度、Enter キーを押すと、選択状態のエンティティが削除される。

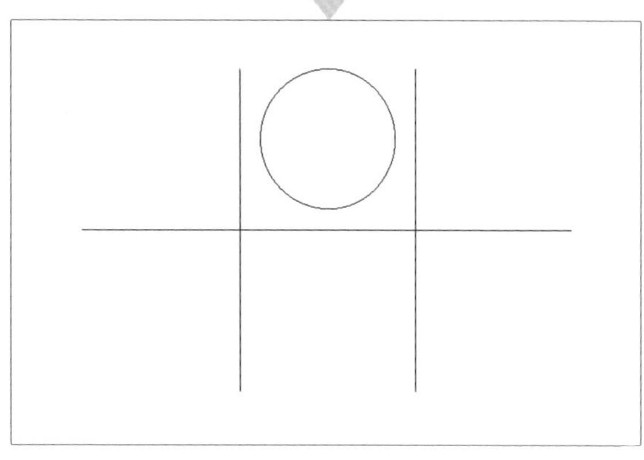

1-8 画層

画層は、CADで図面を作図するときに欠かせない機能で、ほかのCADでは「レイヤー」と呼ばれることもあります。画層の仕組みを理解してうまく活用すれば、作図／編集作業が楽に行えます。

「図面」－「1st_day」－「01-08.dwg」

1-8-1 画層とは

画層は図面のエンティティを文字や寸法、通り芯、壁、柱といったように、種類や要素ごとに分類したものです。画層を重ね合わせると、一枚の図面になります。
必要に応じて画層の表示／非表示を切り替えることで、複雑な図面も見やすくなります。たとえば、壁が変更された場合には、壁の画層だけを修正すればよいので、ほかの要素を誤って変更してしまうというミスを防ぐことができます。

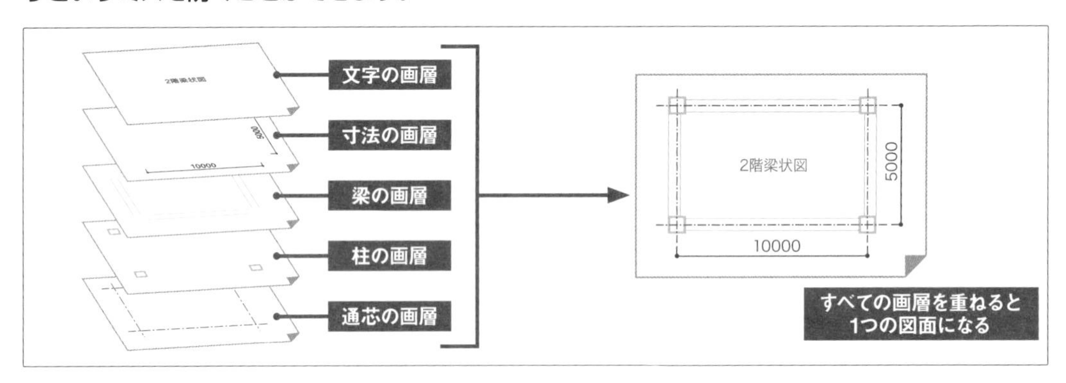

1-8-2 画層マネージャーを表示する

画層の操作は、主に[画層マネージャー]で行います。

❶ [ホーム]タブ－[画層]パネル－[画層マネージャー] をクリックする。
❷ [画層マネージャー]が表示される。

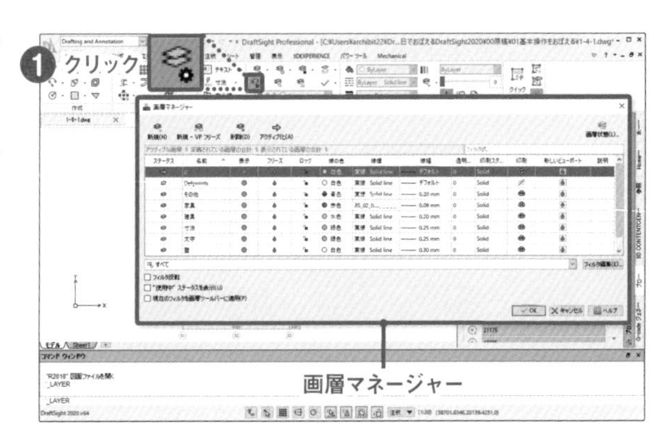

■[画層マネージャー]の画面構成

新規(N)　新規 - VP フリーズ　削除(D)　アクティブ化(A)　画層状態(L)...

アクティブな画層: 0. 定義されている画層の合計: 9. 表示されている画層の合計: 9

ステータス	名前	表示	フリーズ	ロック	線の色	VP 色	線種	VP 線種	線幅	VP 線幅	透明性	VP 透明性	印刷スタイル	VP 印刷スタイル
⇨	0	●			白色	白色	実線 Solid line	実線 Solid line	デフォルト	デフォルト	0	0	Solid	Solid
	Defpoints	●			白色	白色	実線 Solid line	実線 Solid line	デフォルト	デフォルト	0	0	Solid	Solid
	その他	●			青色	青色	実線 Solid line	実線 Solid line	0.20 mm	0.20 mm	0	0	Solid	Solid
	家具	●			赤色	赤色	JIS_02_0....	JIS_02_0....	0.09 mm	0.09 mm	0	0	Solid	Solid
	建具	●			水色	水色	実線 Solid line	実線 Solid line	0.20 mm	0.20 mm	0	0	Solid	Solid
	寸法	●			緑色	緑色	実線 Solid line	実線 Solid line	0.25 mm	0.25 mm	0	0	Solid	Solid
	文字	●			緑色	緑色	実線 Solid line	実線 Solid line	0.25 mm	0.25 mm	0	0	Solid	Solid

すべて　フィルタ編集(E)

☐ フィルタ反転
☐ "使用中" ステータスを表示(U)
☐ 現在のフィルタを画層ツールバーに適用(P)

OK　キャンセル　ヘルプ

VP 印刷スタイル	印刷	新しいビューポート	アクティブなビューポート	説明
Solid				
Solid				
Solid				
Solid				
Solid				
Solid				
Solid				

❶[新規]ボタン

クリックすると、新規画層を作成できる。作成した新規画層は「画層＊」(＊は番号)という名前で、リストに追加される。

❷[新規-VPフリーズ]ボタン

[新しいビューポート]と[アクティブなビューポート]でフリーズに設定された画層が作成される。

❸[削除]ボタン

削除する画層をリストでクリックして選択し、[削除]ボタンをクリックすると、[ステータス]に「×」が表示される。[画層マネージャー]の[OK]ボタンをクリックして閉じると、画層が削除される。

❹[アクティブ化]ボタン

作図したエンティティはアクティブ化している画層に書き込まれる。アクティブ化する画層をリストでクリックして選択し、[アクティブ化]ボタンをクリックすると、選択した画層がアクティブになる。

❺[画層状態]ボタン

クリックすると[画層状態マネージャー]が開き、画層の表示／非表示などの状態を名前を付けて保存、復元できる。

❻[ステータス]

アクティブな画層が⇨で表示される。[画層マネージャー]下部の["使用中"ステータスを表示]にチェックを入れると、使用されていない画層のマークは薄く表示される。

❼ [名前]

画層の名前が表示されている。項目タイトルをクリックすると、リストが名前の50音順で並べ替えられる。各画層の名前をダブルクリックすると名前の変更ができる。ただし、画層「0」と「Defpoints」の名前は変更できない。

HINT 画層「0」について

「0」は、初期設定で用意されている画層で、削除できない特別な画層。ブロック作成時に画層「0」で設定されていたエンティティは、挿入する際にアクティブ状態の画層に挿入される。

HINT 画層「Defpoints」について

「Defpoints」は、寸法を作成すると生成される画層で、印刷されない特別な画層。寸法エンティティの基点に使用されている。

❽ [表示]

画層の表示／非表示の状態が表示されている。クリックすると、表示と非表示を切り替えることができる。表示状態では緑色の丸、非表示状態ではグレーの丸で表示される。

❾ [フリーズ]

画層のフリーズ状態が表示されている。クリックすると、フリーズ状態を切り替えることができるが、アクティブ画層はフリーズできない。フリーズ画層は非表示になり、エンティティが何もない状態として認識される。そのため、フリーズ画層は再作図や再構築などの計算から除外され、画面の切り替えなどがすばやく行える。

❿ [ロック]

画層のロック状態が表示されている。クリックすると、ロック状態を切り替えることができる。ロックされた画層のエンティティは変更ができない。グラフィックス領域上でロックされた画層のエンティティにカーソルを合わせると、が表示され、移動などが行えない。ただし、エンティティスナップやトリムの境界としては使用できる。

⓫ [線の色]

画層の線色が表示されている。クリックするとプルダウンメニューが表示され、線色を変更できる。プロパティが「Bylayer」に設定されているときには、画層に設定されている色になる。

⓬ [VP色]（シートのみ）

アクティブなビューポートにおける画層の線色が表示されている。

⓭ [線種]

画層の線種が表示されている。クリックするとプルダウンメニューが表示され、線種を変更できる。プロパティが「Bylayer」に設定されているときには、画層に設定されている線種になる。

⓮ [VP線種]（シートのみ）

アクティブなビューポートにおける画層の線種が表示されている。

⓯ [線幅]

画層の線幅が表示されている。クリックするとプルダウンメニューが表示され、線幅を変更できる。プロパティが「Bylayer」に設定されているときには、画層に設定されている線幅になる。

⓰ [VP線幅]（シートのみ）

アクティブなビューポートにおける画層の線幅が表示されている。

⓱ [透明性]

画層の透過性を設定する。プルダウンで数値を指定でき、数値が大きいほど透明化して表示される。

⓲ [VP透明性]（シートのみ）

アクティブなビューポートにおける画層の透明性を設定する。

⑲ [印刷スタイル]

印刷時にどの「印刷スタイル」設定を使用するかが表示される項目。印刷スタイルの設定は[オプション]ダイアログの[システムオプション]－[印刷]で行う。

⑳ [VP印刷スタイル](シートのみ)

アクティブなビューポートにおける印刷スタイルが表示されている。

㉑ [印刷]

画層の印刷／非印刷の状態が表示されている。アイコンが と表示されている画層は印刷されない。画層「Defpoints」は印刷できない。

㉒ [新しいビューポート]

新しいビューポートを作成した際にフリーズの設定を生かすかどうかが表示されている。フリーズに設定されていると、新しく作成したビューポートではフリーズ状態になる。クリックするとフリーズ状態を切り替えることができる。

㉓ [アクティブなビューポート]

アクティブなビューポートでフリーズの設定を生かすかどうかが表示されている。

㉔ [説明]

画層の説明が表示されている。ダブルクリックすると、任意の説明を入力できる。

HINT リボンの[画層マネージャー]プルダウンリスト

[ホーム]タブ－[画層]パネル－[画層マネージャー]プルダウンリストからも画層を操作でき、選択されている画層がアクティブになる。そのほかにも、次のような操作が可能。

表示／非表示：画層の一番左にあるをクリックすると、画層の表示／非表示を切り替えることができる。緑色なら表示、グレーなら非表示となる。

フリーズ：画層の左から２番目のアイコンをクリックすると、フリーズ状態を切り替えることができる。

ロック：画層の左から３番目の鍵のアイコンをクリックすると、ロック状態を切り替えることができる。

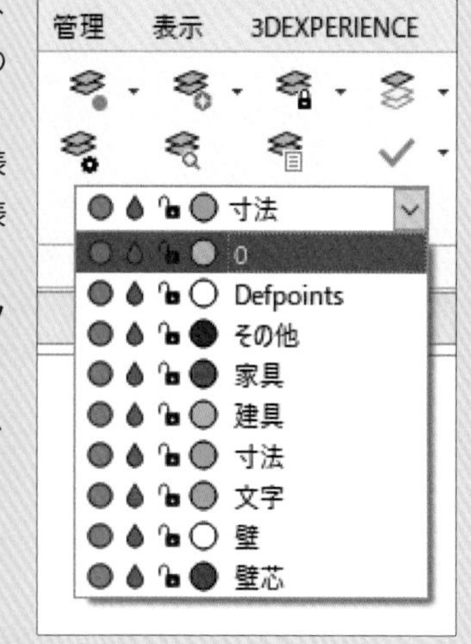

1-8-3 画層をアクティブ化する

作図したエンティティはアクティブ化している画層に書き込まれます。アクティブになっている画層を確認してから作図しましょう。ここでは、画層「壁芯」をアクティブ化します。

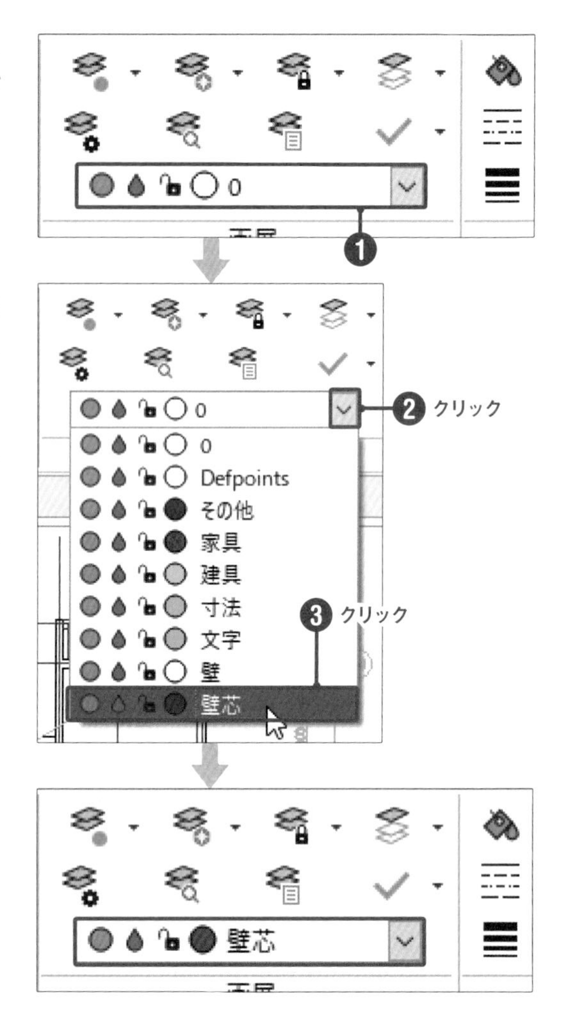

❶ [ホーム]タブ－[画層]パネル－[画層マネージャー]プルダウンを確認すると、画層「0」がアクティブ化になっていることがわかる。

❷ [画層マネージャー]プルダウンの をクリックする。

❸ 表示されるリストからアクティブ化する画層(ここでは、画層「壁芯」)をクリックして選択する。

画層「壁芯」がアクティブ化しました。

1-8-4 画層の表示／非表示を切り替える

図面を編集する際には、修正に必要な画層以外を非表示にしておくと、スムーズに作業できます。ここでは、画層「寸法」を非表示にします。

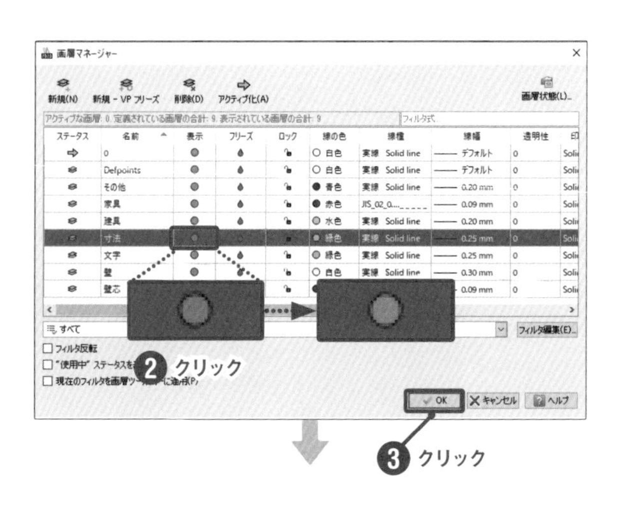

❶ [ホーム]タブ－[画層]パネル－[画層マネージャー] をクリックする。

❷ [画層マネージャー]が表示されるので、非表示にする画層(ここでは、画層「寸法」)の[表示]にある緑色の丸 をクリックしてグレーの丸 にする。

❸ [OK]ボタンをクリックする。

画層「寸法」が非表示になりました。

1-8-5 新規画層を作成する

新規画層を作成する方法を解説します。ここでは、線の色が青色となる画層「通り符号」を作成します。

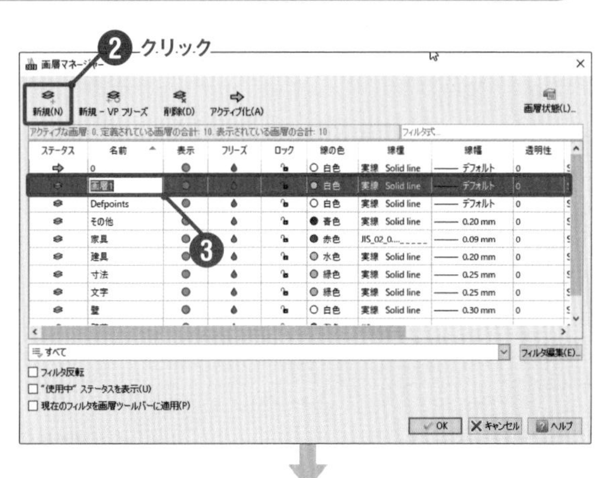

❶［ホーム］タブ－［画層］パネル－［画層マネージャー］ をクリックする。
❷［画層マネージャー］が表示されるので、［新規］ボタンをクリックする。
❸画層「画層1」が作成される。

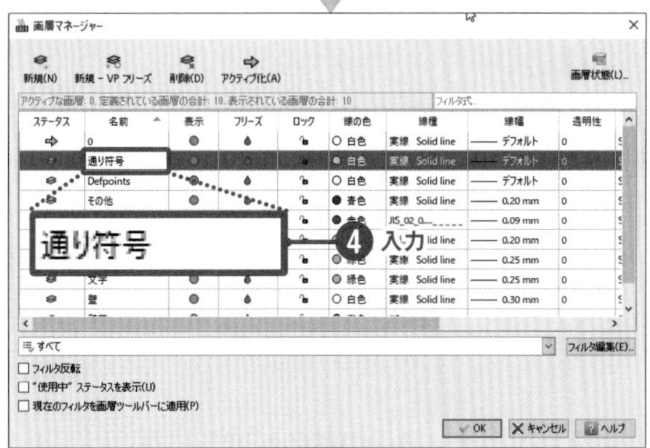

❹［名前］が入力状態になっているので、「通り符号」と入力して Enter キーを押す。

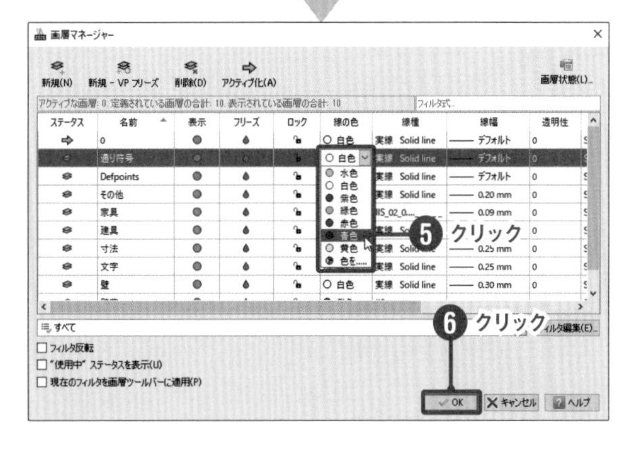

❺［線の色］をクリックし、表示されるプルダウンリストから「青色」をクリックして選択する。
❻［OK］ボタンをクリックする。

画層「通り符号」が作成されました。

1-8-6 エンティティの画層を変更する

図面内のエンティティの画層を変更する場合は、エンティティを選択した状態で、[プロパティ]パレットの[画層]を変更します。ここでは、エンティティを53ページ1-8-5「新規画層を作成する」で作成した画層「通り符号」に変更します。

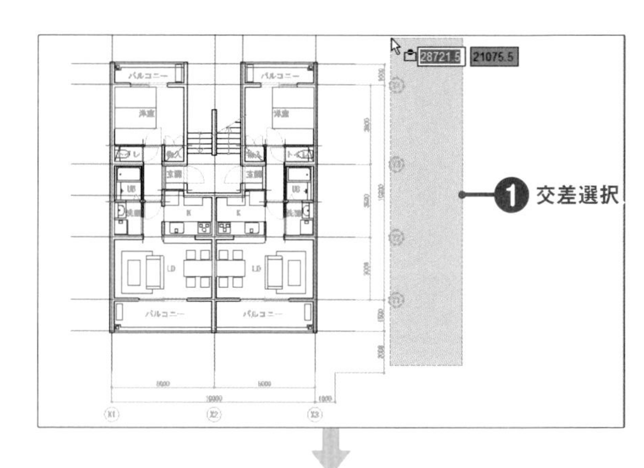

❶ 図面中の通り符号を交差選択（43ページ1-6-2「範囲を指定して選択する」参照）する。

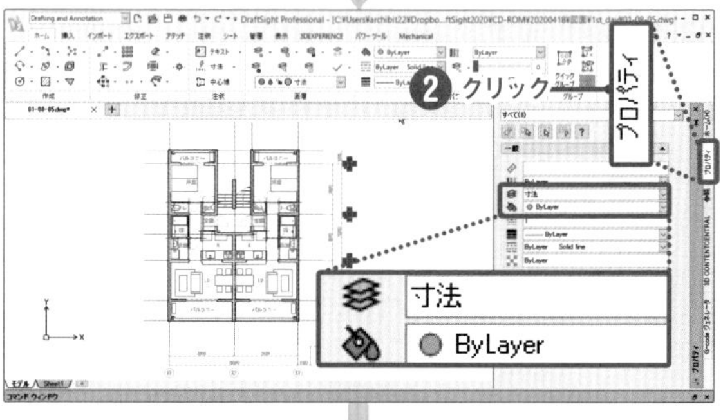

❷ パレットの[プロパティ]タブをクリックすると、選択しているエンティティのプロパティが表示される。[画層]は「寸法」、[線の色]は「緑色」になっている。

HINT [プロパティ]タブがない場合

パレットに[プロパティ]タブがない場合は、31ページ 1-2-4「パレットについて」の 1 を参照すること。

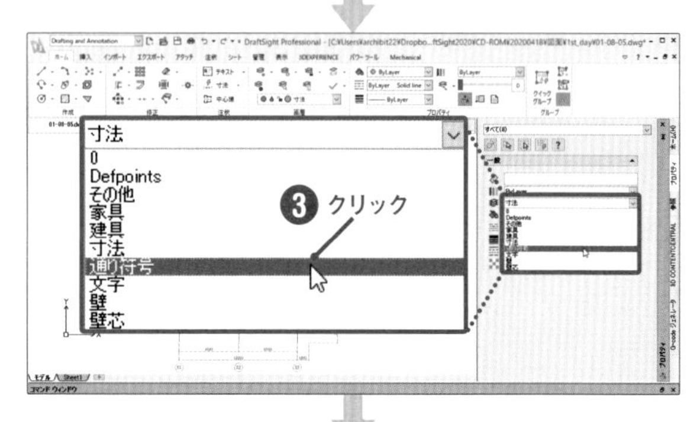

❸ [画層]のプルダウンボタンをクリックして、「通り符号」をクリックして選択する。

❹ Esc キーを押して、エンティティの選択を解除する。

選択したエンティティの線色が青色になり、画層「通り符号」に変更されたことがわかります。

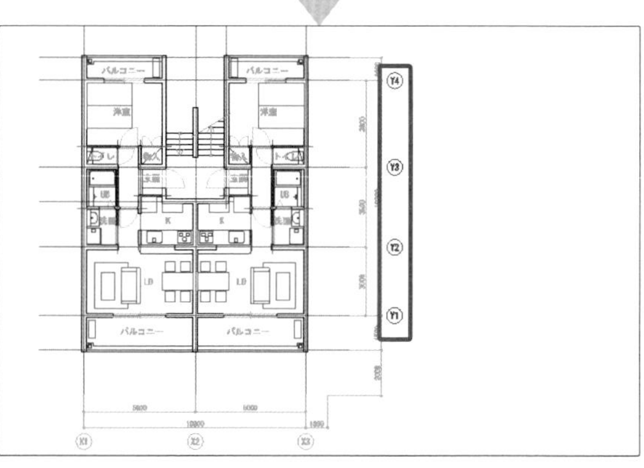

Day

2

図形を描く

Day 2

図形を描く

２日目は、コマンドを使って実際に図形を描きます。線や円などの基本図形から、図面には欠かせないハッチングの描き方までを解説します。

2-1 ● 線を描く

- マウス操作で線を描く
- 長さを指定して線を描く
- 傾きを指定して線を描く

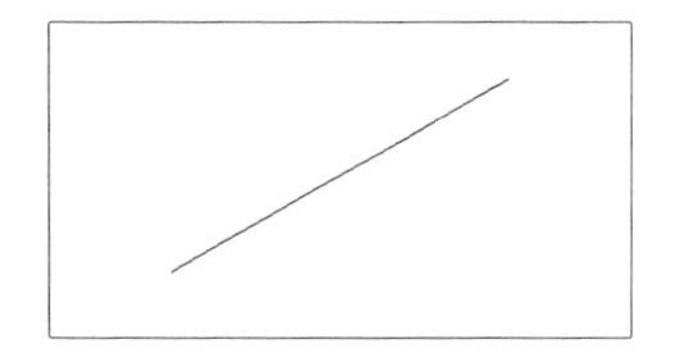

2-2 ● 座標を指定して図形を描く

- 絶対座標を使って図形を描く
- 相対座標を使って図形を描く

2-3 ● 作図オプションを利用して図形を描く

- 水平／垂直に固定して図形を描く
- ガイドを使って図形を描く
- 既存の点を正確に指定して図形を描く
- 既存点からのガイドを使って図形を描く

2-4 ● 長方形を描く

- マウス操作で長方形を描く
- 寸法を指定して長方形を描く
- 角が丸い長方形を描く

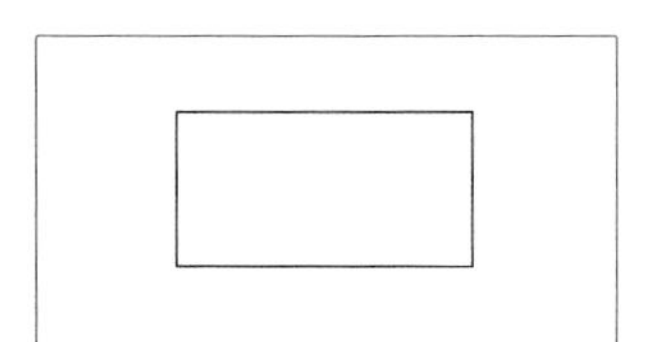

2-5 ● 多角形を描く

- 辺の長さを指定して多角形を描く
- 中心点を指定して多角形を描く

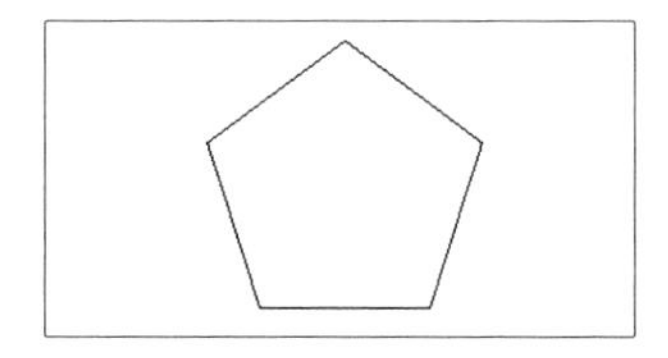

2-6 ● 円を描く

- 半径を指定して円を描く
- 3辺に接する円を描く

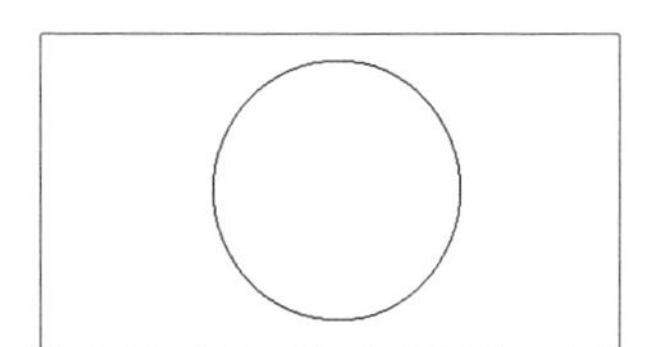

2-7 ● 円弧を描く

- マウス操作で円弧を描く
- 点を指定して円弧を描く

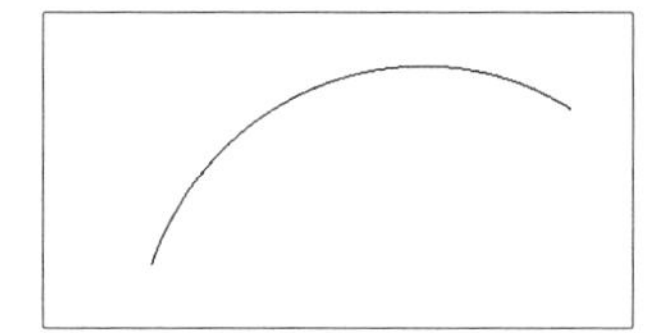

2-8 ● 楕円／楕円弧を描く

→ マウス操作で楕円を描く
→ マウス操作で楕円弧を描く

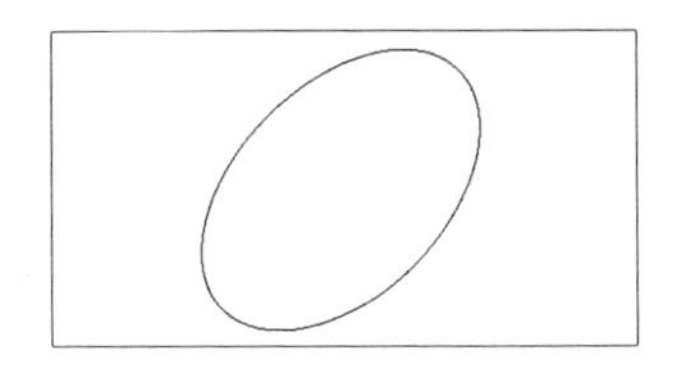

2-9 ● ポリラインを描く

→ 幅のある線を描く
→ 円弧と直線から成るポリラインを描く

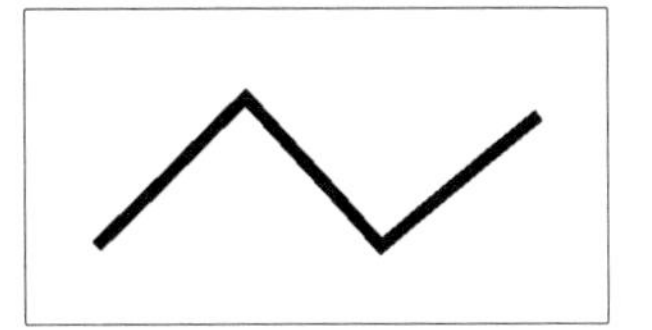

2-10 ● スプラインを描く

→ 曲線を描く

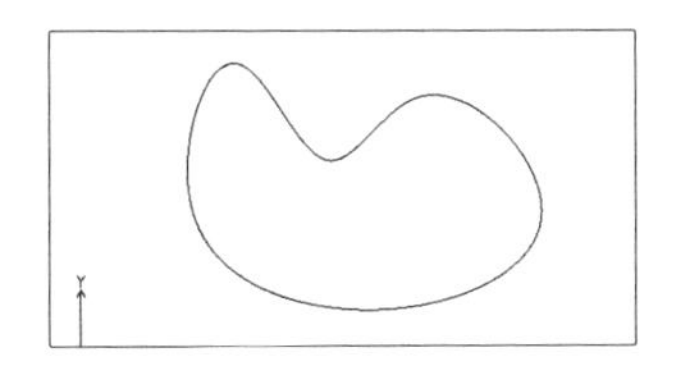

2-11 ● 点を描く

→ マウス操作で点を描く
→ 線を等分した位置に点を描く

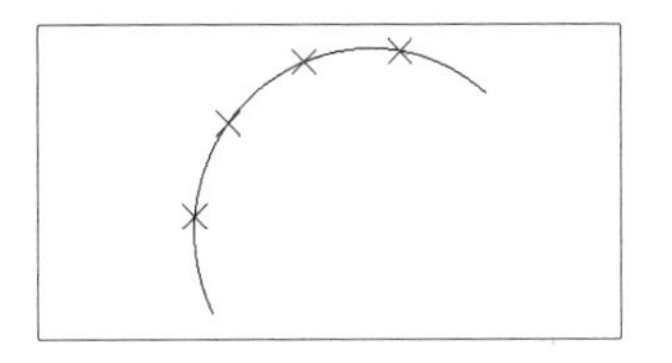

2-12 ● 雲マークを描く

→ 雲マークを描く

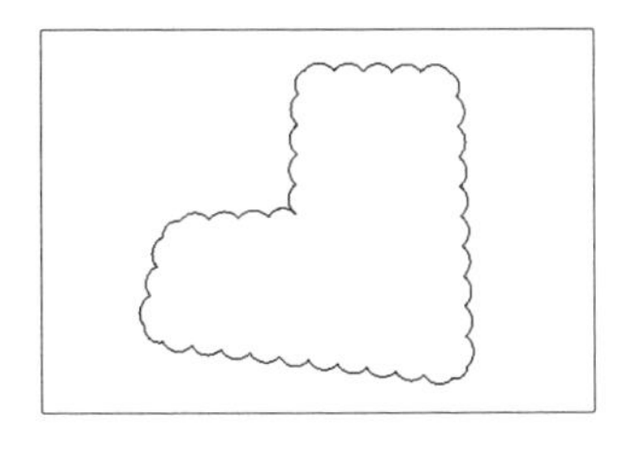

2-13 ● 図面の一部を隠す

→ 範囲を指定して図面の一部を隠す

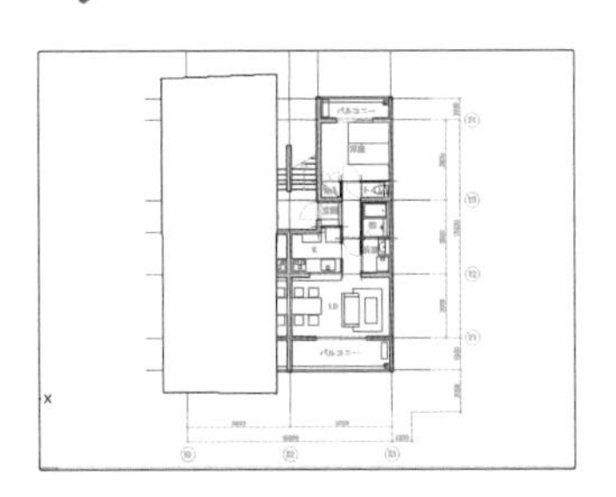

2-14 ● ハッチングする

→ ハッチングする

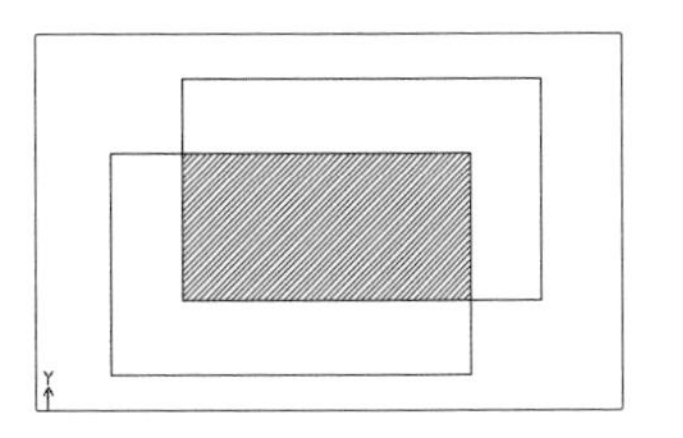

2-15 ● 複数のエンティティをひとまとまりとして扱う（ブロック）

→ ブロックを作成する

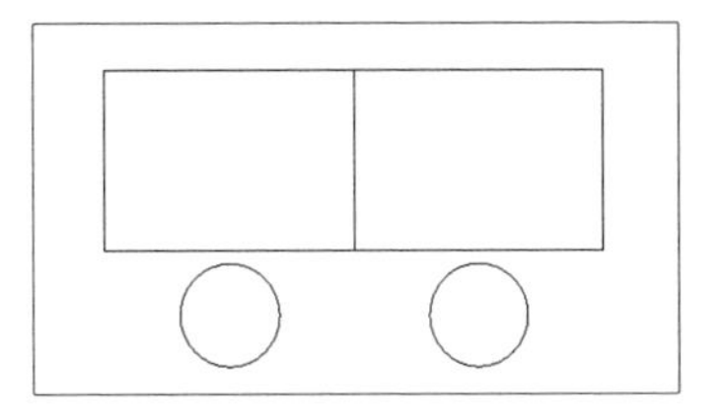

2-1 線を描く

線を描くには、[線分]コマンドを実行します。ここでは、始点と終点を指示して描く方法と、長さを指定して描く方法を解説します。線を描いた後も[線分]コマンドを終了するまでは、連続して線を描くことができます。

2-1-1 マウス操作で線を描く

「図面」－「2nd_day」－「02-01.dwg」(作図前)
「02-01-01.dwg」(作図後)

[線分]コマンドを実行し、マウス操作で始点と終点を指示すると、線を描くことができます。

❶ 33ページ 1-3-1「既存ファイルを開く」を参考に、「02-01.dwg」を開く。

❷ [ホーム]タブ－[作成]パネル－[線分]をクリックする。

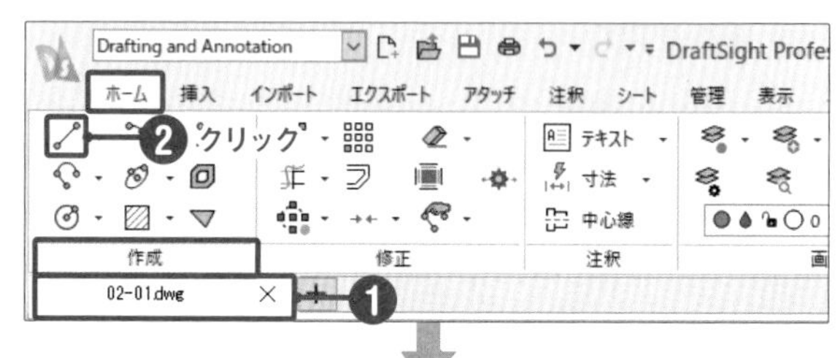

❸ コマンドウィンドウに「始点を指定»」と表示されるので、線の始点位置をクリックする。

オプション: セグメント(S) または
始点を指定»

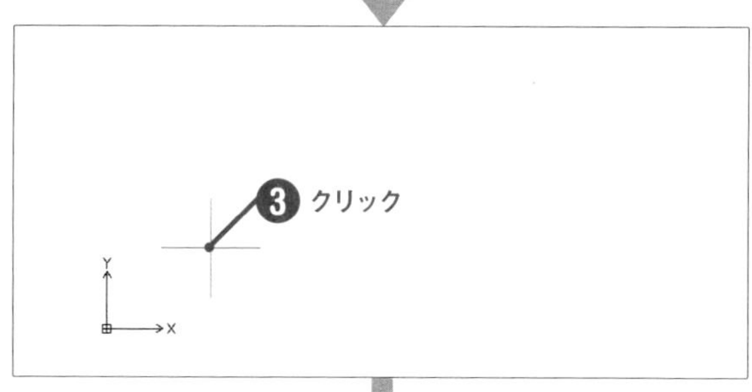

❹ コマンドウィンドウに「次の点を指定»」と表示されるので、カーソルを移動して線の終点をクリックする。

オプション: セグメント(S), 元に戻す(U), *Enter キーで終了*または
次の点を指定»

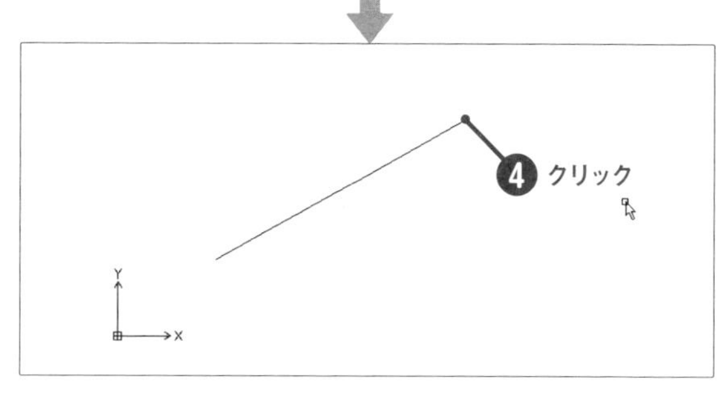

❺ Enter キーを押して[線分]コマンドを終了する。

線が描けました。

HINT コマンドの終了

Enter キーの代わりに Esc キーを押しても、コマンドを終了することができる。

HINT サブメニューからのコマンド選択

❷で[線分]ボタンが見当たらない場合は、ボタン右にある[▼]をクリックして表示されるサブメニューから[線分]をクリックして選択する。

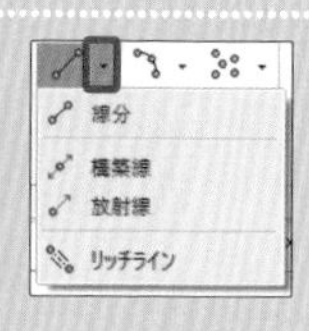

2-1-2 マウス操作で連続した線を描く

「図面」－「2nd_day」－「02-01.dwg」(作図前)
「02-01-02.dwg」(作図後)

線を描いた後、[線分]コマンドを終了せずに次の点を指示すると、連続した線を描くことができます。

❶ 33ページ 1-3-1「既存ファイルを開く」を参考に、「02-01.dwg」を開く。

❷ [ホーム]タブ－[作成]パネル－[線分]をクリックする。

❸ 線の始点位置をクリックする。

❹ カーソルを移動して線の終点をクリックすると、1本目の線が作図される。

❺ そのままカーソルを移動して次の点をクリックすると、2本目の線が作図される。

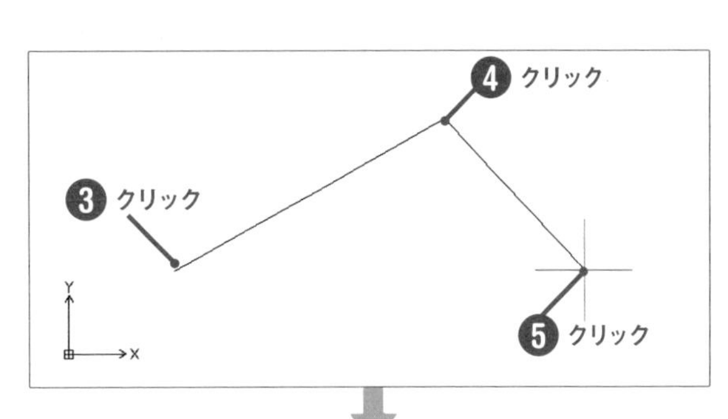

❻ そのままカーソルを移動して次の点をクリックすると、3本目の線が作図される。

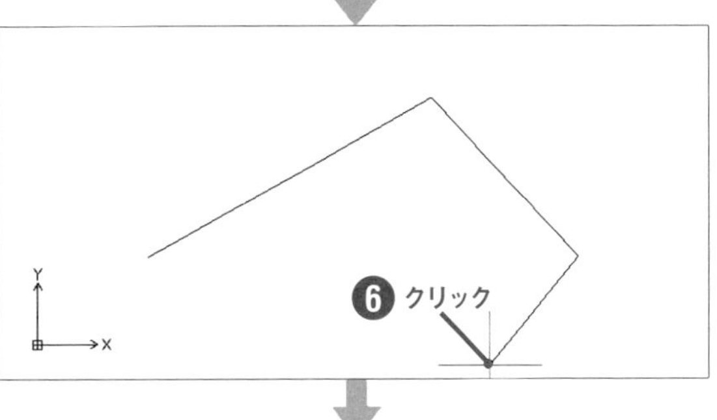

連続線が描けました。

2本以上の線を描いた後にオプションの[閉じる](C)を実行すると、線を閉じることができます。

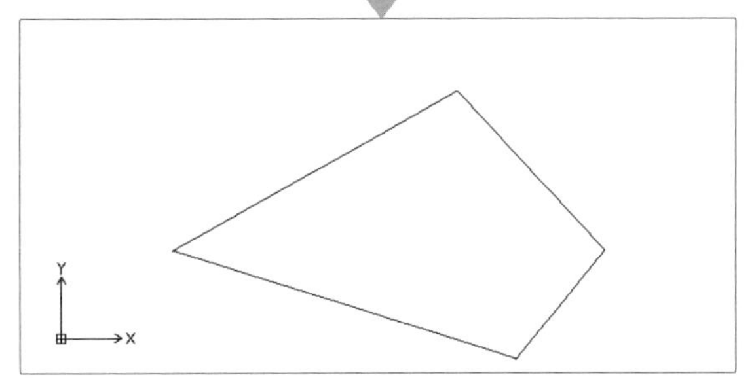

❼ キーボードから「c」と入力して Enter キーを押し、オプションの[閉じる]を実行する。

オプション: セグメント(S), 元に戻す(U), 閉じる(C), Enter キーで終了
次の点を指定: c

❽ 3本目の線の終点と1本目の線の始点が線で結ばれ、[線分]コマンドが終了する。

線を閉じることができました。

HINT 線を閉じる

線を閉じて内側の領域が明確になることで、ハッチング(92ページ 2-14「ハッチングする」参照)や面積計測(185ページ 5-3-2「面積を計測する」参照)ができるようになる。

Day 1 / Day 2 図形を描く / Day 3 / Day 4 / Day 5 / Day 6 / Day 7

2-1-3 長さを指定して線を描く

「図面」−「2nd_day」−「02-01.dwg」(作図前)
「02-01-03.dwg」(作図後)

長さ(ここでは2,000㎜)を指定して線を描きます。

❶ 33ページ 1-3-1「既存ファイルを開く」を参考に、「02-01.dwg」を開く。
❷ [ホーム]タブー[作成]パネルー[線分]をクリックする。
❸ 線の始点位置をクリックする。
❹ 線を描く方向にカーソルを移動し、キーボードから「**2000**」と入力して Enter キーを押す。

オプション: セグメント(S), 元に戻す(U), Enter キーで終了または
次の点を指定: 2000

❺ Enter キーを押して[線分]コマンドを終了する。

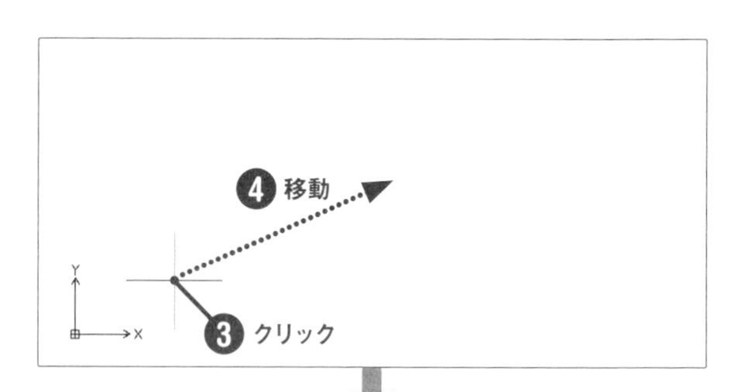

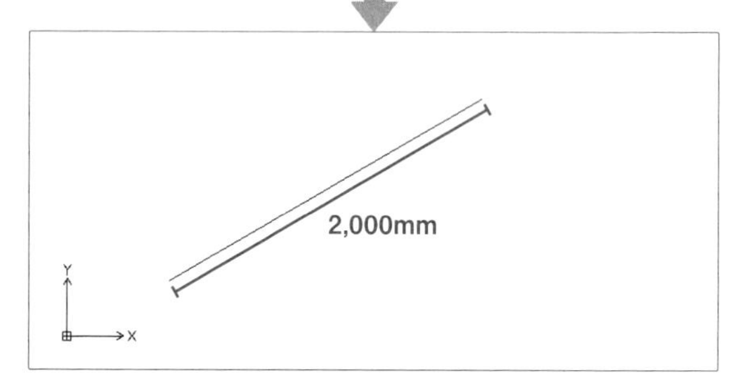

カーソルの方向に長さ2,000㎜の線が描けました。

2-1-4 長さと傾きを指定して線を描く

「図面」−「2nd_day」−「02-01.dwg」(作図前)
「02-01-04.dwg」(作図後)

長さと傾き(ここでは1,500㎜、60°)を指定して線を描きます。指定する際には、「@長さ<角度」を入力します。

❶ 33ページ 1-3-1「既存ファイルを開く」を参考に、「02-01.dwg」を開く。
❷ [ホーム]タブー[作成]パネルー[線分]をクリックする。
❸ 線の始点位置をクリックする。
❹ キーボードから「**@1500<60**」と入力して Enter キーを押す。

オプション: セグメント(S), 元に戻す(U), Enter キーで終了または
次の点を指定: @1500<60

❺ Enter キーを押して [線分]コマンドを終了する。

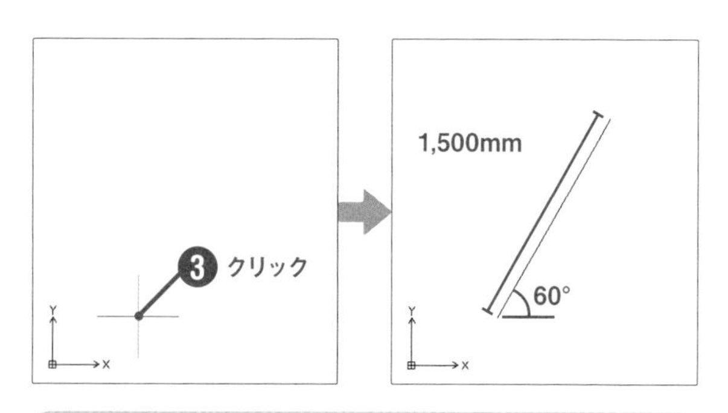

HINT 角度の数値指定

角度は基準となる点から反時計回りの場合は正(+)、時計回りの場合は負(−)の値を入力して指定する。

長さ1,500㎜、傾き60°の線が描けました。

2-2 座標を指定して図形を描く

正確な位置に図形を描くには、座標系を利用します。DraftSightの座標系は、グラフィックス領域の横方向をX、縦方向をYとしています。図形の始点や終点などの座標値を「X,Y」と指定して作図できます。座標値を指定する方法には、「絶対座標」と「相対座標」の２つの方法があります。

2-2-1 絶対座標を使って図形を描く

「図面」－「2nd_day」－「02-01.dwg」(作図前)
「02-02-01.dwg」(作図後)

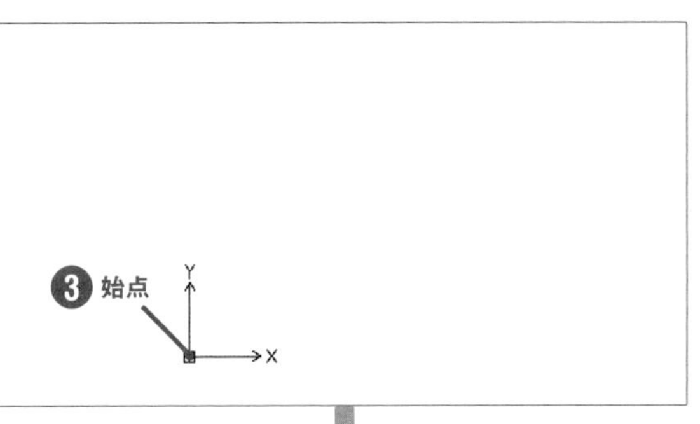

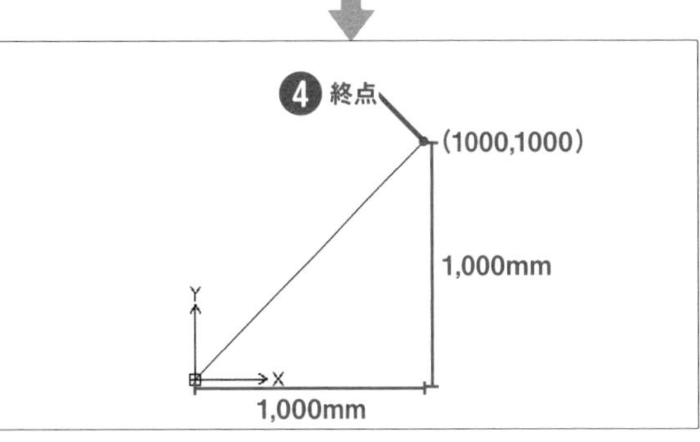

絶対座標は、原点(0,0)からの距離の座標値のことです。絶対座標を指定する際には、原点からの「X軸方向の距離,Y軸方向の距離」を入力します。ここでは、原点を始点、原点から「1000,1000」の位置を終点とする線を描きます。

❶ 33ページ 1-3-1「既存ファイルを開く」を参考に、「02-01.dwg」を開く。
❷ [ホーム]タブ－[作成]パネル－[線分] をクリックする。
❸ キーボードから「0,0」と入力して Enter キーを押す。始点として原点が指定される。

```
オプション: セグメント(S) または
始点を指定» 0,0
```

❹ キーボードから「1000,1000」と入力して Enter キーを押す。終点として、原点からX軸方向に1,000㎜、Y軸方向に1,000㎜の点が指定される。

```
オプション: セグメント(S), 元に戻す(U), Enter キーで終了
次の点を指定» 1000,1000
```

❺ Enter キーを押して[線分]コマンドを終了する。

絶対座標を利用して、原点と「1000,1000」の位置を結ぶ線が描けました。

2-2-2 相対座標を使って図形を描く

「図面」-「2nd_day」-「02-01.dwg」(作図前)
「02-02-02.dwg」(作図後)

相対座標は、直前に指定した点からの距離の座標値のことです。相対座標を指定する際には、最後に指定した点からの「@X軸方向の距離,Y軸方向の距離」を入力します。始点を指示し、始点から「0,－1000」の位置を終点とする線を描きます。

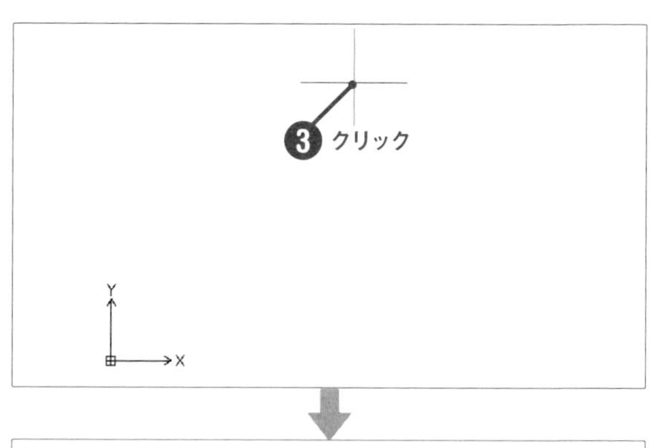

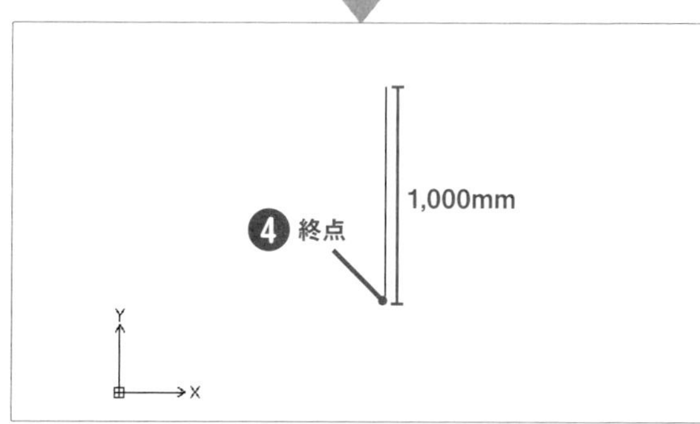

❶ 33ページ 1-3-1「既存ファイルを開く」を参考に、「02-01.dwg」を開く。

❷ [ホーム]タブー[作成]パネルー[線分]をクリックする。

❸ 線の始点位置をクリックする。

❹ キーボードから「@0, -1000」と入力して Enter キーを押す。終点として❸でクリックした点からX軸方向に0㎜、Y軸方向に－1,000㎜の点が指定される。

オプション: セグメント(S), 元に戻す(U), Enter キーで終了または
次の点を指定» @0,-1000

❺ Enter キーを押して[線分]コマンドを終了する。

始点と始点から「0,－1000」の位置を結ぶ線が描けました。

2-3 作図オプションを利用して図形を描く

作図オプションには、カーソルが水平／垂直に固定される「直交」や、ガイド（補助線）を表示する「円形状ガイド」、線の端点や円の中心を表示する「エンティティスナップ」などがあります。これらの機能を利用することによって、正確な図形を描くことができます。「スナップ」「グリッド」については、176ページ 5-1「グリッド／スナップを活用する」で解説します。

2-3-1 作図オプションの切り替え

作図オプションのボタンは、画面下部にあるステータスバーに用意されています。

ボタンの色が無色の場合はオフ、青色の場合はオンになっており、クリックするとオン／オフの切り替えが行える。

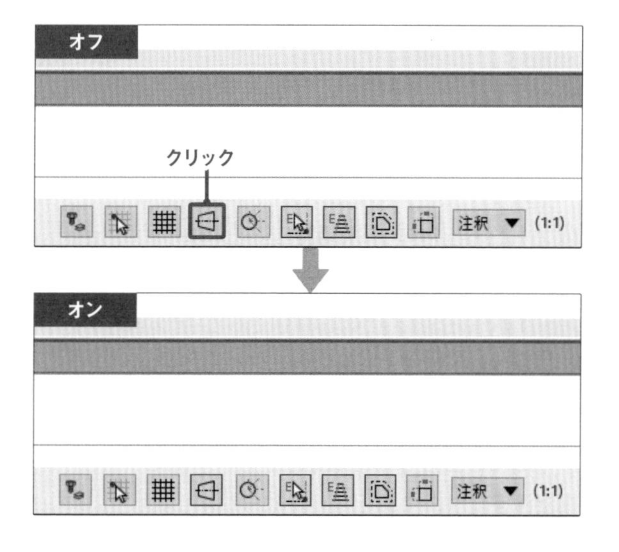

HINT 作図オプションボタンについて

作図オプションボタンの内容については、29ページ 1-2-3「ステータスバーについて」参照。

2-3-2 水平／垂直に固定して図形を描く

「図面」–「2nd_day」–「02-01.dwg」(作図前)
「02-03-02.dwg」(作図後)

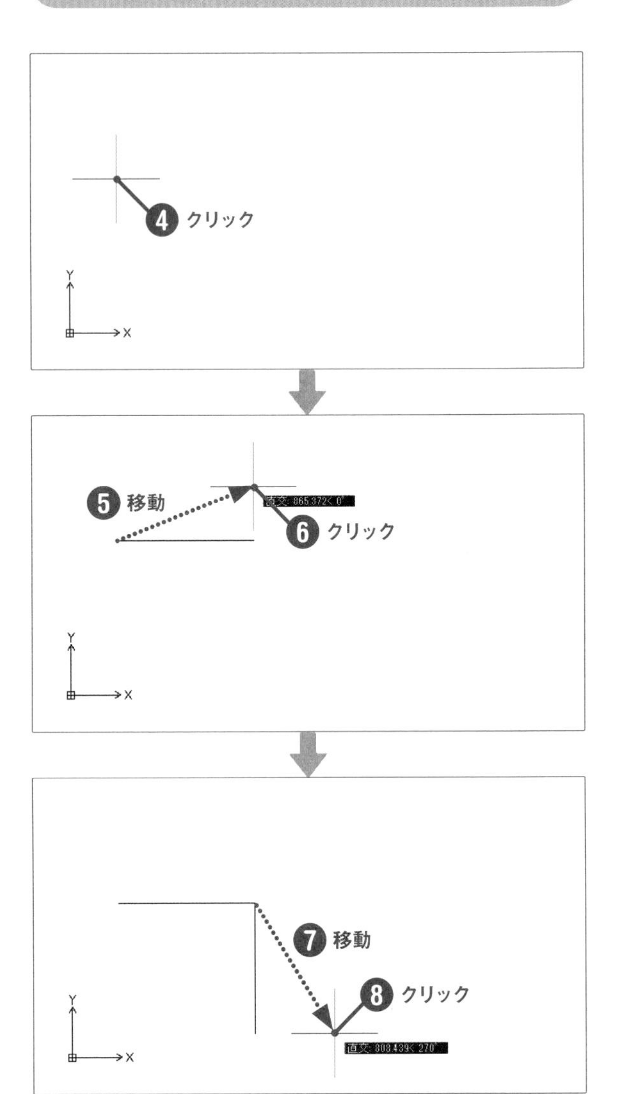

[直交]ボタンをオンにすると、カーソルの動きが水平もしくは垂直に拘束されます。水平／垂直な図形を描くときや、[移動][コピー]コマンドで図形を平行移動するときなどに使用できます。ここでは、直交を使って水平／垂直な線を描きます。

❶ 33ページ 1-3-1「既存ファイルを開く」を参考に、「02-01.dwg」を開く。

❷ [直交]ボタンをクリックしてオンにする。

❸ [ホーム]タブ－[作成]パネル－[線分]をクリックする。

❹ 線の始点位置をクリックする。

❺ カーソルを右上方向に移動すると、カーソルの動きが水平に拘束されているので、線の仮表示が始点から水平右方向に表示される。

❻ 線の終点位置をクリックする。

水平な線が描けました。続けて垂直な線を描きます。

❼ カーソルを右下方向に移動すると、カーソルの動きが垂直に拘束されているので、線の仮表示が垂直下方向に表示される。

❽ 線の終点位置をクリックする。

❾ Enter キーを押して[線分]コマンドを終了する。

垂直な線が描けました。

HINT 直交のオン／オフ

[直交]ボタンのオン／オフは、F8 キーまたは Ctrl ＋ L キーを押すことでも切り替えることができる。

2-3-3 ガイドを使って図形を描く

「図面」－「2nd_day」－「02-01.dwg」(作図前)
「02-03-03.dwg」(作図後)

[円形状]ボタンをオンにすると、最後に指定した点から、あらかじめ設定した角度のガイドが表示されます。表示されるガイドに沿って指示すると、正確な角度での作図が行えます。ここでは、ガイドを使って60°に傾いた線を描きます。

❶ 33ページ 1-3-1「既存ファイルを開く」を参考に、「02-01.dwg」を開く。
❷ [円形状]ボタンをクリックしてオンにする。
❸ [円形状]ボタンを右クリックする。
❹ 表示されるコンテキストメニューの[設定]をクリックする。
❺ [オプション]ダイアログが開き、円形状ガイドの設定項目が表示される。
❻ [円形状ガイド表示の増分角度]のプルダウンで[30]をクリックして選択する。
❼ [OK]ボタンをクリックする。

❽ [ホーム]タブ－[作成]パネル－[線分]をクリックする。
❾ 線の始点位置をクリックする。
❿ カーソルを上方向に移動すると、30°刻みに点線のガイドが表示される。

⓫ さらにカーソルを上方向に移動すると、60°のガイドが表示されるので、任意の長さになる位置をクリックする。
⓬ Enter キーを押して[線分]コマンドを終了する。

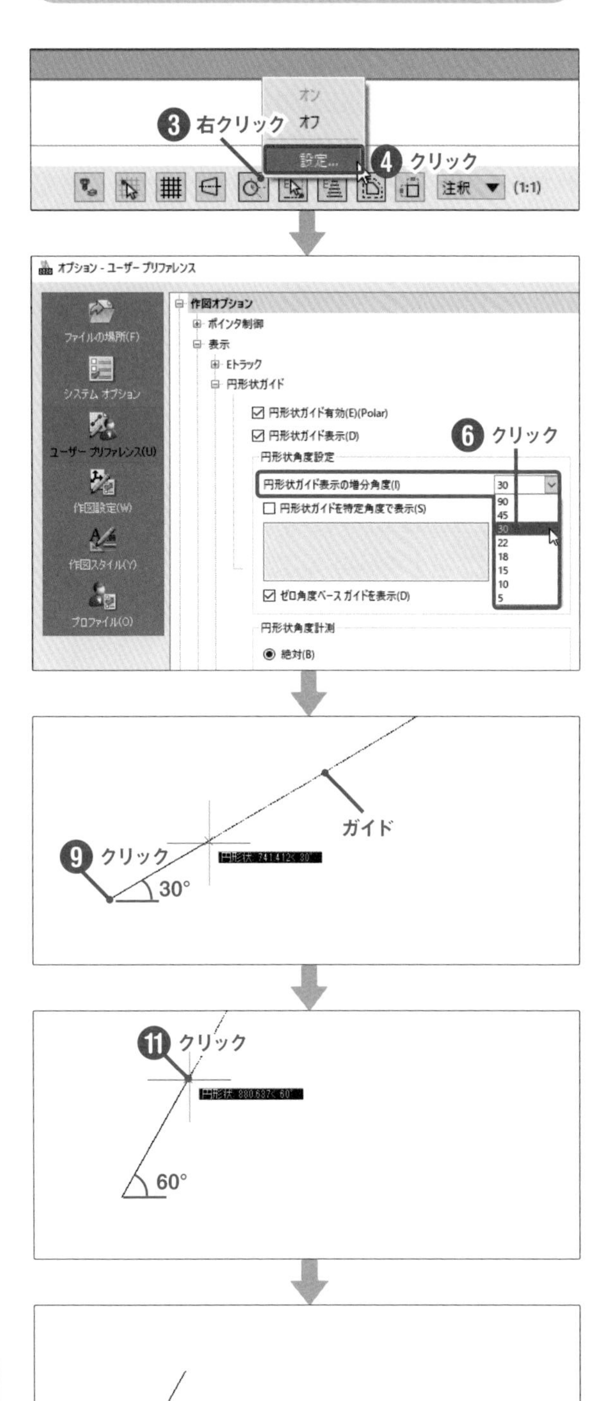

60°に傾いた線が描けました。

HINT 円形状ガイドのオン／オフ

[円形状]ボタンのオン／オフは、F10 キーを押すことでも切り替えることができる。[円形状]ボタンがオンになっていると、[直交]ボタンは自動的にオフになる。

2-3-4 既存の点を正確に指定して図形を描く

「図面」－「2nd_day」－「02-03-04a.dwg」(作図前)
「02-03-04b.dwg」(作図後)

[Eスナップ](エンティティスナップ)ボタンをオンにすると、図形の端点や中点にスナップ点(推定点)のマーカーが表示されてその点を正確に指示できます。ここでは、エンティティスナップを使って線の端点同士を結ぶ線を描きます。

❶33ページ 1-3-1「既存ファイルを開く」を参考に、「02-03-04a.dwg」を開く。
❷[Eスナップ]ボタンをクリックしてオンにする。

❸[Eスナップ]ボタンを右クリックする。
❹表示されるコンテキストメニューの[設定]をクリックする。
❺[オプション]ダイアログが開き、エンティティスナップの設定項目が表示される。[終点][中点][交点]にチェックが入っていることを確認し、入っていない場合は、クリックしてチェックを入れる。
❻[OK]ボタンをクリックする。

線の端点同士を結ぶ線を描きます。

❼[ホーム]タブ－[作成]パネル－[線分] をクリックする。
❽カーソルを長方形の下側の線の端点に近づけ、紫色の長方形のマーカーと 終点 が表示されることを確認してクリックする。
❾カーソルを長方形の上側の線の端点に近づけ、紫色の長方形のマーカーと 終点 が表示されることを確認してクリックする。
❿ Enter キーを押して[線分]コマンドを終了する。

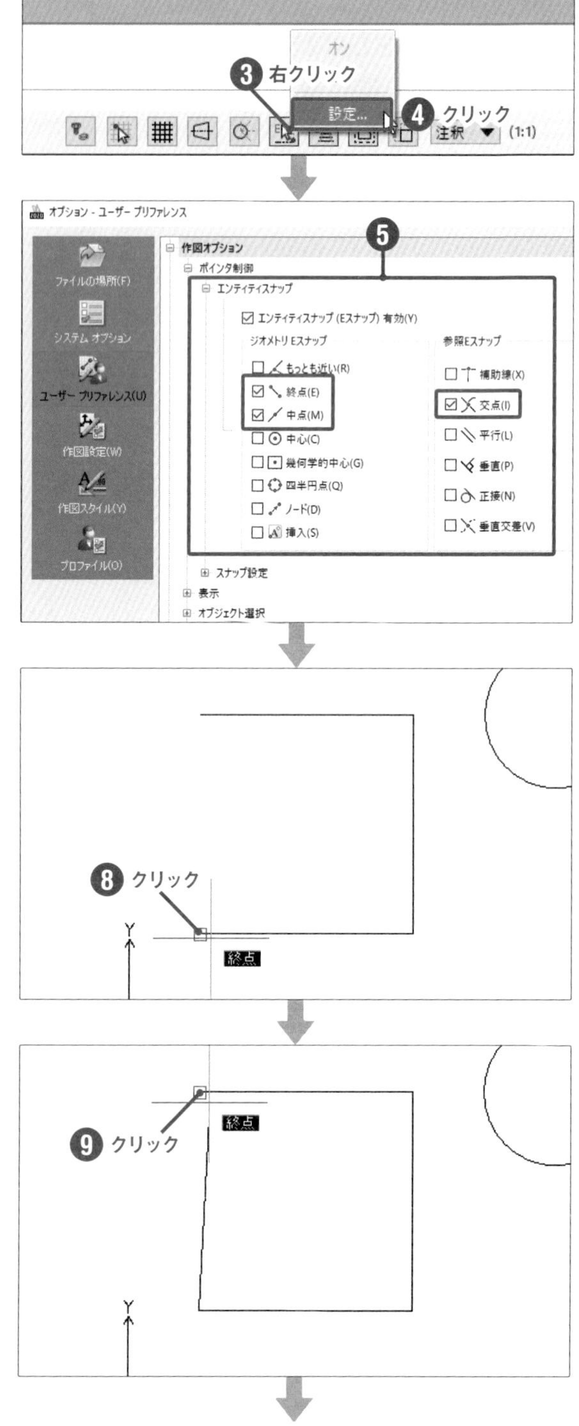

線の端点同士を結ぶ線が描けました。

HINT エンティティスナップのオン／オフ

[Eスナップ]ボタンのオン／オフは、 F3 キーを押すことでも切り替えることができる。

次に線の中点と円の中心を結ぶ線を描きます。一時的に 中心点 のスナップを有効にするため、[Eスナップ上書き]を実行します。

⑪ 再度、[線分]コマンドを実行する。
⑫ カーソルを長方形の下側の線の中点に近づけ、紫色の三角形のマーカーと 中点 が表示されることを確認してクリックする。

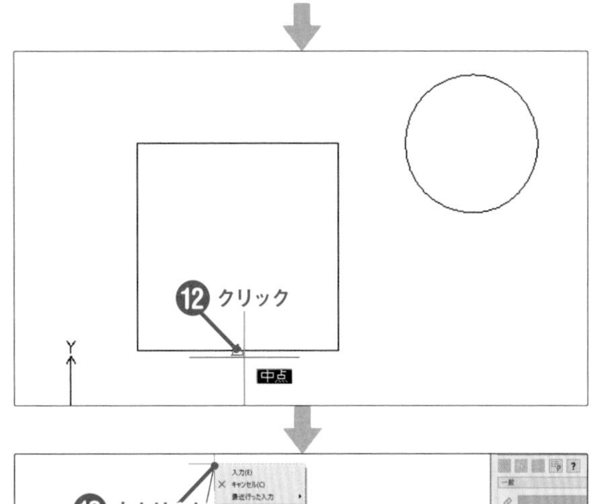

⑬ グラフィックス領域内で右クリックする。
⑭ 表示されるコンテキストメニューの[Eスナップ上書き]－[中心]をクリックして選択する。

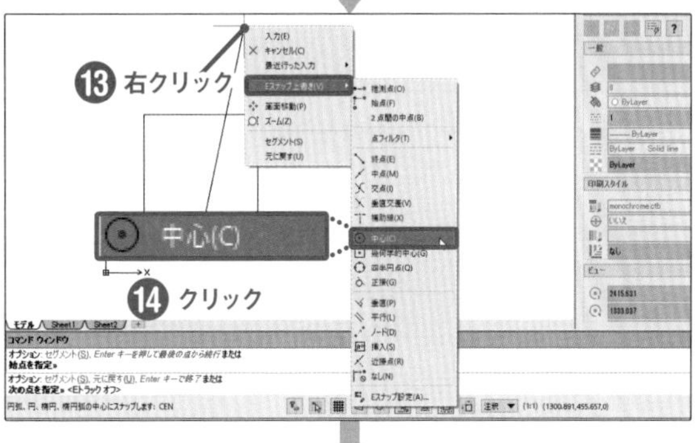

⑮ カーソルを円に近づけ、紫色の丸いマーカーと 中心点 が表示されることを確認してクリックする。
⑯ Enter キーを押して[線分]コマンドを終了する。

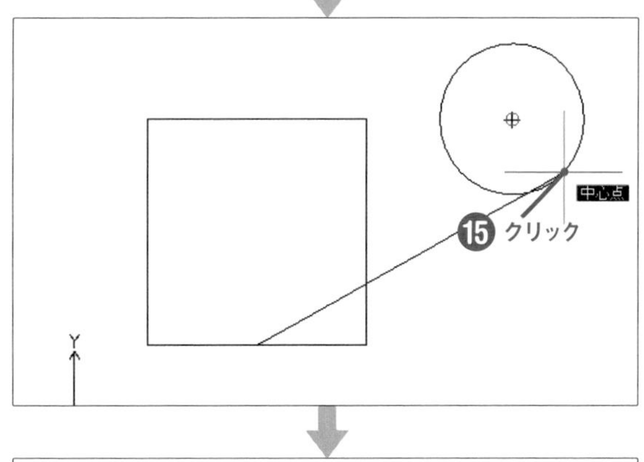

線の中点と円の中心を結ぶ線が描けました。

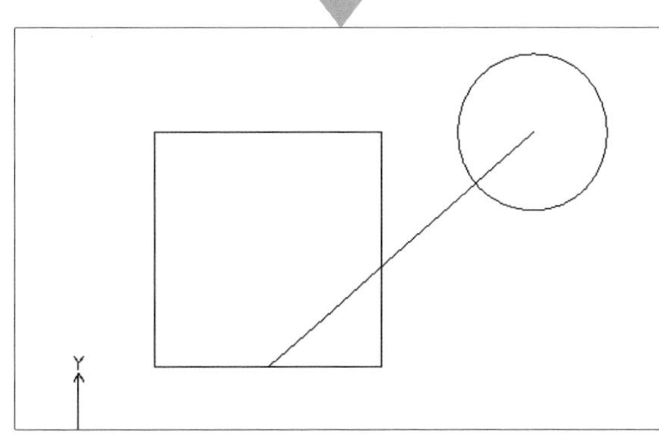

HINT エンティティスナップの種類

エンティティスナップには、次のような種類がある。

エンティティスナップ(省略名)	マーカー	動作内容
もっとも近い(nea)	⊠	線や円、円弧などのエンティティ上の近接点にスナップする。
終点(end)	□	直線や円弧などのエンティティの終点にスナップする。
中点(mid)	△	直線、円弧の中点にスナップする。
中心(cen)	○	円弧、円の中心にスナップする。
幾何学的中心(gce)	✳	閉じたポリライン、スプラインの中心にスナップする。
四半円点(qua)	◇	円または円弧の0°、90°、180°、270°の点にスナップする。
ノード(nod)	⊠	点エンティティにスナップする。
挿入(ins)	⧉	ブロック挿入や文字エンティティの挿入点にスナップする。
補助線(ext)		カーソルをエンティティの終点に合わせる(終点に水色の「+」が表示される)と、そのエンティティの延長補助線が一時的に点線で表示され、その補助線とエンティティとの交点や、補助線同士の交点にスナップする。
交点(int)	☒	直線、円弧、円のエンティティとエンティティの交点にスナップする。
平行(par)	⫽	線の終点を指示する際、別のエンティティにカーソルを合わせると、指示したエンティティと平行になるような補助線が表示され、その補助線上にスナップする。
垂直(per)	⊾	直前に指示した点から、指示するエンティティと垂直になる点でスナップする。
正接(tan)	○	直前に指示した点から円や円弧への接線になる点にスナップする。
垂直交差(appint)	⊠	2つのエンティティを延長して交差する点にスナップする。
推測点(rp)		指示した点に画層「Defpoint」の点を作成し、その点からエンティティトラッキングなどを使ってスナップする。
始点(from)		指示した点から座標値で指定した点にスナップする。
2点間の中点(m2p)		指示した2点の中点にスナップする。

2-3-5 既存点からのガイドを使って図形を描く

「図面」-「2nd_day」-「02-01.dwg」(作図前)
「02-03-05.dwg」(作図後)

[Eトラック](エンティティトラック)ボタンをオンにすると、ガイドをエンティティスナップの点から表示して、ガイド同士の交点などを指示できます。ここでは、エンティティトラックを使って正三角形を描きます。

❶ 33ページ 1-3-1「既存ファイルを開く」を参考に、「02-01.dwg」を開く。

❷ [Eトラック]ボタンをクリックしてオンにする。[円形状]と[Eスナップ]ボタンもオンにする。さらに、65ページ 2-3-3「ガイドを使って図形を描く」の❸~❼と同様の手順で[円形状ガイド表示の増分角度]を30°に設定する。

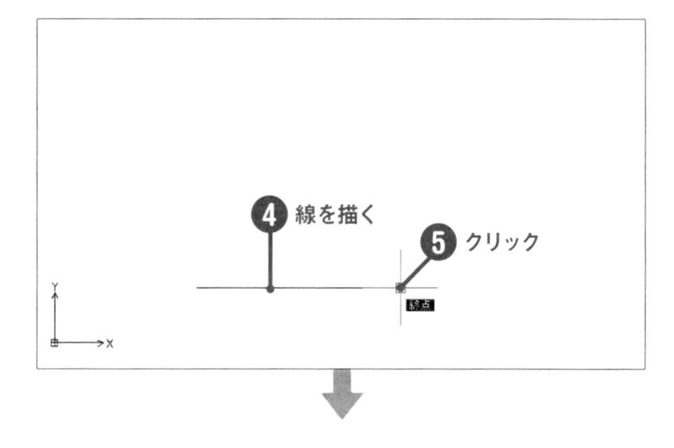

❸ [ホーム]タブ-[作成]パネル-[線分]をクリックする。

❹ ガイドを利用して水平な線を描き、Enter キーを押して[線分]コマンドを終了する

❺ 再度、[線分]コマンドを実行する。カーソルを線の終点に近づけ、終点 が表示されることを確認してクリックする。

❻カーソルを移動すると、終点に紫色の「＋」マークが表示される。

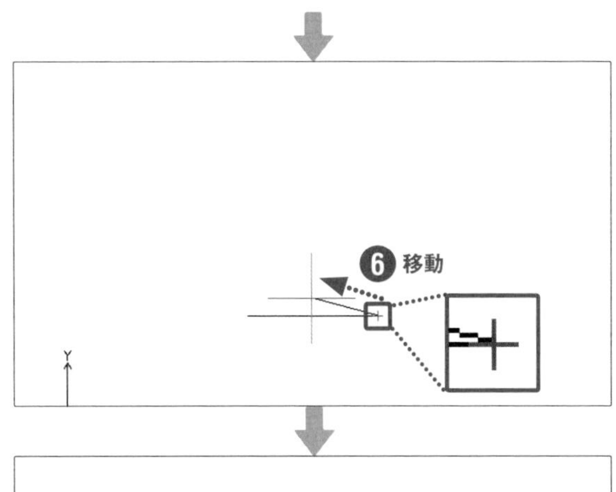

❼カーソルを線の始点に近づけ、終点を表示してから移動すると、始点にも紫色の「＋」マークが表示される。

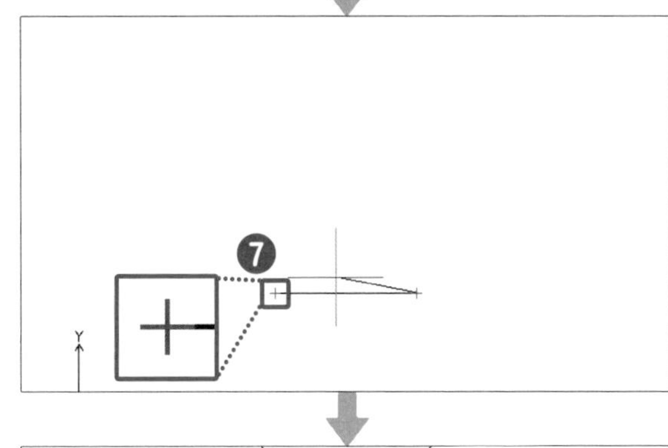

❽カーソルを移動して、❹の線の始点から60°、終点から120°のガイドが表示される。2本の線が交差した赤色の「×」マークが表示される位置をクリックする。

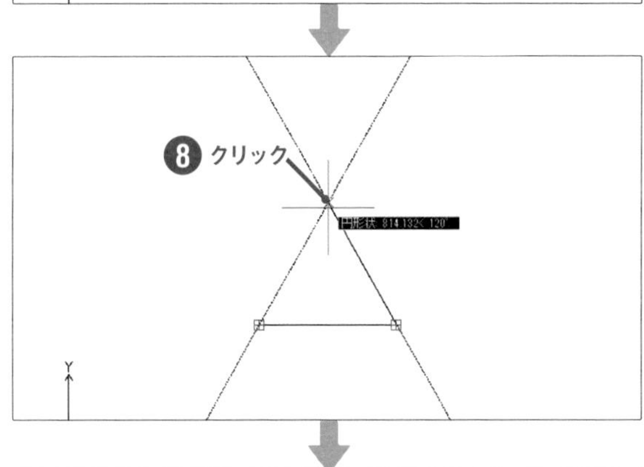

❾カーソルを線の始点に近づけ、終点と表示される位置をクリックする。

❿ Enter キーを押して[線分]コマンドを終了する。

正三角形が描けました。

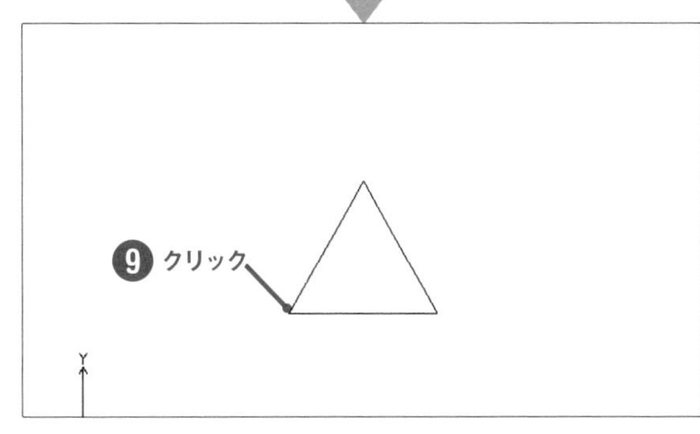

HINT エンティティトラックのオン／オフ

[Eトラック]ボタンのオン／オフは、F11 キーを押すことでも切り替えることができる。

長方形を描く

長方形を描くには[四角形]コマンドを使います。[四角形]コマンドで作成した長方形は、ポリライン(82ページ 2-9「ポリラインを描く」)となります。長さを指定して作図したり、角の丸い長方形を作図したりすることもできます。

2-4-1 マウス操作で長方形を描く

「図面」－「2nd_day」－「02-01.dwg」(作図前)
「02-04-01.dwg」(作図後)

[四角形]コマンドを実行し、マウス操作で頂点と対角点を指示すると、長方形を描くことができます。

❶ 33ページ 1-3-1「既存ファイルを開く」を参考に、「02-01.dwg」を開く。

❷ [ホーム]タブー[作成]パネルー[四角形]をクリックする。

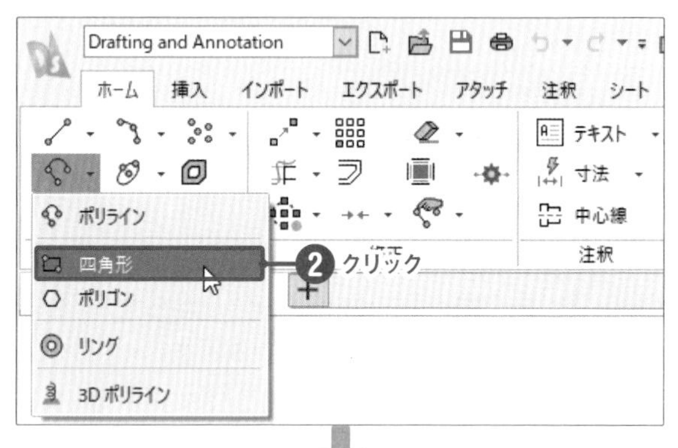

❸ コマンドウィンドウに「始点コーナーを指定»」と表示されるので、長方形の頂点の位置をクリックする。

オプション: 3コーナー(3C), 3点中心(3P), 中央(CE), コーナー(CO), 面
始点コーナーを指定»

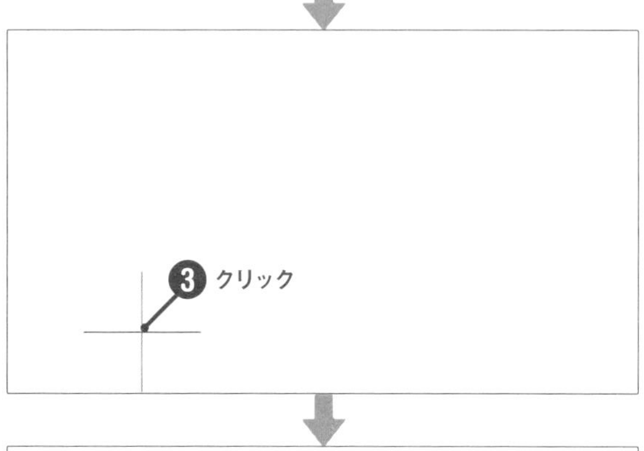

❹ コマンドウィンドウに「反対側のコーナーを指定»」と表示されるので、カーソルを移動して長方形の対角点をクリックする。

オプション: 領域(A), 寸法(D), 回転(R) または
反対側のコーナーを指定»

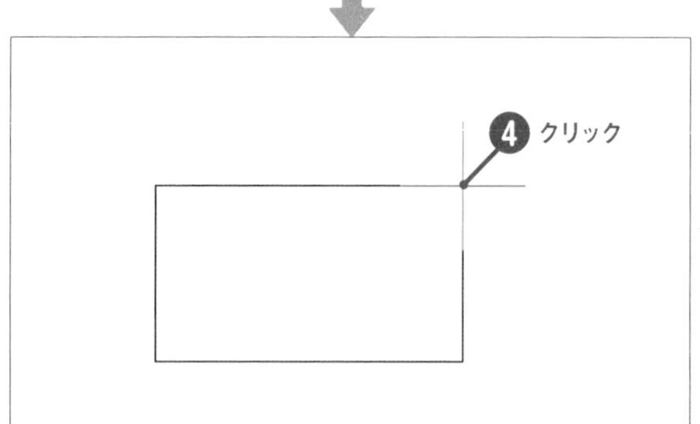

長方形が描けました。

2-4-2 寸法を指定して長方形を描く

「図面」－「2nd_day」－「02-01.dwg」(作図前)
「02-04-02.dwg」(作図後)

寸法(ここではX軸方向に1,000㎜、Y軸方向に500㎜)を指定して長方形を描きます。

❶ 33ページ 1-3-1「既存ファイルを開く」を参考に、「02-01.dwg」を開く。

❷ [ホーム]タブ－[作成]パネル－[四角形]をクリックする。

❸ コマンドウィンドウに「始点コーナーを指定≫」と表示されるので、長方形の頂点の位置をクリックする。

オプション: 3コーナー(3C), 3点中心(3P), 中央(CE), コーナー(CO), 面
始点コーナーを指定»

❹ コマンドウィンドウに「反対側のコーナーを指定≫」と表示されるので、キーボードから「@1000,500」と入力して Enter キーを押す。

オプション: 領域(A), 寸法(D), 回転(R) または
反対側のコーナーを指定» @1000,500

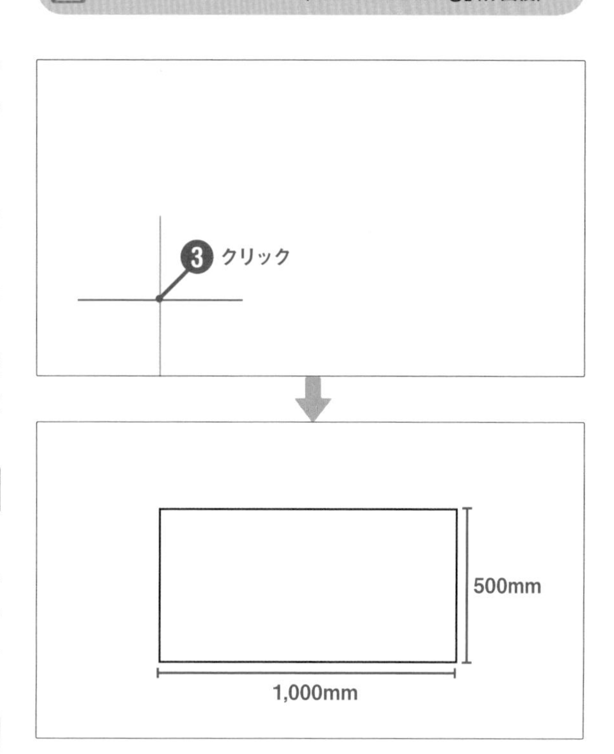

X軸方向に1,000㎜、Y軸方向に500㎜の長方形が描けました。

2-4-3 角が丸い長方形を描く

「図面」－「2nd_day」－「02-01.dwg」(作図前)
「02-04-03.dwg」(作図後)

角が丸い長方形を描くには、オプションの[フィレット](F)を使います。角の丸みは半径(ここでは、半径50㎜)を指定します。

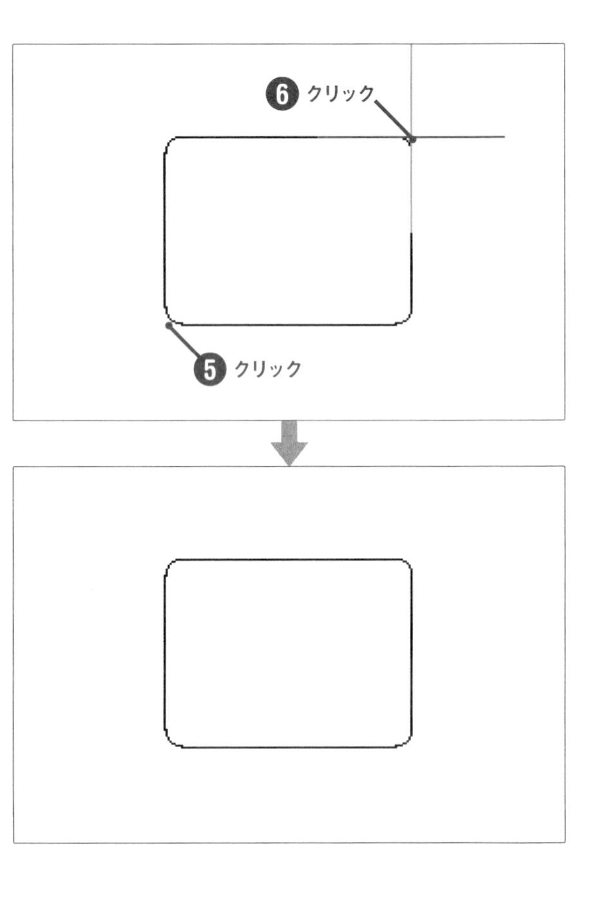

❶ 33ページ 1-3-1「既存ファイルを開く」を参考に、「02-01.dwg」を開く。

❷ [ホーム]タブ－[作成]パネル－[四角形]をクリックする。

❸ キーボードから「f」と入力して Enter キーを押し、オプションの[フィレット]を実行する。

オプション: 3コーナー(3C), 3点中心(3P), 中央(CE), コーナー(CO), 面
始点コーナーを指定» f

❹ コマンドウィンドウに「フィレット半径を指定»」と表示されるので、キーボードから「50」と入力して Enter キーを押す。

デフォルト: 0
フィレット半径を指定» 50

❺ コマンドウィンドウに「始点コーナーを指定»」と表示されるので、長方形の頂点の位置をクリックする。

❻ コマンドラインに「反対側のコーナーを指定»」と表示されるので、カーソルを移動して長方形の対角点をクリックする。2-4-2のように寸法を指定して描くこともできる。

角が丸い長方形が描けました。

HINT 次に長方形を作図する際の注意

一度フィレットを使うと、次に[四角形]コマンドを実行する際にも半径50㎜のフィレットが反映されてしまう。通常の角がある長方形を描きたい場合には、再度キーボードから「f」と入力して Enter キーを押し、フィレット半径を「0」に指定する必要がある。

コマンド ウィンドウ

アクティブな四角形のモード: フィレット=50
オプション: 3コーナー(3C), 3点中心(3P), 中央(CE), コーナー(CO), 面取り(C), 高度(E), フィレット(F), 平行四辺形(P), 厚さ(T), 線幅(W) または
始点コーナーを指定» f

2-5 多角形を描く

五角形や六角形などの多角形を描くには[ポリゴン]コマンドを使います。辺の長さを指定して描く方法と、中心を指定して描く方法があります。

2-5-1 辺の長さを指定して多角形を描く

「図面」－「2nd_day」－「02-01.dwg」(作図前)
「02-05-01.dwg」(作図後)

[ポリゴン]コマンドを実行し、一辺の始点と長さを指定すると、多角形を描くことができます。ここでは、一辺が500㎜の正五角形を作図します。

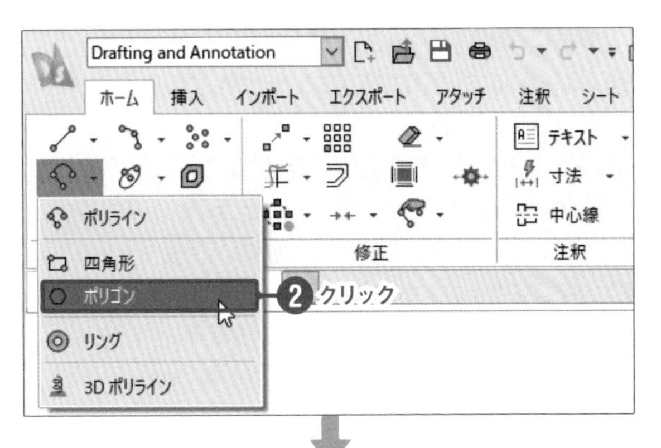

❶ 33ページ 1-3-1「既存ファイルを開く」を参考に、「02-01.dwg」を開く。

❷ [ホーム]タブ－[作成]パネル－[ポリゴン]をクリックする。

❸ コマンドウィンドウに「辺の数を指定≫」と表示されるので、キーボードから「5」と入力して Enter キーを押す。

```
デフォルト: 4
辺の数を指定» 5
```

❹ キーボードから「s」と入力して Enter キーを押し、オプションの[辺の長さ]を実行する。

```
オプション: 辺の長さ(S) または
中心点を指定» s
```

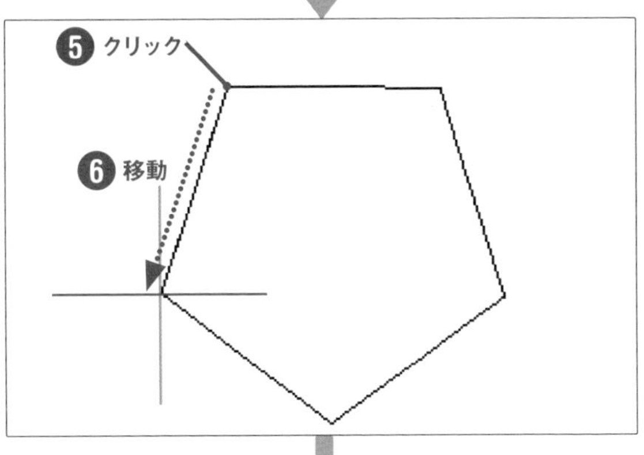

❺ コマンドウィンドウに「始点を指定≫」と表示されるので、任意の始点位置をクリックする。

❻ コマンドウィンドウに「辺の長さを指定≫」と表示されるので、辺の方向にカーソルを移動し、キーボードから「500」と入力して Enter キーを押す。

```
始点を指定»
辺の長さを指定» 500
```

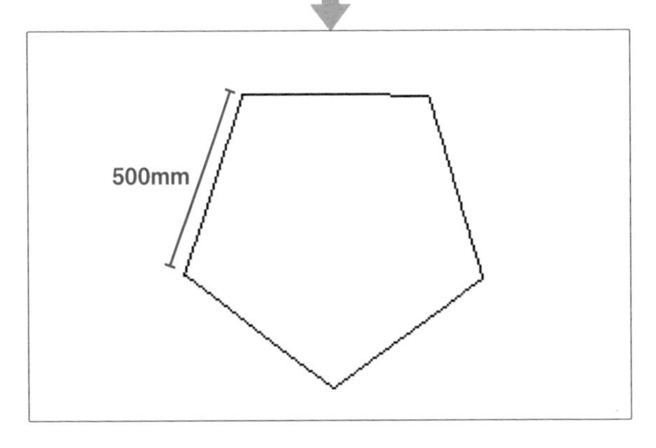

一辺が500㎜の正五角形が描けました。

2-5-2 中心点を指定して多角形を描く

「図面」－「2nd_day」－「02-01.dwg」(作図前)
「02-05-02.dwg」(作図後)

多角形の中心点からの距離を指定して描く方法は2つあります。[コーナー](CO)は中心点から頂点までの距離を、[辺](S)は中心点から辺の中央までの距離を指定できます。ここでは、[コーナー]を使って正五角形を作図します。

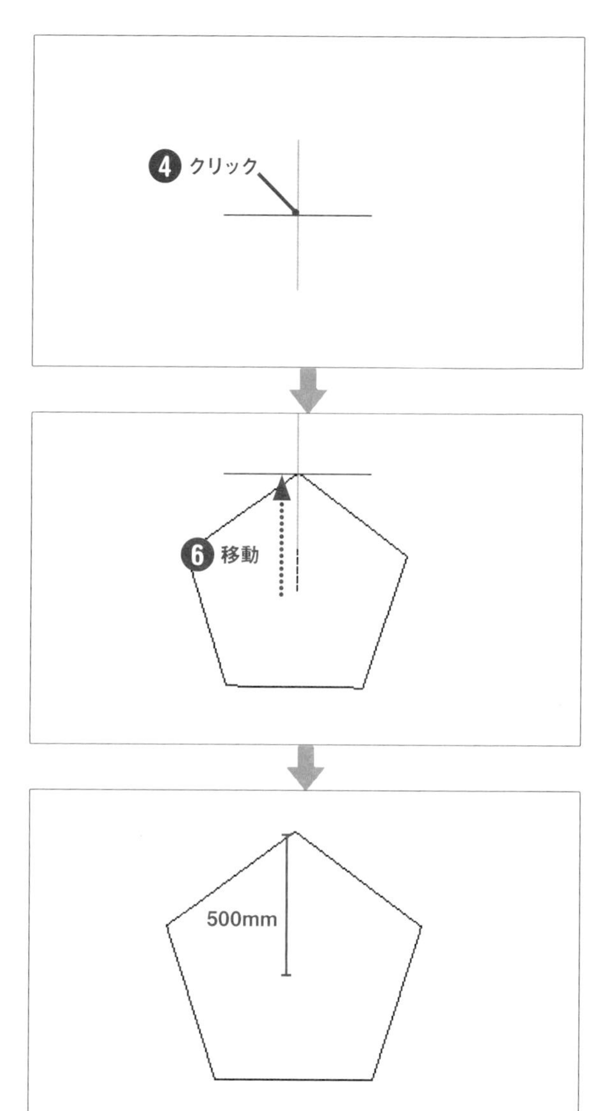

❶ 33ページ 1-3-1「既存ファイルを開く」を参考に、「02-01.dwg」を開く。

❷ [ホーム]タブ－[作成]パネル－[ポリゴン]をクリックする。

❸ コマンドウィンドウに「辺の数を指定≫」と表示されるので、キーボードから「5」と入力して Enter キーを押す。

❹ コマンドウィンドウに「中心点を指定≫」と表示されるので、任意の位置をクリックする。

❺ コマンドウィンドウに「距離オプションを指定≫」と表示されるので、キーボードから「co」と入力して Enter キーを押す。

デフォルト: コーナー(CO)
オプション: コーナー(CO) または 辺(S)
距離オプションを指定» co

❻ コマンドウィンドウに「距離を指定≫」と表示されるので、辺の方向にカーソルを移動し、キーボードから「500」と入力して Enter キーを押す。

距離を指定» 500

中心から頂点までの距離が500㎜の正五角形が描けました。

HINT [コーナー]と[辺]の違い

[コーナー]は、中心点から頂点までの距離を指定するが、多角形の外接円の半径を指定するのと同じ意味になる。
[辺]は中心点から辺の中央までの距離を指定するが、多角形の内接円の半径を指定するのと同じ意味になる。

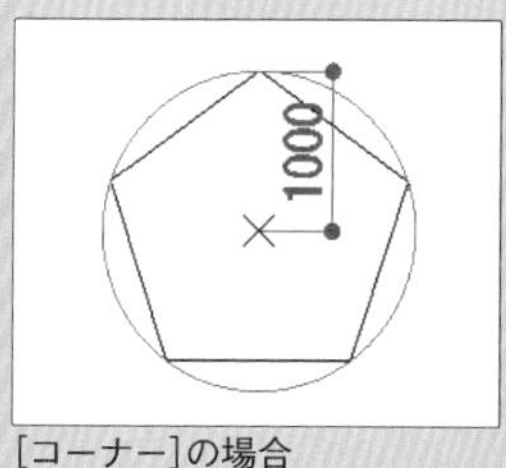

[コーナー]の場合

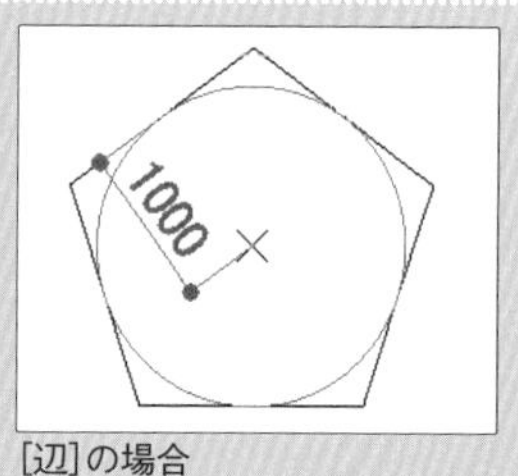

[辺]の場合

2-6 円を描く

円を描くには[円]コマンドを使います。作図にはさまざまな方法がありますが、ここでは、半径を指定して円を描く方法と、3辺を指定してそれに接する円を描く方法を解説します。

2-6-1 半径を指定して円を描く

「図面」-「2nd_day」-「02-01.dwg」(作図前)
「02-06-01.dwg」(作図後)

[円]コマンドを実行し、円の中心点と半径を指定すると円を描くことができます。ここでは、半径が500㎜の円を作図します。

❶ 33ページ 1-3-1「既存ファイルを開く」を参考に、「02-01.dwg」を開く。

❷ [ホーム]タブ－[作成]パネル－[円]を クリックする。

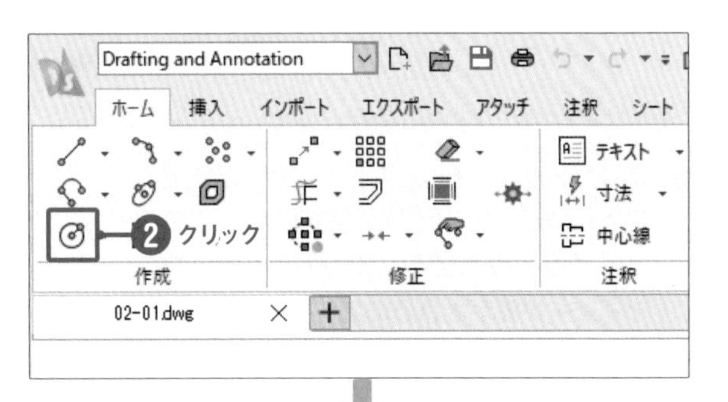

❸ コマンドウィンドウに「中心点を指定≫」と表示されるので、任意の位置をクリックする。

オプション: 3点, 2点, 接、接、半(T), 接、接、接(TTT) または
中心点を指定»

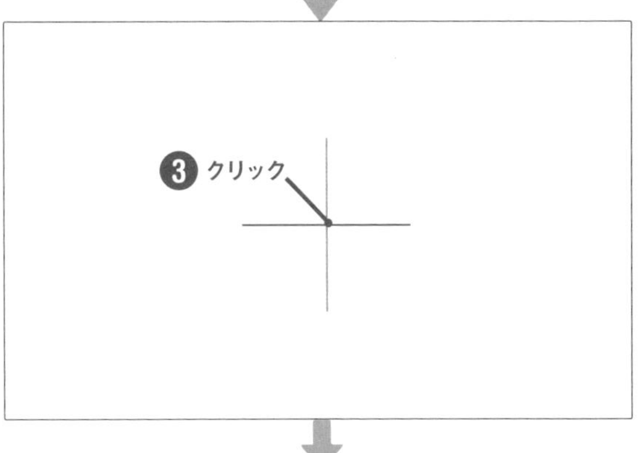

❹ コマンドウィンドウに「半径を指定≫」と表示されるので、キーボードから「**500**」と入力して Enter キーを押す。

オプション: 直径(D) または
半径を指定» 500

半径500㎜の円が描けました。

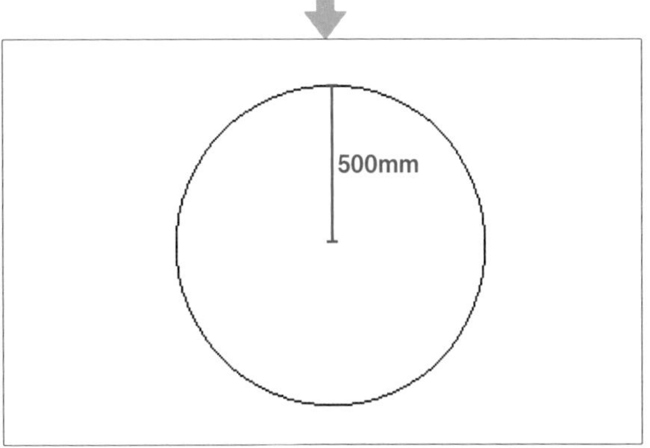

2-6-2 3辺に接する円を描く

「図面」－「2nd_day」－「02-06-02a.dwg」(作図前)
「02-06-02b.dwg」(作図後)

[正接、正接、正接]コマンドを使うと、3辺に接する円を作図できます。ここでは、長方形に内接する円を描きます。

❶ 33ページ 1-3-1「既存ファイルを開く」を参考に、「02-06-02a.dwg」を開く。

❷ [ホーム]タブ－[作成]パネル－[正接、正接、正接]をクリックする。

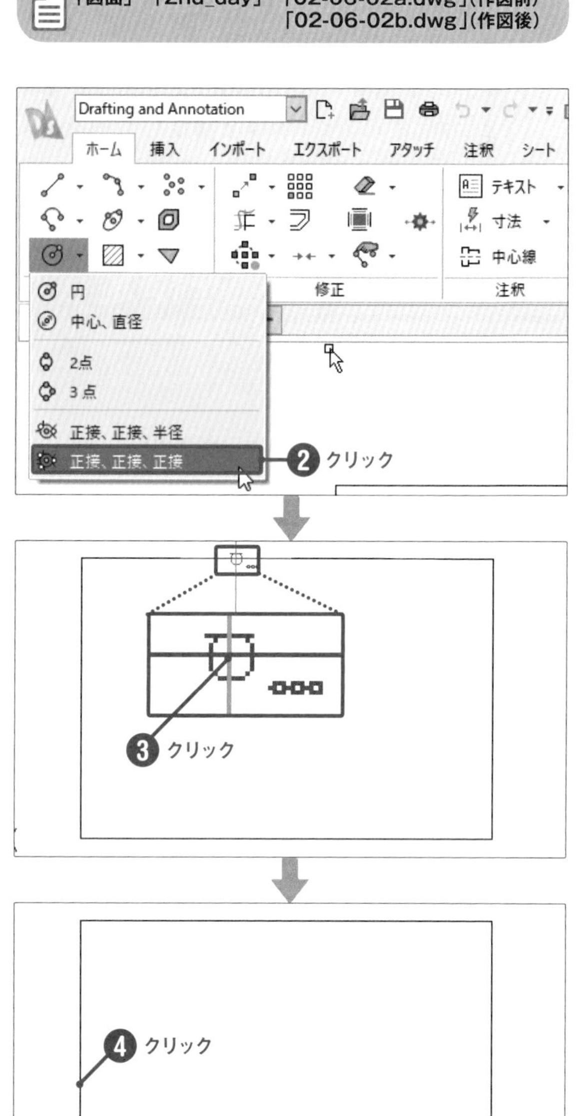

❸ コマンドウィンドウに「1つ目の正接を指定»」と表示されるので、長方形の上辺にカーソルを移動する。[正接]スナップのマーカーが表示されるので、マーカーが表示された状態でクリックする。

```
1つ目の正接を指定»
```

❹ コマンドウィンドウに「2つ目の正接を指定»」と表示されるので、左辺の[正接]スナップのマーカーが表示される位置でクリックする。

❺ コマンドウィンドウに「3つ目の正接を指定»」と表示されるので、下辺の[正接]スナップのマーカーが表示される位置でクリックする。

長方形に内接する円が描けました。

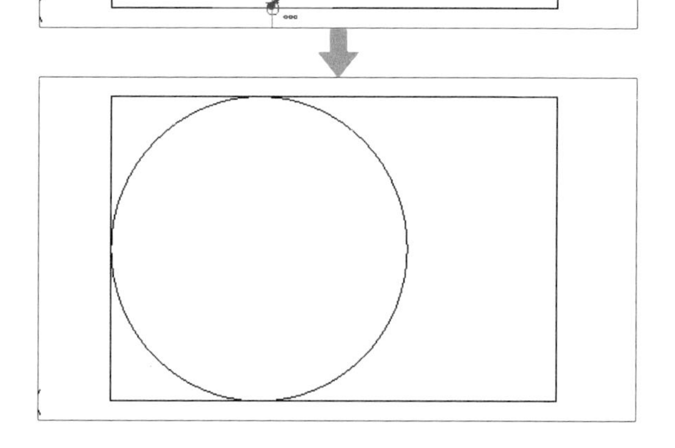

2-7 円弧を描く

円弧を描くには[円弧]コマンドを使います。作図にはさまざまな方法がありますが、ここでは、マウス操作で円弧を描く方法と中心点と始点、終点を指定して円弧を描く方法を解説します。

2-7-1 マウス操作で円弧を描く

「図面」－「2nd_day」－「02-01.dwg」(作図前)
「02-07-01.dwg」(作図後)

[円弧]コマンドを実行し、円弧の始点と通過点、終点をクリックして指定すると、円弧を描くことができます。

❶ 33ページ 1-3-1「既存ファイルを開く」を参考に、「02-01.dwg」を開く。

❷ [ホーム]タブー[作成]パネルー[円弧] をクリックする。

❸ コマンドウィンドウに「始点を指定≫」と表示されるので、任意の位置をクリックする。

オプション: 中心(C), Enter キーを押して最後の点から続行または
始点を指定»

❹ コマンドウィンドウに「通過点を指定≫」と表示されるので、任意の位置をクリックする。

オプション: 中心(C), 終了(E) または
通過点を指定»

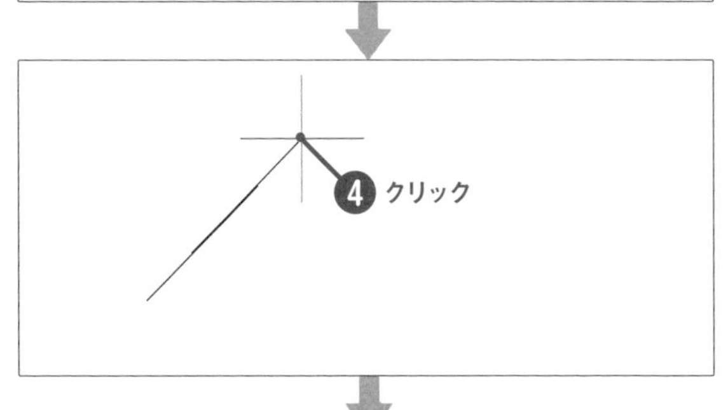

❺ コマンドウィンドウに「終点を指定≫」と表示されるので、任意の位置をクリックする。

終点を指定»

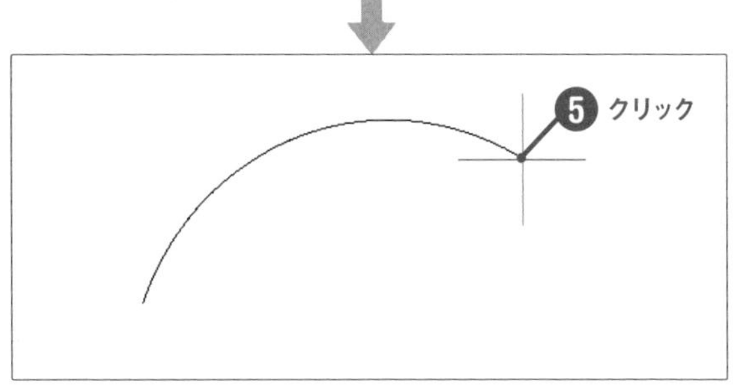

円弧が描けました。

2-7-2 中心点と始点、終点を指定して円弧を描く

「図面」−「2nd_day」−「02-01.dwg」(作図前)
「02-07-02.dwg」(作図後)

[中心、始点、終点]コマンドを使うと、中心点と始点、終点を指定して円弧を作図できます。

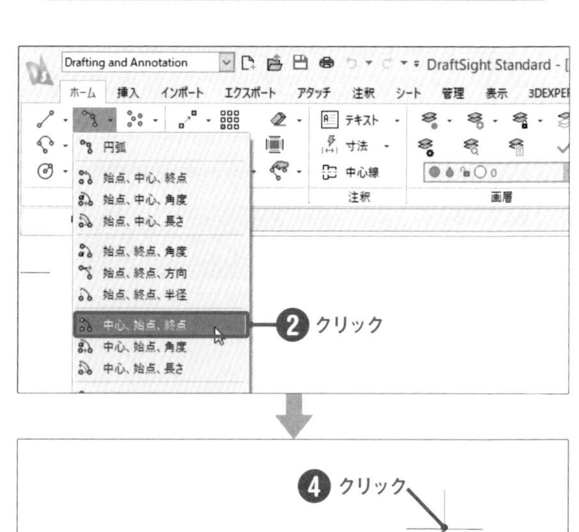

❶ 33ページ 1-3-1「既存ファイルを開く」を参考に、「02-01.dwg」を開く。
❷ [ホーム]タブ−[作成]パネル−[中心、始点、終点]をクリックする。

❸ コマンドウィンドウに「中心点を指定≫」と表示されるので、任意の位置をクリックする。

中心点を指定»

❹ コマンドウィンドウに「始点を指定≫」と表示されるので、任意の位置をクリックする。

始点を指定»

❺ コマンドウィンドウに「終点を指定≫」と表示されるので、任意の位置をクリックする。

オプション: 角度(A), 弦の長さ(L) または
終点を指定»

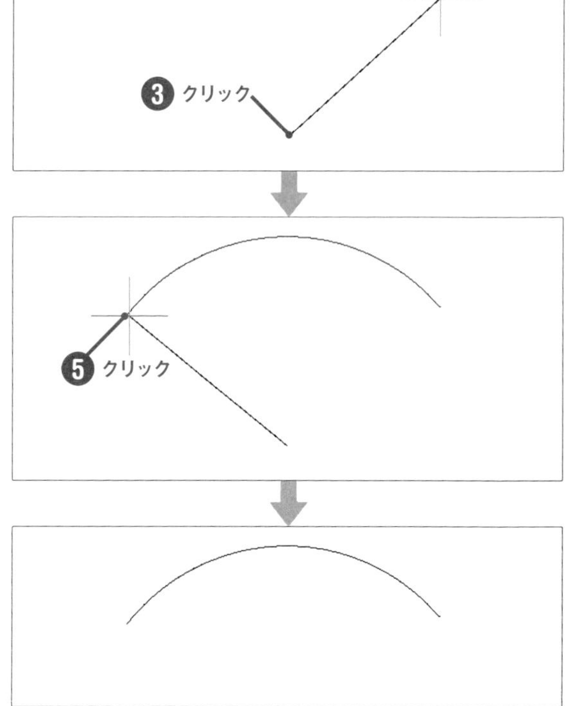

円弧が描けました。

HINT 始点と終点を指示する順によって円弧の向きが変わる

円弧は指示した中心点から反時計回りに作成される。そのため、❹と❺でクリック順を逆にして始点と終点の指示方向を時計回りに行った場合は、下方向に膨らむ円弧になる。

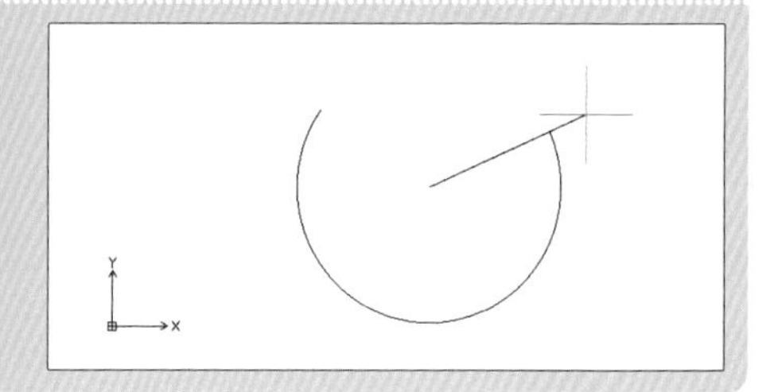

2-8 楕円／楕円弧を描く

楕円を描くには[中心]コマンドを、楕円弧を描くには[楕円弧]コマンド使います。どちらも２本の軸を指定して作図します。

2-8-1 マウス操作で楕円を描く

「図面」－「2nd_day」－「02-01.dwg」(作図前)
「02-08-01.dwg」(作図後)

[中心]コマンドを実行し、楕円の中心点と２本の軸の終点をクリックして指定すると、楕円を描くことができます。

❶ 33ページ 1-3-1「既存ファイルを開く」を参考に、「02-01.dwg」を開く。

❷ [ホーム]タブ－[作成]パネル－[中心]をクリックする。

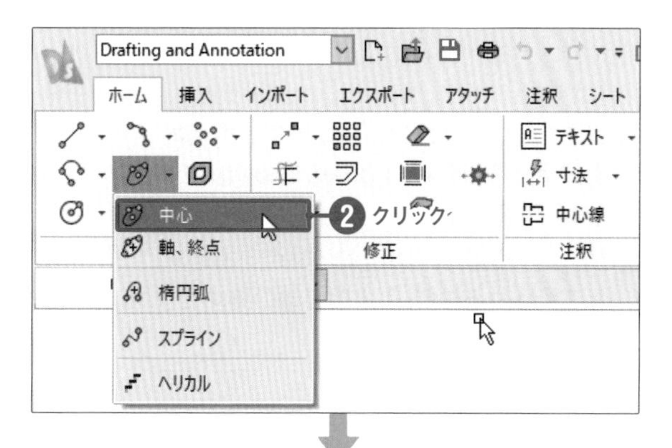

❸ コマンドウィンドウに「中心点を指定≫」と表示されるので、任意の位置をクリックする。

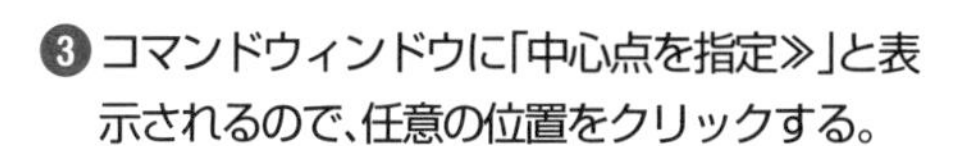

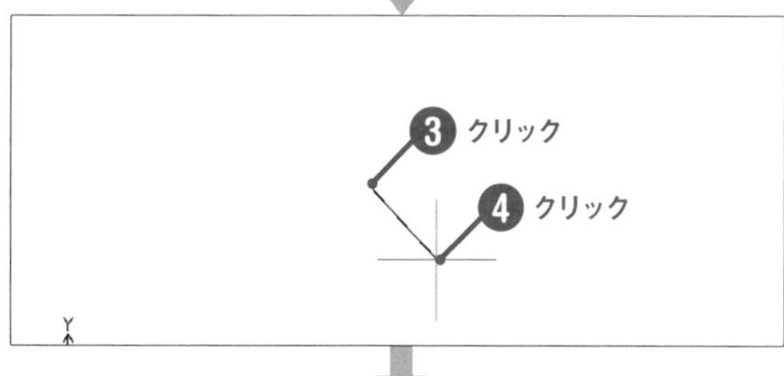

❹ コマンドウィンドウに「軸の終点を指定≫」と表示されるので、１本目の軸の終点をクリックする(軸の始点は中心点となる)。

軸の終点を指定»

❺ コマンドウィンドウに「他の軸の終点を指定≫」と表示されるので、２本目の軸の終点をクリックする(軸の始点は中心点となる)。

オプション: 回転(R) または
他の軸の終点を指定»

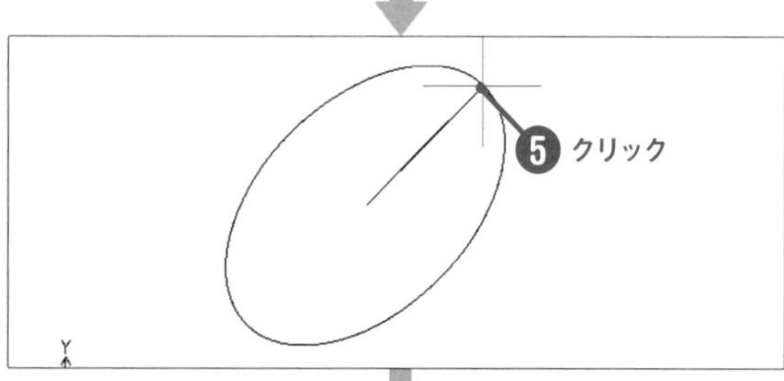

楕円が描けました。

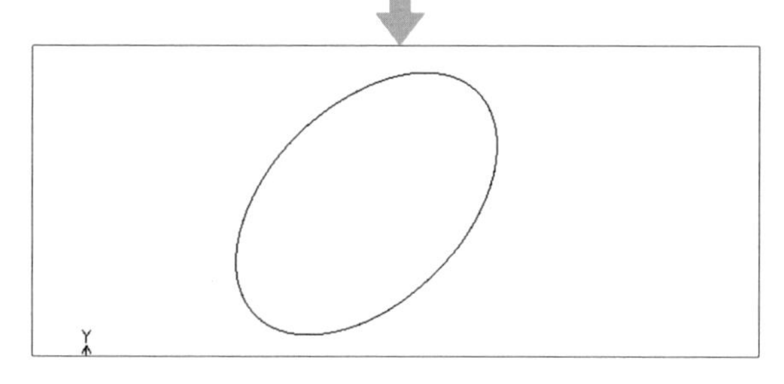

2-8-2 マウス操作で楕円弧を描く

「図面」-「2nd_day」-「02-01.dwg」(作図前)
「02-08-02.dwg」(作図後)

[楕円弧] コマンドを実行し、仮の楕円の始点と終点を指定すると、楕円弧を描くことができます。

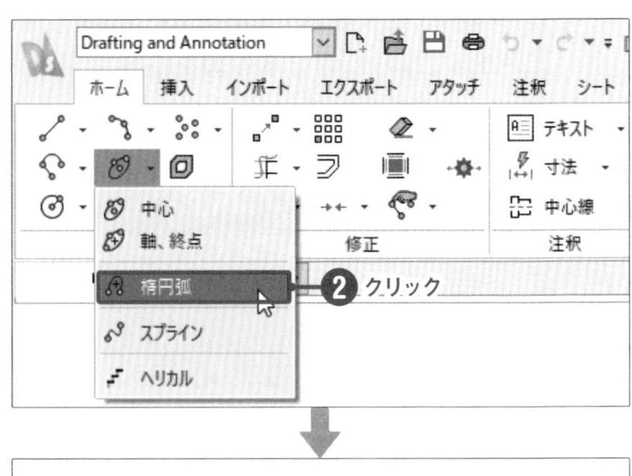

❶ 33ページ 1-3-1「既存ファイルを開く」を参考に、「02-01.dwg」を開く。

❷ [ホーム]タブー[作成]パネルー[楕円弧]をクリックする。

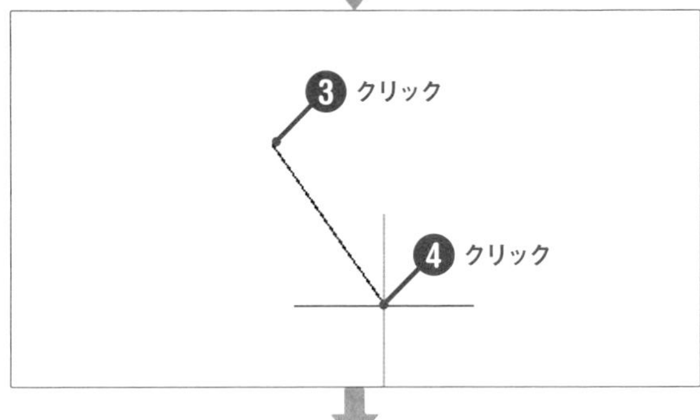

❸ コマンドウィンドウに「軸の始点を指定≫」と表示されるので、1本目の軸の始点をクリックする。

❹ コマンドウィンドウに「軸の終点を指定≫」と表示されるので、1本目の軸の終点をクリックする。

軸の始点を指定»
軸の終点を指定»

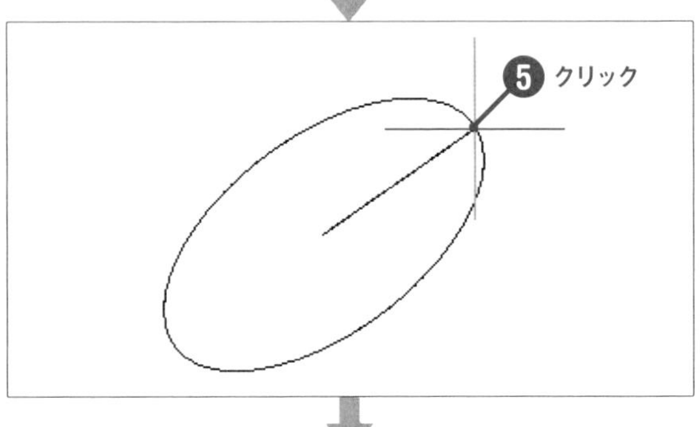

❺ 自動的に1本目の軸の中点が2本目の軸の始点となり、コマンドウィンドウに「他の軸の終点を指定≫」と表示されるので、2本目の軸の終点をクリックする。

オプション: 回転(R) または 他の軸の終点を指定»

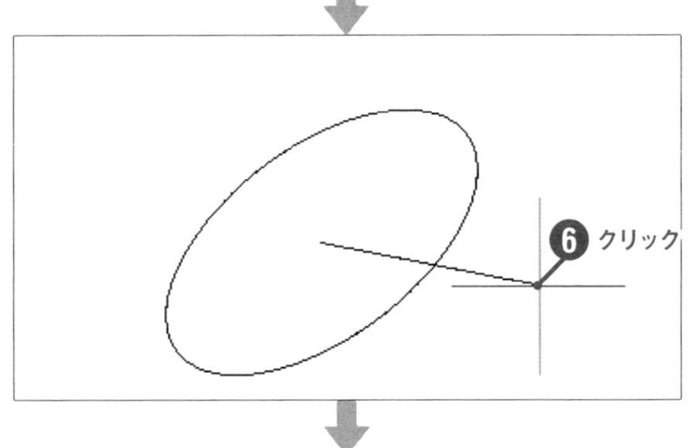

❻ 楕円が仮表示される。コマンドウィンドウに「始点角度を指定≫」と表示されるので、楕円の始点となる角度でクリックする。

オプション: パラメータ(P) または 始点角度を指定»

❼ コマンドウィンドウに「終点角度を指定≫」と表示されるので、楕円の終点となる角度でクリックする。

オプション: パラメトリック ベクトル(P), 角度全体(I) または
終点角度を指定»

楕円弧が描けました。

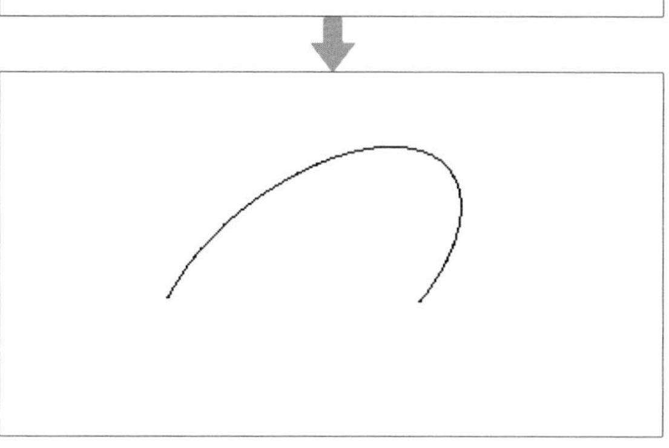

2-9 ポリラインを描く

ポリラインは、複数の直線や円弧で構成され、ひとまとまりとして扱えるエンティティです。幅のある線を描いたり、ハッチング(92ページ 2-14「ハッチングする」参照)領域を正確に指定したりする際に活用できます。

2-9-1 幅のある線を描く

「図面」－「2nd_day」－「02-01.dwg」(作図前)
「02-09-01.dwg」(作図後)

[ポリライン]コマンドの[幅](W)オプションを使うと、数値指定して幅のある線を描くことができます。

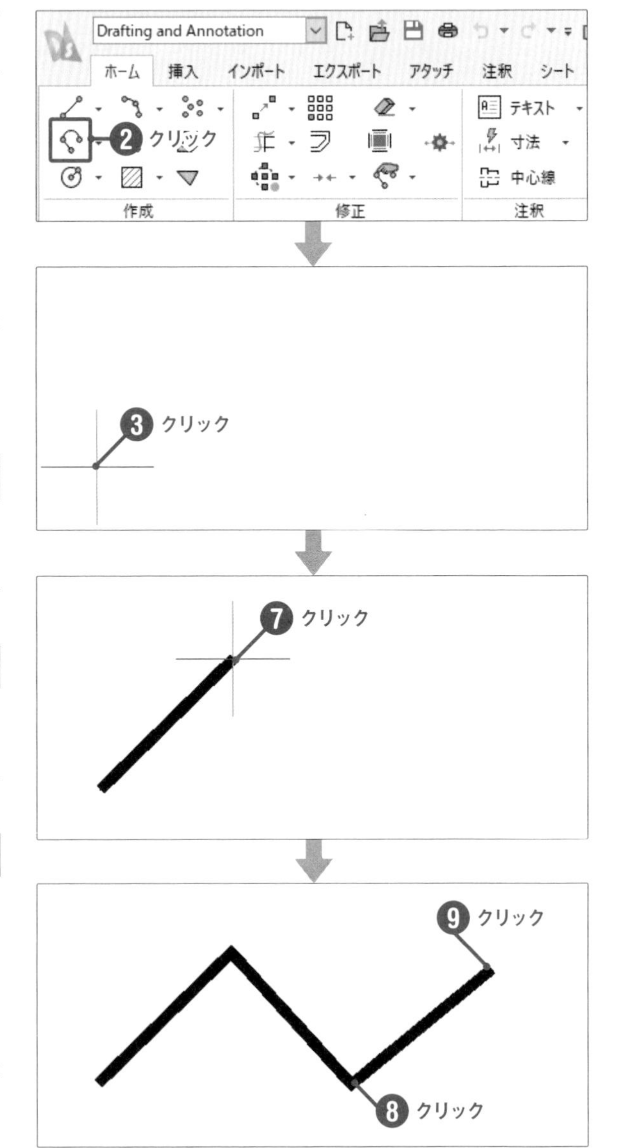

❶ 33ページ 1-3-1「既存ファイルを開く」を参考に、「02-01.dwg」を開く。

❷ [ホーム]タブ－[作成]パネル－[ポリライン] をクリックする。

❸ コマンドウィンドウに「始点を指定≫」と表示されるので、任意の位置をクリックする。

❹ キーボードから「w」と入力して Enter キーを押し、オプションの[幅]を実行する。

オプション: 円弧(A), 2分の1幅(H), 長さ(L), 元に戻す(U), 幅(W),
次の頂点を指定» w

❺ コマンドウィンドウに「始点幅を指定≫」と表示されるので、キーボードから「50」と入力して Enter キーを押す。

デフォルト: 0
始点幅を指定» 50

❻ コマンドウィンドウに「終点幅を指定≫」と表示されるので、キーボードから「50」と入力して Enter キーを押す。

デフォルト: 50
終点幅を指定» 50

❼ コマンドウィンドウに「次の頂点を指定≫」と表示されるので、頂点の位置をクリックする。

❽❾ 続けて頂点の位置をクリックする。

❿ Enter キーを押して[ポリライン]コマンドを終了する。

幅のある線を描けました。

HINT 次にポリラインを作図する際の注意

一度[幅]オプションで幅を数値指定すると、次に[ポリライン]コマンドを実行する際にも、その幅の値が反映されてしまう。幅のないポリラインを描きたい場合には、再度[幅]オプションの「w」を入力し、始点の幅を「0」に指定する必要がある。始点の幅を0にすると、終点の幅は自動的に0になる。

次の頂点を指定» W
デフォルト: 50
始点幅を指定» 0

HINT ポリラインの幅と線幅の違い

ポリラインで幅を持たせると、エンティティ自体の幅が太くなる。一方、線や円弧などのエンティティの[線幅]は、印刷時の線幅の値で、画面上の線の幅とは関係がない。

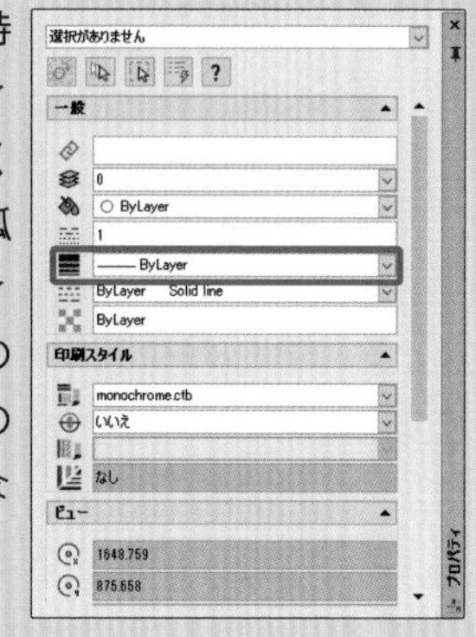

2-9-2 円弧と直線で構成されたポリラインを描く

「図面」－「2nd_day」－「02-01.dwg」(作図前)
「02-09-02.dwg」(作図後)

[ポリライン]コマンドでは、直線と円弧からなるポリラインを描くことができます。

❶ 33ページ 1-3-1「既存ファイルを開く」を参考に、「02-01.dwg」を開く。

❷ [ホーム]タブ－[作成]パネル－[ポリライン] をクリックする。

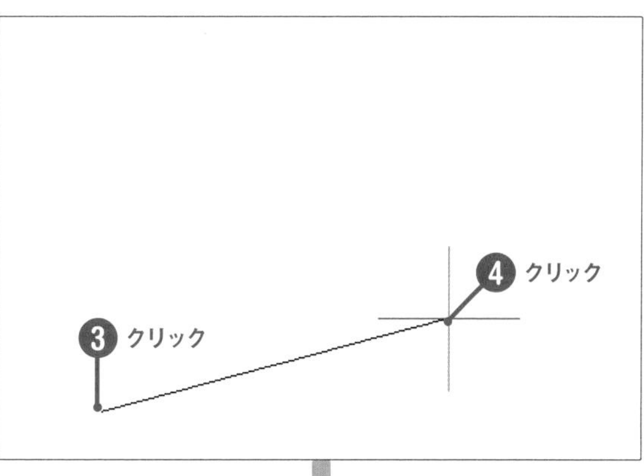

直線部分を描きます。

❸ コマンドウィンドウに「始点を指定»」と表示されるので、任意の位置をクリックする。

❹ コマンドウィンドウに「次の頂点を指定»」と表示されるので、任意の位置をクリックする。

オプション: 円弧(A), 2分の1幅(H), 長さ(L), 元に戻す(U), 幅(W),
次の頂点を指定»

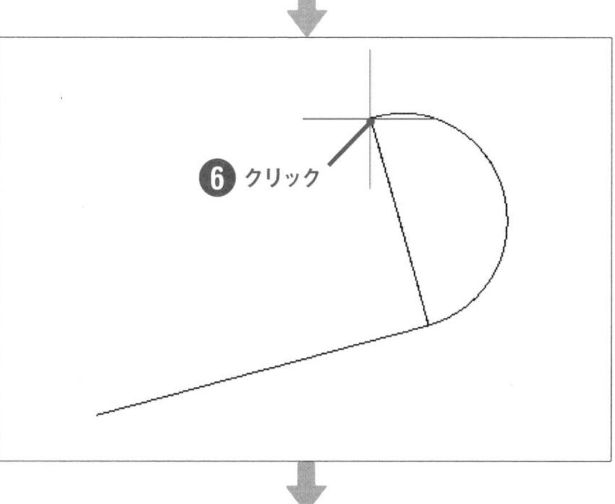

円弧部分を描きます。

❺ キーボードから「a」と入力して Enter キーを押し、オプションの[円弧]を実行する。

オプション: 円弧(A), 閉じる(C), 2分の1幅(H), 長さ(L), 元に戻す(U
次の頂点を指定» a

❻ コマンドウィンドウに「円弧終点を指定»」と表示されるので、任意の位置をクリックする。

オプション: 角度(A), 中央(CE), 閉じる(CL), 方向(D), 2分の1幅(H
円弧終点を指定»

❼続けて円弧を描くために、任意の位置をクリックする。

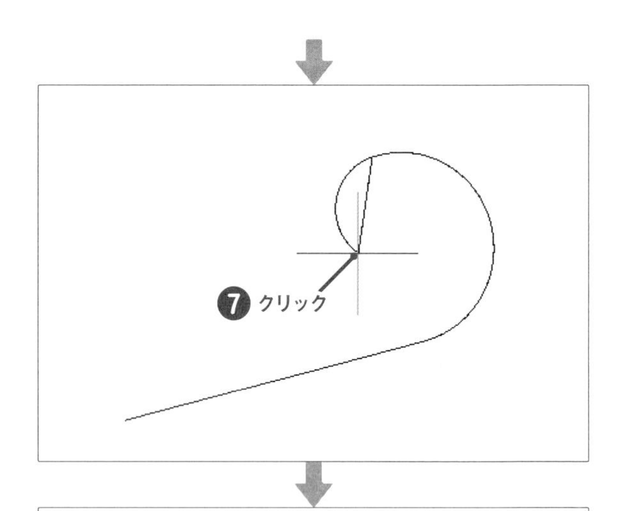

直線に戻します。

❽キーボードから「l」(小文字のエル)と入力して Enter キーを押し、オプションの[線分]を実行する。

オプション: 角度(A), 中央(CE), 閉じる(CL), 方向(D), 2分の1幅(H
円弧終点を指定: l

❾コマンドウィンドウに「次の頂点を指定≫」と表示されるので、任意の位置をクリックする。

オプション: 円弧(A), 閉じる(C), 2分の1幅(H), 長さ(L), 元に戻す(U
次の頂点を指定»

ポリラインを閉じます。

❿キーボードから「c」と入力して Enter キーを押し、オプションの[閉じる]を実行する。

オプション: 円弧(A), 閉じる(C), 2分の1幅(H), 長さ(L), 元に戻す(U
次の頂点を指定» c

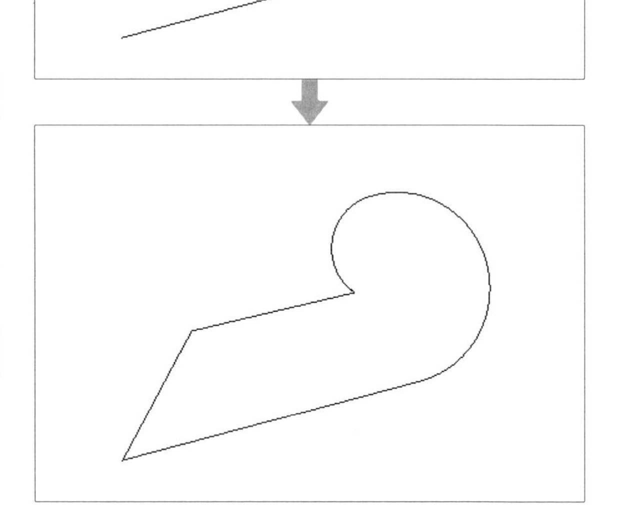

直線と円弧からなるポリラインが描けました。

HINT [ポリライン]コマンドを使わずに線や円弧からなるポリラインを作図する

円弧や線を別々に作図して[ホーム]タブ-[修正]パネル-[ポリライン編集]コマンドを実行すると、1つのポリラインにすることができる。

HINT ポリラインを分解する

作図したポリラインは、[分解]コマンド(170ページ 4-12「図形を分解する」参照)で個別のエンティティに分解できる。ここで作図したポリラインであれば、3本の直線と2本の円弧に分解される。

2-10 スプラインを描く

スプラインは、指示した点を滑らかにつないだ曲線のエンティティです。

2-10-1 曲線を描く

「図面」－「2nd_day」－「02-01.dwg」(作図前)
「02-10-01.dwg」(作図後)

[スプライン]コマンドでは、曲線を描くことができます。ここでは、連続した曲線を描き、最後に閉じます。

❶ 33ページ 1-3-1「既存ファイルを開く」を参考に、「02-01.dwg」を開く。

❷ [ホーム]タブー[作成]パネルー[スプライン]をクリックする。

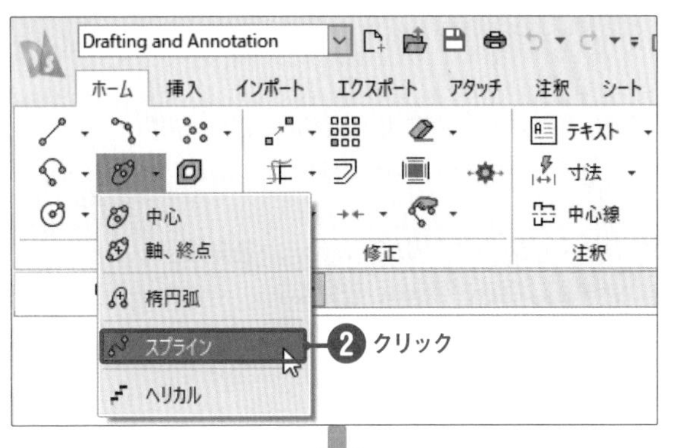

❸ コマンドウィンドウに「最初のフィット点を指定≫」と表示されるので、任意の位置をクリックする。

最初のフィット点を指定»

❹ コマンドウィンドウに「次のフィット点を指定≫」と表示されるので、任意の位置をクリックする。

オプション: 閉じる(C), フィット許容差(F), *Enter キーで正接の開始*
次のフィット点を指定»

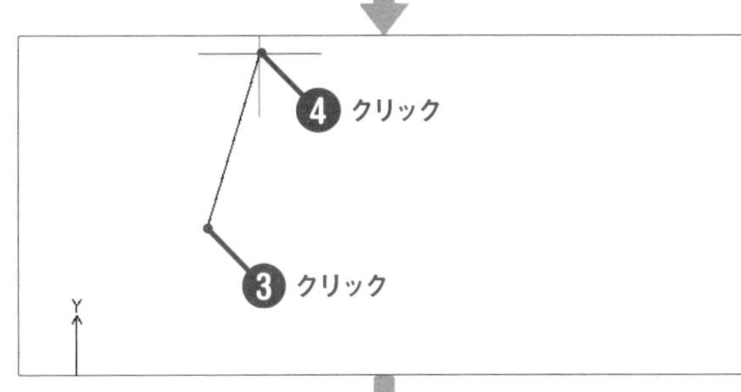

❺ カーソルを移動すると、前の点までを滑らかにつないだ曲線が仮表示されるので、続けて3点目をクリックする。

❻❼ 続けて4点目、5点目をクリックする。

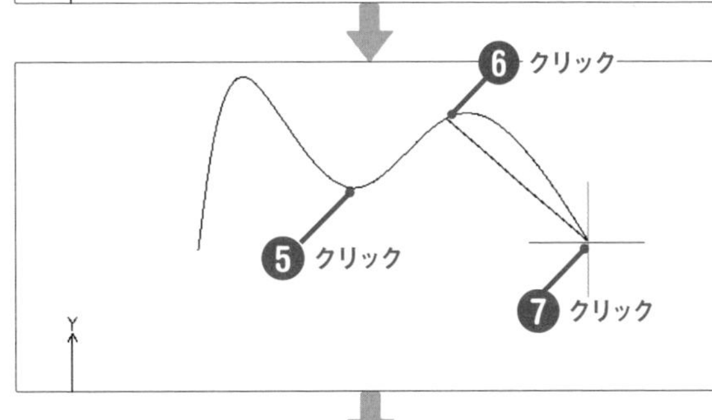

❽ キーボードから「c」と入力して Enter キーを押し、オプションの[閉じる]を実行する。

オプション: 閉じる(C), フィット許容差(F), *Enter キーで正接の開始*
次のフィット点を指定» c

❾ コマンドラインに「正接を指定≫」と指示されるが、Enter キーを押して[スプライン]コマンドを終了する。

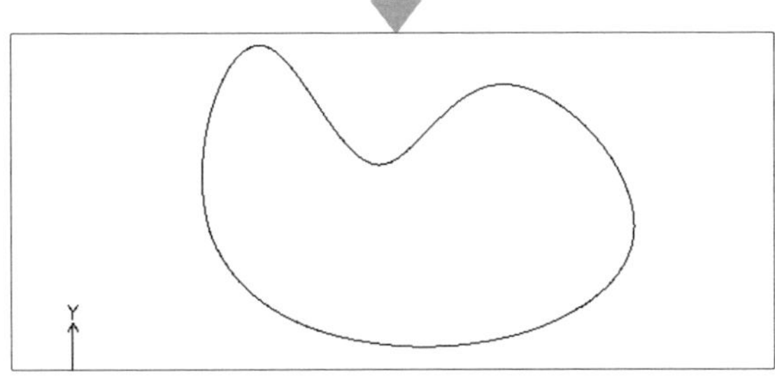

指示した点を滑らかにつなぐ閉じた曲線が描けました。

点を描く

[複数点]コマンドは、点を作成するコマンドです。作成した点エンティティはエンティティスナップの[ノード]で正確な位置が指示できるため、ブロックを挿入する際の基点などに利用できます。

2-11-1 マウス操作で点を描く

「図面」−「2nd_day」−「02-01.dwg」(作図前)
「02-11-01.dwg」(作図後)

[複数点]コマンドでは、点を描くことができます。

❶ 33ページ 1-3-1「既存ファイルを開く」を参考に、「02-01.dwg」を開く。

❷ [ホーム]タブ−[作成]パネル−[複数点]をクリックする。

❸ コマンドウィンドウに「位置を指定»」と表示されるので、任意の位置をクリックする。

オプション: *Enter キーで終了*または
位置を指定»

❹ Enter キーを押して[複数点]コマンドを終了する。

クリックした位置に点が作図されます。

2-11-2 線を等分割した位置に点を描く

「図面」−「2nd_day」−「02-11-02a.dwg」(作図前)
「02-11-02b.dwg」(作図後)

[マーク分割]コマンドでは、線を等分割する位置に点を記入できます。

❶ 33ページ 1-3-1「既存ファイルを開く」を参考に、「02-11-02a.dwg」を開く。

❷ [ホーム]タブ−[作成]パネル−[マーク分割]をクリックする。

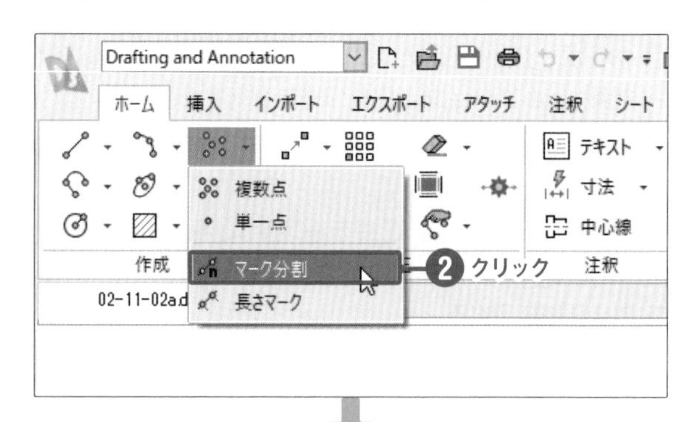

❸コマンドウィンドウに「エンティティを指定≫」と表示されるので、点を加えるエンティティ（ここでは円弧）をクリックする。

```
エンティティを指定»
```

❹コマンドウィンドウに「セグメント数を指定≫」と表示されるので、線を何分割するか指定する。ここでは、点を5分割するためにキーボードから「5」と入力して Enter キーを押す。

```
デフォルト: 2
オプション: ブロック(B) または
セグメント数を指定» 5
```

線が５等分され、点が４つ作図されました。点が見づらいので、点の表示スタイルを変更してわかりやすくします。

❺グラフィックス領域を右クリックして表示されるコンテキストメニューから［オプション］をクリックして選択する。

❻表示される［オプション］ダイアログの［作図設定］をクリックする。
❼［点］の［＋］マークをクリックして展開する。
❽［タイプ］のプルダウンから［×］をクリックして選択する。
❾［適用］ボタンをクリックする。
❿［OK］ボタンをクリックしてダイアログを閉じる。

点の表示スタイルを変更され、点が４つ作図されていることがわかりやすくなりました。

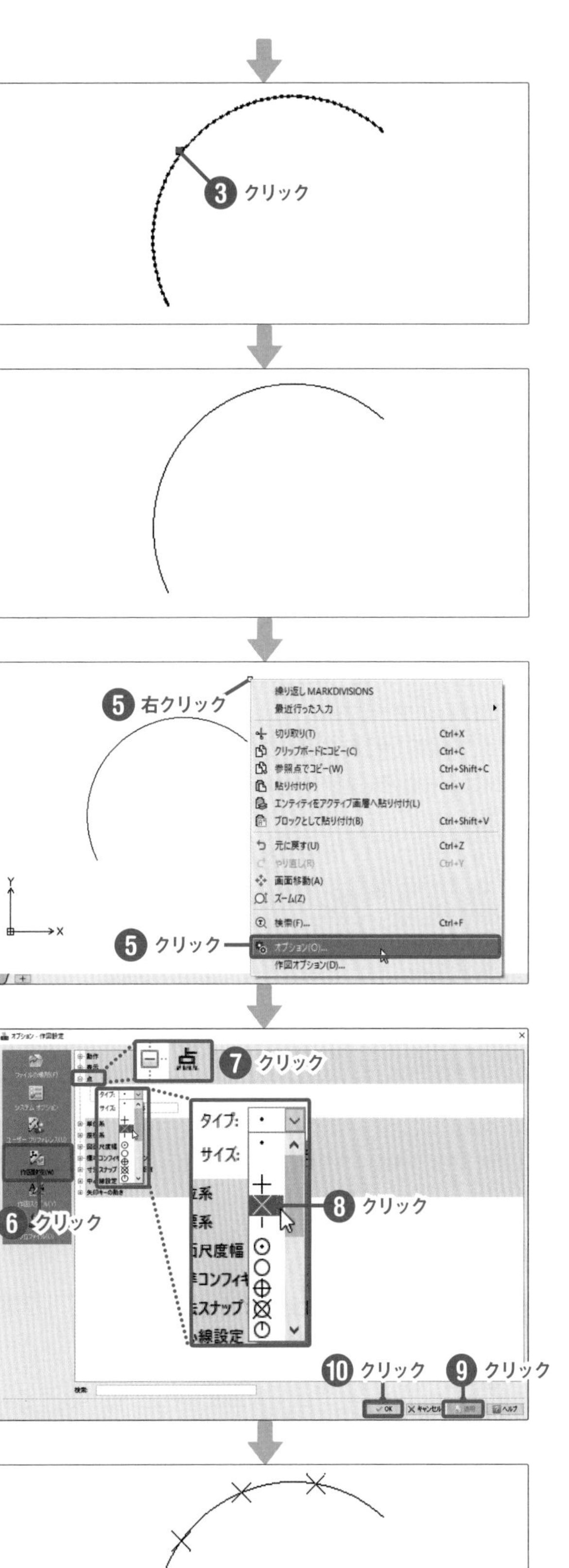

2-12 雲マークを描く

図面の強調したい部分を目立たせるために雲マークを描くには、[フリーハンド]コマンドを使います。

2-12-1 自由な形の雲マークを描く

「図面」－「2nd_day」－「02-12-01a.dwg」(作図前)
「02-12-01b.dwg」(作図後)

[フリーハンド]コマンドでは、自由な形の雲マークを描くことができます。

❶ 33ページ 1-3-1「既存ファイルを開く」を参考に、「02-12-01a.dwg」を開く。

❷ [注釈]タブ－[マークアップ]パネル－[クラウド]の[▼]をクリックして表示されるメニューから[フリーハンド]をクリックする。

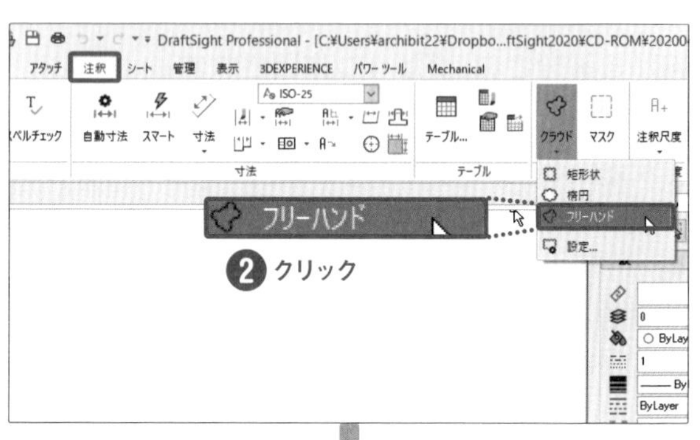

❸ コマンドウィンドウに「始点を指定≫」と表示されるので、任意の位置をクリックする。

始点を指定»

❹ コマンドウィンドウに「次の点を指定≫」と表示されるので、任意の位置をクリックする。

オプション: 閉じる(C), 元に戻す(U) または
次の点を指定»

❺ ❻ ❼ ❽ 続けて雲マークで囲みたい部分をクリックする。

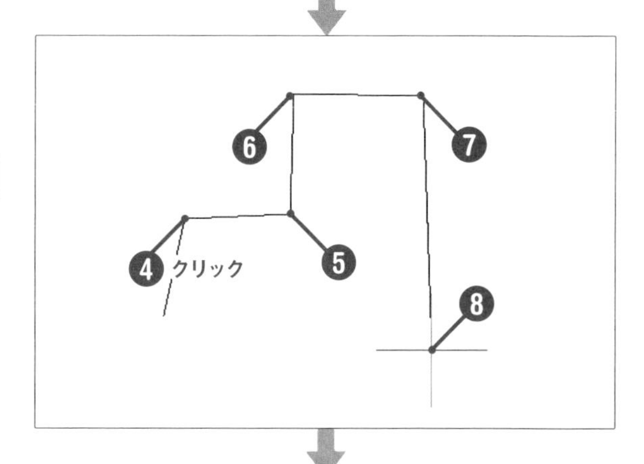

❾キーボードから「c」と入力して Enter キーを押し、オプションの[閉じる]を実行する。

オプション: 閉じる(C), 元に戻す(U) または
次の点を指定: c

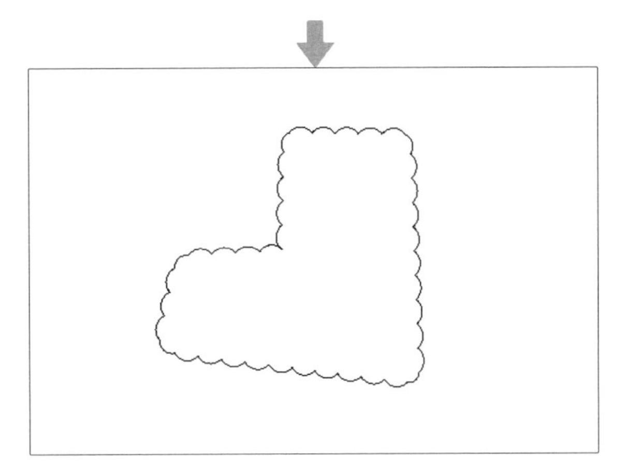

指示した位置を囲む雲マークが作図できました。

HINT [矩形状][楕円]コマンドで描ける雲マークの形

[矩形状][楕円]コマンドで描ける雲マークの形はそれぞれ図のようになる。コマンドの実行後、[矩形状]コマンドは長方形(70ページ **2-4**「長方形を描く」参照)の作図と同じ手順で、[楕円]コマンドは楕円(79ページ **2-8-1**「マウス操作で楕円を描く」参照)の作図と同じ手順で、それぞれ雲マークを描くことができる。

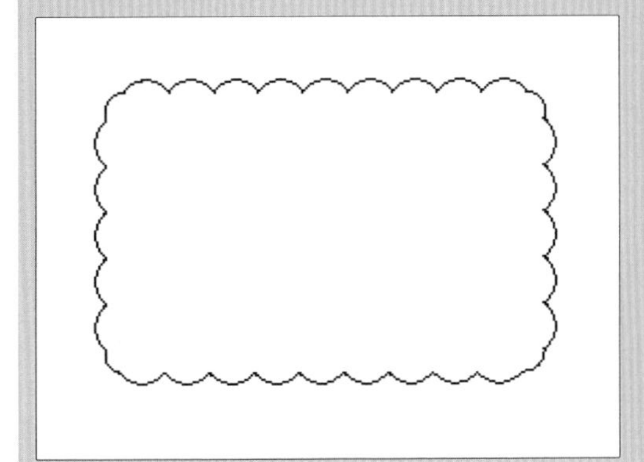

[矩形状]コマンドで描いた雲マーク

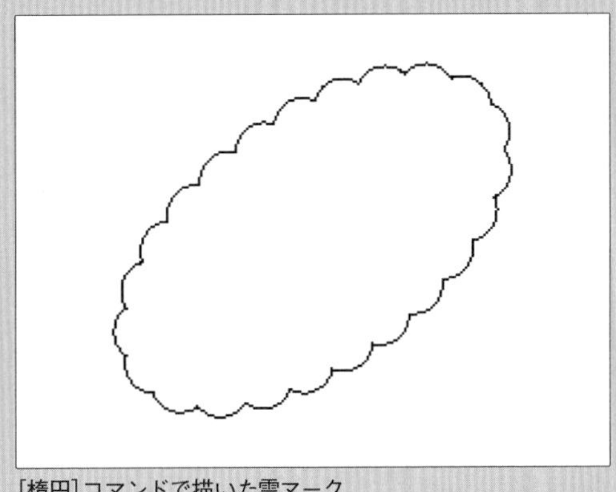

[楕円]コマンドで描いた雲マーク

2-13 図面の一部を隠す

[マスク]コマンドでは、図面上の表示したくない部分、印刷したくない部分を、上から白い紙を置いたようにしてマスクする(隠す)ことができます。

2-13-1 範囲を指定して図面の一部を隠す

「図面」-「2nd_day」-「02-13-01a.dwg」(作図前)
「02-13-01b.dwg」(作図後)

[マスク]コマンドを実行し、範囲を指定すると、マスクが作成されて図面の一部が見えなくなります。

❶ 33ページ 1-3-1「既存ファイルを開く」を参考に、「02-13-01a.dwg」を開く。

❷ [注釈]タブー[マークアップ]パネルー[マスク]をクリックする。

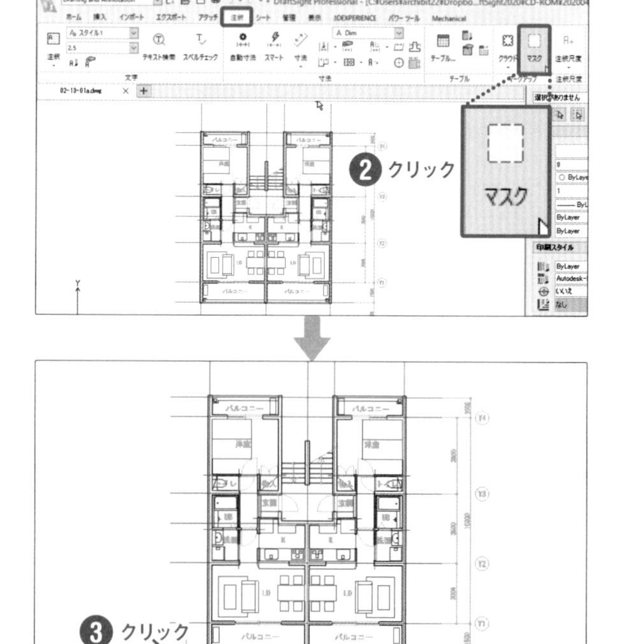

❸ コマンドウィンドウに「始点を指定≫」と表示されるので、任意の位置をクリックする。

デフォルト: ポリライン(P)
オプション: フレーム(F), ポリライン(P) または
始点を指定»

❹ コマンドウィンドウに「次の点を指定≫」と表示されるので、任意の位置をクリックする。

オプション: 閉じる(C), 元に戻す(U), *Enter キーで終了*または
次の点を指定»

❺ ❻ 続けてマスクする任意の位置をクリックする。

❼ Enter キーを押して、[マスク]コマンドを終了する。

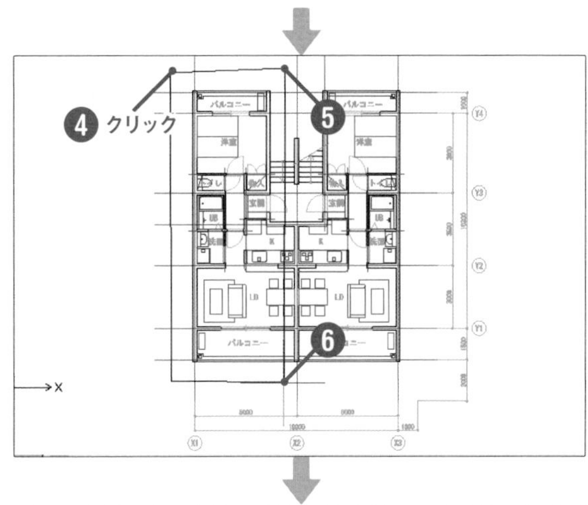

指示した位置を囲むマスクが作成され、図面のその部分が見えなくなりました。

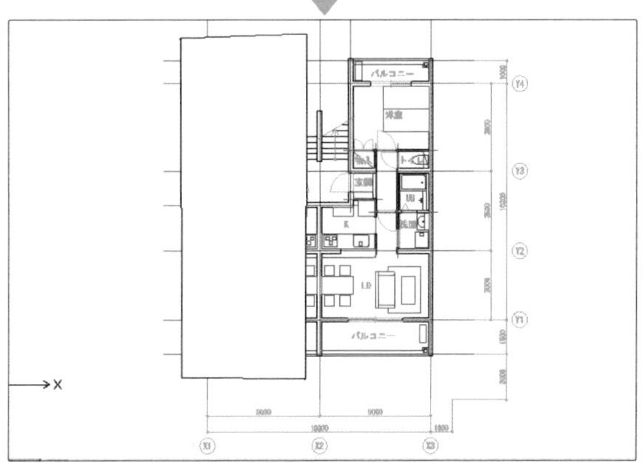

HINT マスクの枠を非表示にする

マスクの枠を表示したくないときには、再度[マスク]コマンドを実行する。続けて、キーボードから「f」と入力して Enter キーを押し、オプションの[フレーム]を実行する。

コマンドウィンドウに[フレームを表示しますか?]と表示されるので、[いいえ]の「n」を入力して Enter キーを押すと、マスクの枠が非表示になり、印刷もされない。

デフォルト: ポリライン(P)
オプション: フレーム(F), ポリライン(P) または
始点を指定» f

デフォルト: はい(Y)
確認: **フレームを表示しますか?**
指定 はい(Y) または いいえ(N)» n

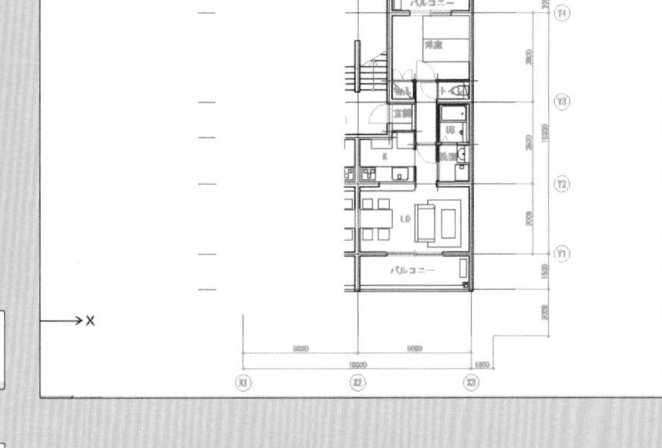

2-14 ハッチングする

[ハッチング]コマンドでは、指示した範囲を斜線やコンクリートマークのパターンで塗りつぶすことができます。

2-14-1 範囲を指定してハッチングする

「図面」-「2nd_day」-「02-14-01a.dwg」(作図前)
「02-14-01b.dwg」(作図後)

[ハッチング]コマンドでは、さまざまな範囲の指定方法がありますが、ここでは、内部の点を指定して範囲の境界を自動的に判定する方法を解説します。

❶ 33ページ 1-3-1「既存ファイルを開く」を参考に、「02-14-01a.dwg」を開く。
❷ [ホーム]タブー[作成]パネルー[ハッチング]▨をクリックする。

ハッチングのパターンを選択します。

❸ [ハッチング/塗り潰し]ダイアログが表示されるので、[パターン]の[...]ボタンをクリックする。

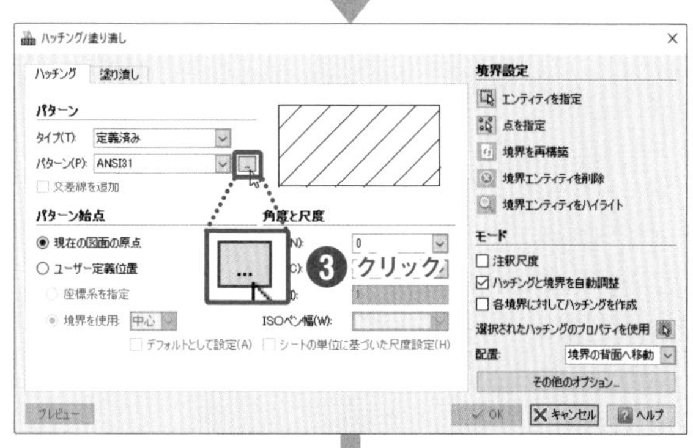

❹ [パターン スタイルの選択]ダイアログが表示されるので、使用するパターン(ここでは、「ANSI」の「ANSI31」)をクリックして選択する。
❺ [OK]ボタンをクリックする。

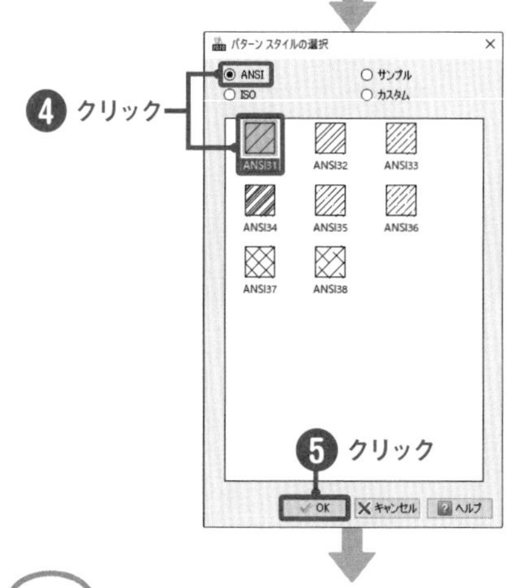

ハッチングの範囲を指定します。

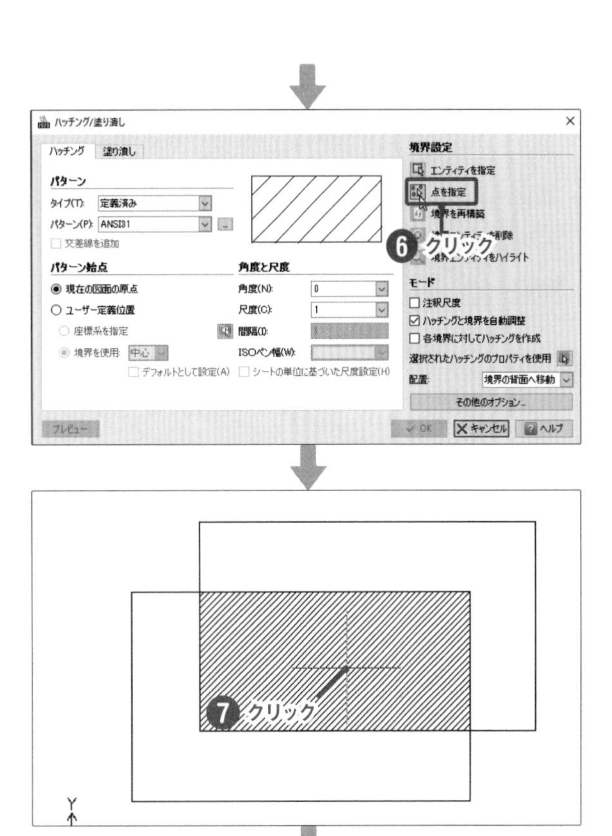

❻［ハッチング/塗り潰し］ダイアログに戻るので、［境界設定］の［点を指定］をクリックする。

❼コマンドウィンドウに「内部の点を指定≫」と表示される。カーソルをハッチングしたい範囲内に移動すると、自動的に内部の範囲を判定し、ハッチングしたプレビューが表示される。任意の点をクリックして Enter キーを押す。

オプション: 境界の選択解除(D), エンティティ(E), 元に戻す(U) または
内部の点を指定»

❽［ハッチング/塗り潰し］ダイアログボックスに戻るので、［OK］ボタンをクリックして閉じる。

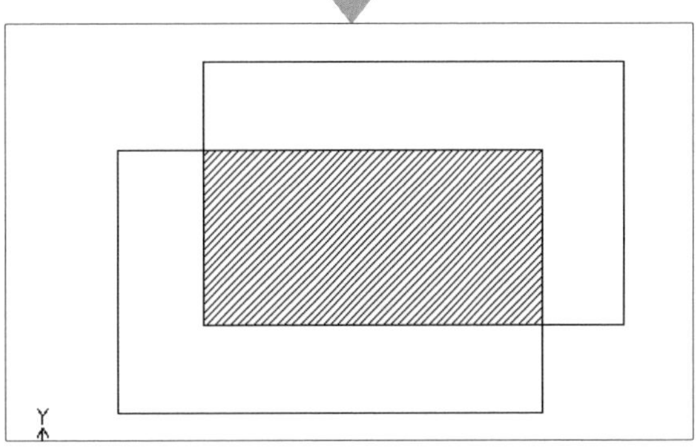

指定した範囲でエンティティがハッチングされました。

HINT 正確にハッチング範囲を指示する

解説のように範囲の指定を[点を指定]で行うと、すべての線を境界と判断してしまい、思い通りの範囲を指示できないときがある。ハッチング範囲を正確に指示するには、ハッチング用にあらかじめ閉じたポリライン(ここでは長方形)を作成したうえで、93ページ❻で[境界設定]の[エンティティを指定]をクリックし、グラフィックス領域でポリラインをクリック指示する。

●通常の場合　●ハッチング用ポリラインを作図した場合

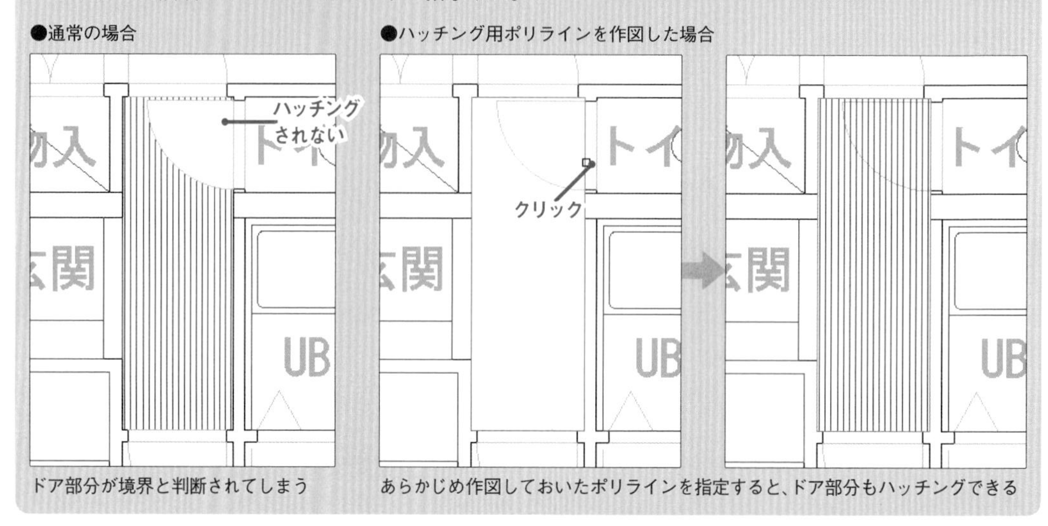

ドア部分が境界と判断されてしまう　あらかじめ作図しておいたポリラインを指定すると、ドア部分もハッチングできる

2-14-2 ハッチングのパターンを変更する

「図面」－「2nd_day」－「02-14-02a.dwg」(作図前)
「02-14-02b.dwg」(作図後)

ハッチングの範囲を変更する場合は、ハッチングをはじめからやり直す必要があります。一方、ハッチングのパターンを変更する場合は、やり直しは必要ありません。

❶ 33ページ 1-3-1「既存ファイルを開く」を参考に、「02-14-02a.dwg」を開く。

❷ ハッチングを変更するエンティティをダブルクリックする。

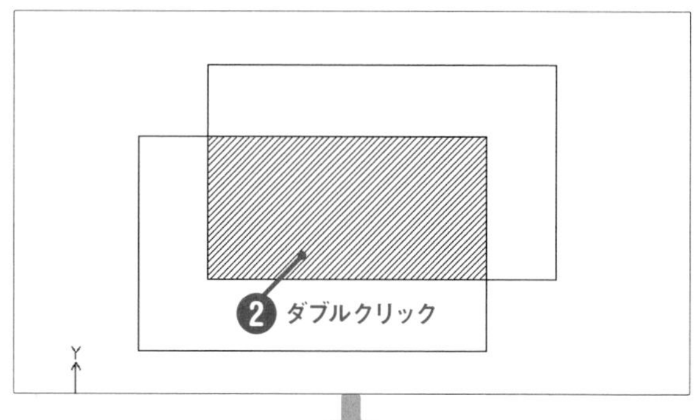

❸ [ハッチング/塗り潰し]ダイアログが表示されるので、[パターン]の[…]ボタンをクリックする。

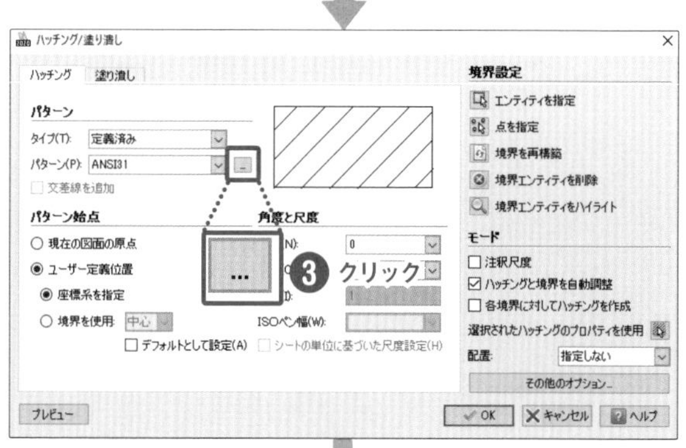

❹ [パターン スタイルの選択]ダイアログが表示されるので、変更するパターン(ここでは、「ANSI」の「ANSI137」)をクリックして選択する。
❺ [OK]ボタンをクリックする。

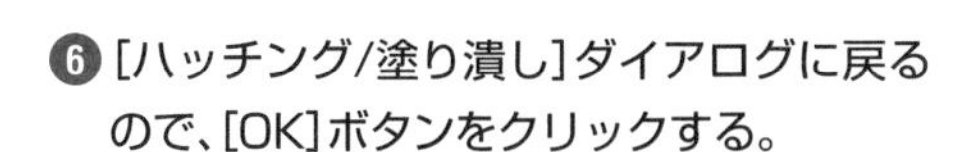
❻ [ハッチング/塗り潰し]ダイアログに戻るので、[OK]ボタンをクリックする。

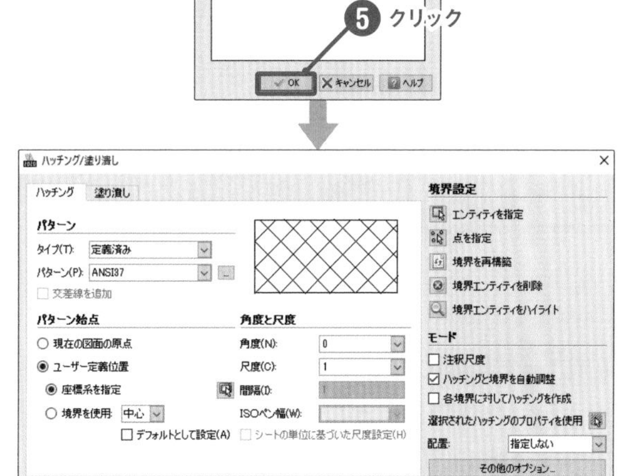

ハッチングのパターンが変更されました。

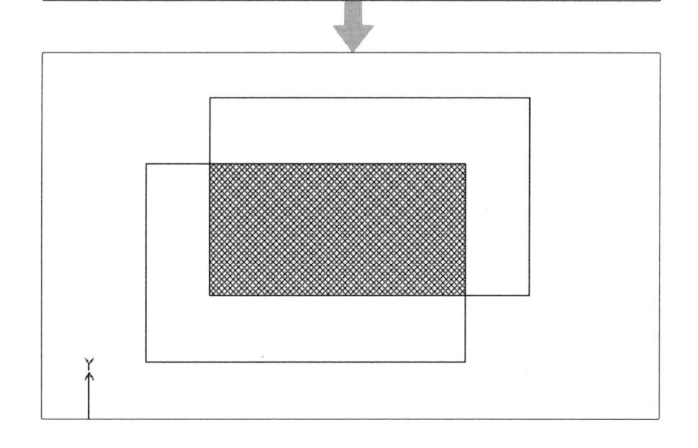

HINT エンティティを移動すると、ハッチング範囲も自動変更される

[ハッチング/塗り潰し]ダイアログの[モード]にある[ハッチングと境界を自動調整]にチェックを入れた場合、境界のエンティティを移動すると、追従してハッチング範囲も自動変更される。

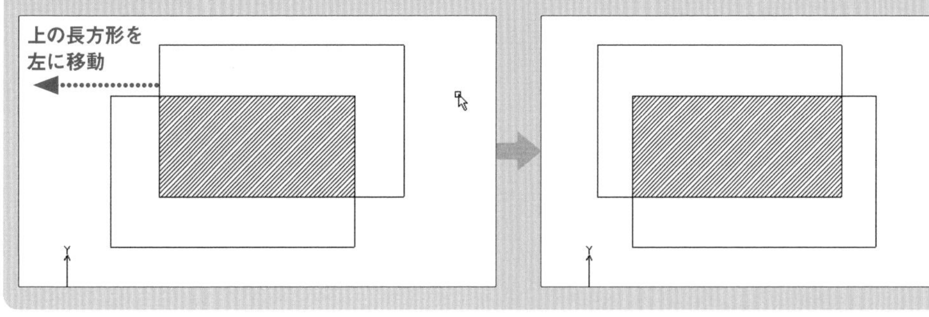

2-15 複数のエンティティをひとまとまりとして扱う(ブロック)

「ブロック」とは、複数のエンティティで構成された家具や建具、部品などをひとまとめにして登録し、1つの図形として扱えるようにしたものです。登録したブロックは編集も行え、あるブロックに変更を加えると同じブロックすべてに対して変更が反映されます。

2-15-1 ブロックを作成する

「図面」−「2nd_day」−「02-15-01a.dwg」(作図前)
「02-15-01b.dwg」(作図後)

[ブロック定義]コマンドでは、複数のエンティティをブロックとしてひとまとめに定義できます。ここでは、2つの長方形を「Desk」ブロックとして登録します。

❶ 33ページ 1-3-1「既存ファイルを開く」を参考に、「02-15-01a.dwg」を開く。
❷ [挿入]タブー[ブロック定義]パネルー[ブロック定義...]をクリックする。

ブロック化するエンティティを選択します。

❸ [ブロック定義]ダイアログが表示されます。[名前]にブロック名の「Desk」を入力する。
❹ [エンティティ]の[グラフィックス領域内で選択]をクリックする。

❺ コマンドウィンドウに「エンティティを指定»」と表示されるので、ここでは交差選択(43ページ 1-6-2「範囲を指定して選択する」参照)で長方形を2つ選択し、Enter キーを押す。

エンティティを指定»

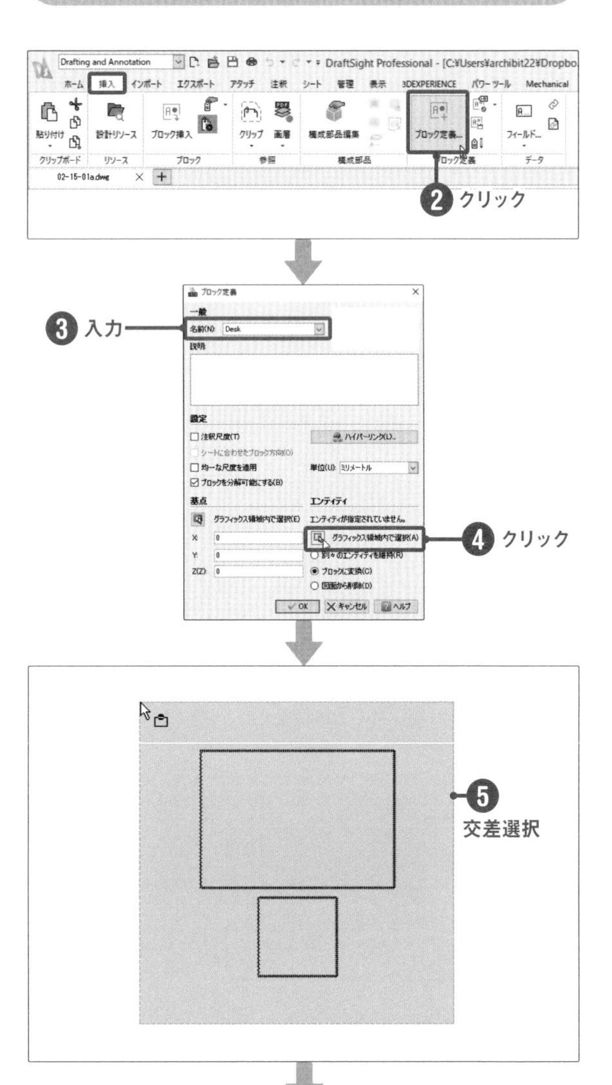

挿入時の基点を指定します。

❻［ブロック定義］ダイアログに戻るので、［基点］の［グラフィックス領域内で選択］ボタンをクリックする。

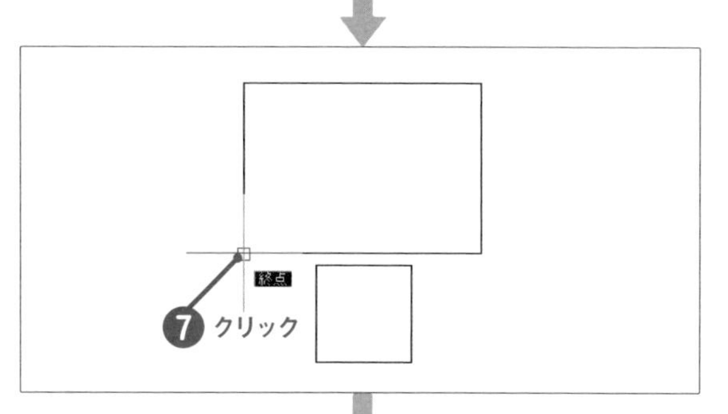

❼コマンドウィンドウに「挿入基点を指定»」と表示されるので、基点にする位置（ここでは、図の 終点 ）をクリックする。

挿入基点を指定»

❽［ブロック定義］ダイアログに戻るので、［OK］ボタンをクリックして閉じる。

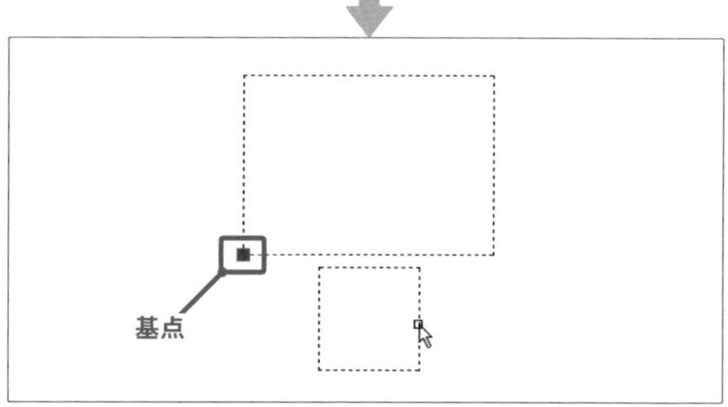

２つの長方形が「Desk」ブロックとして登録されました。長方形のうち、どちらかをクリックすると、両方選択状態になることから、ブロック化されたことが確認できます。

基点

HINT **ブロックを別ファイルとして書き出す**

［アプリケーション］ボタン－［エクスポート］－［図面エクスポート］では、作成したブロックをファイルとして書き出すことができる。

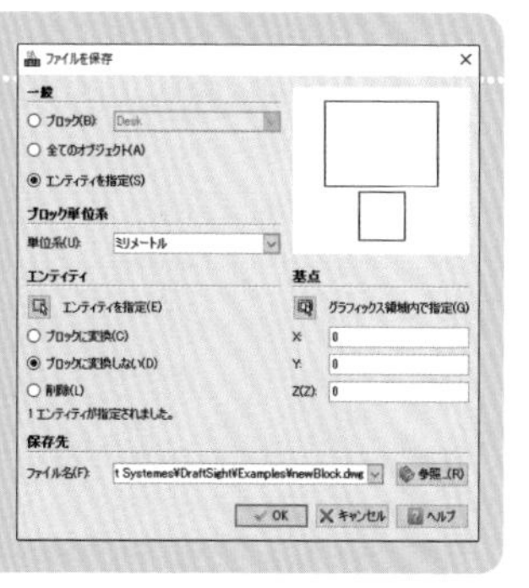

2-15-2 ブロックを挿入する

「図面」－「2nd_day」－「02-15-02a.dwg」（作図前）
「02-15-02b.dwg」（作図後）

2-15-1で作成した「Desk」ブロックをファイルに挿入します。

❶ 33ページ 1-3-1「既存ファイルを開く」を参考に、「02-15-02a.dwg」を開く。
❷ [挿入]タブー[ブロック]パネルー[ブロック挿入]をクリックする。

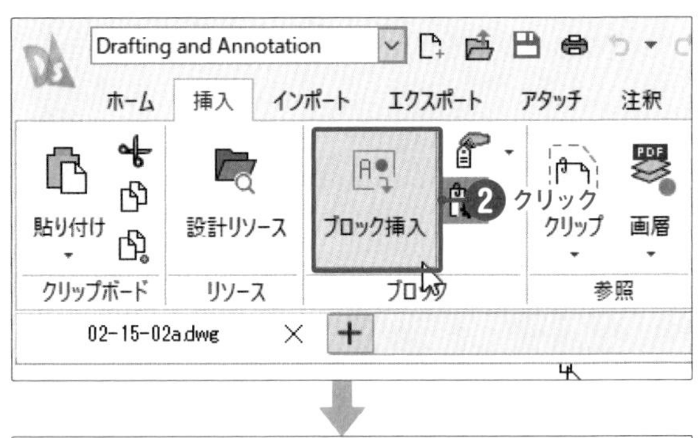

❸ [ブロック挿入]ダイアログが表示されるので、[名前]の[▼]をクリックし、「Desk」を選択する。

HINT 外部ファイルを読み込む

書き出されたファイルを読み込みたい場合は、[名前]の横にある[参照]ボタンをクリックして表示される[開く]ダイアログで読み込むファイルを選択する。

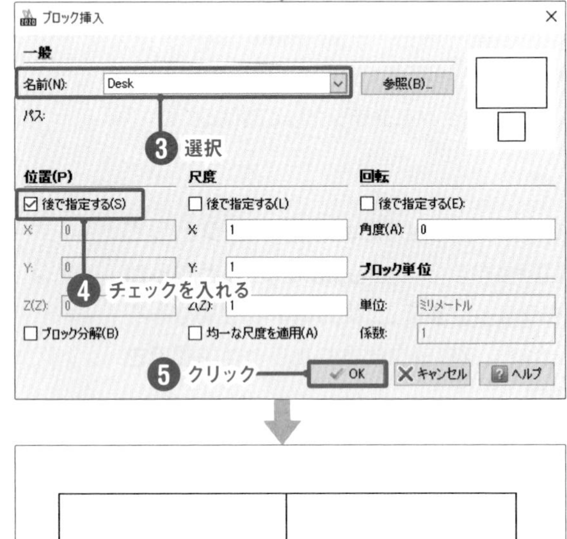

❹ [位置]の[後で指定する]をクリックしてチェックを入れる。
❺ [OK]ボタンをクリックする。

❻ カーソルにブロックが仮表示され、コマンドウィンドウに「宛先を指定≫」と表示されるので、挿入する位置（ここでは、図の 終点 ）をクリックする。

オプション: 角度(A), 参照点(P), 均一な尺度(S), X, Y, Z または
宛先を指定»

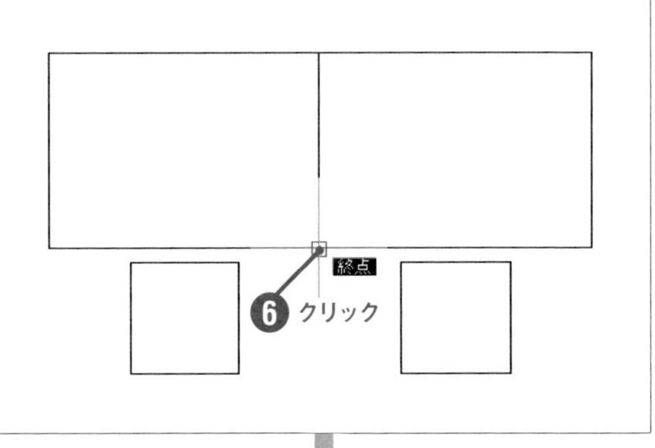

「Desk」ブロックが挿入されました。

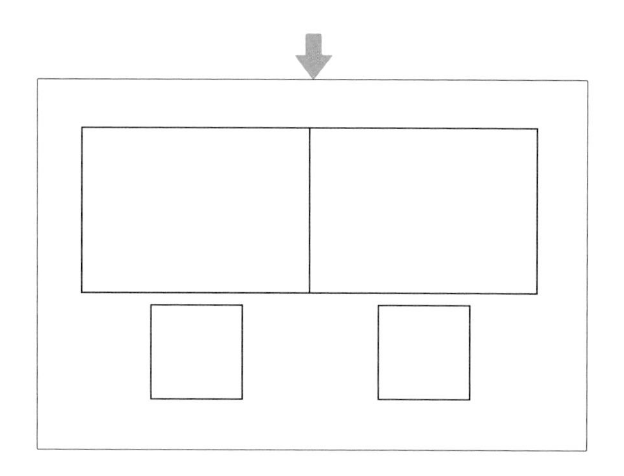

2-15-3 ブロックを変更する

「図面」－「2nd_day」－「02-15-03a.dwg」(作図前)
「02-15-03b.dwg」(作図後)

定義済みのブロックを編集します。1つのブロックに変更を加えると、図面内の同じブロックにも変更が反映されます。ここでは、「Desk」ブロックのいすの形を円に変更します。

❶ 33ページ 1-3-1「既存ファイルを開く」を参考に、「02-15-03a.dwg」を開く。
❷ 左側の「Desk」ブロックをダブルクリックする。

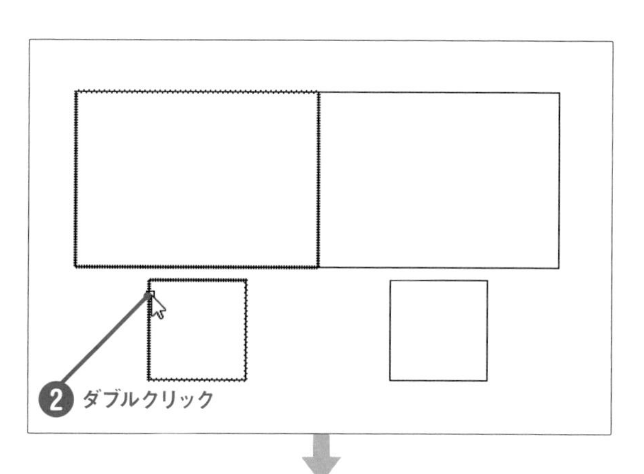

❸ [構成部品編集]ダイアログが表示されるので、編集するブロック名(ここではDesk)が選択されていることを確認して[OK]ボタンをクリックする。

❹グラフィックス領域の背景がグレーになり、選択したブロックだけが表示される。

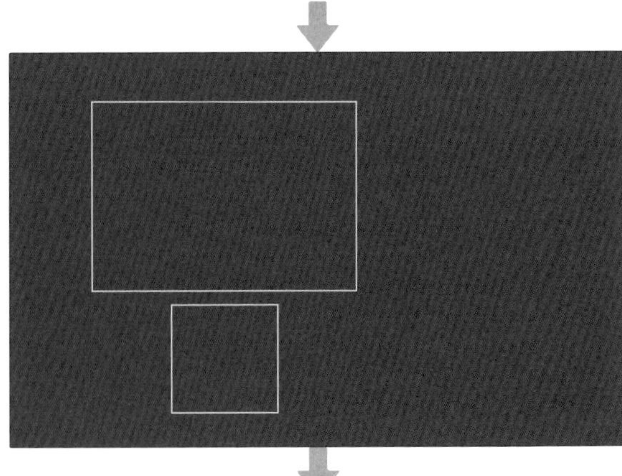

下の正方形に内接する円を描きます。

❺[ホーム]タブー[作成]パネルー[正接、正接、正接]をクリックする。

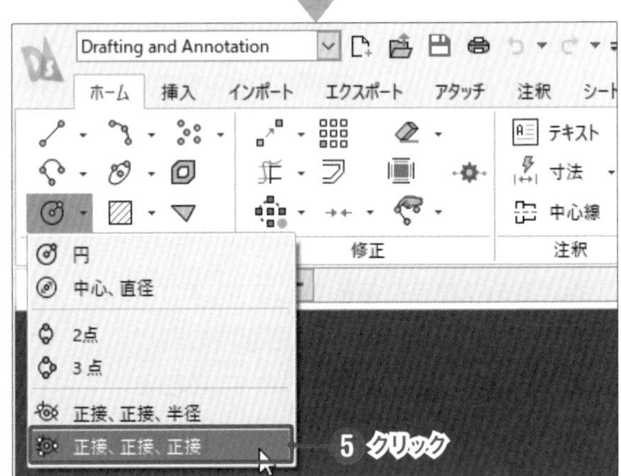

❻コマンドウィンドウに「1つ目の正接を指定»」と表示されるので、正方形の上辺にカーソルを移動する。[正接]スナップのマーカーが表示されるので、マーカーが表示された状態でクリックする。

1つ目の正接を指定»

❼❽ 同様にして右辺と下辺(左辺でもよい)の[正接]スナップのマーカーが表示される位置をそれぞれクリックする。

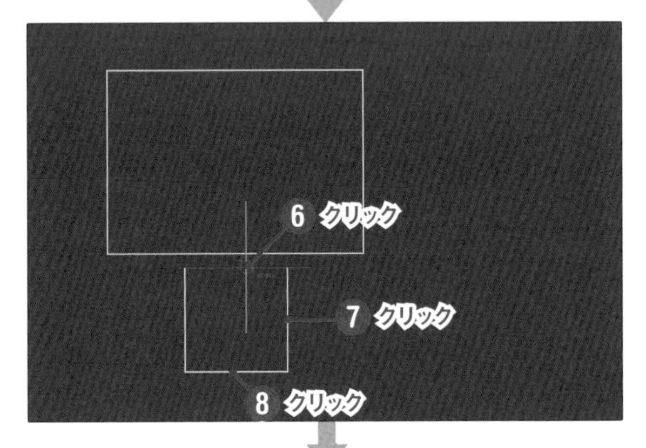

下の正方形に内接する円が描けました。

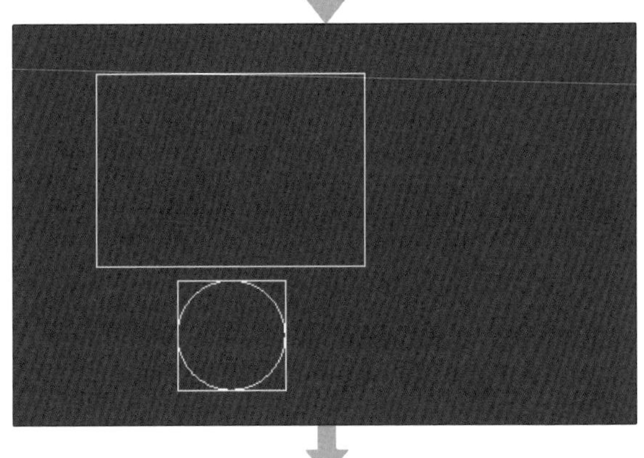

❾ 下の正方形をクリックして選択し、Delete キーを押して消去する。

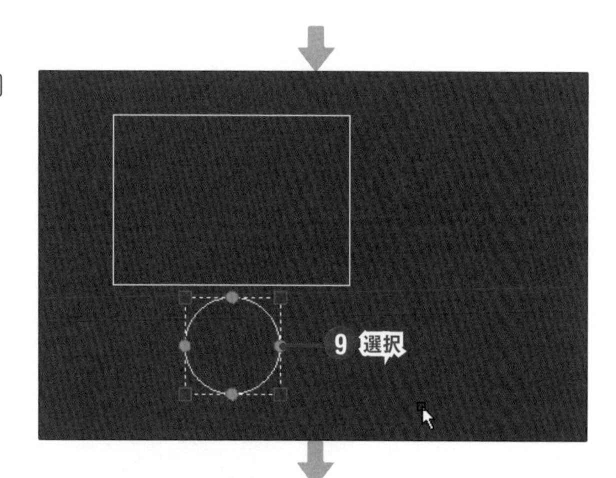

変更を保存します。

❿ エンティティのない位置を右クリックする。
⓫ 表示されるコンテキストメニューの[構成部品を閉じる]をクリックして選択する。

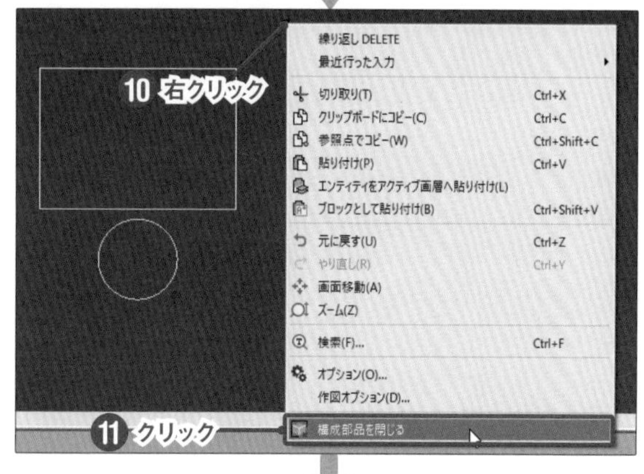

⓬ [構成部品]ダイアログが表示されるので、[保存]ボタンをクリックする。

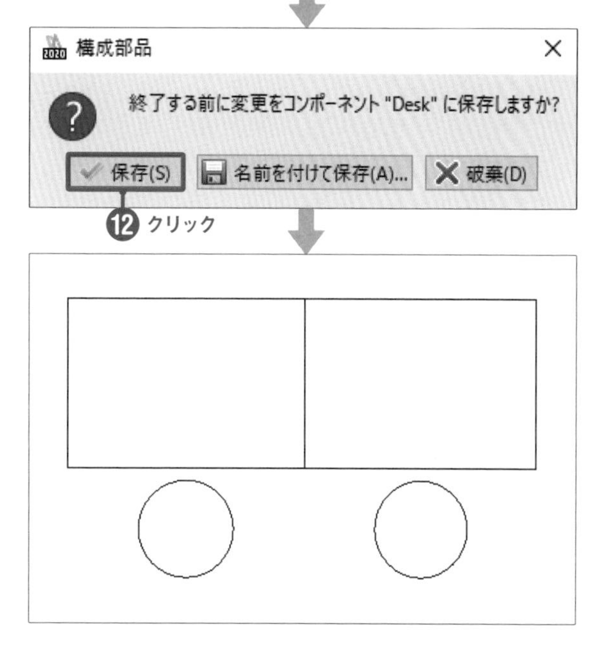

グラフィックス領域の背景が白色に戻ります。右側の「Desk」ブロックのいすの形も円に変わり、ブロックに加えた変更が反映されていることがわかります。

HINT ブロックを分解する

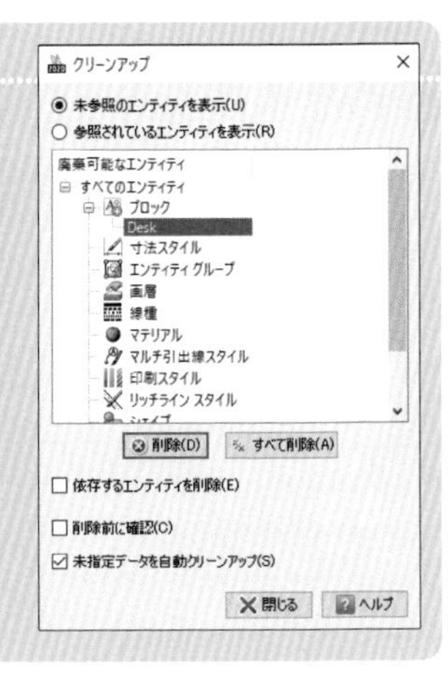

ブロックは[分解]コマンド(170ページ **4-12-1**「ブロックを分解する」参照)で個別のエンティティに分解できるが、定義データは残る。ブロックの定義データは、[管理]タブー[図面]パネルー[クリーンアップ]をクリックして表示される[クリーンアップ]ダイアログ(図)で削除できる。手順は191ページ **5-7-1**「クリーンアップを行う」を参照。

Day

3

文字／寸法／表を記入する

文字/寸法/表を記入する

3日目は、文字と寸法、表の記入方法を解説します。文字や寸法の設定は「スタイル」として作成/保存することで管理でき、図面内での統一や一括変更が簡単に行えます。

3-1 ● 文字を記入する

→ 任意の場所に文字を記入する(簡易注釈)

文字

→ 指定の範囲内に文字を記入する(注釈)

複数行の文字を記入するときには注釈コマンドを利用します。
注釈コマンドで記入した文字は複数行でもひとつのエンティティとして扱われます。

→ 文字の検索と置換

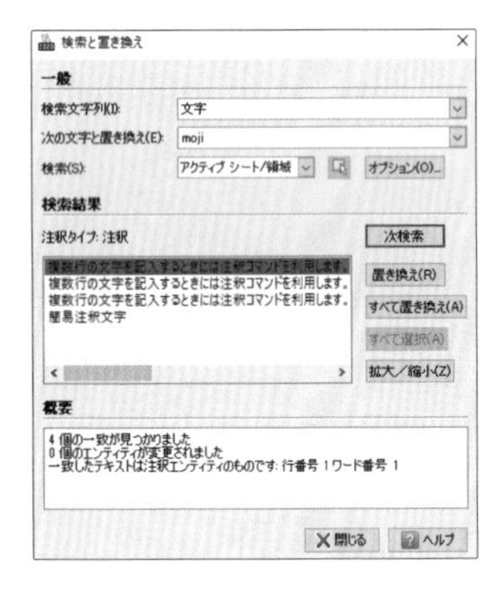

3-2 ● 寸法を記入する

→ 長さ寸法を記入する

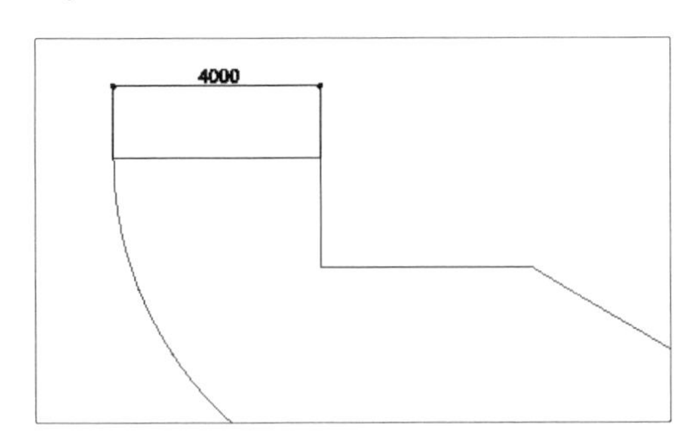

→ 2点間の距離寸法を記入する

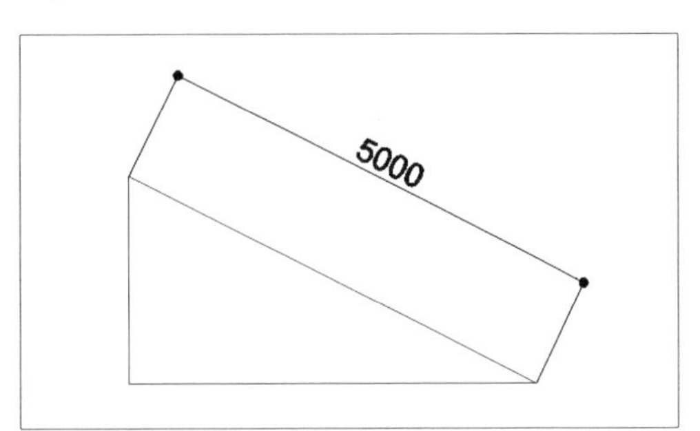

垂直／水平距離の寸法を記入する

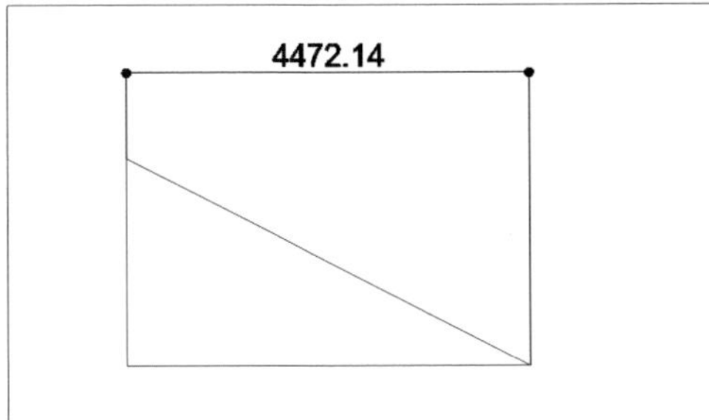

半径寸法を記入する

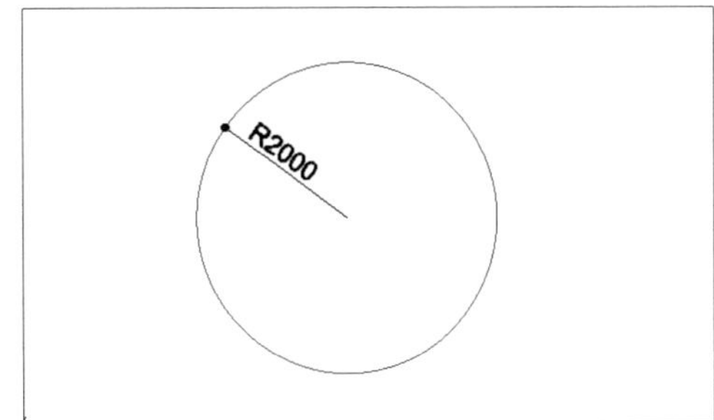

角度を記入する

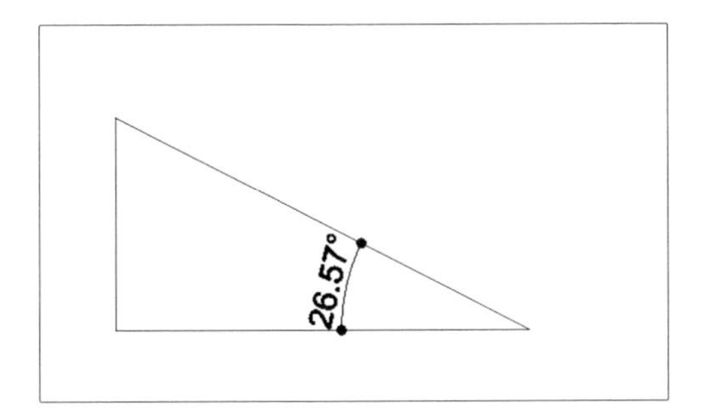

引出線を記入する

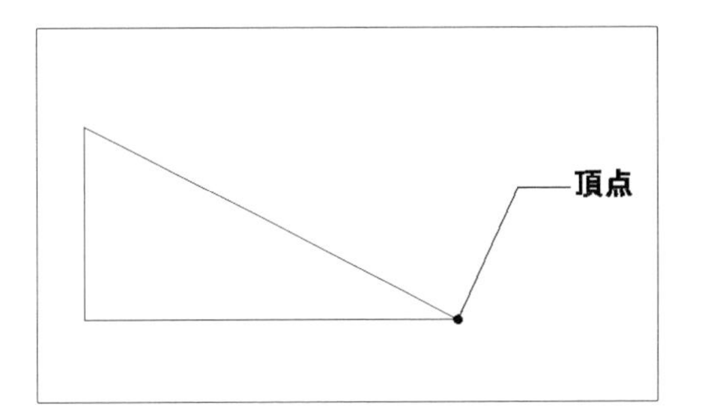

注釈尺度を設定する

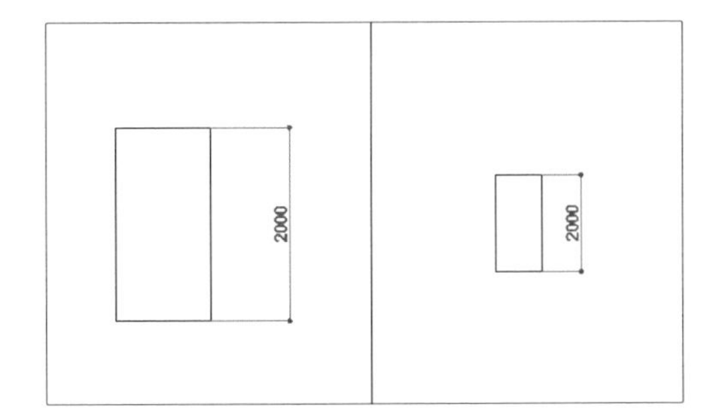

3-3 ● 表を作成する

表を作成する
表を編集する

材料表		
材料名	個数	備考
A	1	
B	2	
C	3	

Excelの表を貼り付ける

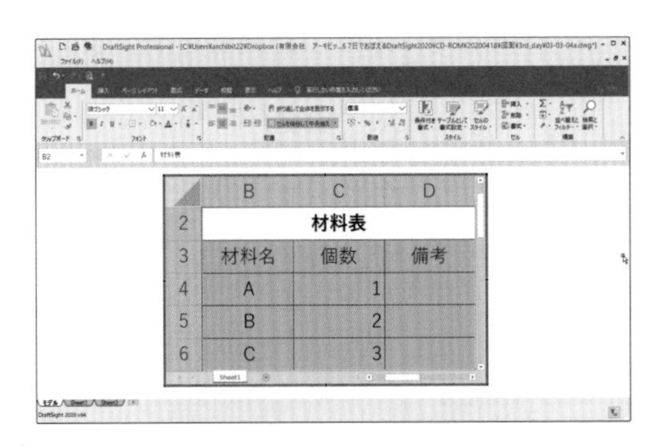

3-1 文字を記入する

文字を記入するには2通りの方法があり、任意の場所に記入するときには[簡易注釈]コマンドを、指定した範囲内に記入するときには[注釈]コマンドを使用します。文字のフォントや高さなどの書式は「文字スタイル」で管理します。

3-1-1 文字スタイルを作成する

「文字スタイル」は、フォントや高さなどの文字の属性を設定したものです。寸法用やタイトル用など用途によってスタイルを分けることで、それぞれの文字属性を統一でき、属性の変更も効率的に行えます。

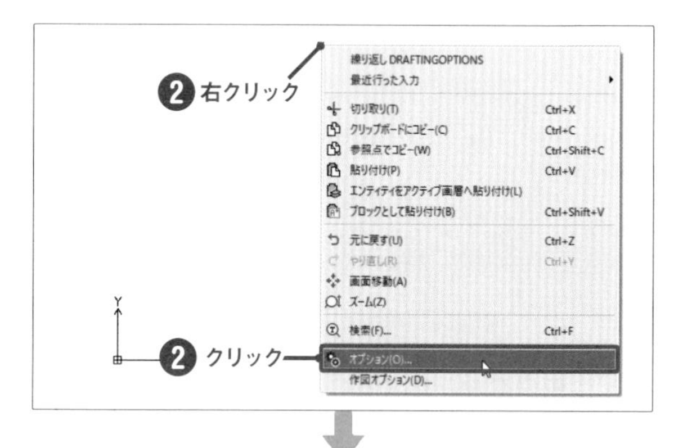

❶ 35ページ 1-3-3「新規ファイルを作成する」を参考に、「standardiso.dwt」を開く。
❷ グラフィックス領域の何もない位置を右クリックして表示されるコンテキストメニューから[オプション]をクリックして選択する。

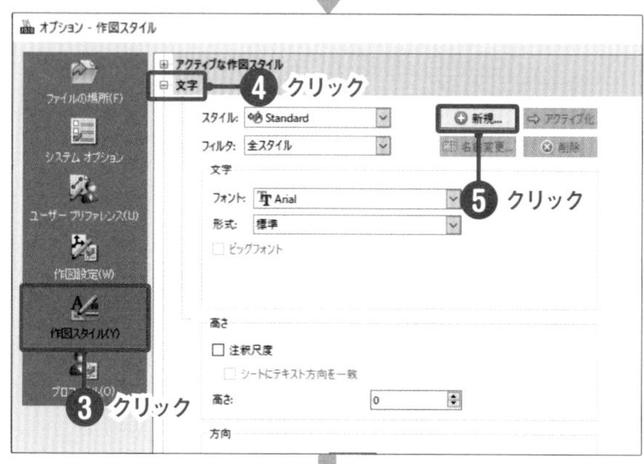

❸ [オプション]ダイアログが表示されるので、[作図スタイル]をクリックする。
❹ [文字]の[+]マークをクリックする。
❺ [新規]ボタンをクリックする。

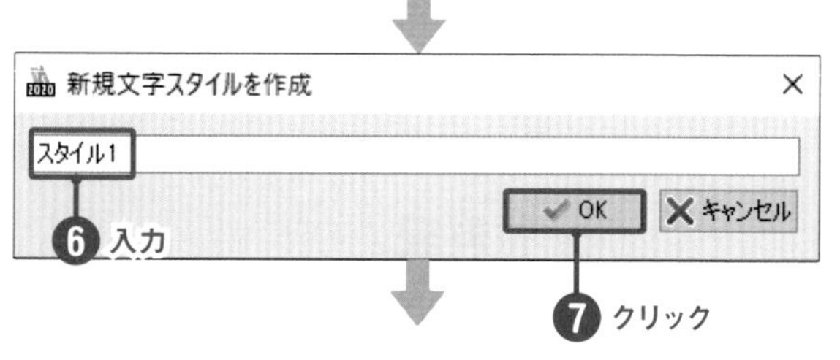

❻ [新規文字スタイルを作成]ダイアログが表示されるので、スタイル名(ここでは「**スタイル 1**」)を入力する。
❼ [OK]ボタンをクリックする。

❽ [オプション]ダイアログに戻るので、次のように設定する。
[フォント]:MS Pゴシック
[高さ]:0
[角度]:0
[間隔]:1
❾ [プレビュー]を確認する。
❿ [OK]ボタンをクリックして[オプション]ダイアログボックスを閉じる。

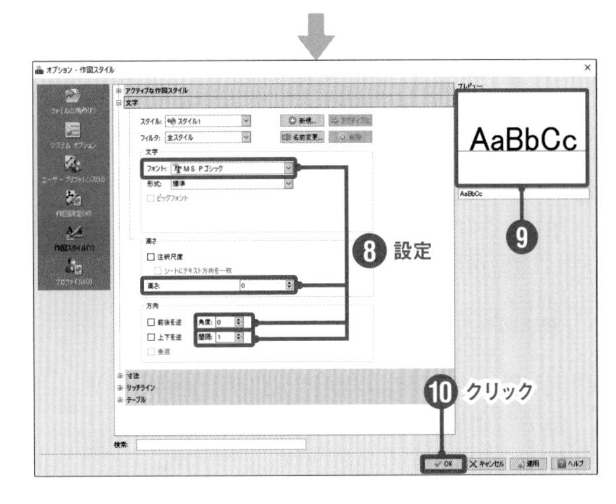

文字スタイル「スタイル1」を作成できました。

HINT シェイプフォントを使うには

DraftSightのフォントには、「MS ゴシック」や「MS 明朝」などのTrueTypeフォントのほかに、ブロック(96ページ 2-15-1「ブロックを作成する」参照)のように扱えるCAD用のシェイプフォントも用意されている。フォント名の頭のアイコンが で、フォント名の後ろ(拡張子)に「.shx」が付いているものがシェイプフォントにあたる。ただし、シェイプフォントには、日本語などの2バイト文字に対応していないものがある。その場合、日本語を表示するには、[ビックフォント]にチェックを入れて、「AREXt font2.shx」など日本語に対応したフォントを選択する必要がある(上図)。

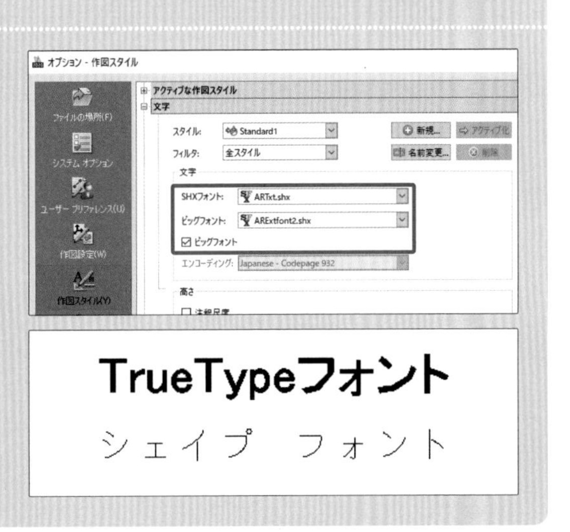

3-1-2 任意の場所に文字を記入する(簡易注釈)

「図面」-「3rd_day」-「03-01-02a.dwg」(作図前)
「03-01-02b.dwg」(作図後)

文字を任意の場所に記入する場合は、[簡易注釈]コマンドを使います。

❶ 33ページ 1-3-1「既存ファイルを開く」を参考に、「03-01-02a.dwg」を開く。
❷ [ホーム]タブ-[注釈]パネル-[テキスト]-[簡易注釈]をクリックする。

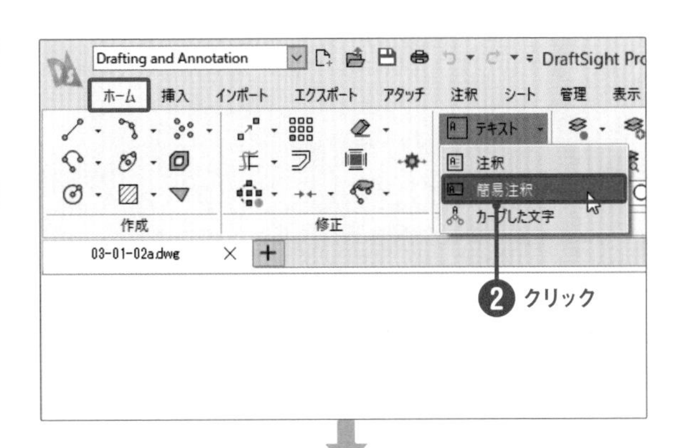

❸ コマンドウィンドウに「始点を指定≫」と表示されるので、文字を入力する位置をクリックする。

❹ コマンドウィンドウに「高さを指定≫」と表示されるので、キーボードから「20」と入力して Enter キーを押す。

デフォルト: 2.5
高さを指定» 20

❺ 続けて、コマンドウィンドウに「文字角度を指定≫」と表示される。ここでは、初期設定の「0」を適用するので、何も入力せずに Enter キーを押す。

デフォルト: 0
文字角度を指定»

❻ ❸で指定した位置にプロンプトが表示されるので、キーボードから文字(ここでは、「文字」)を入力して Enter キーを押す。

❼ Enter キーを押すと改行されるので、その状態でもう一度 Enter キーを押すと、[簡易注釈]コマンドが終了する。

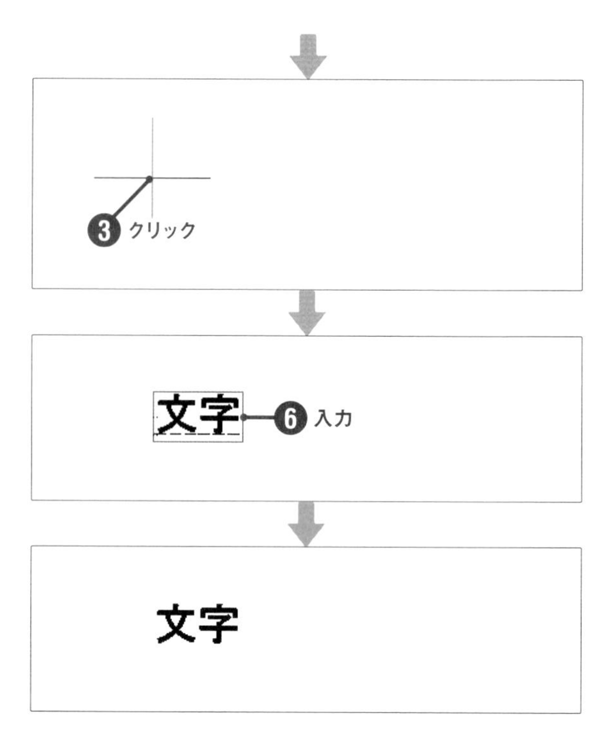

文字を記入できました。

HINT [簡易注釈挿入]ダイアログを使う

コマンドで文字を記入するには、[簡易注釈挿入]ダイアログ(図)を使う方法もあり、文字の入力や基点、スタイル、高さなどの指定が一度に行える。ダイアログを使うには、あらかじめ下記の手順で[注釈の文字編集オプション(NOTEOPTIONS)]コマンドを実行し、設定を[インプレース(グラフィックス領域で編集)]から[ダイアログボックス]に変更する必要がある。

❶ コマンドウィンドウにキーボードから「noteoptions」と入力して Enter キーを押す。
❷ キーボードから「s」と入力して Enter キーを押し、[簡易注釈エディタ]を実行する。
❸ キーボードから「d」と入力して Enter キーを押し、[ダイアログボックス]を実行する。
❹ Enter キーを押して[注釈の文字編集オプション]コマンドを終了する。

[簡易注釈]コマンドを実行すると、[簡易注釈挿入]ダイアログが表示されるので文字の入力と設定を行う。[OK]ボタンをクリックすると、カーソルに文字が仮表示されるので、文字を記入する位置をクリックすると文字を記入できる。

一度、設定を[ダイアログボックス]にすると、次回以降もダイアログが表示されるようになる。[インプレース]に戻すには、上記の手順❸でキーボードから「i」と入力して Enter キーを押し、[インプレース]を実行する。

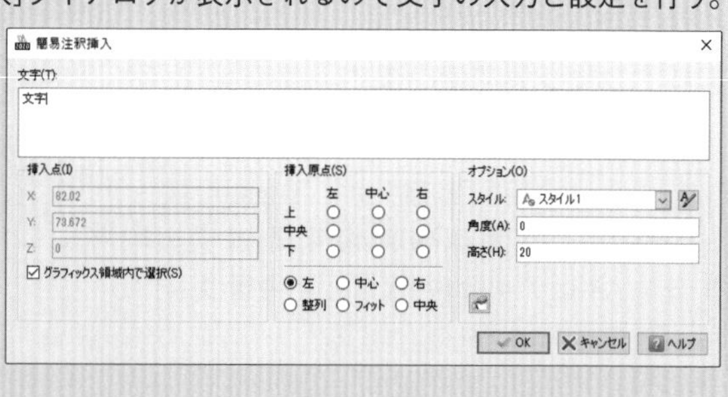

3-1-3 文字を修正する(簡易注釈)

「図面」-「3rd_day」-「03-01-03a.dwg」(作図前)
「03-01-03b.dwg」(作図後)

文字をダブルクリックし、修正します。

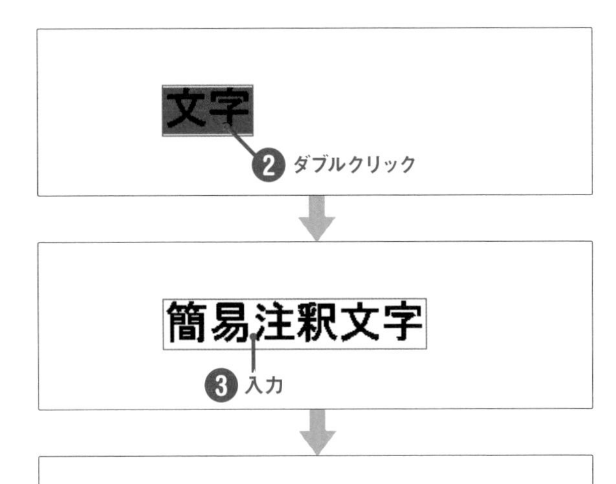

❶ 33ページ 1-3-1「既存ファイルを開く」を参考に、「03-01-03a.dwg」を開く。

❷ 入力した文字をダブルクリックすると、文字が反転表示になる。

❸ カーソルを修正する位置に移動して削除・再入力する(ここでは、「簡易注釈」を文字列の頭に加える)。Enter キーを押してコマンドを終了する。

文字を修正できました。

3-1-4 指定の範囲内に文字を記入する(注釈)

「図面」-「3rd_day」-「03-01-04a.dwg」(作図前)
「03-01-04b.dwg」(作図後)

文字を指定の範囲内に記入する場合は、[注釈]コマンドを使います。文字は1つのエンティティとして扱うことができます。

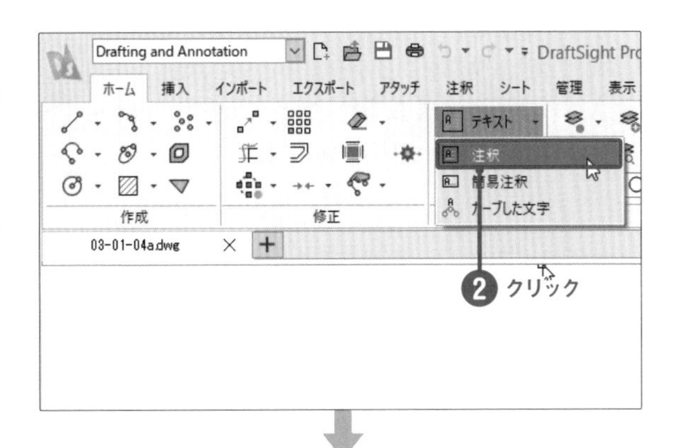

❶ 33ページ 1-3-1「既存ファイルを開く」を参考に、「03-01-04a.dwg」を開く。

❷ [ホーム]タブ-[注釈]パネル-[テキスト]-[注釈]をクリックする。

❸ コマンドウィンドウに「１つ目のコーナーを指定»」と表示されるので、文字を入力する範囲の始点をクリックする。

❹ 続けて、コマンドウィンドウに「反対側のコーナーを指定»」と表示されるので、矩形範囲の終点をクリックする。

アクティブな文字スタイル:"スタイル1" 文字高: 2.5 注釈: いいえ
1つ目のコーナーを指定»
オプション: 角度(A), 高さ(H), 位置合わせ(J), 線間隔(L), 文字スタ
反対側のコーナーを指定»

❺ [注釈のフォーマット設定]ダイアログが表示されるので、文字スタイルや文字の高さなどの設定を行う（ここでは、[文字スタイル コントロール]を「スタイル１」、[文字高]を「10」に設定）。

❻ 矩形範囲内をクリックするとカーソルが表示されるので、図のように、やや長めの文章を入力する。入力が終わったら Esc キーを押す。

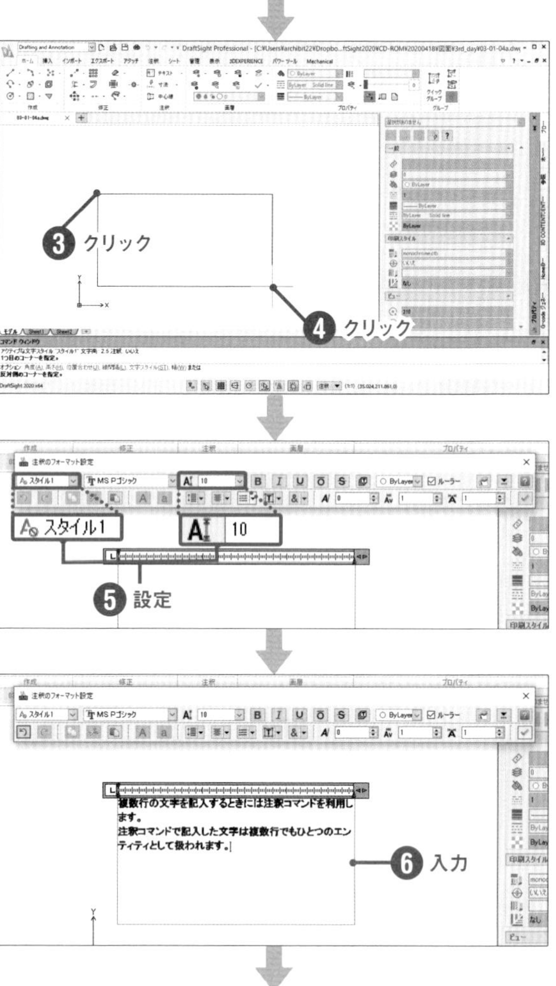

❼ [文字の変更を保存しますか？]というメッセージが表示されるので、[はい]ボタンをクリックする。
[いいえ]ボタンをクリックすると文字は記入されずに終了する。[キャンセル]ボタンをクリックすると文字入力に戻る。

複数行の文字を記入できました。

複数行の文字を記入するときには注釈コマンドを利用します。
注釈コマンドで記入した文字は複数行でもひとつのエンティティとして扱われます。

HINT ［注釈の編集］ダイアログを使う

［注釈］コマンドで文字を記入するには、［注釈の編集］ダイアログ（図）を使う方法もあり、文字の入力やスタイルなどの指定が一度に行える。ダイアログを使うには、あらかじめ［注釈の文字編集オプション（NOTEOPTIONS）］コマンドを実行して設定を［インプレース（グラフィックス領域で編集）］から［ダイアログボックス］に変更する必要がある。設定の手順は108ページのHINTと同じだが、❷でキーボードから「n」と入力して Enter キーを押し、［注釈エディタ］を実行する。

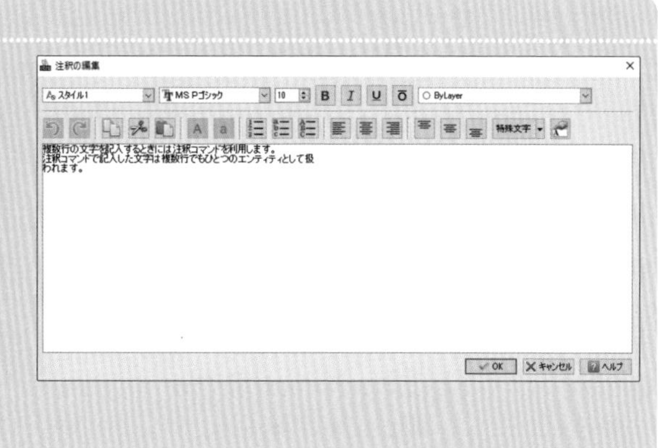

3-1-5 文字を修正する（注釈）

「図面」－「3rd_day」－「03-01-05a.dwg」（作図前）
「03-01-05b.dwg」（作図後）

修正する文字をダブルクリックし、グラフィックス領域上で文字を修正します。

複数行の文字を記入するときには注釈コマンドを利用します。
注釈コマンドで記入した文字は複数行でもひとつのエンティティとして扱われます。
❷ ダブルクリック

❶ 33ページ 1-3-1「既存ファイルを開く」を参考に、「03-01-05a.dwg」を開く。
❷ 入力した文字をダブルクリックする。

❸［注釈の編集］ダイアログが表示され、グラフィックス領域上の文字を編集できる状態になる。

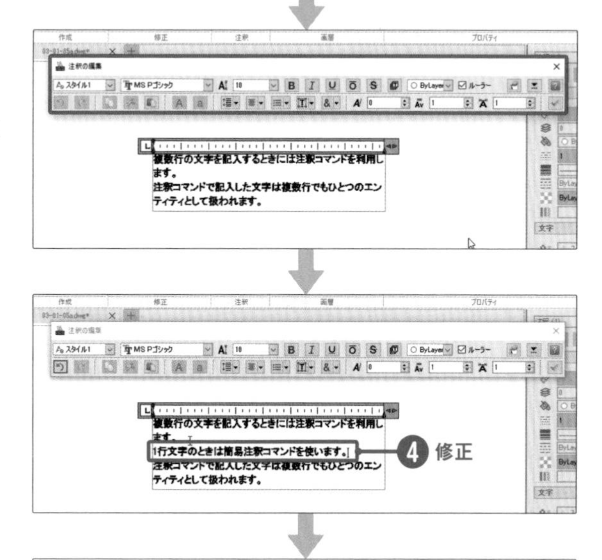

❹ 文字を修正（ここでは1行文章を追加）し、修正が終わったら Esc キーを押す。
❺［文字の変更を保存しますか？］というメッセージが表示されるので、［はい］ボタンをクリックする。

文字を修正できました。

複数行の文字を記入するときには注釈コマンドを利用します。
1行文字のときは簡易注釈コマンドを使います。
注釈コマンドで記入した文字は複数行でもひとつのエンティティとして扱われます。

3-1-6 文字の検索と置換

「図面」－「3rd_day」－「03-01-06a.dwg」(作図前)
「03-01-06b.dwg」(作図後)

ファイル中にある文字を検索し、ほかの文字に置き換えます。ここでは、「文字」を検索し、「moji」に置換します。

❶ 33ページ 1-3-1「既存ファイルを開く」を参考に、「03-01-06a.dwg」を開く。
❷ [注釈]タブ－[文字]パネル－[テキスト検索]をクリックする。

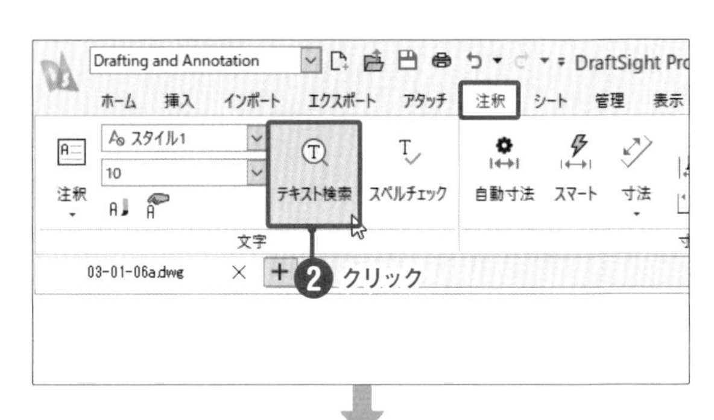

❸ [検索と置き換え]ダイアログが表示される。
❹ [検索文字列]に「文字」と入力する。
❺ [次の文字と置き換え]に「moji」と入力する。
❻ [検索]ボタンをクリックする。

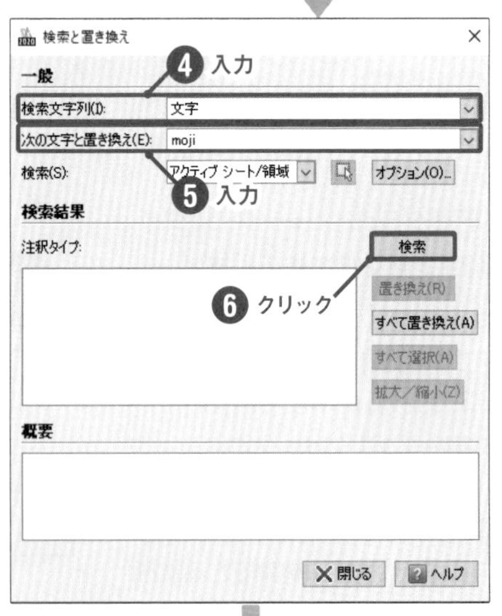

❼ [検索結果]に検索結果が表示され、[概要]に「4個の一致が見つかりました」と一致したエンティティの個数が表示される。
❽ ここでは、ファイル中のすべてを置き換えるために、[すべて置き換え]ボタンをクリックする。

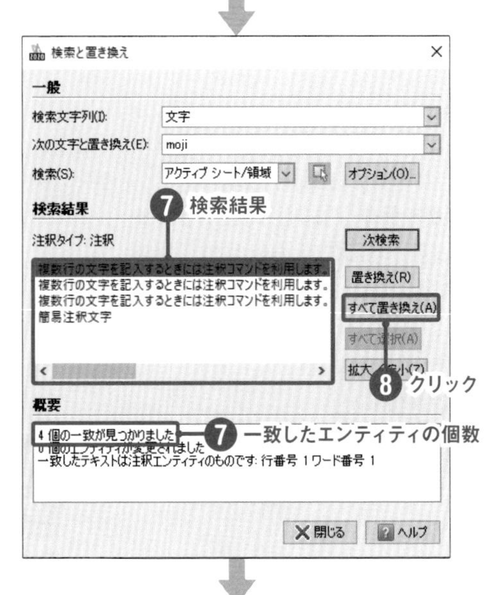

HINT [置き換え]ボタンについて

[置き換え]ボタンをクリックすると、文章に含まれる最初の文字のみが置き換えられる。再度、[置き換え]ボタンをクリックすると、次に出てくる文字のみが置換される。

❾ファイル中にあるすべての「文字」が「moji」に置き換わると、[概要]に「2個のエンティティが変更されました」と表示されるので、[閉じる]ボタンをクリックしてダイアログを閉じる。

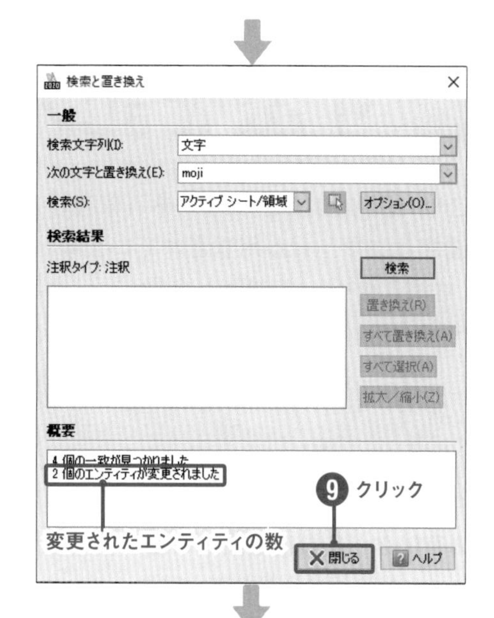

HINT 「一致」と「エンティティ」の数について

❼の検索結果に一致した数は「4個」と表示されるが、これは、注釈に3か所、簡易注釈に1か所にある「文字」のことを指している。❾では変更されたエンティティの数は「2個」と表示されるが、これは簡易注釈と注釈のエンティティ2つのことを指している。

ファイル中の「文字」という文字列が「moji」に変更されました。

複数行のmojiを記入するときには注釈コマンドを利用します。
1行mojiのときは簡易注釈コマンドを使います。
注釈コマンドで記入したmojiは複数行でもひとつのエンティティとして扱われます。

簡易注釈moji

3-2 寸法を記入する

DraftSightには、[スマート][平行][長さ]コマンドなど数種類の寸法記入に関するコマンドが用意されています。寸法の矢印形状や大きさなどの書式は「寸法スタイル」で管理します。

3-2-1 寸法スタイルを作成する

「寸法スタイル」は、寸法の矢印形状や大きさ、補助線の有無などを設定したものです。寸法スタイルを管理することで、表記の統一性を保て、書式の変更を効率的に行えます。

❶35ページ 1-3-3「既存新規ファイルを作成する」を参考に「standardiso.dwt」を開く。

❷グラフィックス領域の何もない位置を右クリックして表示されるコンテキストメニューから[オプション]をクリックして選択する。

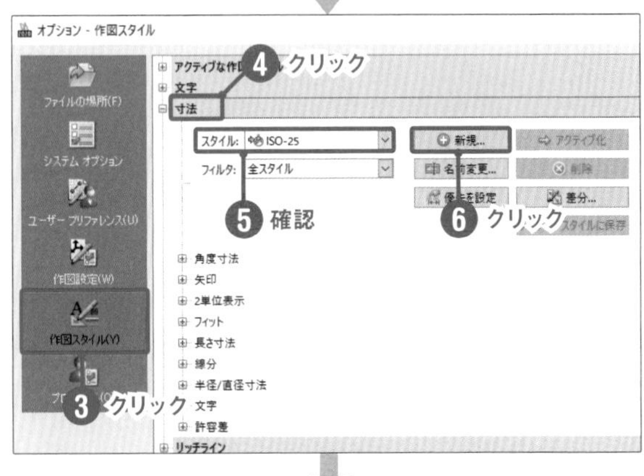

❸[オプション]ダイアログが表示されるので、[作図スタイル]をクリックする。

❹[寸法]の[+]マークをクリックする。

❺ここでは、「standardiso.dwt」に登録されている寸法スタイル「ISO-25」を基に寸法スタイルを作成する。[スタイル]に「ISO-25」が選択されていることを確認する。

❻[新規]ボタンをクリックする。

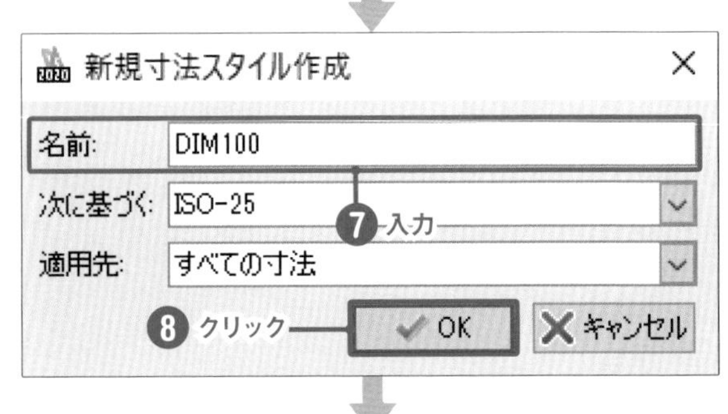

❼[新規寸法スタイルを作成]ダイアログが表示されるので、名前(ここでは「DIM100」)を入力する。

❽[OK]ボタンをクリックする。

❾ ［オプション］ダイアログに戻ると、「スタイル」に「DIM100」が選択されている。［アクティブ化］ボタンをクリックし、作成した寸法スタイル「DIM100」を適用する。

❿ ［角度寸法］の［＋］マークをクリックする。
⓫ ［角度寸法設定］の［＋］マークをクリックする。
⓬ ［精度］のプルダウンメニューで「0.00」をクリックして選択する。
⓭ ［接尾の0を非表示］にチェックを入れる。

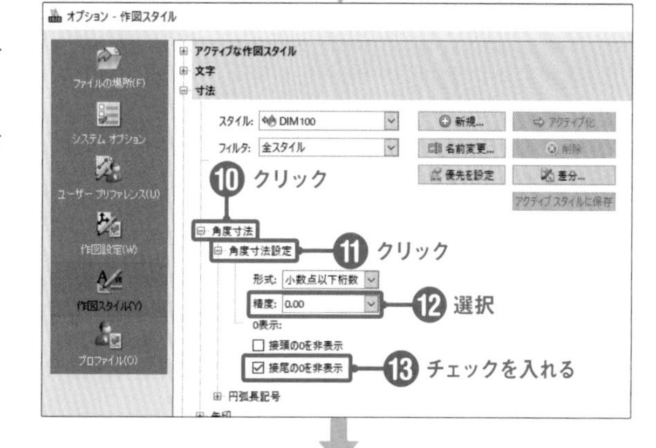

⓮ ［矢印］の［＋］マークをクリックする。
⓯ ［開始矢印］［終了矢印］［引出矢印］のプルダウンメニューで「黒丸」をクリックして選択し、［サイズ］を「1」に設定する。

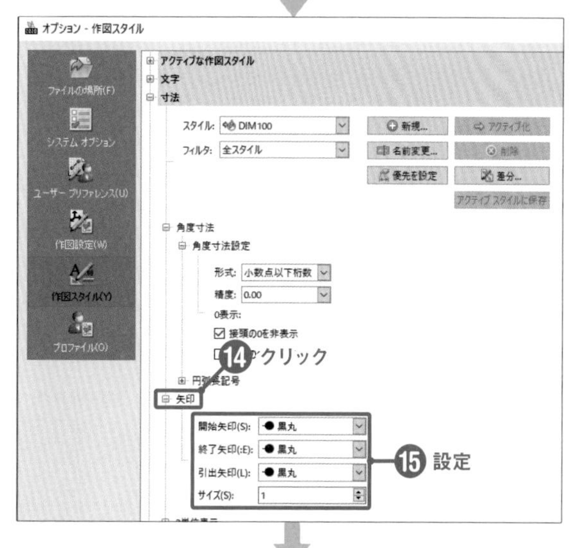

⑯［フィット］の［+］マークをクリックする。

⑰［ジオメトリ］の［+］マークをクリックし、［補助線の内側に寸法文字を保持］をクリックして選択する。

⑱［寸法文字］の［+］マークをクリックし、［寸法線の上(引出線なし)］をクリックして選択する。

⑲［寸法尺度］の［+］マークをクリックし、［尺度係数］をクリックして選択し「100」に設定する。

⑳［長さ寸法］の［+］マークをクリックする。

㉑［十進数の区切り］のプルダウンメニューで「ピリオド」を選択する。

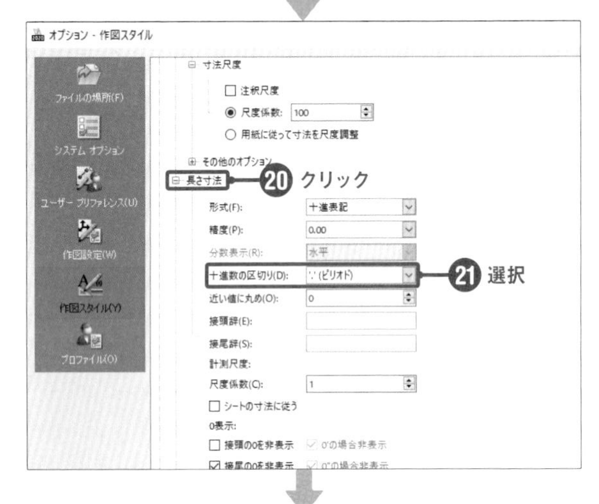

㉒［線分］の［+］マークをクリックする。

㉓［寸法線設定］の［+］マークをクリックし、［オフセット］を「7」に設定する。

㉔［補助線設定］の［+］マークをクリックし、［オフセット］を「0」に、［寸法線を越えた距離］を「0」に設定する。

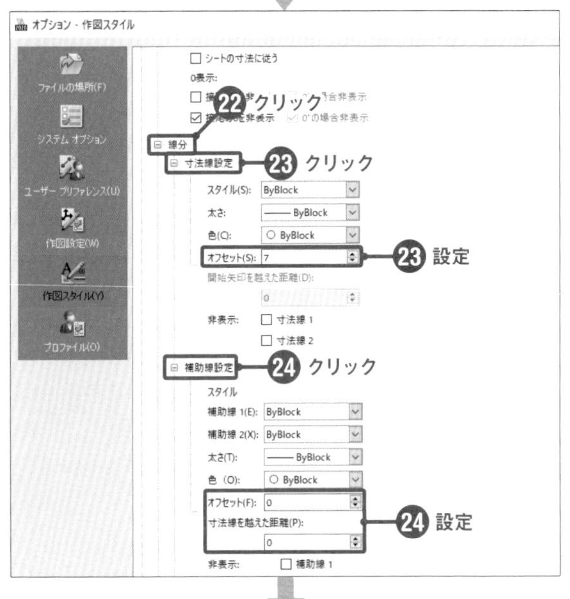

㉕［半径/直径寸法］の［＋］マークをクリックする。

㉖［中心マーク表示］の［＋］マークをクリックし、［マークどおり］をクリックして選択し［サイズ］を「200」に設定する。

㉗［OK］ボタンをクリックして［オプション］ダイアログを閉じる。

寸法スタイル「DIM100」を作成できました。

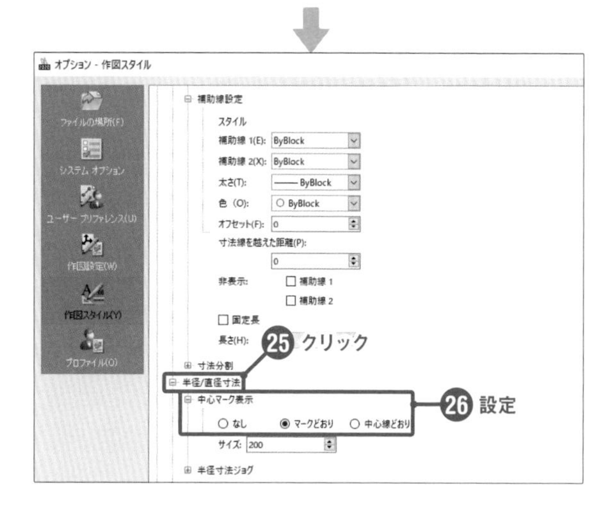

3-2-2 エンティティに寸法を記入する

「図面」－「3rd_day」－「03-02-02a.dwg」(作図前)
「03-02-02b.dwg」(作図後)

［スマート］コマンドは、指定したエンティティまたは指示した2点間の寸法を簡単に記入するコマンドです。直線を選択すると長さ寸法を、円や円弧を選択すると半径や直径寸法を記入できます。［スマート］コマンドで指示できる点は **終点** と **中点** のみなので、**交点** や **中心** などの点を指定したいときは、［平行］コマンド（119ページ 3-2-3「2点間の距離寸法を記入する」）や、［長さ］コマンド（120ページ 3-2-4「垂直／水平距離の寸法を記入する」）を使います。

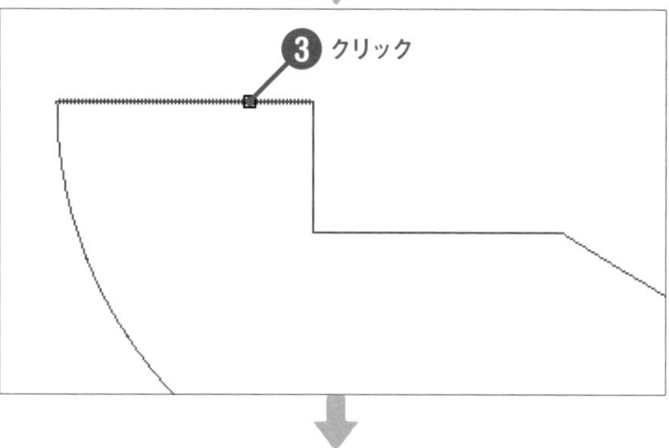

❶ 33ページ 1-3-1「既存ファイルを開く」を参考に、「03-02-02a.dwg」を開く。

❷［ホーム］タブ－［注釈］パネル－［寸法］－［スマート］をクリックする。

❸ コマンドウィンドウに「寸法付けするエンティティまたは点を指定»」と表示されるので、寸法を記入するエンティティをクリックする。

寸法付けするエンティティまたは点を指定»

HINT エンティティ指定時には点を指示しない

［スマート］コマンドを実行すると、エンティティスナップが自動的に有効になる。そのため、❸で **終点**（四角のマーカー）や **中点**（三角のマーカー）をクリックしないよう注意してエンティティを選択する。

❹コマンドウィンドウに「寸法文字位置、別のエンティティまたは点を指定»」と表示され、カーソルに寸法が仮表示されるので、記入する位置をクリックする。

オプション: ロック(L) または
寸法文字位置、別のエンティティまたは点を指定»

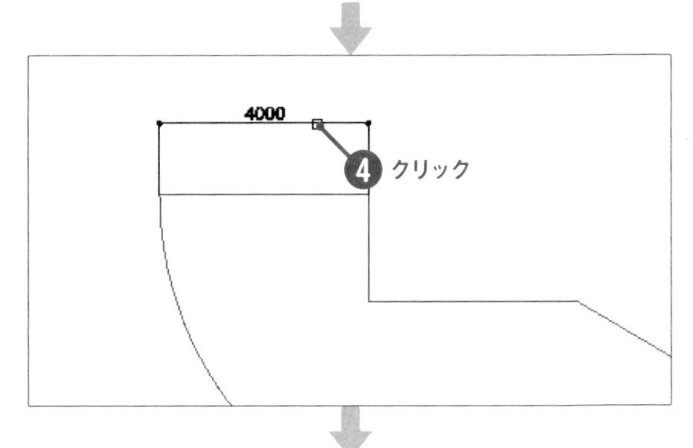

❺ [Enter] キーを押して[スマート]コマンドを終了する。

指定したエンティティの長さ寸法が記入できました。

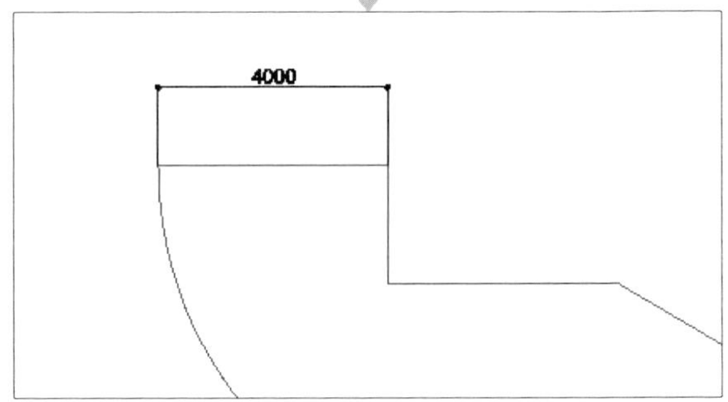

HINT 寸法パレットを非表示にする

Professional版やPremium版を利用している場合は、記入したあとの寸法付近に[寸法パレット]アイコンが表示される。アイコンにカーソルを合わせると、機械設計などで使用される公差表示や接頭語、接尾後などを簡単に追加できる[寸法パレット]が表示される。非表示にしたいときは、[オプション]−[ユーザーリファレンス]−[作図オプション]−[寸法パレット]−[寸法パレットを有効にする]のチェックを外す。

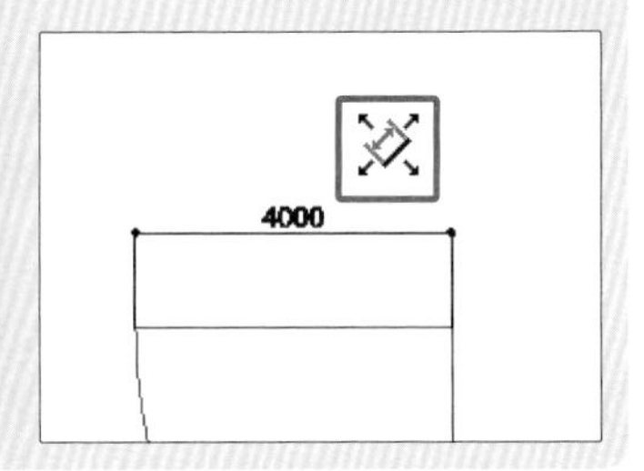

HINT 斜線に寸法を記入する

斜線に寸法を記入する際は、寸法線の位置を指定するときのカーソルの方向によって結果が変わる。図のように線の長さ寸法(**A**)、X方向の長さ寸法(**B**)、Y方向の長さ寸法(**C**)を記入することができる。

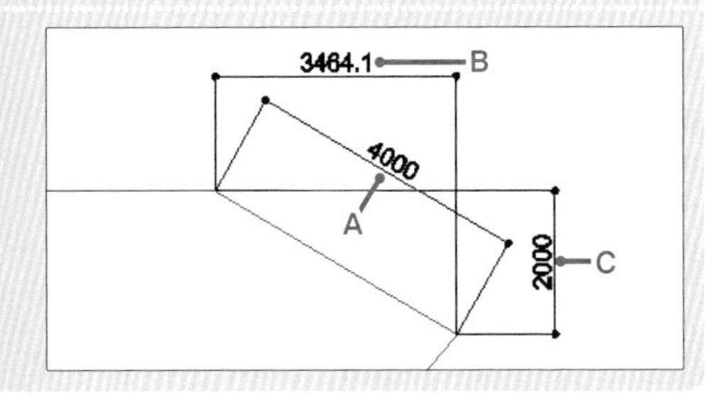

HINT 円や円弧に寸法を記入する

円や円弧に寸法を記入する際は、オプションで寸法値を[直径(D)][半径(R)][線形(LI)][角度(AN)][円弧長(AR)]などに変えることができる。図は円弧の長さ寸法と半径を記入している。

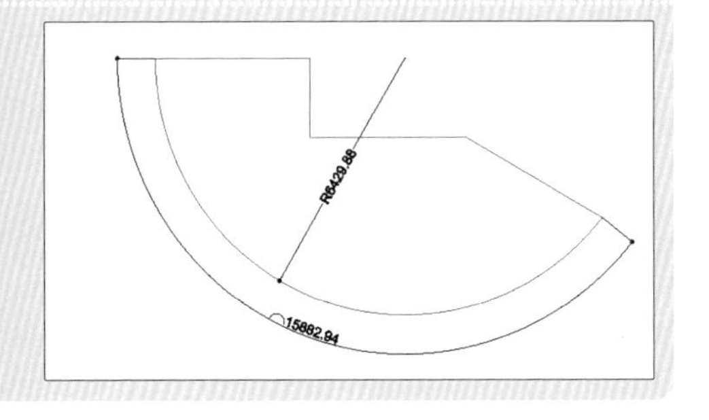

離寸法を記入する

「図面」－「3rd_day」－「03-02-03a.dwg」（作図前）
「03-02-03b.dwg」（作図後）

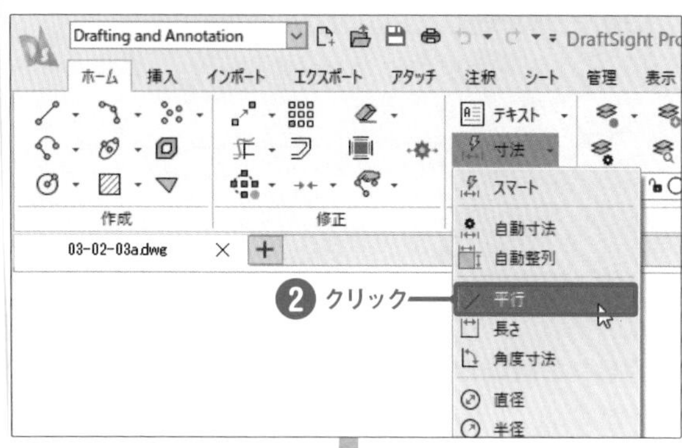

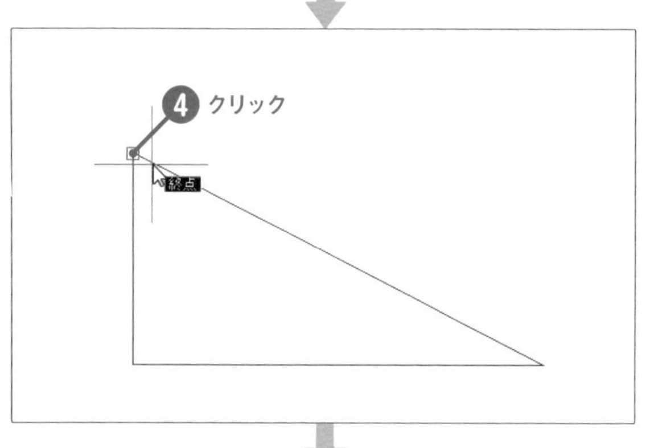

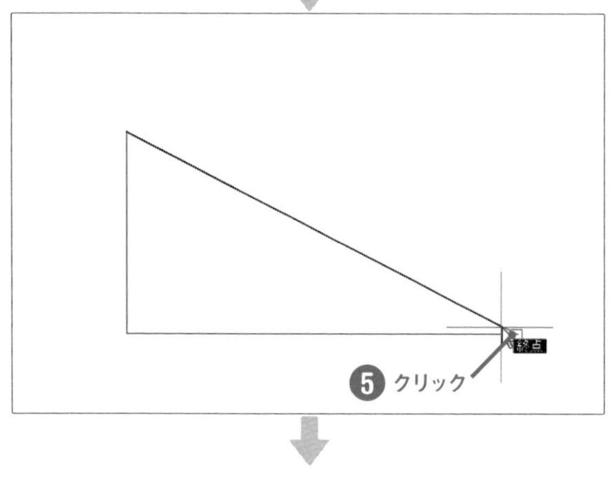

5 コマンドウィンドウに「2本目の補助線を指定»」と表示されるので、もう一方の端点にカーソルを近づけ 終点 が表示されることを確認してクリックする。

2本目の補助線を指定»

❻コマンドウィンドウに「寸法線の位置を指定»」と表示され、カーソルに寸法が仮表示されるので、記入する位置をクリックする。

オプション: 角度(A), 注釈(N), 文字(T) または
寸法線の位置を指定»

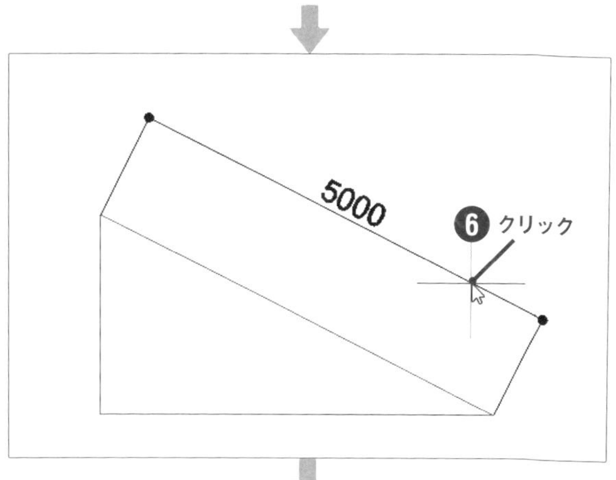

指定した2点間の距離寸法が記入できました。

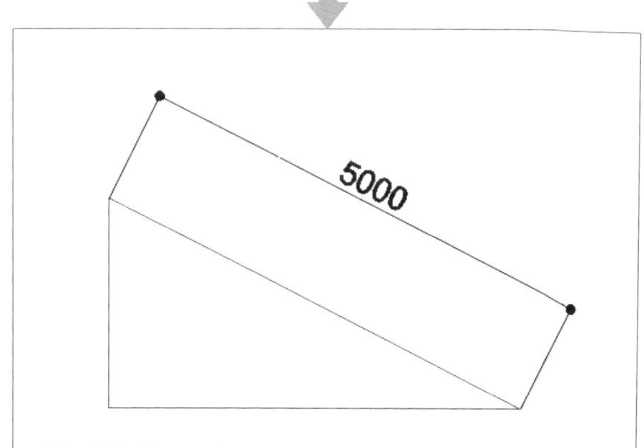

3-2-4 垂直／水平距離の寸法を記入する

「図面」－「3rd_day」－「03-02-04a.dwg」(作図前)
「03-02-04b.dwg」(作図後)

[長さ]コマンドは、2点間の水平距離または垂直距離の寸法を記入するコマンドです。ここでは、斜線の水平距離の寸法を記入します。

❶33ページ 1-3-1「既存ファイルを開く」を参考に、「03-02-04a.dwg」を開く。
❷[ホーム]タブ－[注釈]パネル－[寸法]－[長さ]をクリックする。

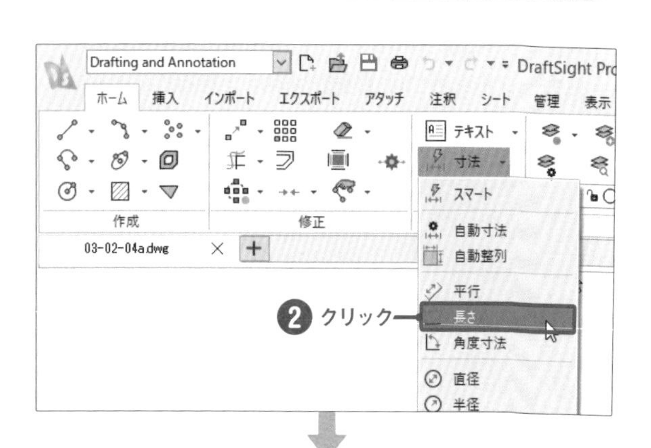

❸ステータスバーの[Eスナップ]ボタン(63ページ 2-3-1「作図オプションの切り替え」参照)がオンになっていることを確認する。オフになっている場合はクリックしてオンにする。

❹コマンドウィンドウに「1本目の補助線を指定»」と表示されるので、線の端点にカーソルを近づけ 終点 が表示されることを確認してクリックする。

デフォルト: エンティティ(E)
オプション: エンティティ(E) または
1本目の補助線を指定»

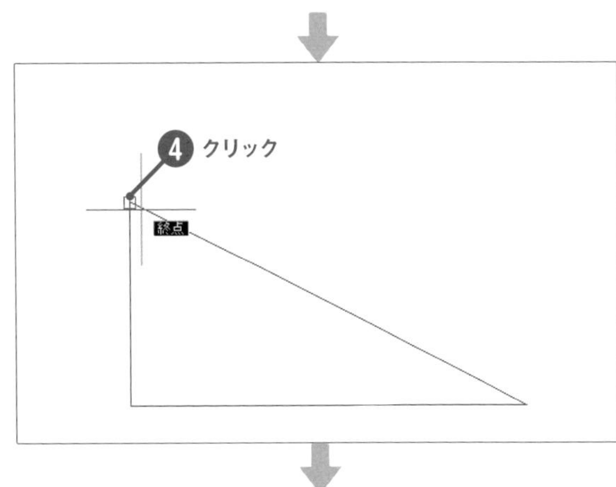

❺コマンドウィンドウに「2本目の補助線を指定»」と表示されるので、もう一方の端点にカーソルを近づけ 終点 が表示されることを確認してクリックする。

2本目の補助線を指定»

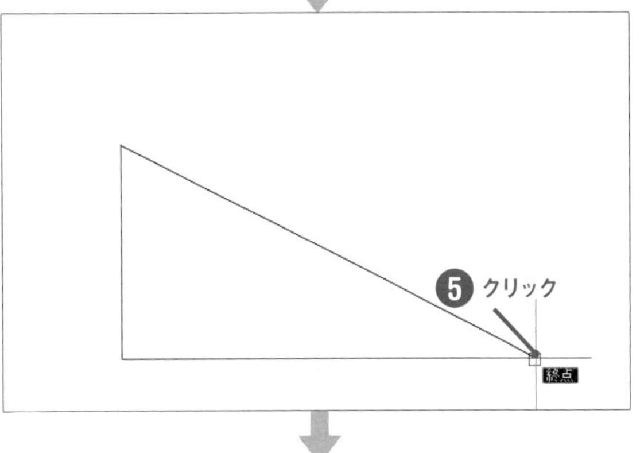

❻コマンドウィンドウに「寸法線の位置を指定»」と表示され、カーソルに寸法が仮表示されるので、カーソルを上に移動し、記入する位置をクリックする。

オプション: 角度(A), 水平(H), 注釈(N), 回転(R), 文字(T), 垂直(V
寸法線の位置を指定»

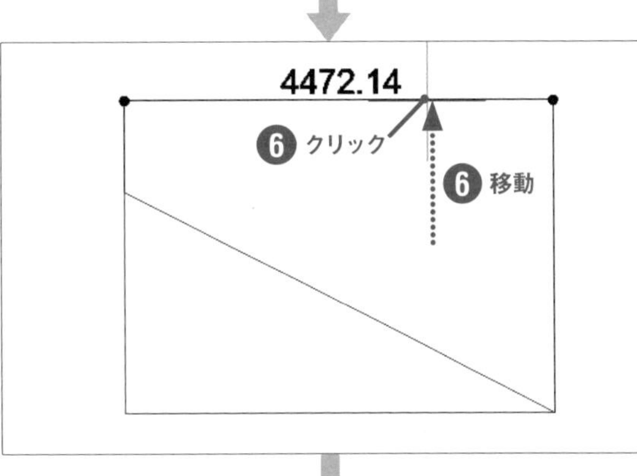

HINT **カーソルの位置が変わると垂直距離になる**

カーソルを右に移動すると、垂直距離の寸法が仮表示される。

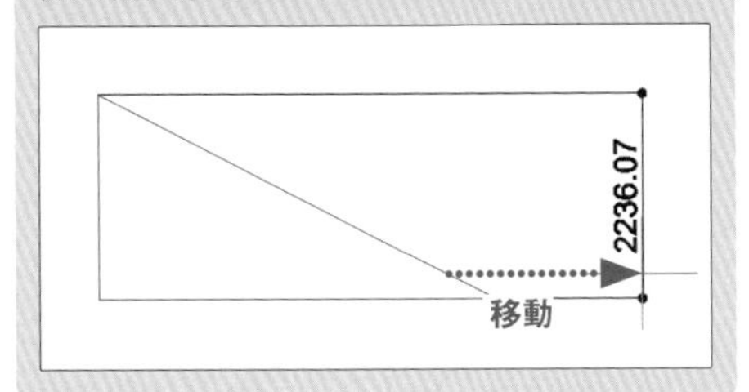

指定した2点間の水平距離の寸法が記入できました。

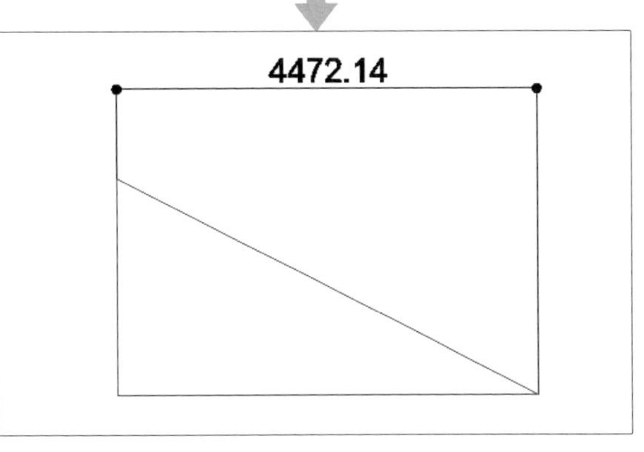

3-2-5 半径寸法を記入する

「図面」－「3rd_day」－「03-02-05a.dwg」(作図前)
「03-02-05b.dwg」(作図後)

[半径]コマンドは、円や円弧の半径寸法を記入するコマンドです。

❶ 33ページ 1-3-1「既存ファイルを開く」を参考に、「03-02-05a.dwg」を開く。

❷ [ホーム]タブ－[注釈]パネル－[寸法]－[半径]をクリックする。

❸ コマンドウィンドウに「カーブエンティティを指定»」と表示されるので、寸法を記入する円または円弧をクリックする。

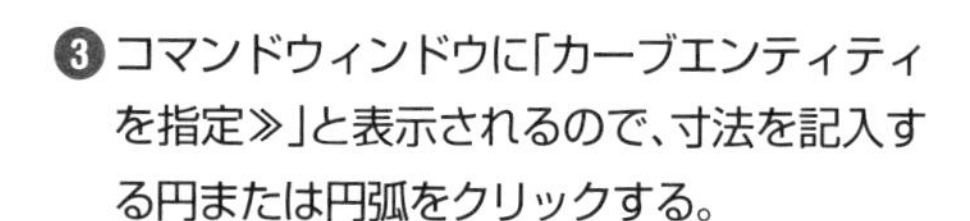

❹ コマンドウィンドウに「寸法位置を指定»」と表示され、❸でクリックした位置と円の中心が線で結ばれてカーソルに寸法値が仮表示されるので、記入する位置をクリックする。

オプション: 角度(A), 注釈(N), 文字(T) または
寸法位置を指定»

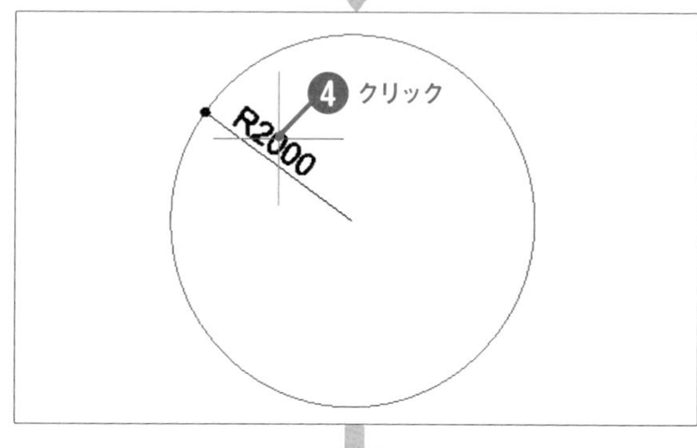

円の半径寸法が記入できました。

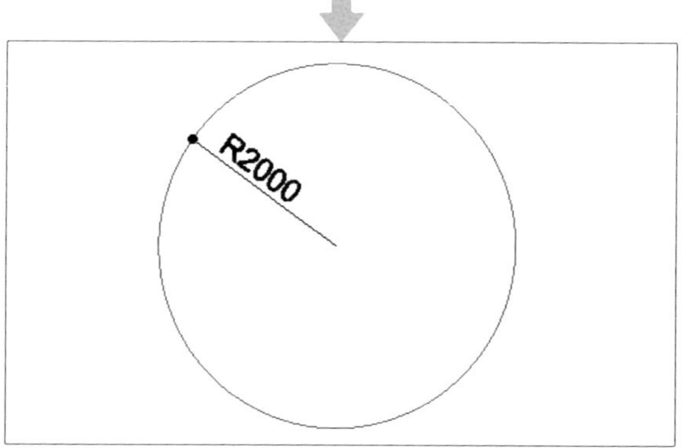

3-2-6 角度を記入する

「図面」－「3rd_day」－「03-02-06a.dwg」(作図前)
「03-02-06b.dwg」(作図後)

[角度寸法]コマンドは、2辺間の角度を記入するコマンドです。角度を指示するには、角を構成する2辺を指示する方法と、頂点を指示して頂点からの2点を指示する方法の2通りあります。ここでは、2辺を指示する方法を解説します。

❶ 33ページ 1-3-1「既存ファイルを開く」を参考に、「03-02-06a.dwg」を開く。

❷ [ホーム]タブー[注釈]パネルー[寸法]－[角度寸法]をクリックする。

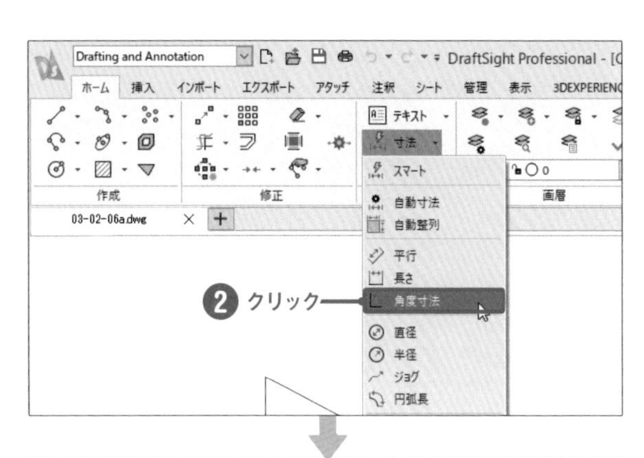

❸ コマンドウィンドウに「エンティティを指定≫」と表示されるので、角を構成する2辺のうちの1辺をクリックする。

オプション: Enter キーで頂点を指定または **エンティティを指定»**

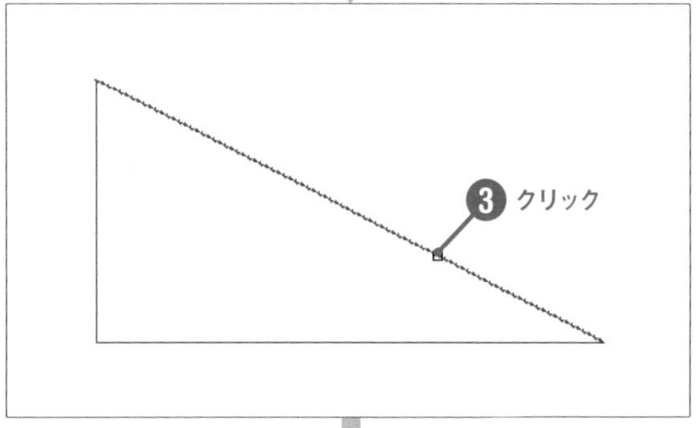

❹ コマンドウィンドウに「2つ目の線を指定≫」と表示されるので、もう1辺をクリックする。

2つ目の線を指定»

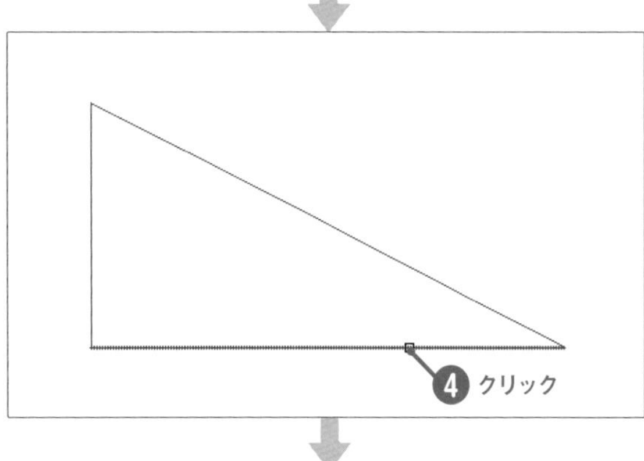

❺ コマンドウィンドウに「寸法位置を指定≫」と表示され、カーソルに寸法が仮表示されるので、記入する位置をクリックする。

オプション: 角度(A), 注釈(N), 文字(T) または **寸法位置を指定»**

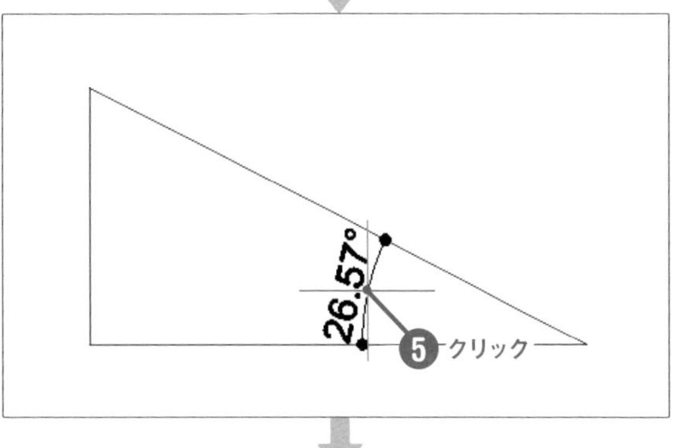

角度寸法が記入できました。

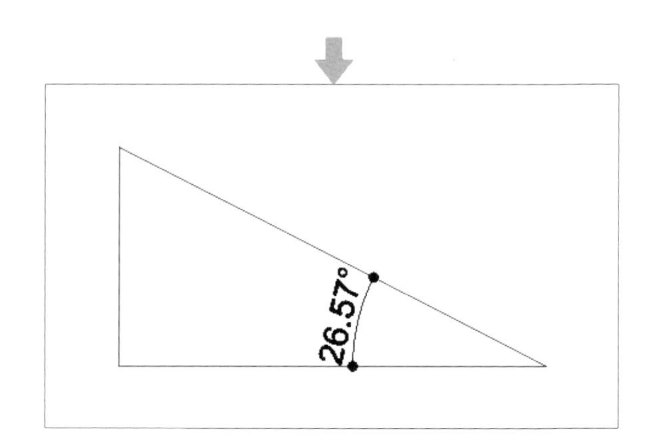

3-2-7 引出線を記入する

「図面」－「3rd_day」－「03-02-07a.dwg」(作図前)
「03-02-07b.dwg」(作図後)

[スマート引出線]コマンドは、指示した位置から引出線を作成して文字を記入するコマンドです。部材の名称やサイズなどの記入に使います。

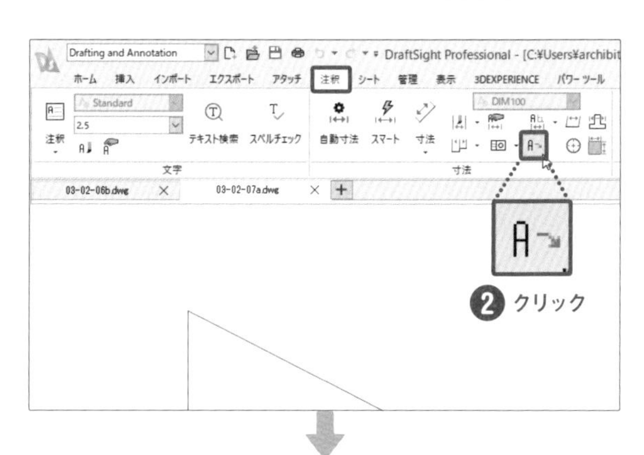

❶ 33ページ 1-3-1「既存ファイルを開く」を参考に、「03-02-07a.dwg」を開く。

❷ [注釈]タブ－[寸法]パネル－[スマート引出線] をクリックする。

❸ ステータスバーの[Eスナップ]ボタン(63ページ 2-3-1「作図オプションの切り替え」参照)がオンになっていることを確認する。オフになっている場合はクリックしてオンにする。

❹ コマンドウィンドウに「始点を指定≫」と表示されるので、三角形の端点にカーソルを近づけ 終点 が表示されることを確認してクリックする。

> デフォルト: 設定(S)
> オプション: 設定(S) または
> **始点を指定»**

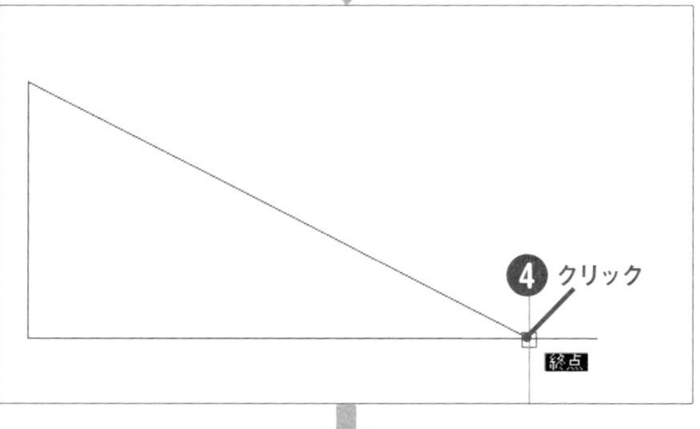

❺ コマンドウィンドウに「次の頂点を指定≫」と表示されるので、任意の位置をクリックする。

> オプション: *Enter キーで終了*または
> **次の頂点を指定»**

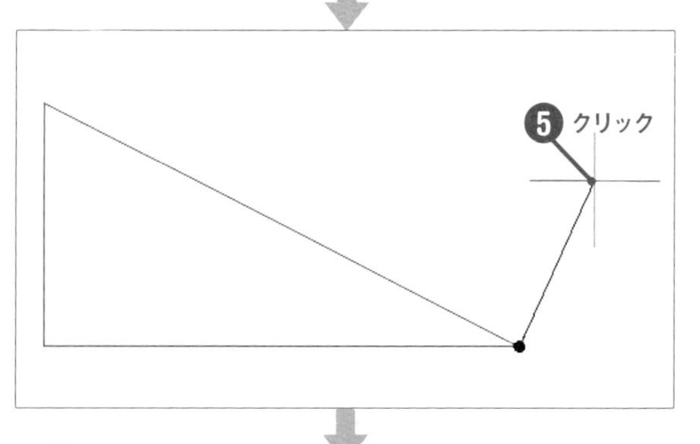

❻ 水平線を引くため、ステータスバーの[直交]ボタン(63ページ 2-3-1「作図オプションの切り替え」参照)をクリックしてオンにする。

❼ コマンドウィンドウに「次の頂点を指定≫」と表示されるので、任意の位置をクリックする。

> オプション: *Enter キーで終了*または
> **次の頂点を指定»** <直交オン>

❽ コマンドウィンドウに「注釈の幅を指定≫」と表示されるが、ここでは指定をしないので Enter キーを押す。

> **注釈の幅を指定»**

❾ コマンドウィンドウに「文字を指定≫」と表示されるので、記入する文字(ここでは「頂点」)を入力して Enter キーを押す。

> デフォルト: エディタ(E)
> オプション: エディタ(E) または
> **文字を指定»** 頂点

❿ コマンドウィンドウに「文字を指定≫」と表示され、2行目の入力ができるが、ここでは入力せずに Enter キーを押す。

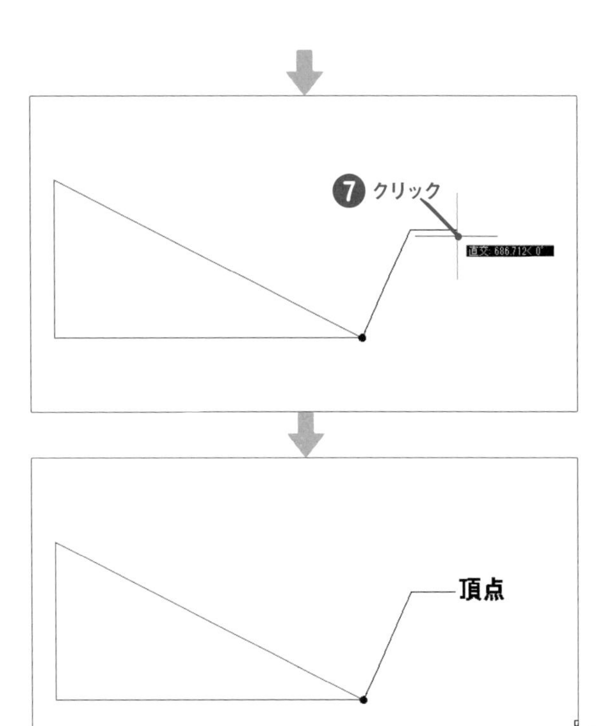

入力した文字が表示され、引出線が記入できました。

HINT 引出線の書式を設定する

引出線と文字位置などの書式設定を行うには、❹で始点をクリック指示する前にキーボードから「s」と入力して Enter キーを押し、オプションの[設定](S)を実行する。表示される[リーダーの形式]ダイアログで設定を変更する。

リーダーの形式
注釈　矢印/線分(A)
タイプ
○ ブロック(B)　○ 許容差(T)
○ エンティティをコピー(C)　○ なし(O)
◉ 注釈(E)
注釈オプション
☐ 左寄せで位置揃え(L)
☑ 幅を指定(W)
☐ 文字フレームを表示(F)
設定を再利用
○ 現在のものを再利用(U)
○ 次を再利用(X)
◉ 再利用しない(N)
OK　キャンセル　ヘルプ

3-2-8 寸法に注釈尺度を設定する

「図面」−「3rd_day」−「03-02-08a.dwg」(作図前)
「03-02-08b.dwg」(作図後)

作成した図面は、[シート]タブでレイアウトを行って印刷できる形に仕上げます。シート内には、複数の枠(ビュータイル)を作成し、それぞれに異なる尺度を設定した図面を表示できます(206ページ 6-1「DraftSightの印刷の基本」)。このような場合に便利なのが「注釈尺度」です。
注釈尺度を寸法や文字などに設定すると、ビュータイルの注釈尺度に応じた大きさで自動的に表示されます。ここでは、注釈尺度の仕組みを理解するために、寸法に注釈尺度を設定してみます。

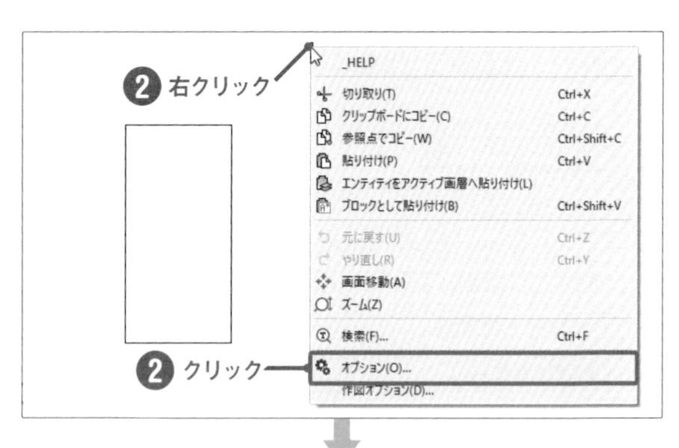

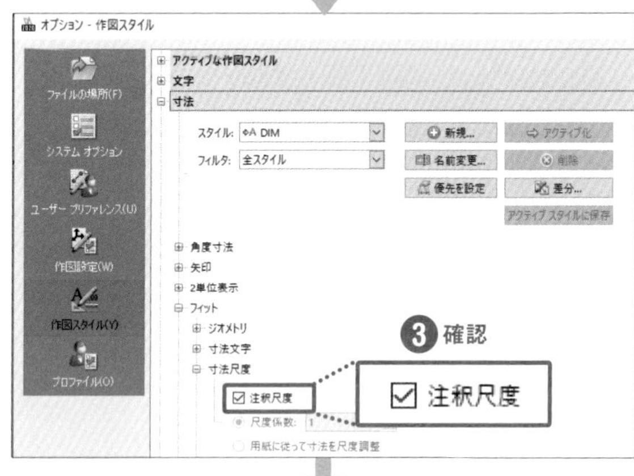

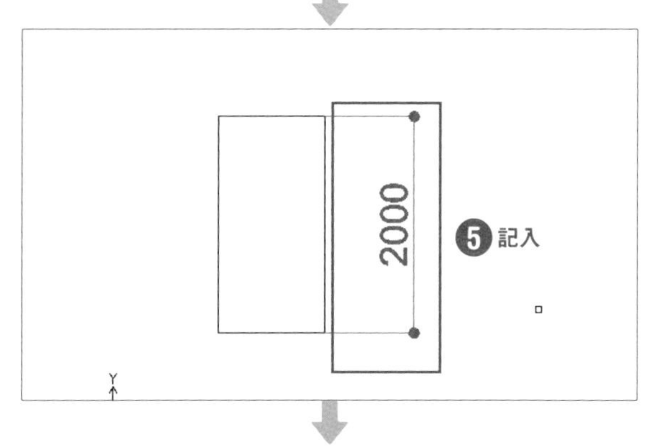

❶ 33ページ 1-3-1「既存ファイルを開く」を参考に、「03-02-08a.dwg」を開く。
❷ グラフィックス領域の何もない位置を右クリックして表示されるコンテキストメニューから[オプション]をクリックして選択する。
❸ 表示される[オプション]ダイアログの[作図スタイル]−[寸法]−[フィット]−[寸法尺度]−[注釈尺度]にチェックが入っていることを確認する。
❹ [OK]ボタンをクリックして[オプション]ダイアログを閉じる。

❺ 117ページ 3-2-2「エンティティに寸法を記入する」を参考に、長方形の右側に[スマート]コマンドで寸法を記入する。

HINT スタイル名で注釈尺度対応を見分ける

[オプション]ダイアログの[作図スタイル]−[寸法]−[スタイル]のスタイル名の左に水色の「A」マークがあるものは注釈尺度対応のスタイル、禁止マークがあるものは注釈尺度非対応のスタイルであることを表している。

注釈尺度対応のスタイル

スタイル: DIM

注釈尺度非対応のスタイル

スタイル: DIM100

寸法に注釈尺度を設定します。

❻ [注釈]タブ－[注釈尺度]パネル－[注釈尺度]－[尺度の追加/削除..]をクリックする。

❼ コマンドウィンドウに「目的エンティティを指定≫」と表示されるので、寸法をクリックして選択し、Enter キーを押す。

目的エンティティを指定»

❽ [注釈エンティティ尺度一覧]ダイアログが表示され、[エンティティ尺度一覧]に「1:100」が設定されていることがわかる。[追加]ボタンをクリックする。

❾ [尺度一覧]ダイアログが表示されるので、「1:50」をクリックして選択し、[OK]ボタンをクリックする。

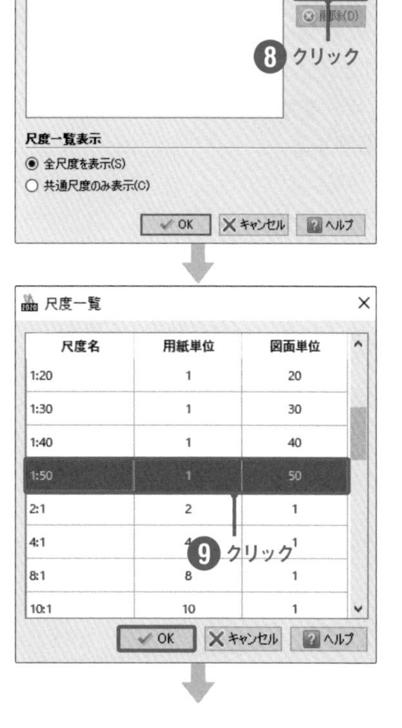

❿ [注釈エンティティ尺度一覧]ダイアログに戻ると、[エンティティ尺度一覧]に「1:50」が追加されていることがわかる。[OK]ボタンをクリックしてダイアログを閉じる。

これで寸法に「1:100」と「1:50」の注釈尺度が設定されました。

[シート]タブでビューポートの注釈尺度を設定します。

⓫ [Sheet1]タブをクリックする。[Sheet1]にはあらかじめ2つのビューポートが作成されている。しかし、どちらにも注釈尺度が設定されていないので、長方形のみが表示されている。

⓬ 左側のビューポートの枠をクリックして選択する。

⓭ ステータスバーの[注釈]プルダウンから[1:50]をクリックして選択する。

⓮ Esc キーを押してビューポートの枠の選択を解除する。

左側のビューポートに注釈尺度が設定され、寸法が表示されます。

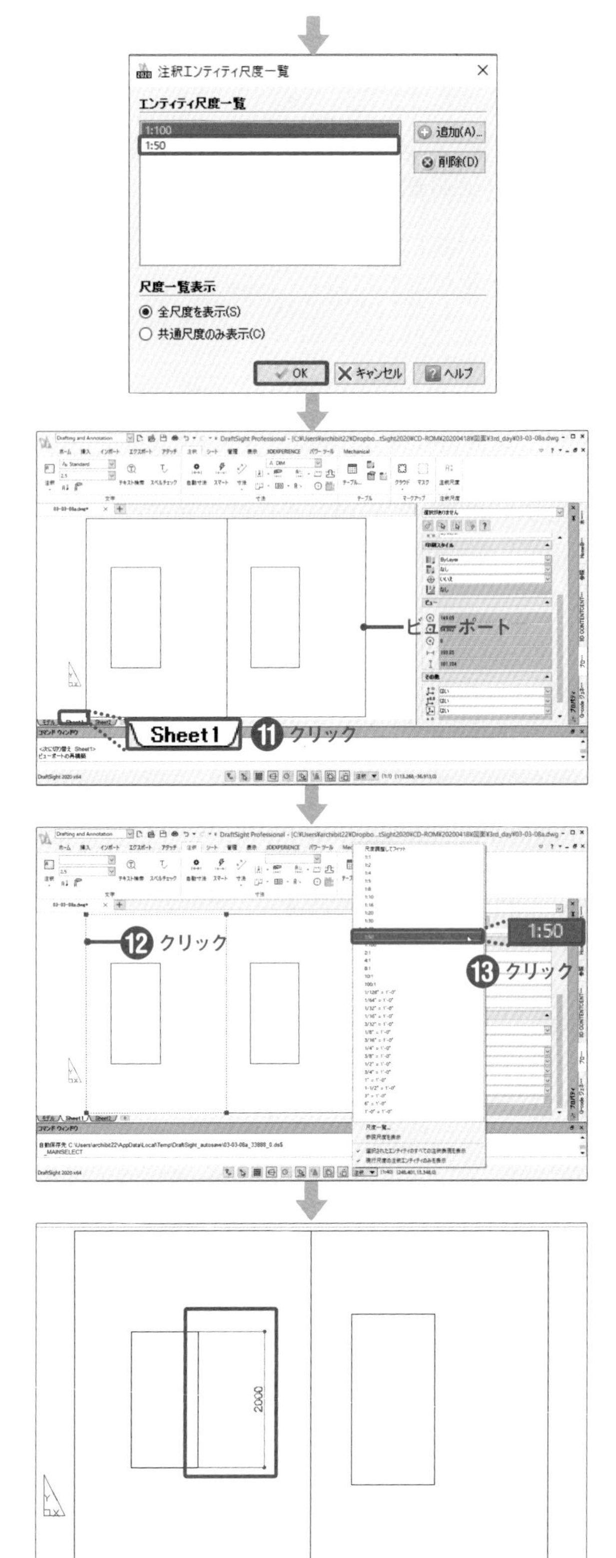

⑮ 右側のビューポートの枠をクリックして選択する。

⑯ ステータスバーの[注釈]プルダウンから[1:100]をクリックして選択する。

⑰ [Esc] キーを押してビューポートの枠の選択を解除する。

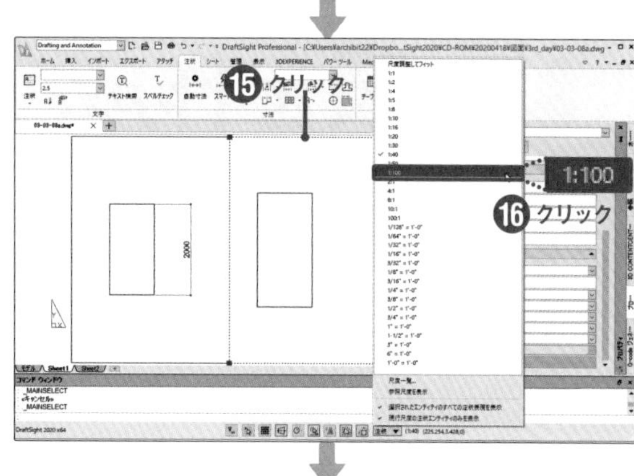

右側のビューポートにも注釈尺度が設定され、寸法が表示されます。設定した尺度が左右で異なるため、長方形の大きさが違っていますが、注釈尺度が設定されている寸法の文字の大きさは同じになります。

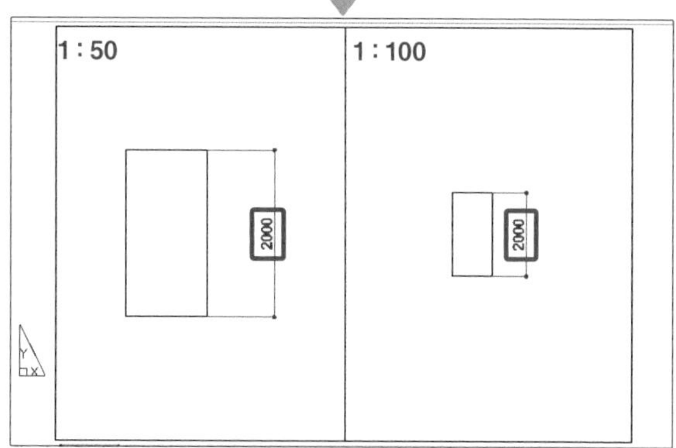

HINT すべての注釈尺度の寸法を表示する

ステータスバーの[注釈]プルダウンメニューにある[現行尺度の注釈エンティティのみを表示]にチェックが入っていると、ビューポートに設定された注釈尺度の注釈エンティティのみが表示される。チェックを外すと、ビューの注釈尺度の値に関係なくすべての注釈エンティティが表示される。

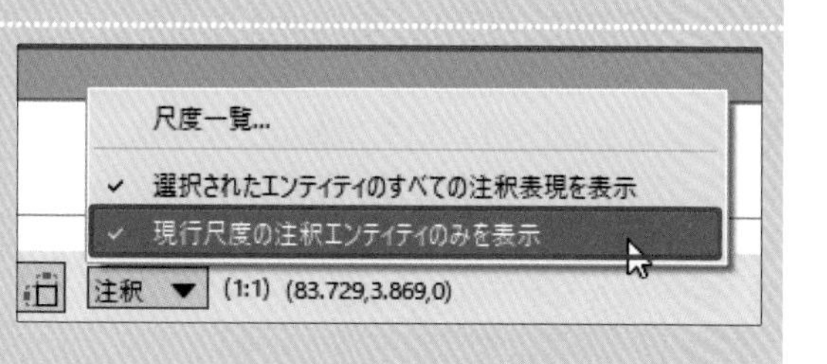

HINT 注釈尺度にできるエンティティ

注釈尺度を設定できるエンティティは、寸法のほかに文字やブロック、ハッチングがある。注釈尺度の設定は、文字の場合は[オプション]ダイアログの[作図スタイル]－[文字]－[高さ]－[注釈尺度]、ブロックの場合は[ブロック定義]ダイアログの[設定]－[注釈尺度]、ハッチングの場合は[ハッチング/塗り潰し]ダイアログの[モード]－[注釈尺度]にチェックが入っているかを確認する。

3-3 表を作成する

表を作成するには、[テーブル]コマンドを使用します。作成した表では、列の追加や行の追加などの編集が簡単に行えますが、Excelのような関数機能は備わっていません(2020年6月時点)。

3-3-1 テーブルスタイルを作成する

「テーブルスタイル」は、表中の文字の大きさや高さ、表の線の太さや色などを設定したものです。

❶ 35ページ 1-3-3「新規ファイルを作成する」を参考に、「standardiso.dwt」を開く。
❷ グラフィックス領域の何もない位置を右クリックして表示されるコンテキストメニューから[オプション]をクリックして選択する。
❸ [オプション]ダイアログが表示されるので、[作図スタイル]をクリックする。
❹ [テーブル]の[+]マークをクリックする。
❺ [新規]ボタンをクリックする。

❻ [新しいテーブルスタイルを作成]ダイアログが表示されるので、スタイル名(ここでは「Table1」)を入力する。
❼ [OK]ボタンをクリックする。

❽ [オプション]ダイアログに戻ると、[スタイル]に「Table1」が選択されている。[アクティブ化]ボタンをクリックする。

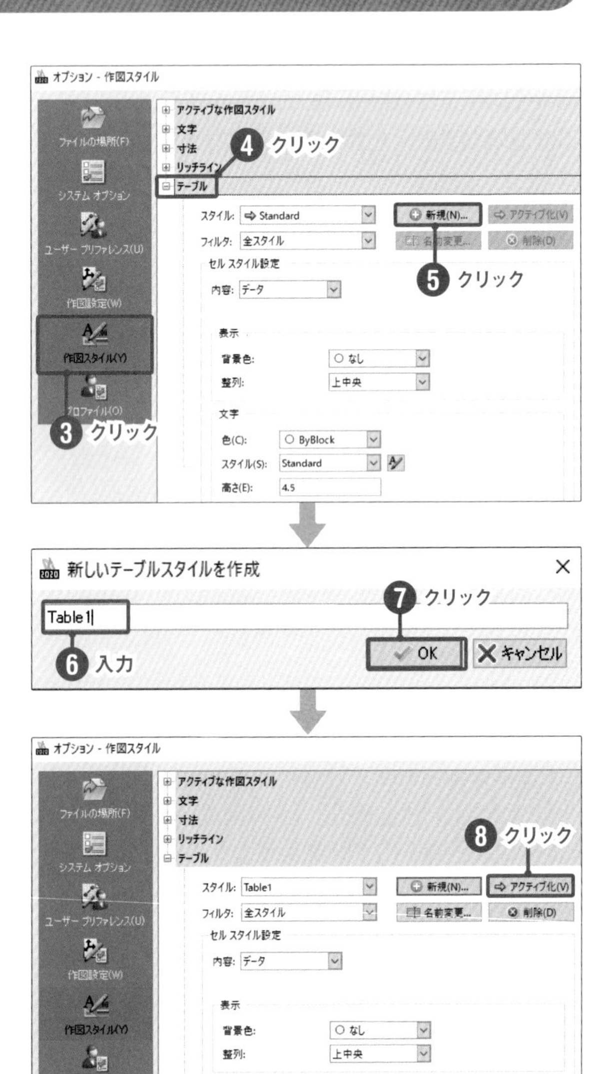

⑨［セル スタイル設定］の［内容］プルダウンメニューで「データ」をクリックして選択する。
⑩［文字］の［高さ］に「3」と入力する。

⑪［セル スタイル設定］の［内容］プルダウンメニューで「ヘッダー」をクリックして選択する。
⑫［文字］の［高さ］に「3」と入力する。

⑬［セル スタイル設定］の［内容］プルダウンメニューで「タイトル」をクリックして選択する。
⑭［文字］の［高さ］に「4」と入力する。
⑮［OK］ボタンをクリックして［オプション］ダイアログを閉じる。

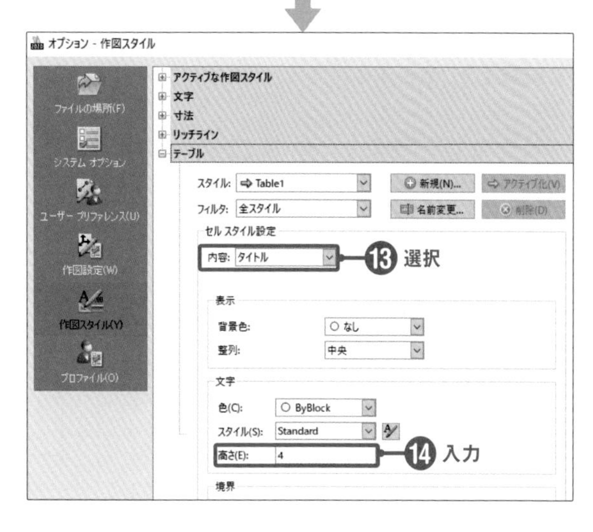

テーブルスタイル「Table1」を作成できました。

3-3-2 表を作成する

「図面」－「3rd_day」－「03-03-02a.dwg」(作図前)
「03-03-02b.dwg」(作図後)

[テーブル]コマンドで表を作成します。[テーブルを挿入]ダイアログで、行や列の数、テーブルスタイルで設定した「タイトル」「ヘッダー」「データ」の位置を指定できます。

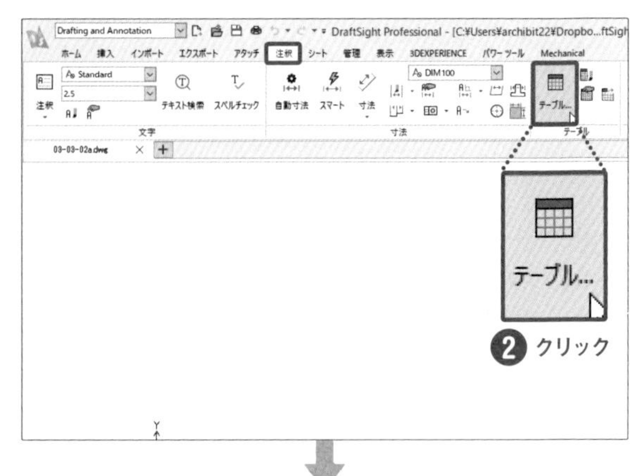

❶ 33ページ 1-3-1「既存ファイルを開く」を参考に、「03-03-02a.dwg」を開く。
❷ [注釈]タブ－[テーブル]パネル－[テーブル...]をクリックする。

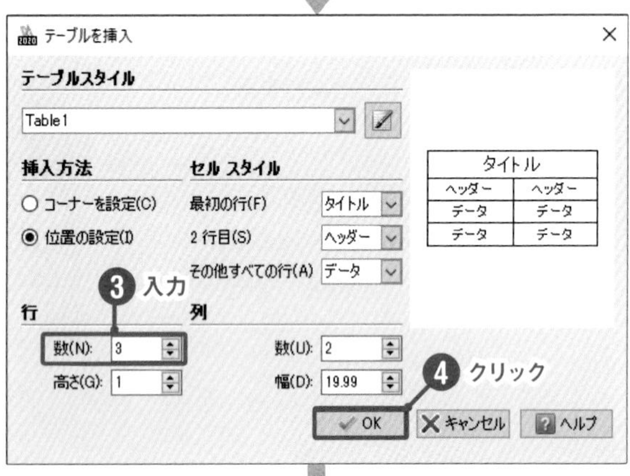

❸ [テーブルを挿入]ダイアログが表示される。[行]の[数]に「3」と入力する。
❹ [OK]ボタンをクリックする。

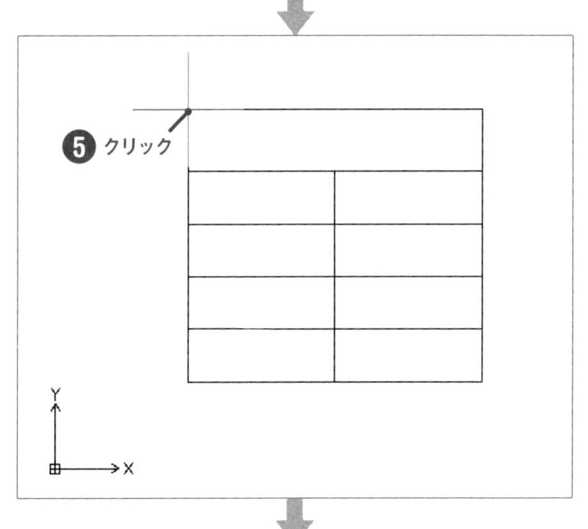

❺ カーソルに表が仮表示されるので、任意の位置をクリックする。

❻セルをクリックするとカーソルが表示されるので、タイトルの文字(ここでは、「材料表」)を入力する。

HINT 文字のスタイルを変更する

セルをクリックすると表示される[注釈のフォーマット設定]ダイアログでは、セルごとに文字の高さなどの設定が行える。

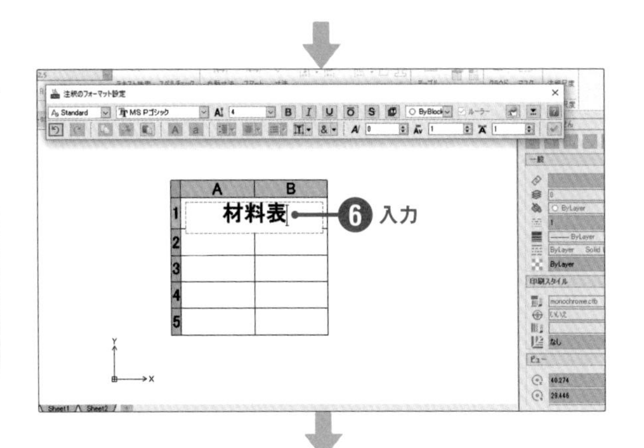

❼矢印キーを押すか、クリックしてセルを移動し、ほかのセルにも文字を入力する。
❽入力が終わったら、セルの外をクリックする。

表を作成できました。

材料表	
材料名	個数
A	1
B	2
C	3

❽ クリック

3-3-3 表を編集する

「図面」-「3rd_day」-「03-03-03a.dwg」(作図前)
「03-03-03b.dwg」(作図後)

セル内の文字は、セルをダブルクリックすると編集できます。行の追加やセルの結合は、セルをクリックするとリボンに表示される[テーブル]タブで行えます。

❶33ページ 1-3-1「既存ファイルを開く」を参考に、「03-03-03a.dwg」を開く。
❷B2のセルをクリックすると、セルがオレンジ色の枠で囲まれ、リボンが[テーブル]タブに変わる。

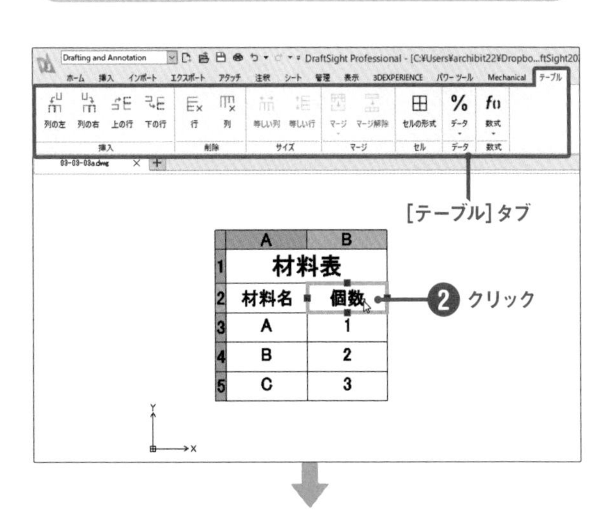

❸ [テーブル] タブ－[挿入] パネル－[列の右] をクリックする。

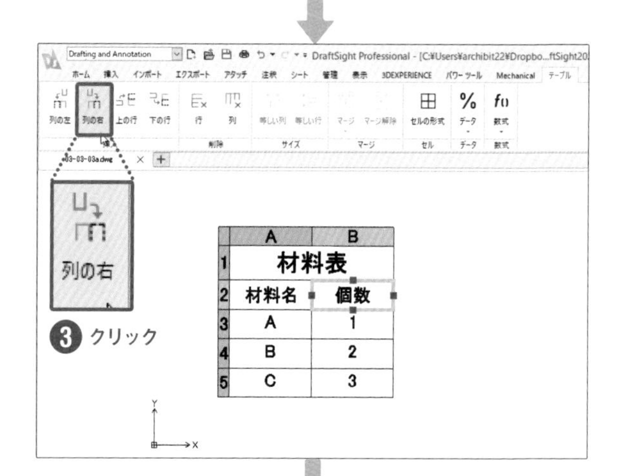

❹ 表の右側に新しく列Cが追加されるので、セルをダブルクリックして文字(ここでは、「備考」)を入力する。

❺ 入力が終わったら、セルの外をクリックする。

表を編集できました。

3-3-4 Excelで作成した表を貼り付ける

「図面」－「3rd_day」－「03-03-04a.dwg」(作図前)
「Excel01.xls」(表)
「03-03-04b.dwg」(作図後)

Microsoft Excelで作成した表をコピーして、DraftSightのグラフィックス領域に貼り付けることができます。

❶ 33ページ 1-3-1「既存ファイルを開く」を参考に、「03-03-04a.dwg」を開く。

❷ Excelで「Excel01.xls」を開く。表を選択状態にし、右クリックして表示されるコンテキストメニューから[コピー]をクリックする。

材料表		
材料名	個数	備考
A	1	
B	2	
C	3	

❷ 右クリック　❷ クリック

❸ DraftSightに戻り、グラフィックス領域の何もない位置を右クリックして表示されるコンテキストメニューから[貼り付け]をクリックして選択する。

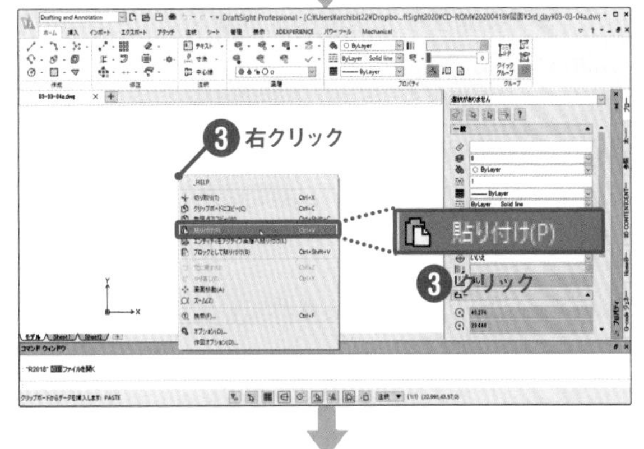

❹ コマンドウィンドウに「位置を指定»」と表示されるので、任意の位置をクリックする。これが表の左下の位置になる。

位置を指定»

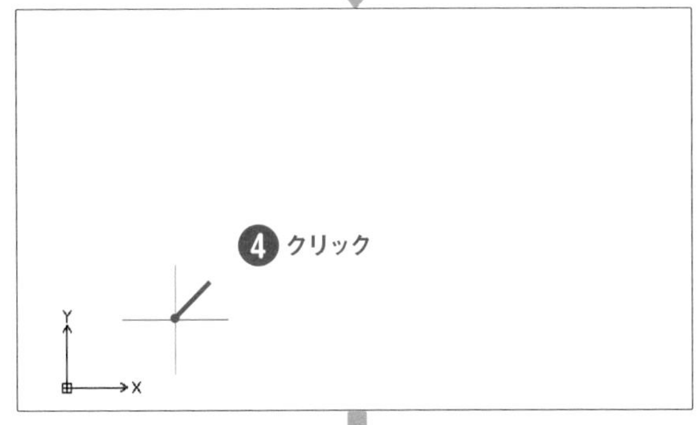

❺ コマンドウィンドウに「サイズを指定»」と表示されるので、任意の位置をクリックする。これが表の右上の位置になる。

サイズを指定»

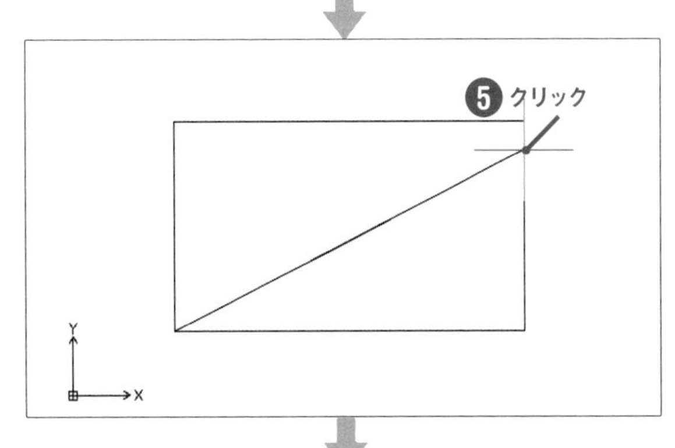

❹❺で指定した範囲に表が貼り付けられます。

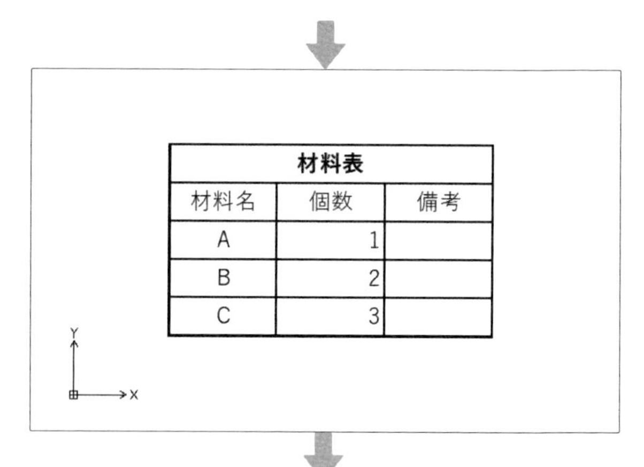

材料表		
材料名	個数	備考
A	1	
B	2	
C	3	

表をダブルクリックすると編集できます。

❻表をダブルクリックすると、DraftSight内にExcelが起動して編集できるようになる。編集後は表の外をクリックすると、DraftSightに戻る。

ここでの編集内容は元のExcelデータ(ここでは、「Excel01.xls」)には反映されません。

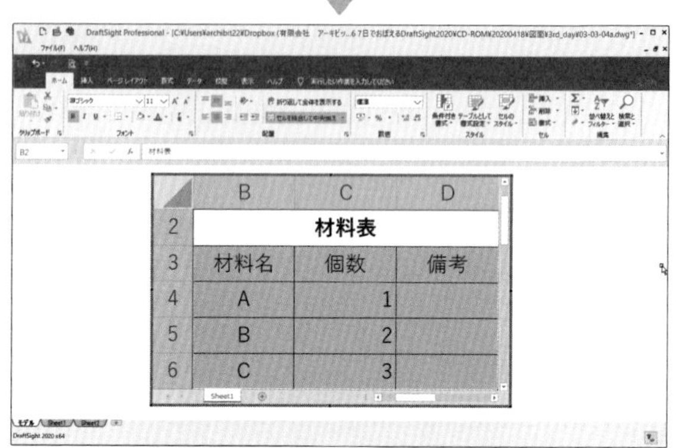

HINT Excelがインストールされていない場合は編集できない

Excelで貼り付けられた表の修正は、Excelがインストールされていない環境では編集できない。また、Excelのバージョンよってはうまくいかないときもある。

Day 4

図形を編集する

図形を編集する

４日目は、作図した図形に変形や移動、回転、拡大／縮小などの編集を加える方法を解説します。

4-1 ● プロパティを変更する

→ プロパティを変更してエンティティを変形する

4-2 ● グリップで移動／変形する

→ グリップを使ってエンティティを移動／変形する

4-3 ● 平行な図形を作成する（オフセット）

→ 平行な図形を作成する

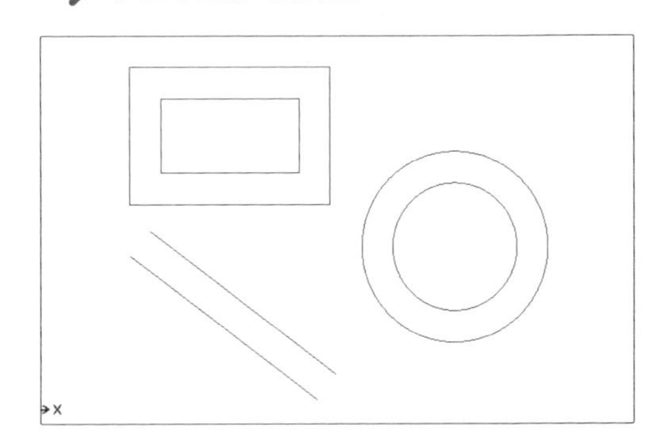

4-4 ● 線を伸縮する（トリム／延長）

→ 線を切り取る

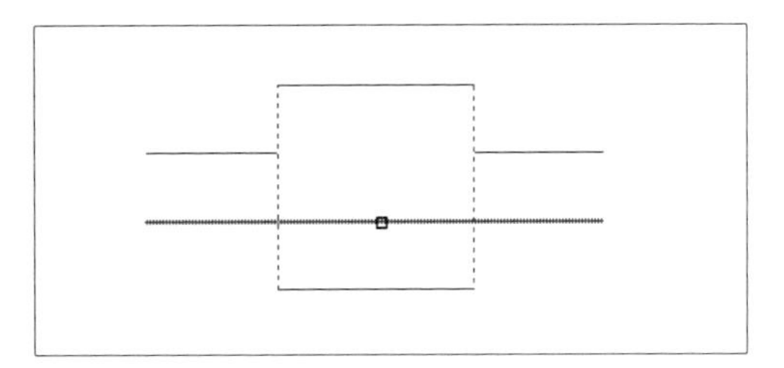

→ 線を伸ばす

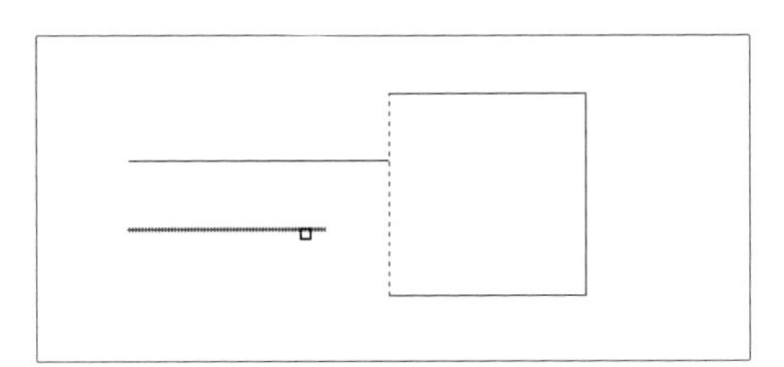

4-5 ● コーナー（角）を丸くする（フィレット）／面取りする

→ コーナーを丸くする

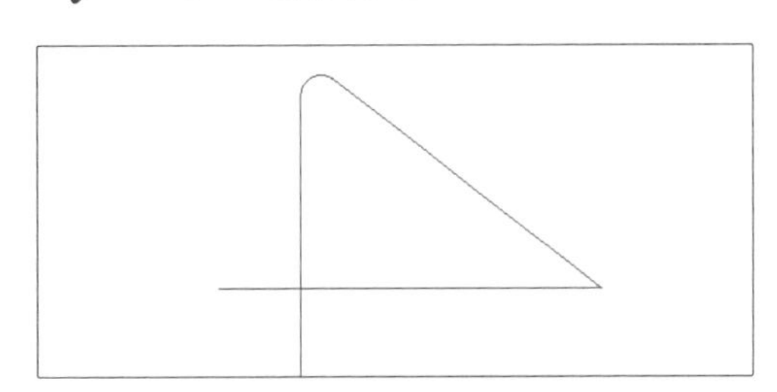

→ 面取りする

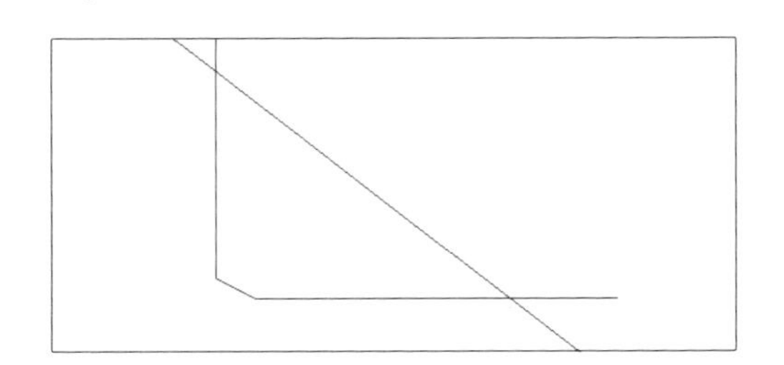

4-6 ● エンティティを移動する

- マウス操作でエンティティを移動する
- 距離を指定してエンティティを移動する

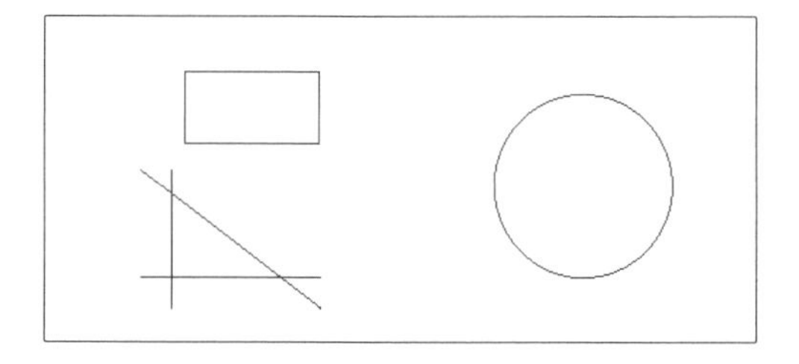

4-7 ● エンティティをコピーする

- エンティティをコピーする
- エンティティを複数コピーする

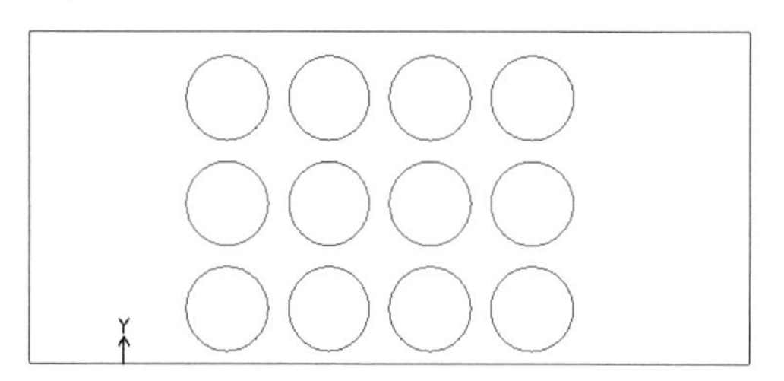

4-8 ● エンティティを回転する

- 角度を指定して回転する
- ほかのエンティティの傾きに合わせて回転する

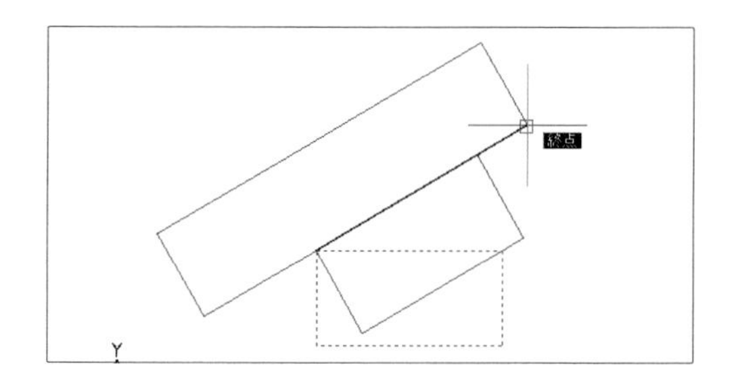

4-9 ● 鏡像を作図する

- エンティティの鏡像を作図する

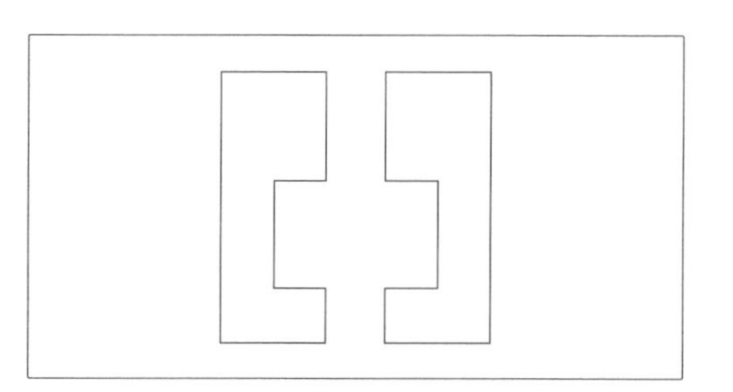

4-10 ● エンティティを拡大／縮小する

- 尺度係数を指定して拡大／縮小する
- 長さを指定して拡大／縮小する

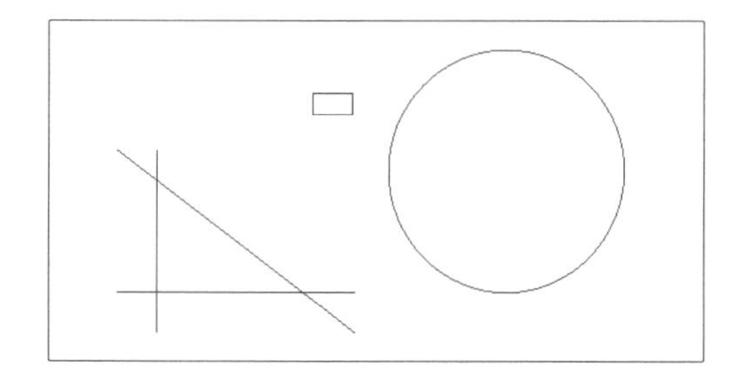

4-11 ● エンティティを引き延ばす

- 図形の一部を引き延ばす

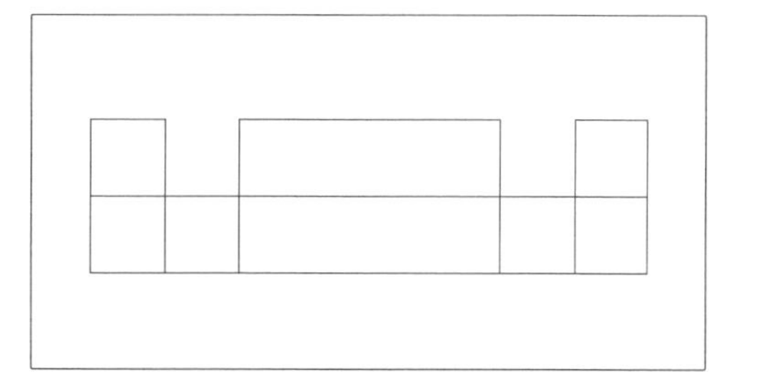

4-12 ● 図形を分解する

- ブロックを分解する

4-12 ● ポリラインを編集する

- ポリラインに変更を加える

4-1 プロパティを変更する

作図済みエンティティの画層や線種、座標位置などの「プロパティ」は、[プロパティ]パレットで簡単に変更できます。[プロパティ]パレットの表示方法は、30ページ 1-2-4「パレットについて」を参照してください。

4-1-1 線のプロパティを変更する

「図面」－「4th_day」－「04-01-01a.dwg」(作図前)
「04-01-01b.dwg」(作図後)

線を選択し、[プロパティ]パレットでプロパティの値を変更すると、線のプロパティを変更できます。ここでは、線の終点の[ジオメトリ]の値を変更して、原点に移動します。

❶ 33ページ 1-3-1「既存ファイルを開く」を参考に、「04-01-01a.dwg」を開く。

❷ [プロパティ]パレット(30ページ 1-2-4「パレットについて」参照)を表示する。

❸ 線をクリックして選択状態にすると、線のプロパティが表示される。

❹ [プロパティ]パレットの[ジオメトリ]にある[終了X](終点のX座標)の項目をクリックし、キーボードから「0」と入力して Enter キーを押す。

❺ 線の終点が指定したX座標に移動する。

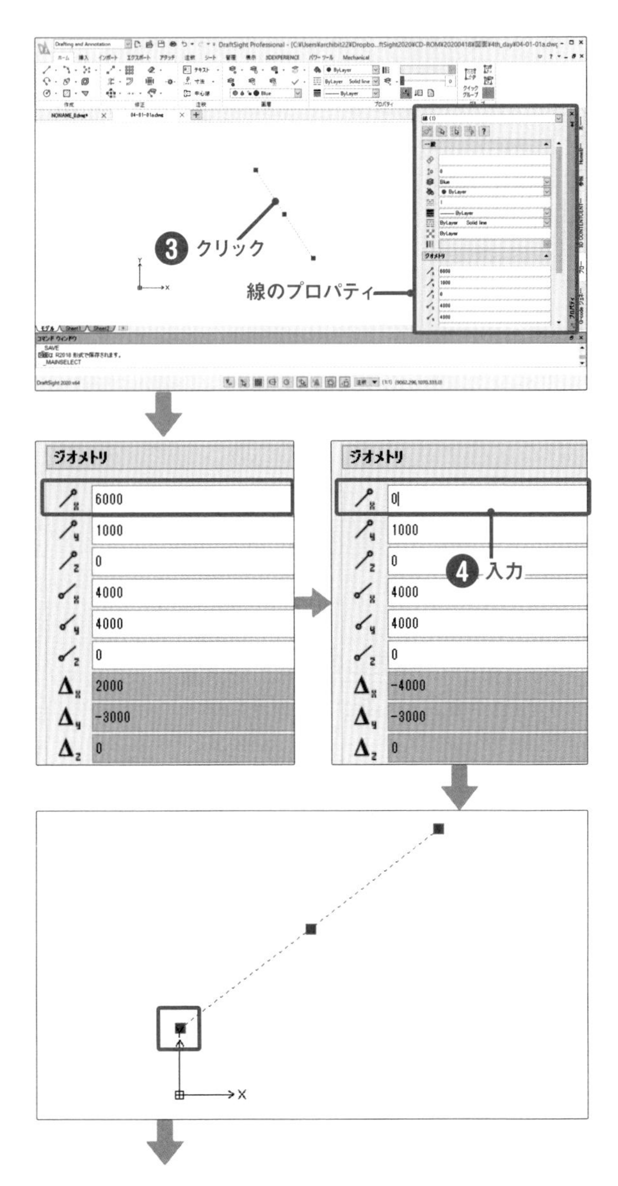

❻❹と同様にして[終了Y](終点のY座標)の項目をクリックして、キーボードから「0」と入力して Enter キーを押す。

❼ Esc キーを押して線の選択を解除する。

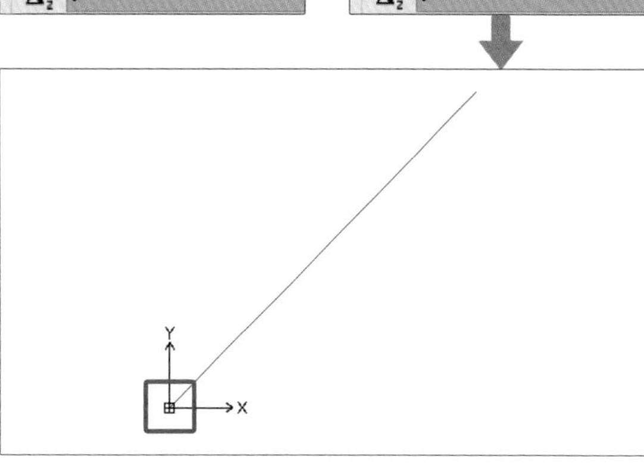

線の終点を原点に移動できました。

4-1-2 複数エンティティのプロパティを変更する

「図面」－「4th_day」－「04-01-02a.dwg」(作図前)
「04-01-02b.dwg」(作図後)

複数のエンティティを選択状態にすると、プロパティを一括で変更できます。ここでは、複数のエンティティの線色を一括で変更します。

❶ 33ページ 1-3-1「既存ファイルを開く」を参考に、「04-01-02a.dwg」を開く。

❷ [プロパティ]パレットを表示する。

❸ 交差選択(43ページ 1-6-2「範囲を指定して選択する」)で、すべてのエンティティを選択する。

❸ 交差選択

❹ [プロパティ]パレットにある[線の色]のプルダウンリストの[緑色]をクリックして選択する。

❺ Esc キーを押してエンティティの選択を解除する。

❹ クリック

複数のエンティティの線色を一括で変更できました。

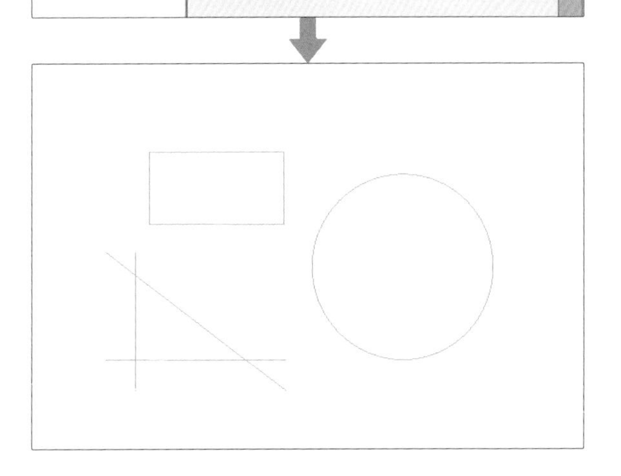

4-2 グリップで移動／変形する

線の移動や変形には、選択状態にすると表示される「グリップ」を利用すると、コマンドを実行する手間を省くことができます。

4-2-1 グリップを使って移動／変形する

「図面」－「4th_day」－「04-02-01a.dwg」(作図前)
「04-02-01b.dwg」(作図後)

エンティティを選択状態にすると表示される「グリップ」を使うと、エンティティの移動や変形が行えます。ここでは、線を移動します。

❶33ページ 1-3-1「既存ファイルを開く」を参考に、「04-02-01a.dwg」を開く。
❷線をクリックして選択状態にすると、線の始点、中点、終点にグリップが表示される。

❷ クリック
グリップ
Y
X

❸中点のグリップをクリックして選択する。選択するとグリップが赤色で表示される。
❹カーソルを左に移動する。

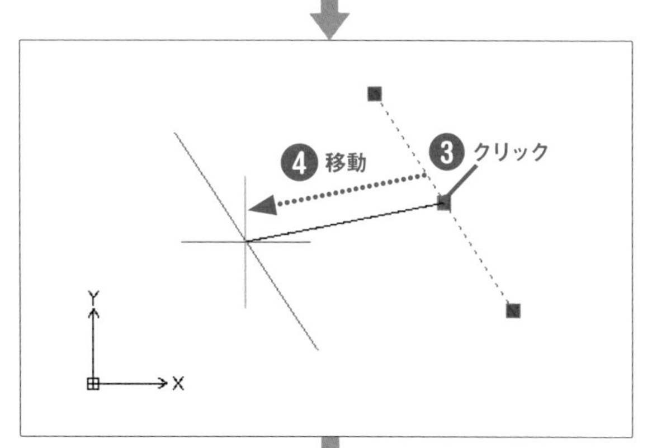

❺任意の位置をクリックする。

線を左に移動できました。

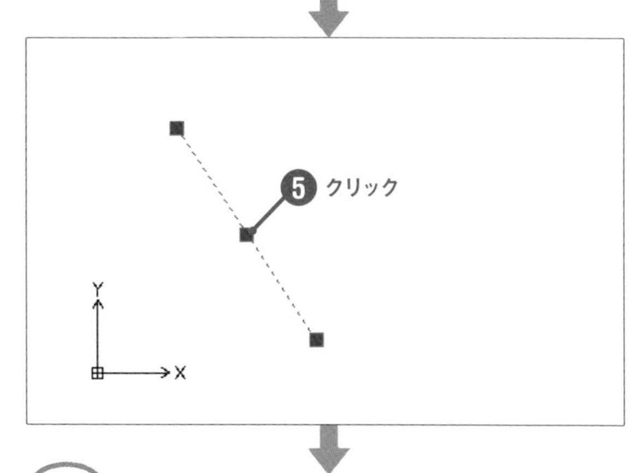

続けて、線の長さを変更します。

❻終点のグリップをクリックして選択する。

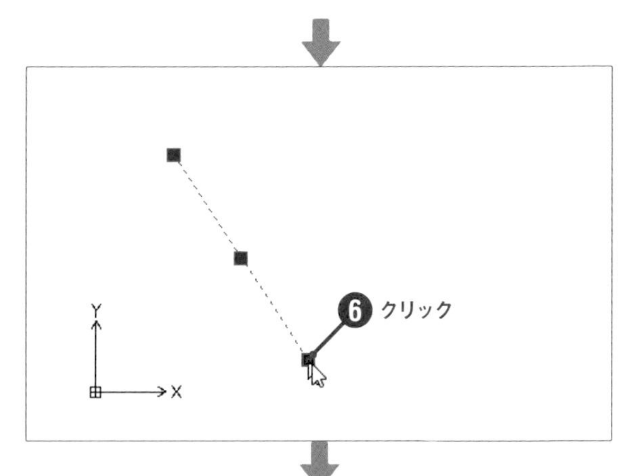

❼カーソルを右に移動する。
❽任意の位置をクリックする。
❾ Esc キーを押して線の選択を解除する。

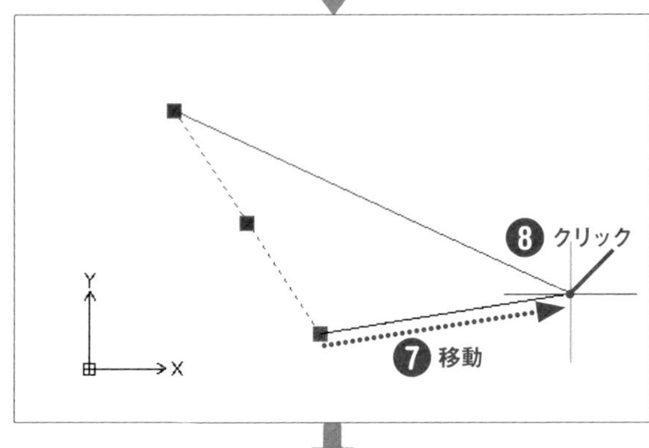

線の終点が移動し、それに伴って線が長くなりました。

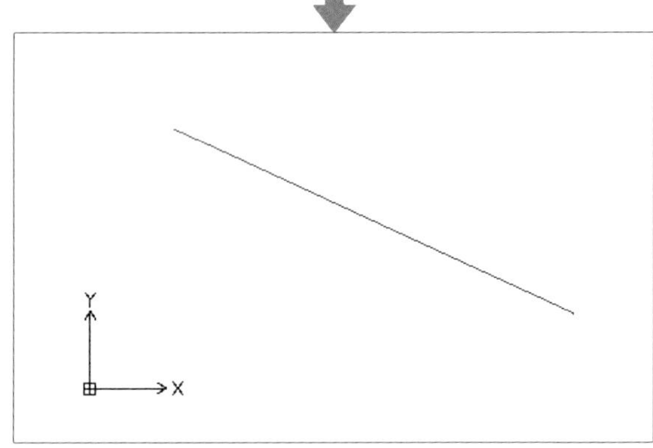

4-3 平行な図形を作成する（オフセット）

[オフセット]コマンドは、基となる線や円などに平行な図形を作成するコマンドです。壁の厚みを表現する二重線や、基準線からの距離を指定して線を描くときなどに使用します。

4-3-1 エンティティをオフセットする

「図面」－「4th_day」－「04-03-01a.dwg」(作図前)
「04-03-01b.dwg」(作図後)

[オフセット]コマンドを実行し、基のエンティティとの距離と、オフセットする方向を指定すると、基のエンティティに平行な図形を作図できます。

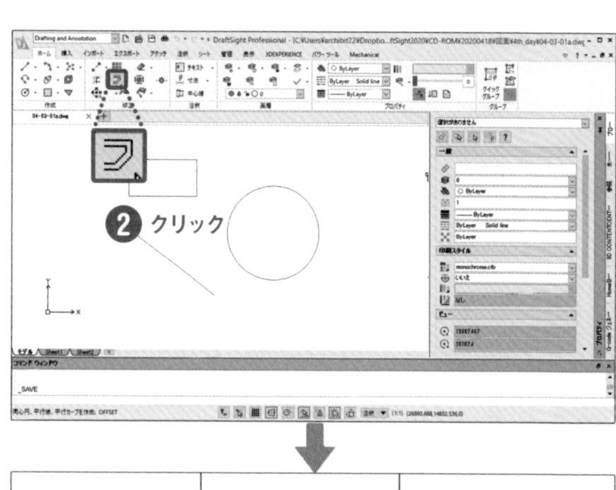

❶ 33ページ 1-3-1「既存ファイルを開く」を参考に、「04-03-01a.dwg」を開く。

❷ [ホーム]タブ－[修正]パネル－[オフセット]をクリックする。

❸ コマンドウィンドウに「距離を指定≫」と表示されるので、キーボードから基のエンティティとの距離(ここでは、「1000」)を入力して Enter キーを押す。

デフォルト: 1
オプション: 削除(D), 距離(DI), 目的の画層(L), 通過点(T), ギャップ
距離を指定» 1000

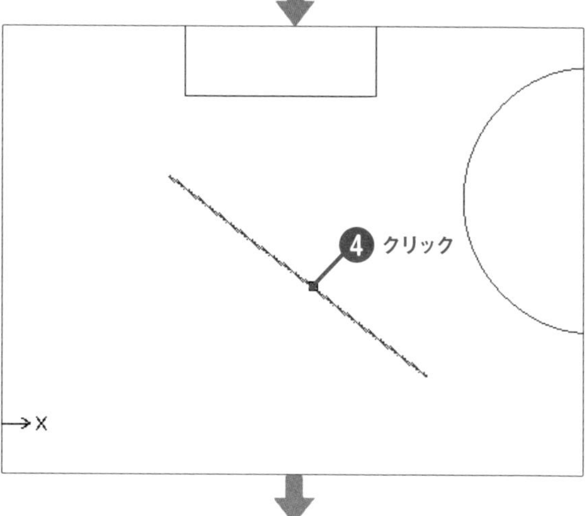

❹ コマンドウィンドウに「ソース エンティティを指定≫」と表示されるので、斜線をクリックする。これが基のエンティティとなる。

デフォルト: 終了(E)
オプション: 終了(E), 元に戻す(U) または
ソース エンティティを指定»

❺コマンドウィンドウに「目的点の側を指定≫」と表示されるので、オフセットする方向(ここでは、斜線の下)をクリックする。

デフォルト: 終了(E)
オプション: 両側(B), 終了(E), 複数(M), 元に戻す(U) または
目的点の側を指定»

❺ クリック

基の斜線から1,000㎜下に離れた位置に平行な斜線が作図されます。

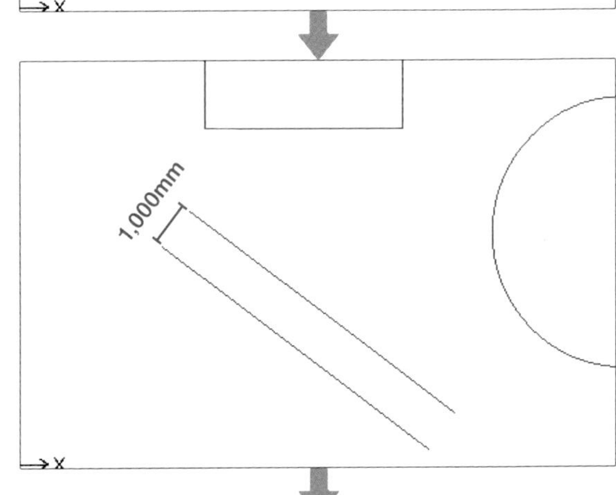

続けて、長方形をオフセットします。距離は前回入力した値(ここでは「1000」)が反映されます。

❻コマンドウィンドウに「ソース エンティティを指定≫」と表示されるので、長方形をクリックする。

❼コマンドウィンドウに「目的点の側を指定≫」と表示されるので、長方形の外側をクリックする。

基の長方形から1,000㎜外側にオフセットされた長方形が作図されます。

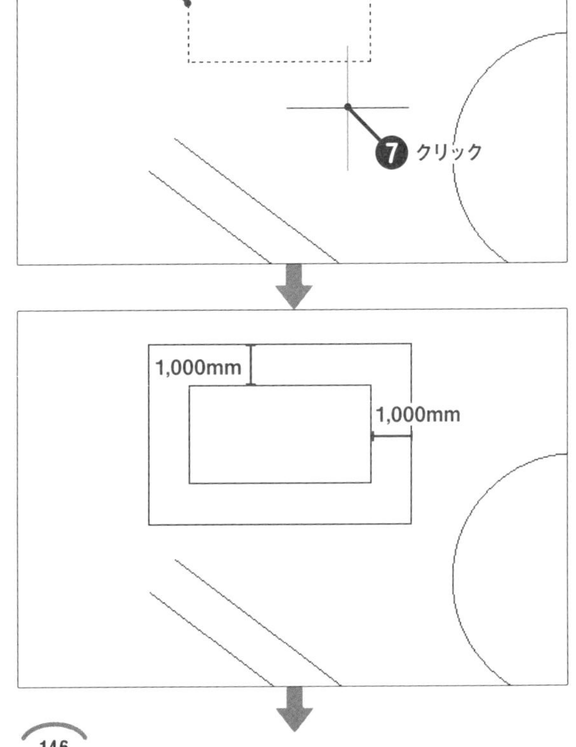

続けて、円をオフセットします。距離は前回入力した値(ここでは「1000」)が反映されます。

❽コマンドウィンドウに「ソース エンティティを指定≫」と表示されるので、円をクリックする。
❾コマンドウィンドウに「目的点の側を指定≫」と表示されるので、円の内側をクリックする。
❿ Enter キーを押して[オフセット]コマンドを終了する。

基の円から1,000㎜内側にオフセットされた円が作図されます。

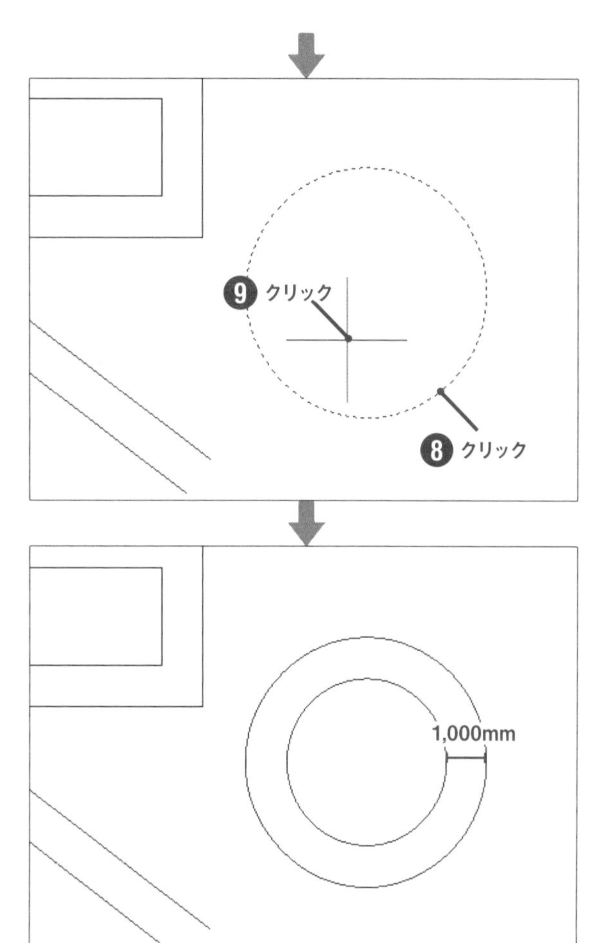

線を伸縮する（トリム／延長）

線を指定した境界で切り取るには、[トリム]コマンドを使います。また、線を指定した境界まで伸ばすには、[延長]コマンドを使います。

4-4-1 線を切り取る

「図面」-「4th_day」-「04-04-01a.dwg」（作図前）
「04-04-01b.dwg」（作図後）

[トリム]コマンドは、指定した境界で線や円弧などを切り取るコマンドです。ここでは、長方形を境界として長方形の内側の線分だけを切り取ります。

❶ 33ページ 1-3-1「既存ファイルを開く」を参考に、「04-04-01a.dwg」を開く。

❷ [ホーム]タブ－[修正]パネル－[トリム]をクリックする。

HINT パワートリム／コーナートリム

[パワートリム][コーナートリム]はStandard版には搭載されていないProfessional版、Premium版、Enterprise版の機能。

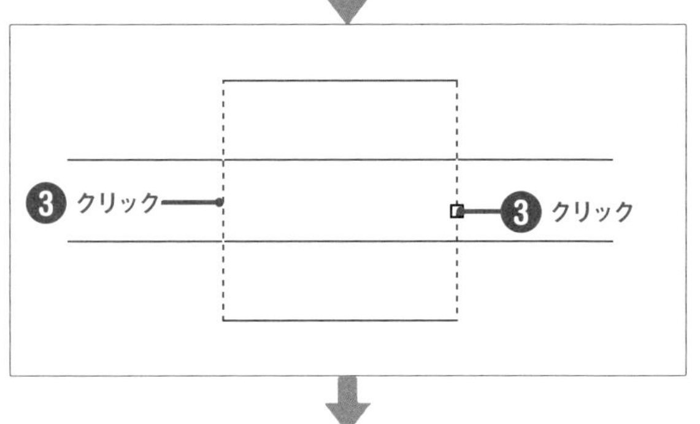

❸ コマンドウィンドウに「切り取りエッジを指定≫」と表示されるので、境界となるエンティティ（ここでは、長方形の2辺）をクリックして Enter キーを押す。

オプション: *Enter キーで全エンティティを指定*または
切り取りエッジを指定 ...»

HINT 境界の指定

境界となるエンティティ（切り取りエッジ）の指定には、ウィンドウ選択や交差選択も使用できる。また、何も選択せずに Enter キーを押すと、グラフィックス領域上のすべてのエンティティが境界になる。

❹コマンドウィンドウに「削除するセグメントを指定≫」と表示されるので、上の線の中点付近をクリックする。

オプション: 交差(C), 交差線(CR), 投影(P), エッジ(E), 消去(R), 元
削除するセグメントを指定»

HINT 線を延長する

Shift キーを押しながらクリックすると、線を延長できる。

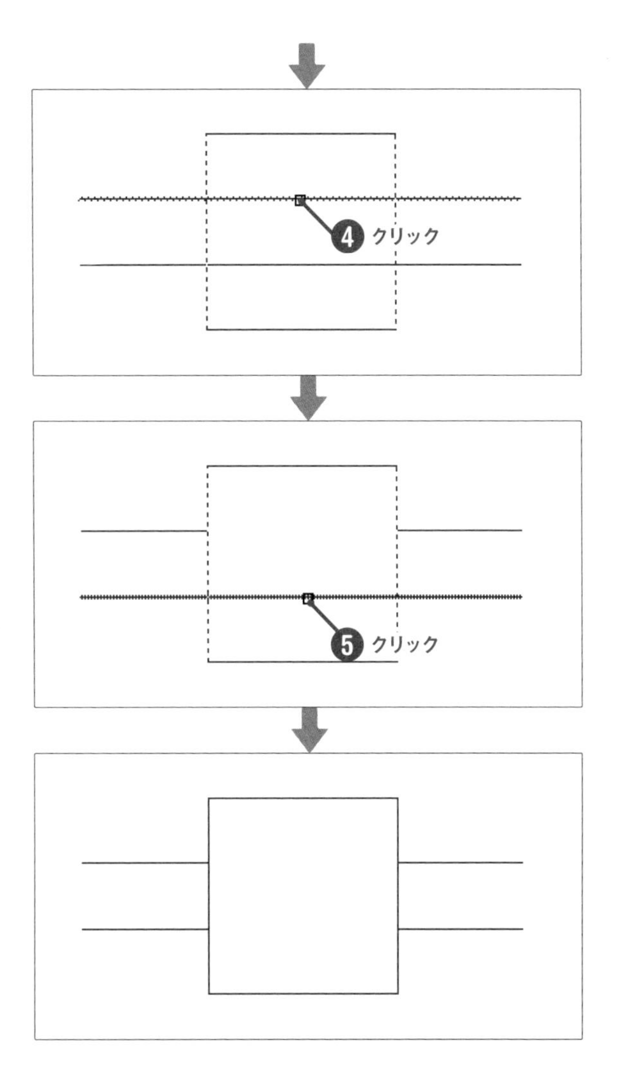

長方形を境界として線が切り取られました。続けて、下の線も同様に切り取ります。

❺下の線の中点付近をクリックする。
❻ Enter キーを押して[トリム]コマンドを終了する。

下の線も切り取られました。

4-4-2 線を伸ばす

「図面」-「4th_day」-「04-04-02a.dwg」(作図前)
「04-04-02b.dwg」(作図後)

[延長]コマンドは、指定した境界まで線や円弧などを伸ばすコマンドです。ここでは、長方形まで線を伸ばします。

❶ 33ページ 1-3-1「既存ファイルを開く」を参考に、「04-04-02a.dwg」を開く。
❷ [ホーム]タブ-[修正]パネル-[延長]をクリックする。

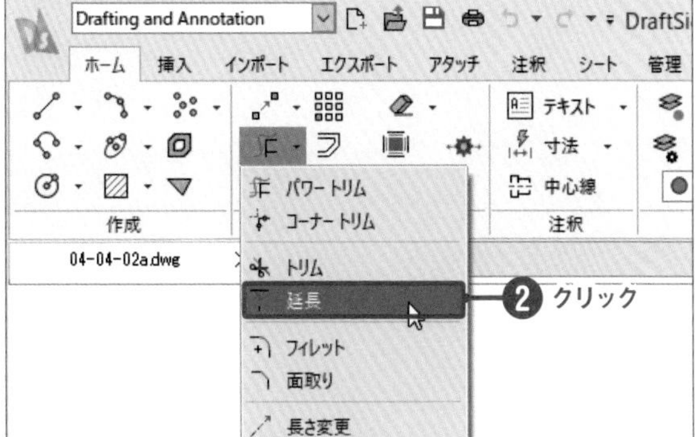

❸コマンドウィンドウに「境界エッジを指定≫」と表示されるので、境界となるエンティティ(ここでは、長方形の1辺)をクリックして Enter キーを押す。

オプション: Enter キーで全エンティティを指定または
境界エッジを指定»

HINT 境界の指定

何も選択せずに Enter キーを押すと、グラフィックス領域上のすべてのエンティティが境界になる。

❹コマンドウィンドウに「延長するセグメントを指定≫」と表示されるので、上の線の右端点付近をクリックする。

オプション: 交差(C), 交差線(CR), 投影(P), エッジ(E), 消去(R), 元
延長するセグメントを指定»

HINT 線を延長する

Shift キーを押しながらクリックすると、線をトリムできる。

線が長方形の辺まで延長されました。続けて、下の線も同様に延長します。

❺下の線の右端点付近をクリックする。
❻ Enter キーを押して[延長]コマンドを終了する。

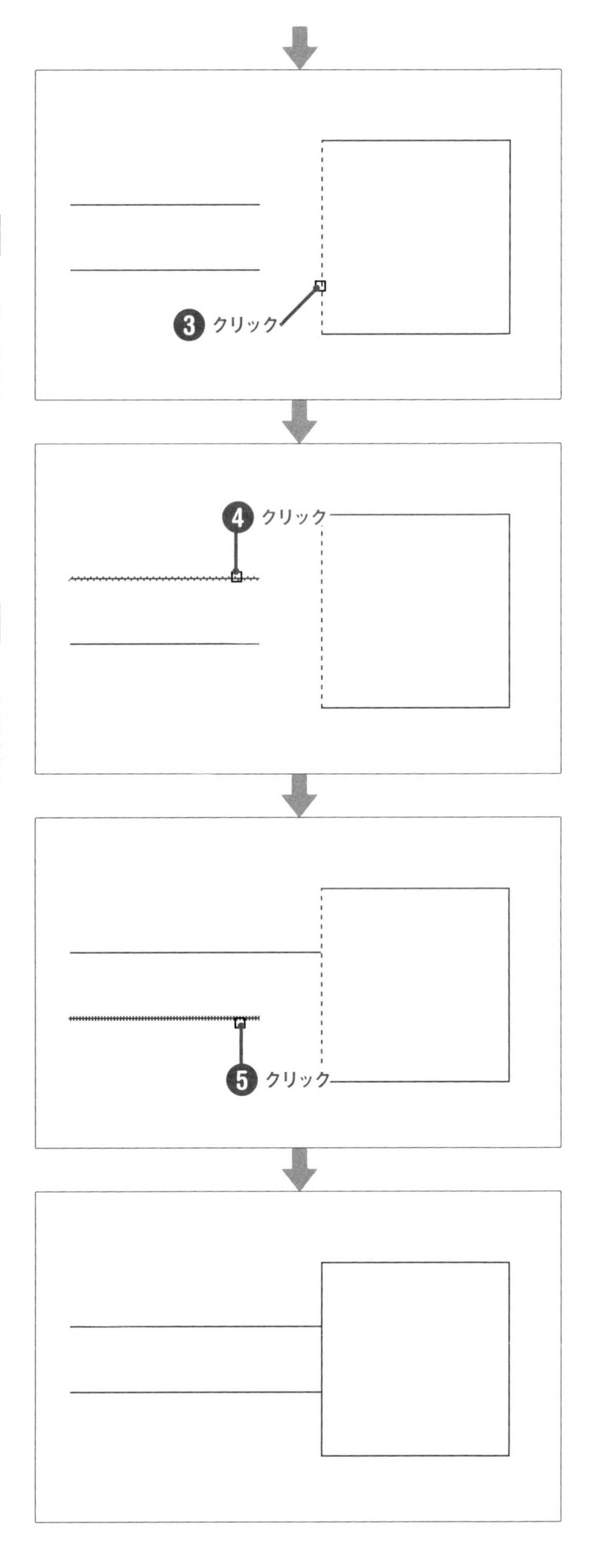

下の線も延長されました。

4-5 コーナー(角)を丸くする(フィレット)/面取りする

コーナーを処理するコマンドは、[フィレット][面取り]コマンドの2つです。[フィレット]コマンドを使うとコーナーを丸く処理でき、[面取り]コマンドを使うと、コーナーを直線でカットするように処理できます。

4-5-1 コーナーを丸くする

「図面」-「4th_day」-「04-05-01a.dwg」(作図前)
「04-05-01b.dwg」(作図後)

[フィレット]コマンドは、2つの線分が構成するコーナーを円弧にするコマンドです。ここでは、円弧の半径を500mmに指定してコーナーを丸くします。

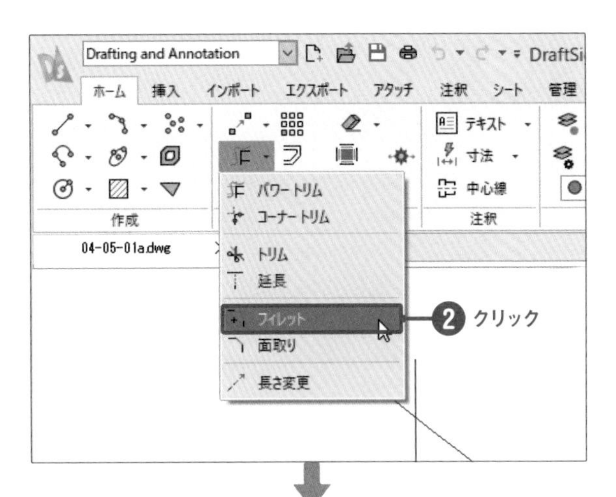

❶ 33ページ 1-3-1「既存ファイルを開く」を参考に、「04-05-01a.dwg」を開く。

❷ [ホーム]タブ-[修正]パネル-[フィレット]をクリックする。

❸ キーボードから「r」と入力して Enter キーを押し、オプションの[半径]を実行する。

オプション: 複数(M), ポリライン(P), 半径(R), トリム モード(T), 元に戻
1つ目のエンティティを指定» r

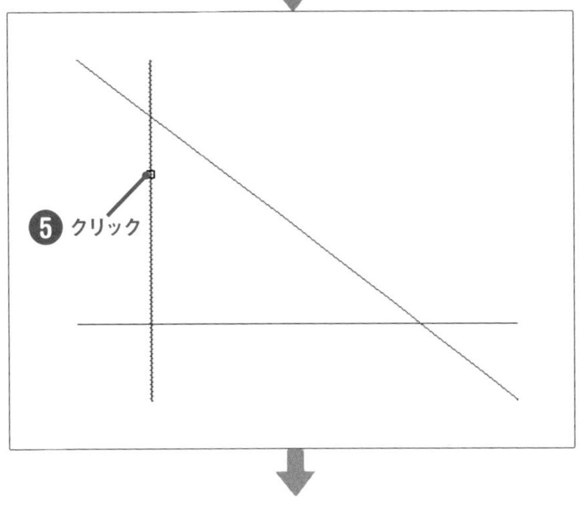

❹ コマンドウィンドウに「半径を指定»」と表示されるので、キーボードから「500」と入力して Enter キーを押す。

デフォルト: 10
半径を指定» 500

❺ コマンドウィンドウに「1つ目のエンティティを指定»」と表示されるので、コーナーを構成する2辺のうち一方の処理後に残す部分をクリックする。

オプション: 複数(M), ポリライン(P), 半径(R), トリム モード(T), 元に戻
1つ目のエンティティを指定»

❻コマンドウィンドウに「2つ目のエンティティを指定≫」と表示されるので、もう一方のコーナーを構成する1辺の処理後に残す部分をクリックする。

オプション: Shift + 選択でコーナーを適用または
2つ目のエンティティを指定»

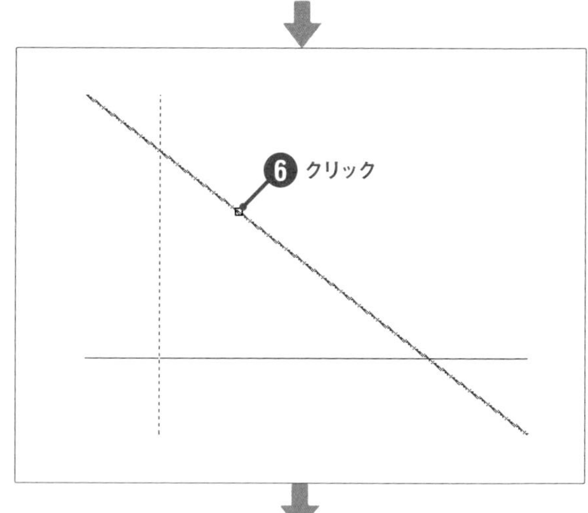

コーナーが半径500㎜の円弧で処理されました。

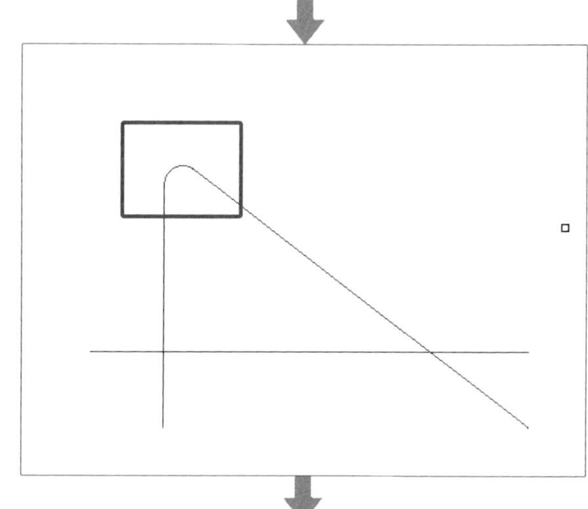

[フィレット]コマンドでは、2本目の線分の指定時に Shift キーを押しながらクリックすると、コーナーを丸く処理せずに、2本線を交点で切り取ります。

❼再度[フィレット]コマンドをクリックする。半径は、前回指定した「500」が反映されている。

モード = TRIM、半径 = 500
オプション: 複数(M), ポリライン(P), 半径(R), トリム モード(T), 元に戻
1つ目のエンティティを指定»

❽コーナーを構成する2辺のうち一方の処理後に残す部分をクリックする。

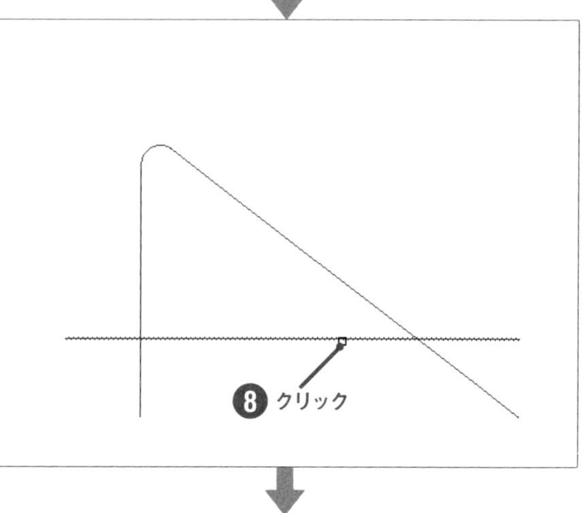

❾ Shift キーを押しながら、もう一方のコーナーを構成する1辺の処理後に残す部分をクリックする。

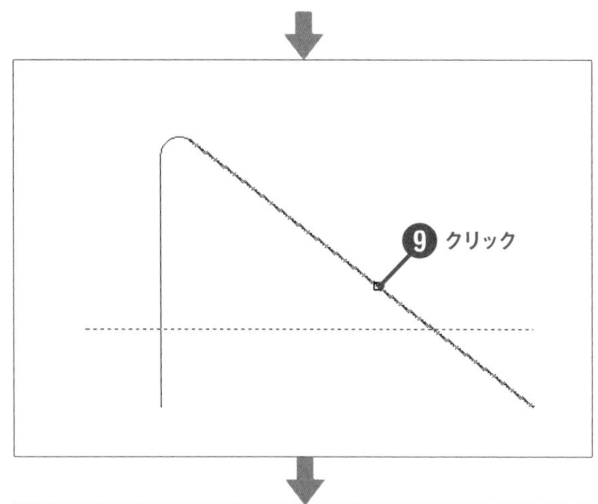

半径を無視して2辺が交点で切り取られて、頂点ができました。

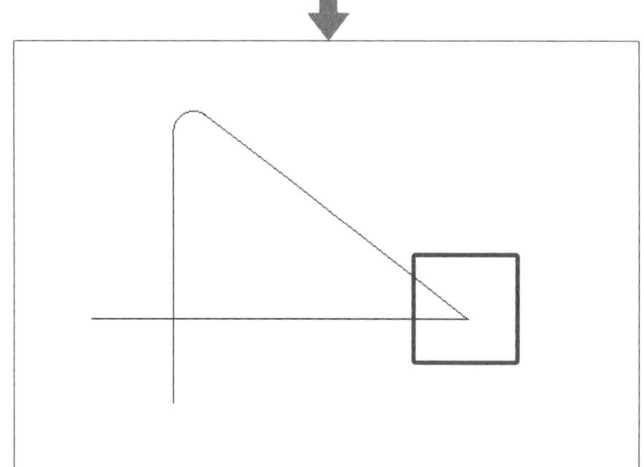

4-5-2 面取りする

「図面」－「4th_day」－「04-05-02a.dwg」(作図前)
「04-05-02b.dwg」(作図後)

[面取り]コマンドは、2つの線分が構成するコーナーを面取りするコマンドです。ここでは、コーナーからの距離を指定して面取りします。

❶ 33ページ 1-3-1「既存ファイルを開く」を参考に、「04-05-02a.dwg」を開く。
❷ [ホーム]タブ－[修正]パネル－[面取り]をクリックする。

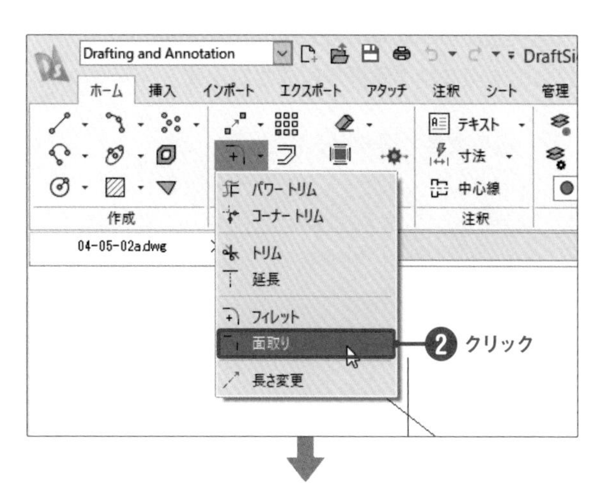

❸キーボードから「d」と入力して Enter キーを押し、オプションの[距離]を実行する。

オプション: 角度(A), 距離(D), 方式(E), 複数(M), ポリライン(P), ト
1つ目の線を指定» d

❹コマンドウィンドウに「最初の距離を指定»」と表示されるので、キーボードから「1000」と入力して Enter キーを押す。

デフォルト: 10
最初の距離を指定» 1000

❺コマンドウィンドウに「2つ目の距離を指定»」と表示されるので、キーボードから「500」と入力して Enter キーを押す。

デフォルト: 1000
2つ目の距離を指定» 500

❻コマンドウィンドウに「1つ目の線を指定»」と表示されるので、コーナーを構成する2辺のうち一方の処理後に残す部分をクリックする。

オプション: 角度(A), 距離(D), 方式(E), 複数(M), ポリライン(P), ト
1つ目の線を指定»

❼コマンドウィンドウに「2つ目の線を指定»」と表示されるので、もう一方のコーナーを構成する1辺の処理後に残す部分をクリックする。

オプション: *Shift + 選択でコーナーを適用*または
2つ目の線を指定»

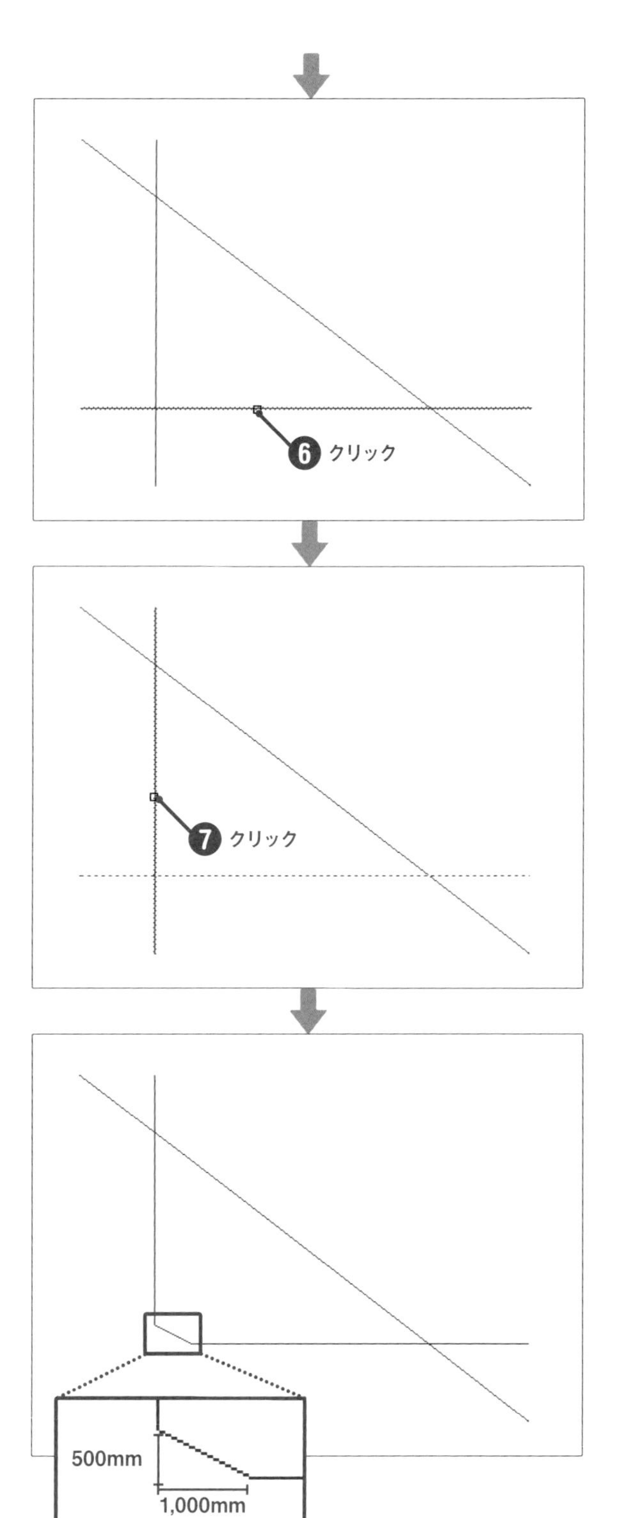

1本めの辺は交点から1,000㎜、2本目の辺は交点から500㎜の位置で切り取られ、2つの端点を結ぶ直線が作成されます。

HINT 線を交点で切り取る

[フィレット]コマンドと同様に、2本目の線分の指定時に Shift キーを押しながらクリックすると、コーナー処理せずに、2本線を交点で切り取る。

4-6 エンティティを移動する

エンティティを移動するには、[移動]コマンドを使います。移動先をクリックで指定したり、移動距離や座標を数値入力で指定したりできます。

4-6-1 エンティティを移動する

「図面」−「4th_day」−「04-06-01a.dwg」(作図前)
「04-06-01b.dwg」(作図後)

[移動]コマンドを実行し、エンティティを選択して、移動先をクリック指示すると移動できます。

❶ 33ページ 1-3-1「既存ファイルを開く」を参考に、「04-06-01a.dwg」を開く。

❷ [ホーム]タブ−[修正]パネル−[移動]をクリックする。

❸ コマンドウィンドウに「エンティティを指定»」と表示されるので、移動するエンティティ(ここでは長方形)をクリックして Enter キーを押す。

```
エンティティを指定»
```

❹ コマンドウィンドウに「始点を指定»」と表示されるので、移動基点にする位置をクリックする。

```
デフォルト: 移動距離(D)
オプション: 移動距離(D) または
始点を指定»
```

❺ コマンドウィンドウに「目的点を指定»」と表示されるので、移動先の位置をクリックする。

```
オプション: Enter キーで始点を移動距離として使用または
目的点を指定»
```

長方形が移動しました。

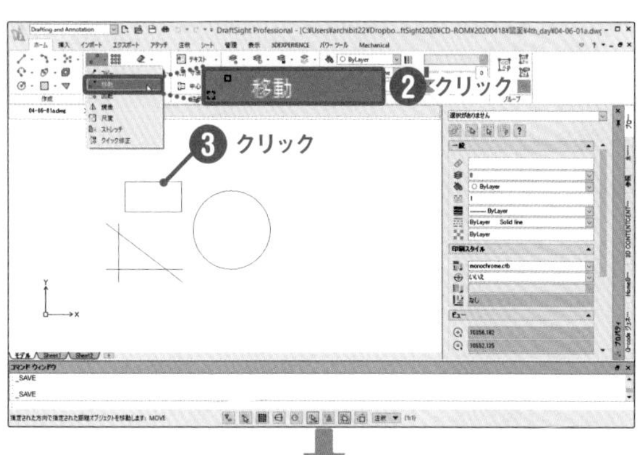

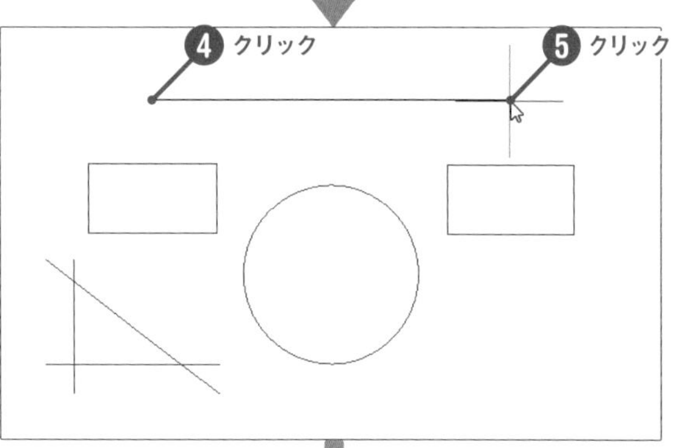

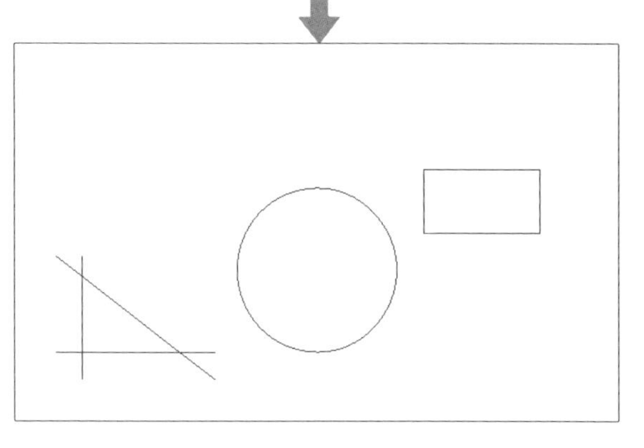

4-6-2 距離を指定してエンティティを移動する

「図面」-「4th_day」-「04-06-02a.dwg」(作図前)
「04-06-02b.dwg」(作図後)

[移動]コマンドを実行し、エンティティを選択して移動距離を指定すると移動できます。ここでは、円を基点からX軸右方向に5,000㎜移動します。

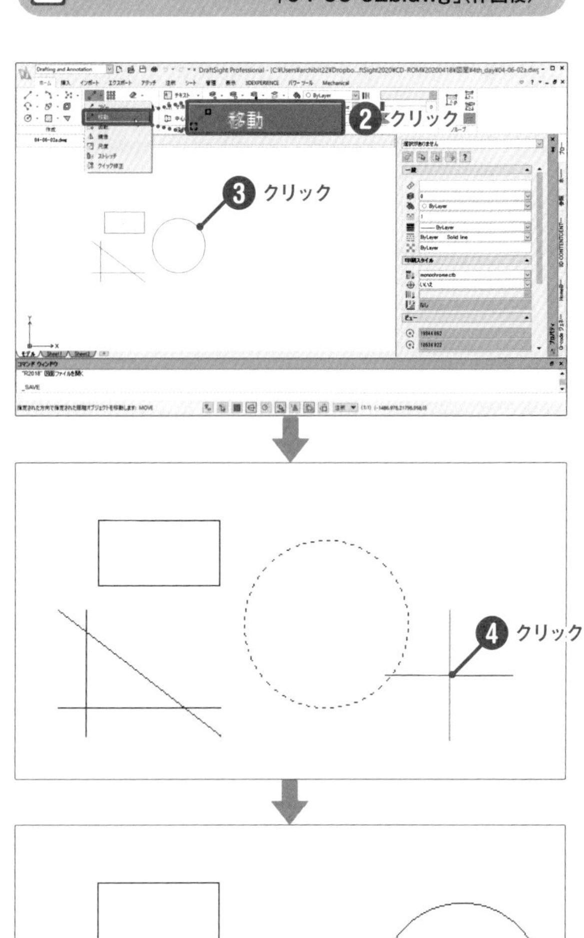

❶ 33ページ 1-3-1「既存ファイルを開く」を参考に、「04-06-02a.dwg」を開く。

❷ [ホーム]タブー[修正]パネルー[移動]をクリックする。

❸ コマンドウィンドウに「エンティティを指定»」と表示されるので、移動するエンティティ(ここでは円)をクリックして Enter キーを押す。

```
エンティティを指定»
```

❹ コマンドウィンドウに「始点を指定»」と表示されるので、移動基点にする位置をクリックする。

```
デフォルト: 移動距離(D)
オプション: 移動距離(D) または
始点を指定»
```

❺ コマンドウィンドウに「目的点を指定»」と表示されるので、キーボードから「@5000,0」と入力して Enter キーを押す。

```
オプション: Enter キーで始点を移動距離として使用 または
目的点を指定» @5000,0
```

円がX軸右方向に5,000㎜移動しました。

HINT 移動の数値指定

基準となる点からX軸右方向、Y軸上方向に移動する場合は正(+)の値、X軸左方向、Y軸下方向に移動する場合は負(-)の値を入力する。

4-7 エンティティをコピーする

エンティティをコピーするには、[コピー]コマンドを使います。等間隔で複数コピーするときには、[パターン]コマンドを利用します。ショートカットキー操作によってエンティティのコピー、貼り付けを行うことも可能です。

4-7-1 エンティティをコピーする

「図面」-「4th_day」-「04-07-01a.dwg」(作図前)
「04-07-01b.dwg」(作図後)

[コピー]コマンドを実行し、エンティティを選択して、コピー先をクリック指示するか移動距離を指定すると、コピーできます。ここでは、円を基点からX軸右方向に5,000mm離れた位置にコピーします。

❶ 33ページ 1-3-1「既存ファイルを開く」を参考に、「04-07-01a.dwg」を開く。

❷ [ホーム]タブ-[修正]パネル-[コピー]をクリックする。

❸ コマンドウィンドウに「エンティティを指定≫」と表示されるので、コピーするエンティティ(ここでは円)をクリックして Enter キーを押す。

❹ コマンドウィンドウに「始点を指定≫」と表示されるので、移動基点にする位置をクリックする。

❺ コマンドウィンドウに「2つ目の点を指定≫」と表示されるので、キーボードから「@5000,0」と入力して Enter キーを押す。

オプション: パターン(P) Enter キーで1つ目の点を移動距離として使
2つ目の点を指定≫ @5000,0

❻ Enter キーを押して[コピー]コマンドを終了する。

円が基点(中心点)からX軸右方向に5,000mmの位置にコピーできました。

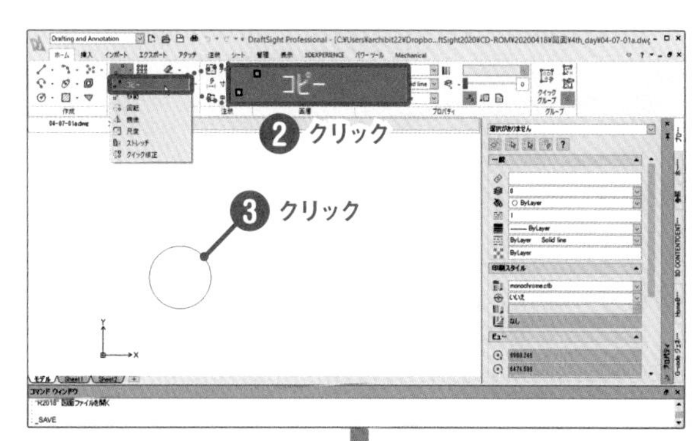

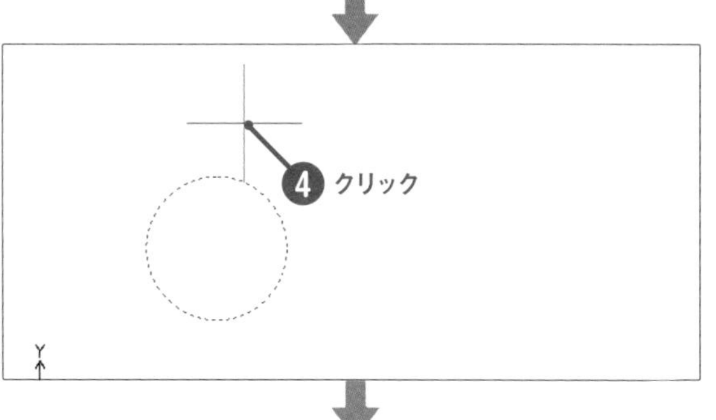

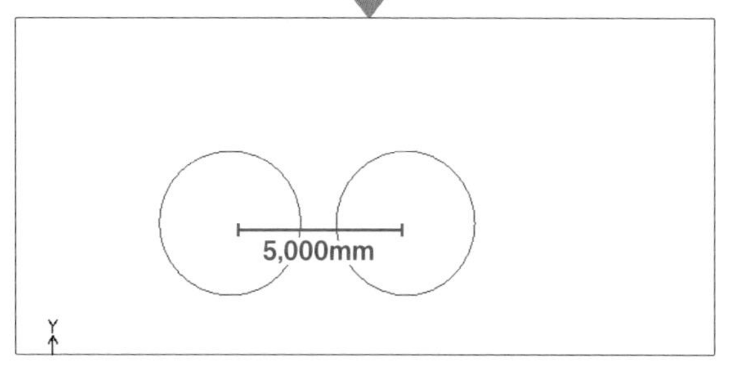

HINT コピーの数値指定

基準となる点からX軸右方向、Y軸上方向に移動する場合は正(+)の値、X軸左方向、Y軸下方向に移動する場合は負(−)の値を入力する。

4-7-2 エンティティを一度に複数コピーする

「図面」-「4th_day」-「04-07-02a.dwg」(作図前)
「04-07-02b.dwg」(作図後)

エンティティを一度に複数コピーしたいときは、[パターン]コマンドを実行します。[パターン]ダイアログで個数や間隔を指定できます。ここでは、垂直方向に3列、水平方向に4列、それぞれ5,000㎜間隔でコピーします。

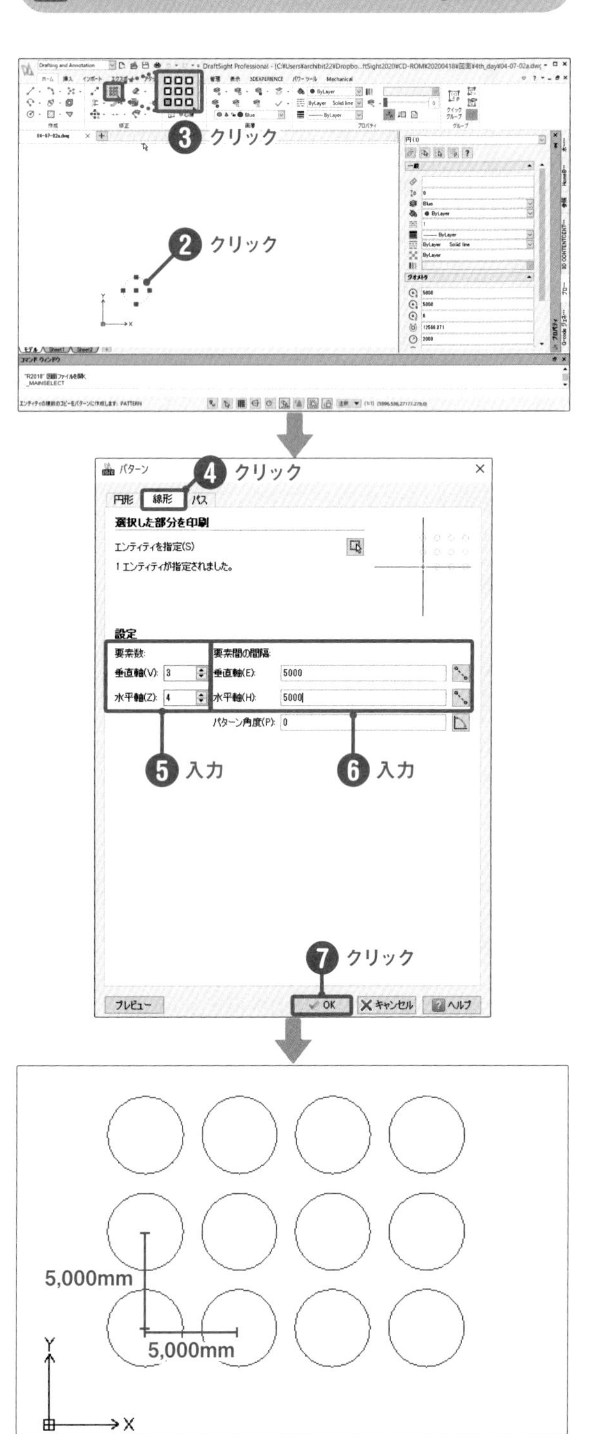

1 33ページ 1-3-1「既存ファイルを開く」を参考に、「04-07-02a.dwg」を開く。

2 コピーするエンティティ(ここでは円)をクリックして選択する。

3 [ホーム]タブ-[修正]パネル-[パターン]をクリックする。

4 [パターン]ダイアログが表示される。[線形]タブをクリックする。

5 [設定]の[要素数]で[垂直軸]に「3」、[水平軸]に「4」と入力する。

6 [設定]の[要素間の間隔]で[垂直軸][水平軸]ともに「5000」と入力する。

7 [OK]ボタンをクリックしてダイアログを閉じる。

HINT プレビューを参照する

[パターン]ダイアログの[プレビュー]にコピーの結果が表示されるので、実行する前に確認するとよい。コピーの基点は自動的にエンティティの中心になっている。

円を垂直方向に3列、水平方向に4列、それぞれ5,000㎜間隔でコピーできました。

4-7-3 ショートカットキー操作でコピー&ペーストする

「図面」－「4th_day」－「04-07-03a.dwg」(作図前)
「04-07-03b.dwg」(作図後)

あらかじめ複写したいエンティティを選択状態にしてから、ショートカットキー操作を行います。コピーは Ctrl ＋ C キーで、貼り付け(ペースト)は Ctrl ＋ V キーで行えます。

❶ 33ページ 1-3-1「既存ファイルを開く」を参考に、「04-07-03a.dwg」を開く。

❷ 交差選択(43ページ 1-6-2「選択範囲を指定して選択する」)ですべてのエンティティを選択する。

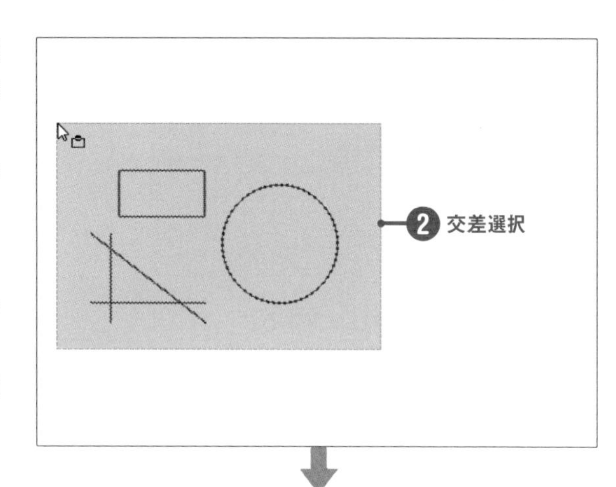

❸ Ctrl ＋ C キーを押すと、選択しているエンティティがクリップボードに保存される。

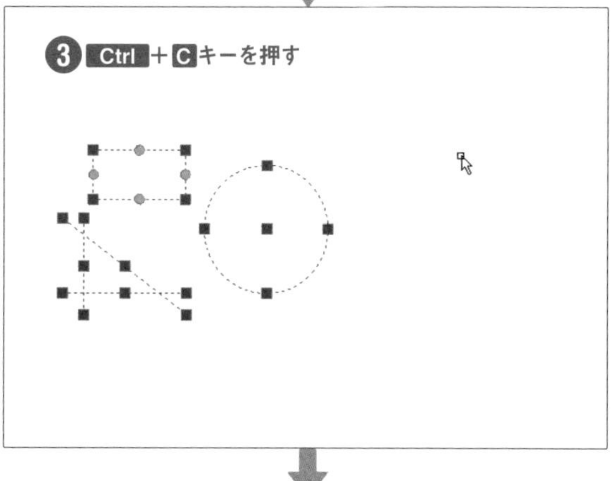

HINT リボンからコピーを実行する

リボンの[挿入]タブー[クリップボード]パネルー[クリップへコピー]をクリックすることでもコピーを実行できる。また、グラフィックス領域で右クリックして表示されるコンテキストメニューから[クリップボードにコピー]を選択することでもコピーできる。

HINT 切り取りの実行

Ctrl ＋ X キーを押すか、リボンの[挿入]タブー[クリップボード]パネルー[切り取り]をクリックするか、グラフィックス領域で右クリックして表示されるコンテキストメニューから[切り取り]を選択すると、選択状態のエンティティの切り取り(移動)を実行できる。

❹ Ctrl + V キーを押すと、クリップボードの内容がカーソルに仮表示される。

HINT リボンから貼り付けを実行する

リボンの[挿入]タブー[クリップボード]パネルー[貼り付け]をクリックすることでも貼り付けできる。また、グラフィックス領域で右クリックして表示されるコンテキストメニューから[貼り付け]を選択することでも貼り付けできる。

❺ 貼り付ける位置をクリックする。

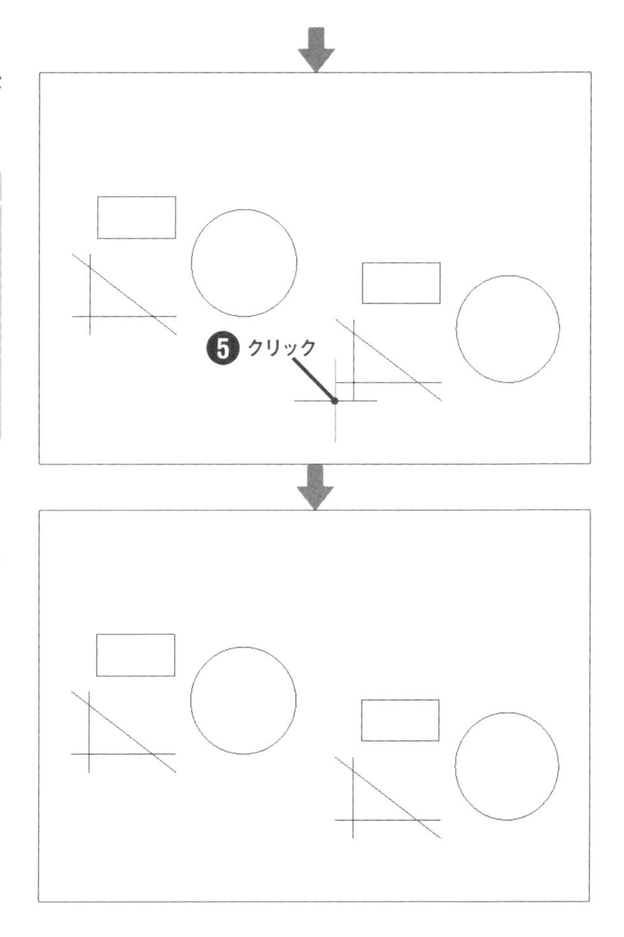

エンティティをコピー&ペーストできました。

HINT 貼り付け時の基点

貼り付けをするときの基点は、自動的にエンティティ範囲の左下になっている。
基点を変更したい場合は、Ctrl + V キーを押したあと、キーボードから「b」を入力して Enter キーを押し、オプションを実行する。コマンドウィンドウに「参照点を指定≫」と表示され、グラフィックス領域上で基点を指示できるようになる。
コピー時に基点を指示したい場合は、Ctrl + Shift + C キーを押して[参照点でコピー]コマンドを実行する。

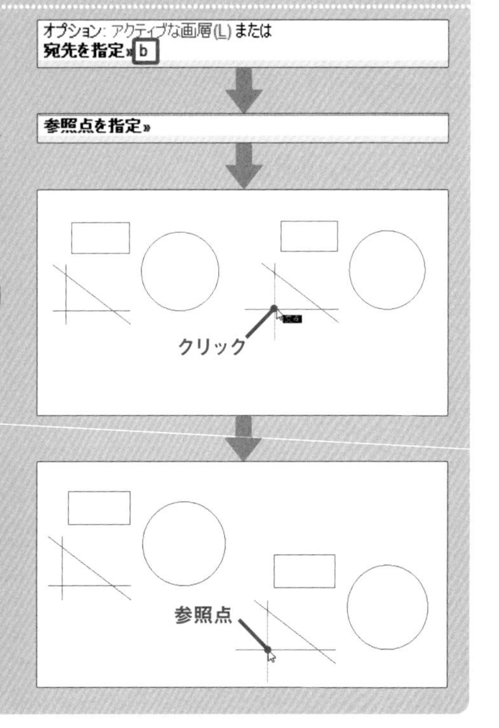

4-8 エンティティを回転する

エンティティを回転するには、[回転]コマンドを使います。回転角度を指定したり、ほかのエンティティの傾きに合わせて回転できます。

4-8-1 角度を指定して回転する

「図面」-「4th_day」-「04-08-01a.dwg」(作図前)
「04-08-01b.dwg」(作図後)

[回転]コマンドを実行し、エンティティを選択して、回転角度を指定すると回転できます。ここでは、長方形を60°回転します。

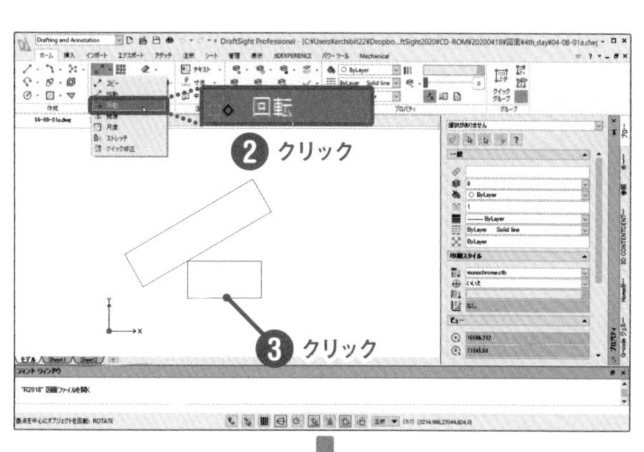

1. 33ページ 1-3-1「既存ファイルを開く」を参考に、「04-08-01a.dwg」を開く。
2. [ホーム]タブ-[修正]パネル-[回転]をクリックする。
3. コマンドウィンドウに「エンティティを指定≫」と表示されるので、エンティティ(ここでは下の長方形)をクリックして Enter キーを押す。

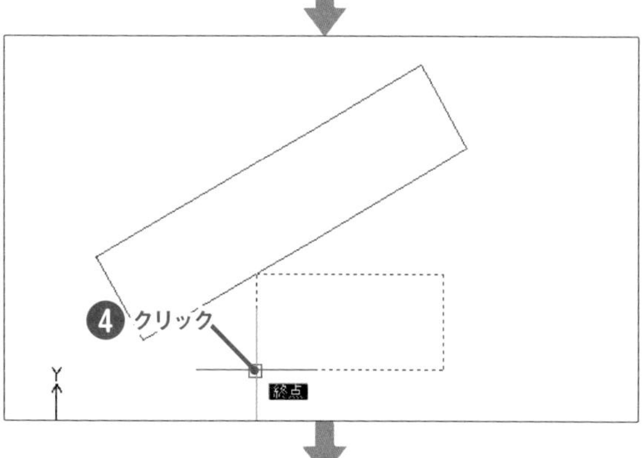

4. コマンドウィンドウに「回転軸を指定≫」と表示されるので、回転の中心にする点(ここでは、図の 終点)をクリックする。
5. コマンドウィンドウに「回転角度を指定≫」と表示されるので、キーボードから「60」と入力して Enter キーを押す。

回転軸を指定»
デフォルト: 0
オプション: 参照(R), コピー(C) または
回転角度を指定» 60

HINT 時計回りに回転させる場合

標準では反時計回りに回転するので、時計回りに回転する場合は「-60」というように数値の前に「-(マイナス)」を付ける。

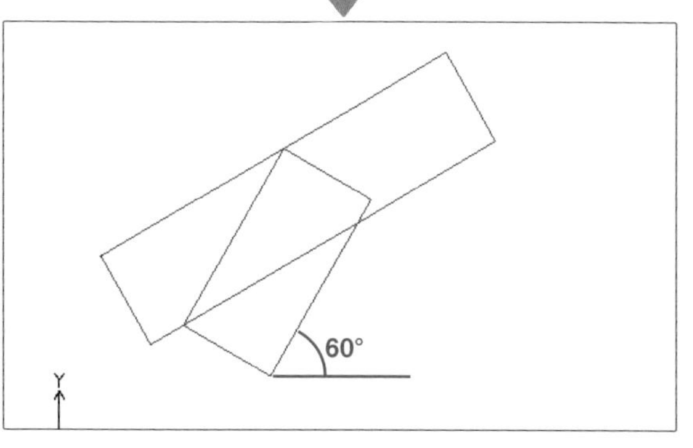

長方形が反時計回りに60°回転しました。

4-8-2 ほかのエンティティの傾きに合わせて回転する

「図面」-「4th_day」-「04-08-02a.dwg」(作図前)
「04-08-02b.dwg」(作図後)

ほかのエンティティの傾きに合わせて回転する場合は、オプションの[参照](R)を使います。ここでは、上の長方形の傾きに合わせて下の長方形を回転します。

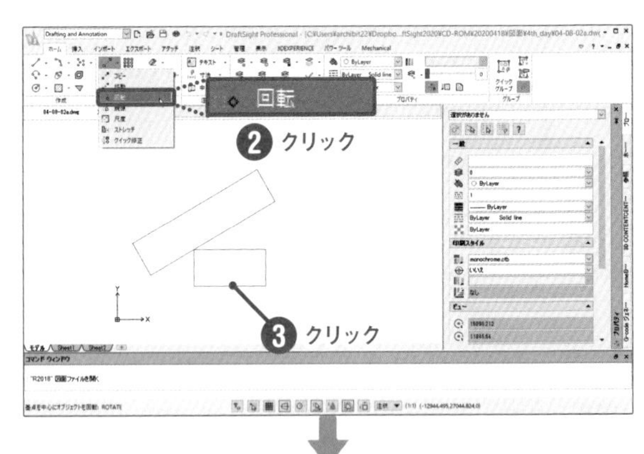

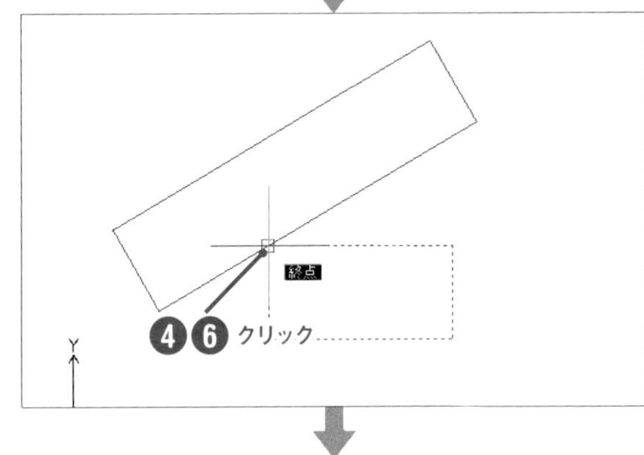

❶ 33ページ 1-3-1「既存ファイルを開く」を参考に、「04-08-02a.dwg」を開く。

❷ [ホーム]タブ－[修正]パネル－[回転]をクリックする。

❸ コマンドウィンドウに「エンティティを指定»」と表示されるので、エンティティ(ここでは下の長方形)をクリックして Enter キーを押す。

```
エンティティを指定»
```

❹ コマンドウィンドウに「回転軸を指定»」と表示されるので、回転の中心にする点(ここでは、図の 終点)をクリックする。

```
回転軸を指定»
```

❺ キーボードから「r」と入力して Enter キーを押し、オプションの[参照]を実行する。

```
回転軸を指定»
デフォルト: 60
オプション: 参照(R), コピー(C) または
回転角度を指定» r
```

❻ コマンドウィンドウに「参照角度を指定»」と表示されるので、回転するエンティティと、回転角度を参照する線分との交点(ここでは、図の 終点)をクリックする。

```
デフォルト: 0
参照角度を指定» |
```

❼コマンドウィンドウに「参照角度を指定≫2つ目の点を指定≫」と表示されるので、回転するエンティティの一辺の端点(ここでは、下の長方形、右上頂点の 終点)をクリックする。

デフォルト: 0
参照角度を指定» 2つ目の点を指定»

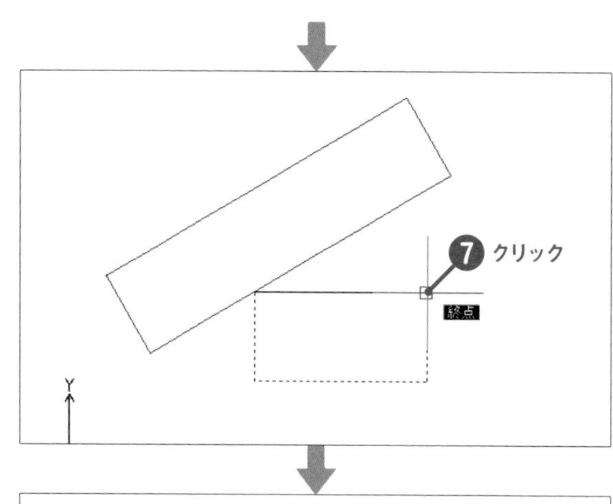

❽コマンドウィンドウに「新しい角度を指定≫」と表示されるので、回転角度を参照する線分の端点(ここでは、上の長方形、右下頂点の 終点)をクリックする。

デフォルト: 0
オプション: 点 または
新しい角度を指定»

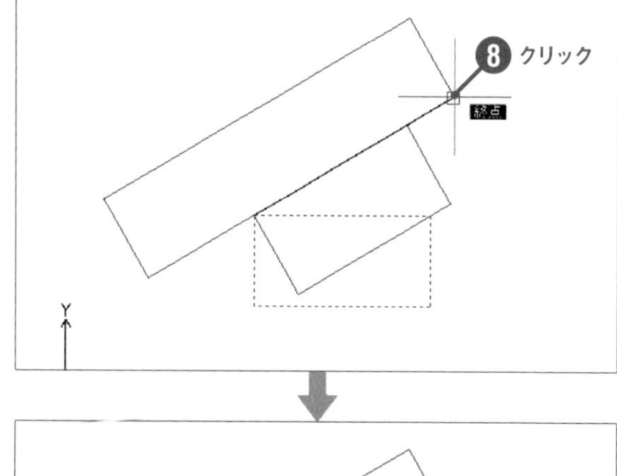

上の長方形の傾きに合わせて、下の長方形が回転しました。

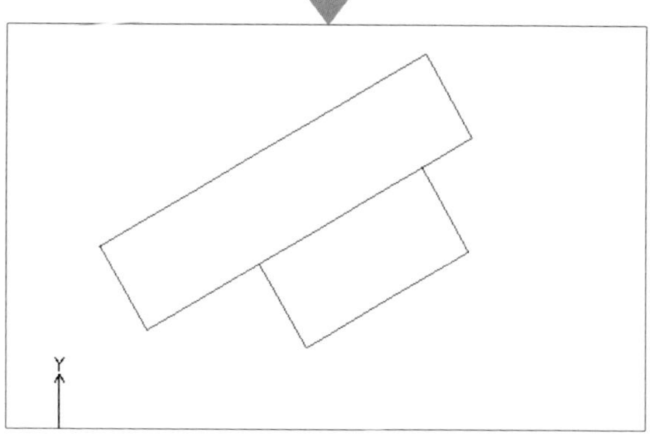

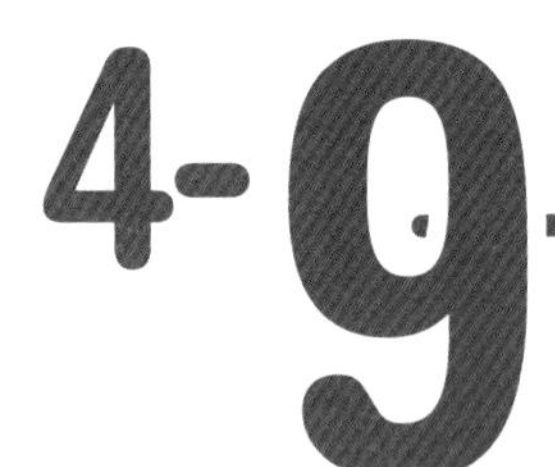

4-9 鏡像を作図する

エンティティの鏡像を作図するには、[鏡像]（ミラー）コマンドを使います。基のエンティティは削除するか、残すか選択できます。

4-9-1 エンティティの鏡像を作図する

「図面」－「4th_day」－「04-09-01a.dwg」（作図前）
「04-09-01b.dwg」（作図後）

[鏡像]（ミラー）コマンドを実行し、エンティティを選択して反転軸を指定すると鏡像を作図できます。

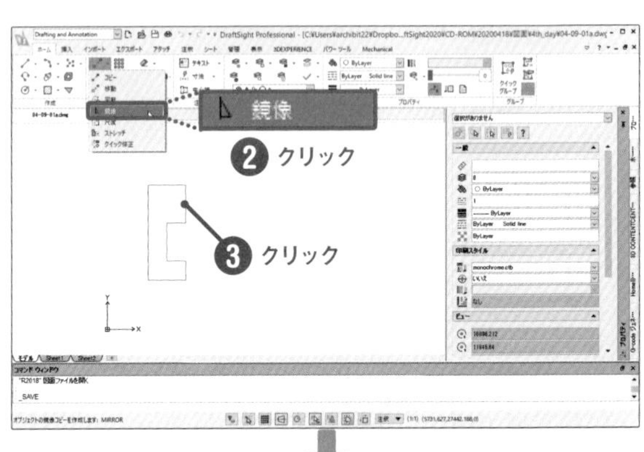

❶ 33ページ 1-3-1「既存ファイルを開く」を参考に、「04-09-01a.dwg」を開く。

❷ [ホーム]タブ－[修正]パネル－[鏡像]をクリックする。

❸ コマンドウィンドウに「エンティティを指定»」と表示されるので、エンティティをクリックして Enter キーを押す。

```
エンティティを指定»
```

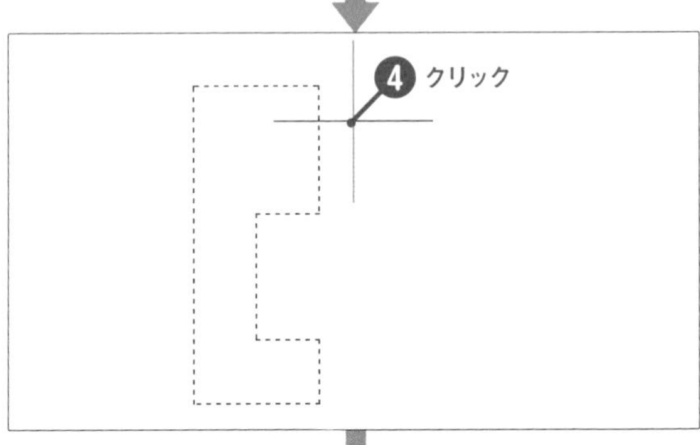

❹ コマンドウィンドウに「ミラー線の始点を指定»」と表示されるので、任意の反転軸の始点位置をクリックする。

```
ミラー線の始点を指定»
```

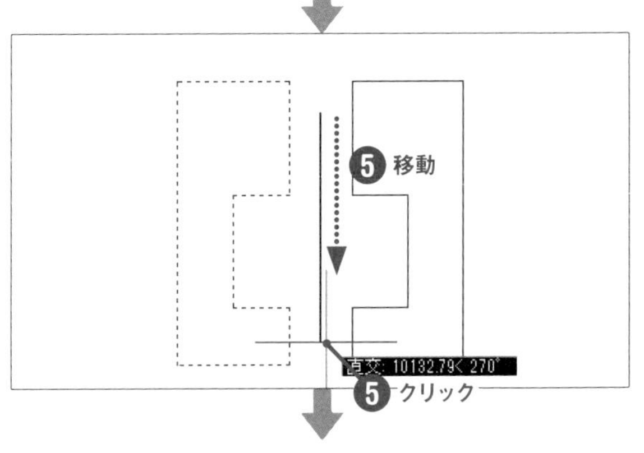

❺ カーソルを下に移動すると、結果が仮表示される。コマンドウィンドウに「ミラー線の終点を指定»」と表示されるので、任意の反転軸の終点位置をクリックする。

```
ミラー線の終点を指定»
```

HINT 反転軸の指定

反転軸を指定するときは、[直交]ボタン（63ページ 2-3-1「作図オプションの切り替え」参照）をオンにするとスムーズに行える。

❻コマンドウィンドウに「ソース エンティティを削除しますか？」と表示されるので、キーボードから[いいえ]の「n」を入力して Enter キーを押す。

デフォルト: いいえ(N)
確認: ソース エンティティを削除しますか？.
指定 はい(Y) または いいえ(N) n

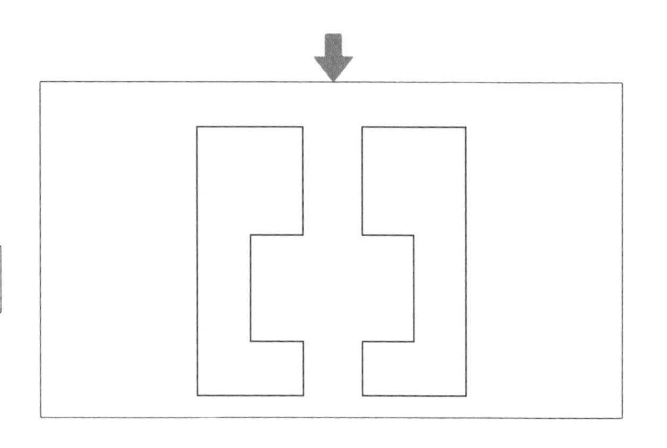

反転軸を基準にする鏡像を作図できました。

HINT 文字を鏡像化する場合

文字の鏡像を行うと、初期設定ではⒶのように文字の向きが保持される。Ⓑのように文字自体も鏡像にしたい場合は、あらかじめシステム変数を変更する必要がある。
❶ コマンドウィンドウに「settxtmirrmode」と入力して Enter キーを押す。
❷「1」(文字も鏡像)を入力して Enter キーを押す。設定を元に戻したい場合は「0」(文字の方向性を保持)を入力する。

テキスト　Ⓐ テキスト
テキスト　Ⓑ

4-10 エンティティを拡大／縮小する

エンティティを拡大／縮小するには、[尺度]コマンドを使います。尺度係数(倍率)や長さを指定して、拡大／縮小できます。

4-10-1 尺度係数を指定して拡大／縮小する

「図面」－「4th_day」－「04-10-01a.dwg」(作図前)
「04-10-01b.dwg」(作図後)

[尺度]コマンドを実行し、エンティティを選択して、尺度係数を指定すると拡大／縮小できます。尺度係数は１より大きい数値を入力すると拡大、1より小さい数値を入力すると縮小となります。ここでは、長方形を2倍の大きさに拡大します。

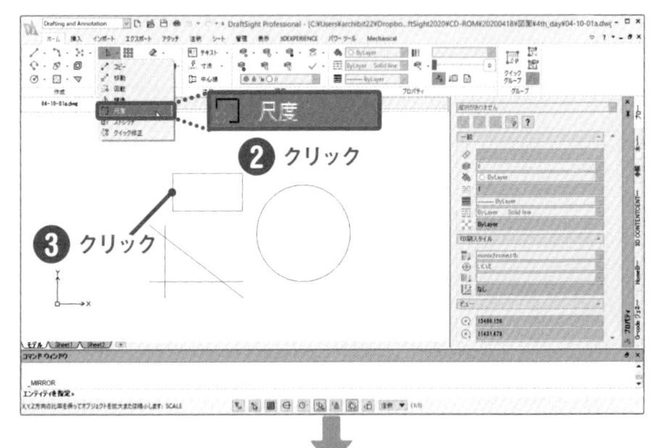

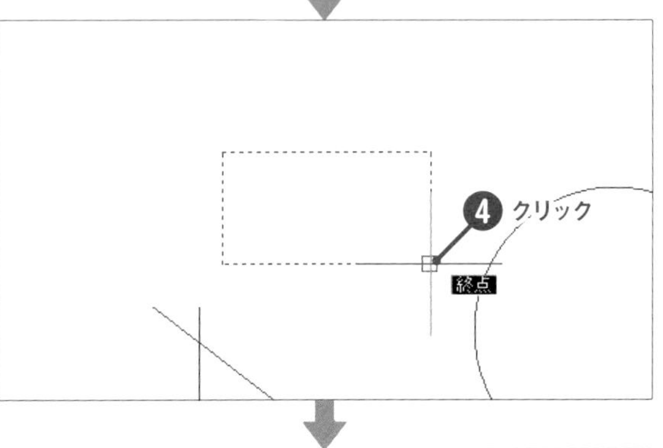

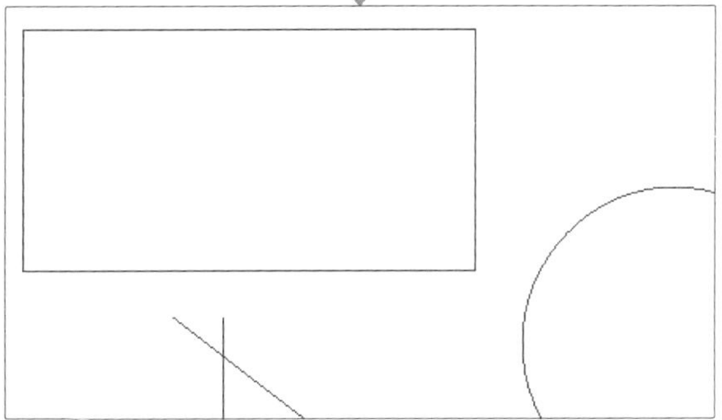

❶ 33ページ 1-3-1「既存ファイルを開く」を参考に、「04-10-01a.dwg」を開く。

❷ [ホーム]タブ－[修正]パネル－[尺度]をクリックする。

❸ コマンドウィンドウに「エンティティを指定≫」と表示されるので、長方形をクリックして Enter キーを押す。

❹ コマンドウィンドウに「基点を指定≫」と表示されるので、基点にする点(ここでは、図の 終点)をクリックする。

```
エンティティを指定»
基点を指定»
```

❺ コマンドウィンドウに「尺度係数を指定≫」と表示されるので、キーボードから「2」と入力して Enter キーを押す。

```
デフォルト: 1
オプション: 参照(R) または
尺度係数を指定» 2
```

長方形を2倍の大きさに拡大できました。

4-10-2 長さを指定して拡大／縮小する

「図面」－「4th_day」－「04-10-02a.dwg」(作図前)
「04-10-02b.dwg」(作図後)

エンティティの一部の長さを指定して拡大／縮小する場合は、オプションの[参照](R)を使います。ここでは、長方形の下辺の長さを1,000㎜に指定して縮小します。

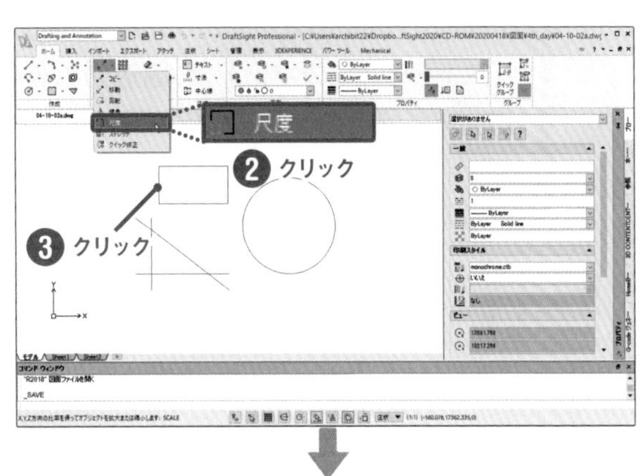

❶ 33ページ 1-3-1「既存ファイルを開く」を参考に、「04-10-02a.dwg」を開く。

❷ [ホーム]タブ－[修正]パネル－[尺度]をクリックする。

❸ コマンドウィンドウに「エンティティを指定»」と表示されるので、長方形をクリックして Enter キーを押す。

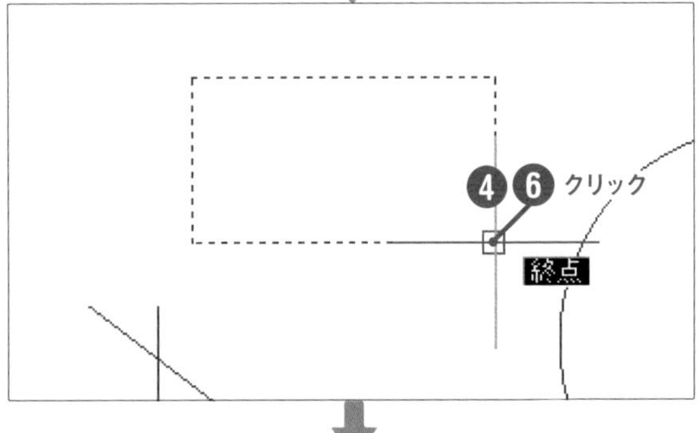

❹ コマンドウィンドウに「基点を指定»」と表示されるので、基点にする点(ここでは、図の 終点)をクリックする。

❺ キーボードから「r」と入力して Enter キーを押し、オプションの[参照]を実行する。

```
デフォルト: 2
オプション: 参照(R) または
尺度係数を指定» r
```

❻ コマンドウィンドウに「参照長を指定»」と表示されるので、長さを指定したい線分の端点(ここでは、図の 終点)をクリックする。

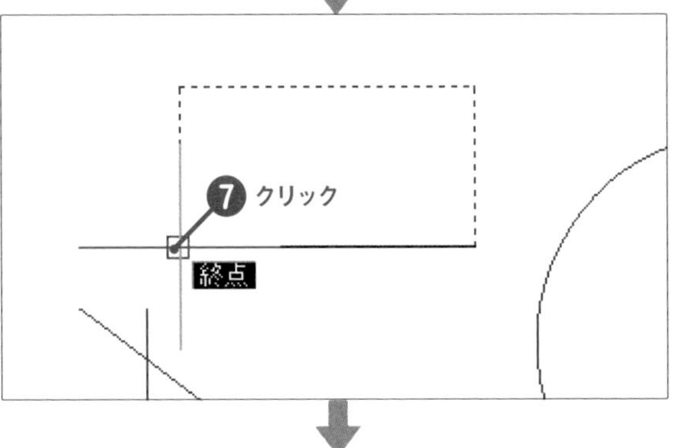

❼ コマンドウィンドウに「参照長を指定»2番目の点を指定»」と表示されるので、長さを指定したい線分のもう一方の端点(ここでは、図の 終点)をクリックする。

```
デフォルト: 1
参照長を指定» 2番目の点を指定:
```

❽ コマンドウィンドウに「新しい長さを指定»」と表示されるので、キーボードから「1000」と入力して Enter キーを押す。

```
デフォルト: 1
オプション: 点(P) または
新しい長さを指定» 1000
```

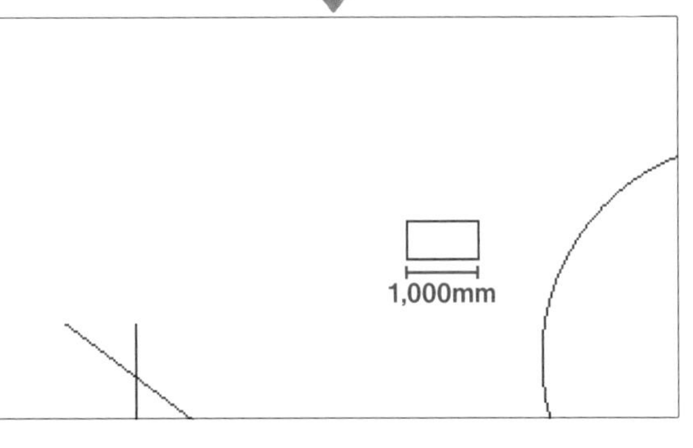

長方形の下辺の長さを1,000㎜に指定して縮小できました。

4-11 エンティティを引き延ばす

[ストレッチ]コマンドは、図形を引き延ばしたように変形させるコマンドです。交差選択を行って選択範囲に完全に含まれるエンティティは移動し、一部のみ含まれるエンティティは引き延ばされるように変形されます。

4-11-1 図形の一部を引き延ばす

「図面」-「4th_day」-「04-11-01a.dwg」(作図前)
「04-11-01b.dwg」(作図後)

[ストレッチ]コマンドで図形の一部を引き延ばします。

❶ 33ページ 1-3-1「既存ファイルを開く」を参考に、「04-11-01a.dwg」を開く。

❷ [ホーム]タブー[修正]パネルー[ストレッチ]をクリックする。

❸ コマンドウィンドウに「エンティティを指定≫」と表示されるので、交差選択(43ページ 1-6-2「選択範囲を指定して選択する」)で図の部分を選択し、Enter キーを押す。

エンティティを指定»

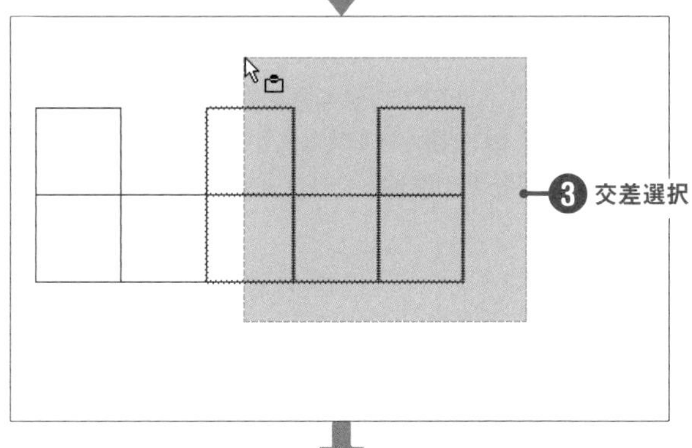

❹ コマンドウィンドウに「始点を指定≫」と表示されるので、移動の基点にする点をクリックする。

オプション: 移動距離(D) または
始点を指定»

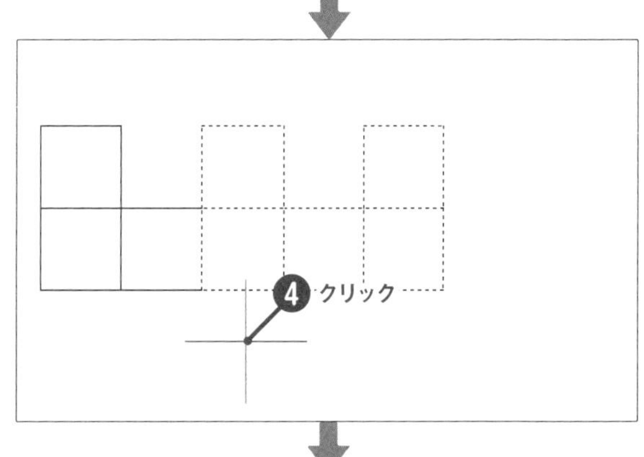

❺コマンドウィンドウに「目的点を指定»」と表示されるので、移動の目的点をクリックする。

オプション: *Enter キーで始点を移動距離として使用*または
目的点を指定»

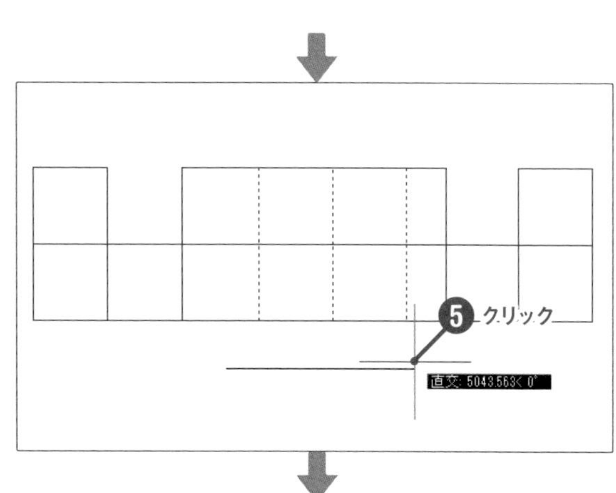

❸の交差選択で一部のみ含まれたAの部分は引き延ばされ、完全に含まれたBの部分は形状を保ったまま移動しました。

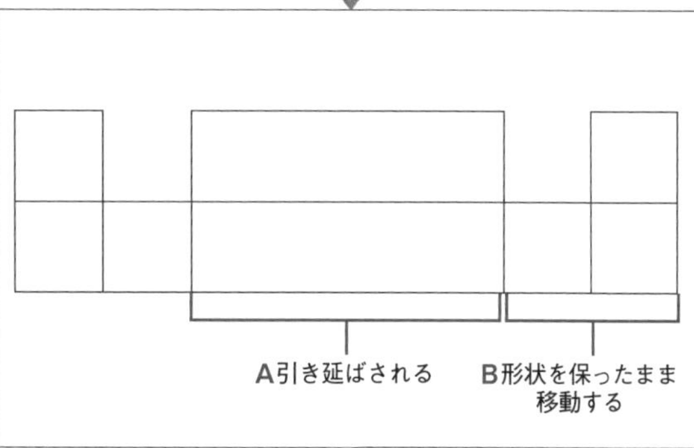

4-12 図形を分解する

[分解]コマンドは、ブロック(96ページ 2-15「複数のエンティティをひとまとまりとして扱う(ブロック)」参照)やポリライン(82ページ 2-9「ポリラインを描く」参照)など、複数のエンティティで構成される図形を、1つずつ別々のエンティティに分けるコマンドです。

4-12-1 ブロックを分解する

「図面」-「4th_day」-「04-12-01a.dwg」(作図前)
「04-12-01b.dwg」(作図後)

車のブロック図形を分解します。

❶ 33ページ 1-3-1「既存ファイルを開く」を参考に、「04-12-01a.dwg」を開く。

❷ 車の一部をクリックすると全体が選択され、1つの図形として登録されていることがわかる。Esc キーを押して選択を解除する。

❸ [ホーム]タブ－[修正]パネル－[分解]をクリックする。

❸ クリック

❹ コマンドウィンドウに「エンティティを指定»」と表示されるので、車をクリックして Enter キーを押す。

エンティティを指定»

❹ クリック

車のブロック図形を分解できました。車の一部をクリックしても、その部分しか選択状態になりません。

4-13 ポリラインを編集する

[ポリライン編集]コマンドでは、直線をポリライン化したり、ポリラインの幅を変更したりできます。

4-13-1 ポリラインに変更を加える

「図面」-「4th_day」-「04-13-01a.dwg」(作図前)
「04-13-01b.dwg」(作図後)

ポリラインに連なった直線をポリライン化し、さらに幅を太くします。

❶ 33ページ 1-3-1「既存ファイルを開く」を参考に、「04-13-01a.dwg」を開く。

❷ [ホーム]タブ-[修正]パネル-[ポリライン編集]をクリックする。

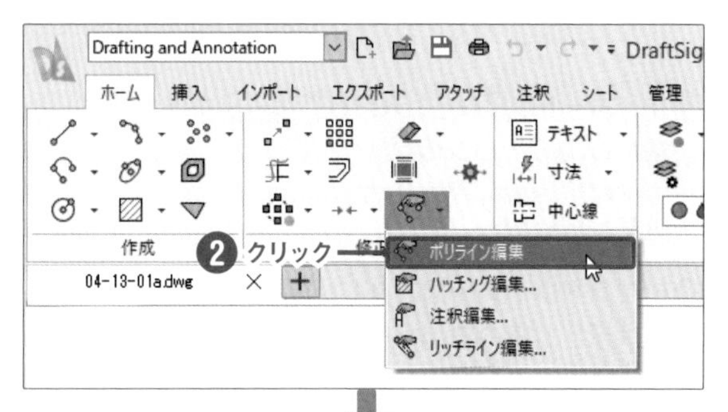

❸ コマンドウィンドウに「ポリラインを指定≫」と表示されるので、ポリライン化する図の直線をクリックする。

オプション: 複数(M) または
ポリラインを指定»

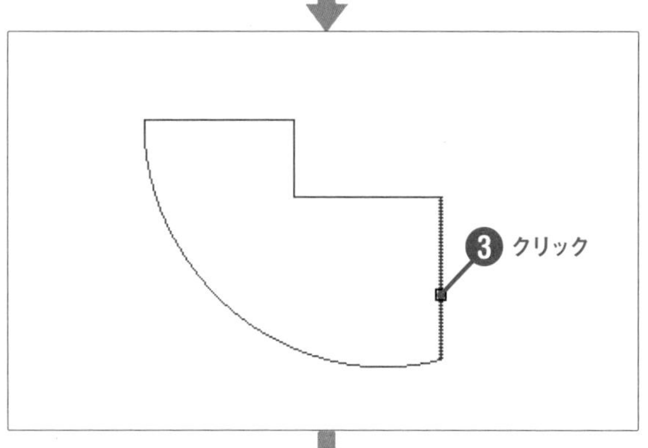

❹ コマンドウィンドウに「1つにしますか?」と表示されるので、キーボードから[はい]の「y」を入力して Enter キーを押す。

デフォルト: はい
確認: **1つにしますか?**
指定 はい **または** いいえ(N)» y

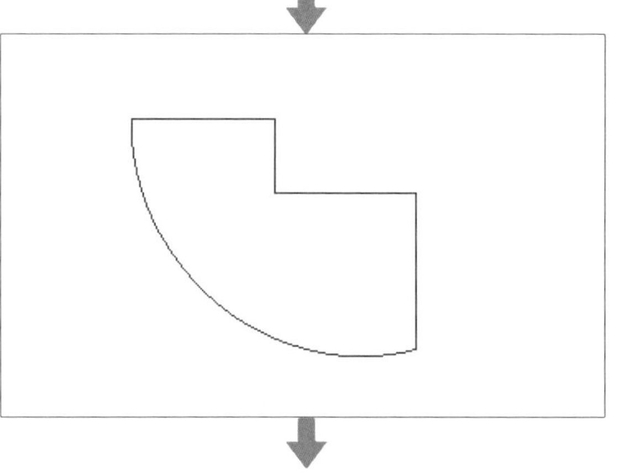

直線がポリラインに変換されました。続けて線分をすべて結合して、1つのエンティティにします。

❺キーボードから「j」と入力して Enter キーを押し、オプションの[結合]を実行する。

オプション: カーブ解除(D), スプライン(S), テーパ(T), フィット(F), 元に
オプション指定» j

❻ コマンドウィンドウに「エンティティを指定≫」と表示されるので、交差選択(43ページ 1-6-2「範囲を指定して選択する」)ですべてのエンティティを選択して Enter キーを押す。

エンティティを指定»

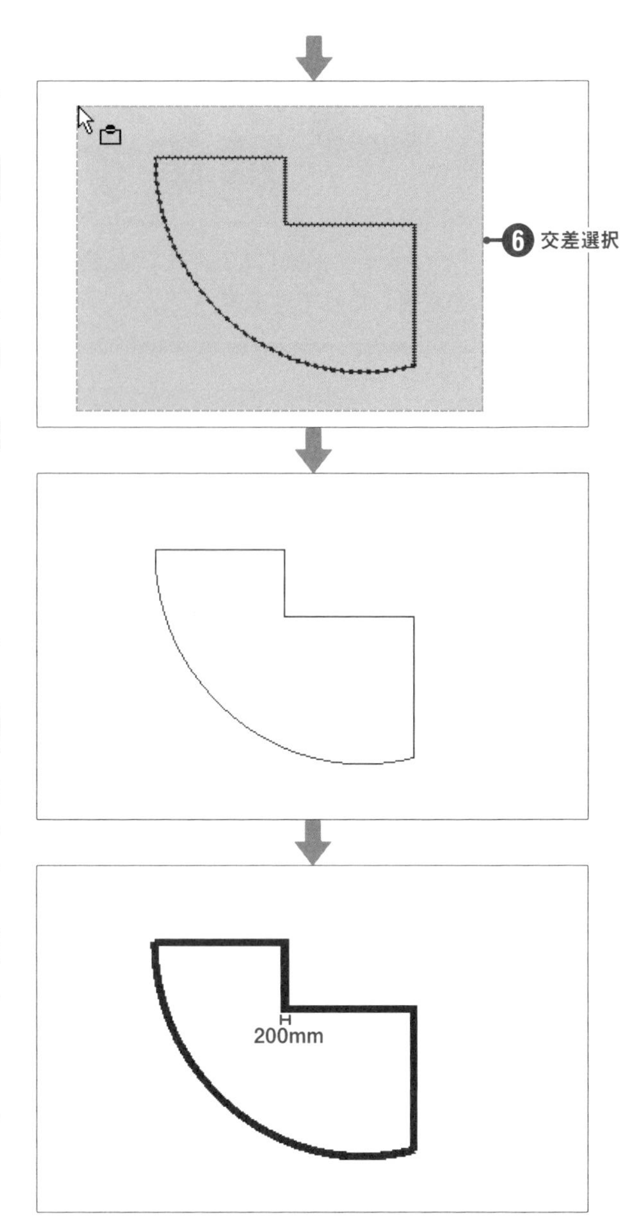

線分がすべて結合して1つのエンティティになりました。続けて、幅を変更します。

❼キーボードから「w」と入力して Enter キーを押し、オプションの[幅]を実行する。

オプション: カーブ解除(D), スプライン(S), テーパ(T), フィット(F), 元に
オプション指定» w

❽コマンドウィンドウに「新しい幅を指定≫」と表示されるので、キーボードから変更したい幅の数値(ここでは「**200**」)を入力して Enter キーを押す。

新しい幅を指定» 200

❾ Enter キーを押し、[ポリライン編集]コマンドを終了する。

ポリラインの幅が200㎜に変更されました。

Day 5

応用操作を学ぶ

応用操作を学ぶ

５日目は、グリッドやスナップ、座標系の利用、表示順序の変更など、作図をよりスムーズに行うための応用操作について解説します。

5-1 ● グリッド／スナップを活用する

→ グリッドを表示する
→ スナップを活用する

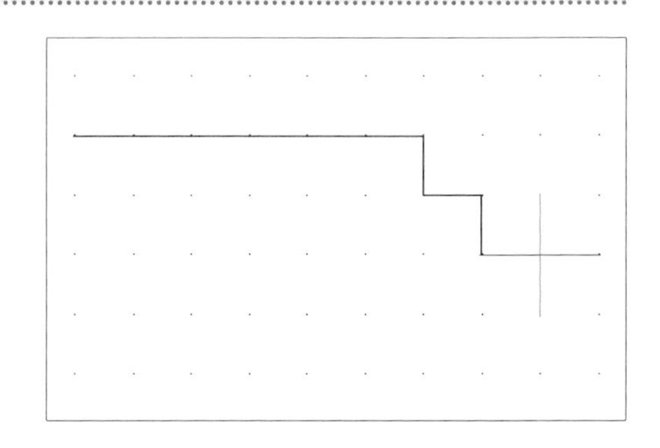

5-2 ● 座標系を利用して編集する

→ 座標系を傾ける

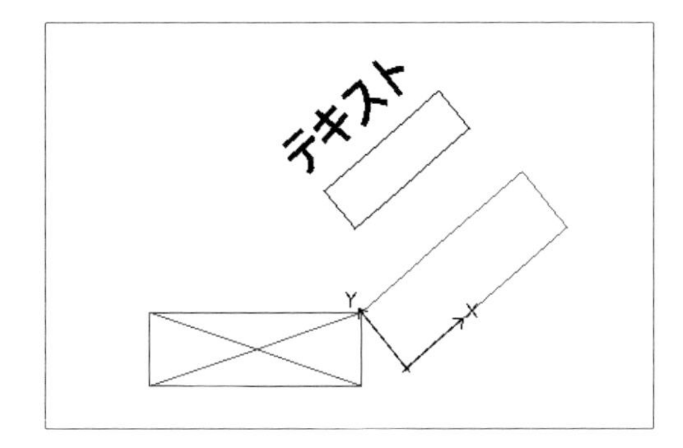

→ 座標系に合わせて画面表示を回転する

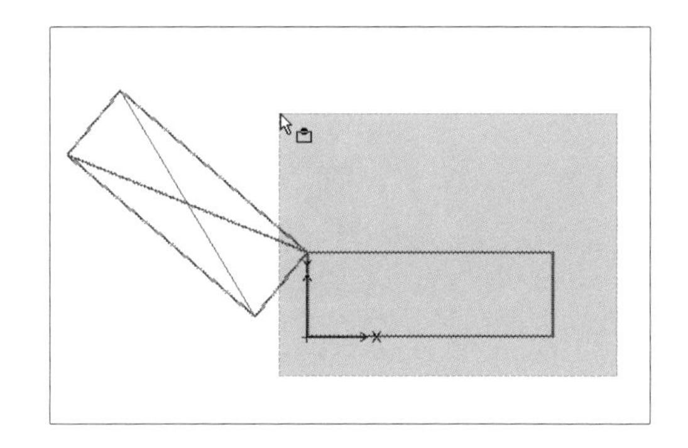

5-3 ● 距離や面積を計測する

→ 距離を計測する

コマンド ウィンドウ
終点を指定»
距離 = 5000、XY平面での角度 = 37、XY平面からの角度 = 0
デルタX = 4000、デルタY = 3000、デルタZ = 0

→ 面積を計測する

コマンド ウィンドウ
面積 = 12000000、周囲長 = 14000
総面積 = 12000000
加算モード...

5-4 ● 重なり順を変更する

→ 表示順序を変更する

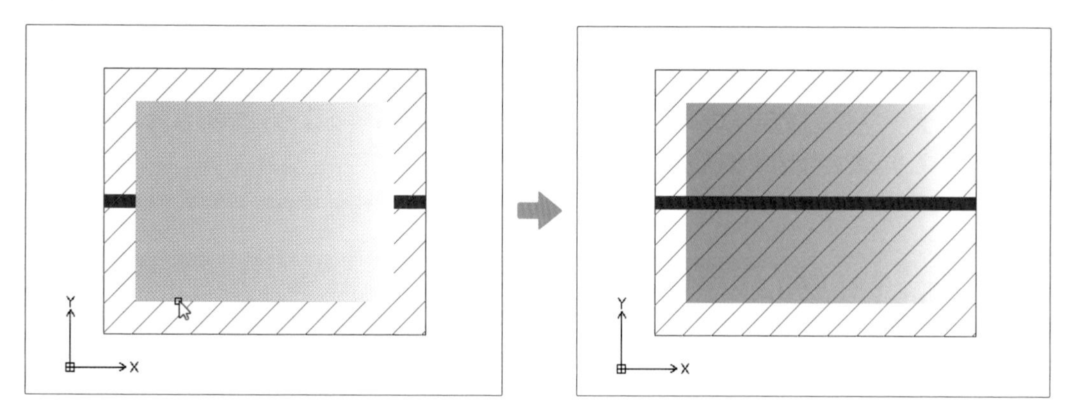

5-5 ● ほかの図面や画像を挿入する（参照）

→ ほかの図面を挿入する

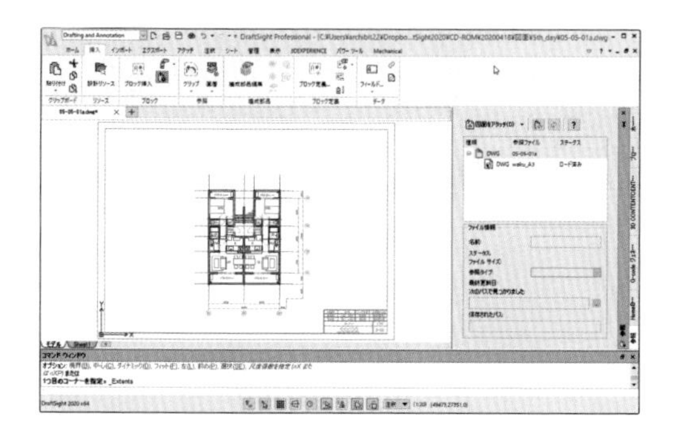

5-6 ● エラーチェックを行う

→ ファイル内のエラーを探す

5-7 ● データを整理して容量を減らす（クリーンアップ）

→ クリーンアップを行う

5-8 ● テンプレートを作成する

→ 印刷スタイルのタイプを設定する
→ 新規ファイルを作成する
→ 単位を設定する
→ 文字／寸法スタイルを設定する
→ 画層を設定する
→ テンプレートとして保存する

グリッド／スナップを活用する

ステータスバーには、作図オプションのボタンが用意されています。「グリッド」は、設定した間隔で作図の目安となる点を表示する機能です。また、「スナップ」は、設定した間隔でカーソルの動きが吸着するように制御される機能です。表を作図する際などに使用すると便利です。

5-1-1 グリッドを表示する

「図面」－「5th_day」－「05-01-01a.dwg」（作図前）
「05-01-01b.dwg」（作図後）

グリッドを表示し、間隔を変更します。

❶ 33ページ 1-3-1「既存ファイルを開く」を参考に、「05-01-01a.dwg」を開く。
❷ [グリッド]ボタンをクリックしてオンにする。

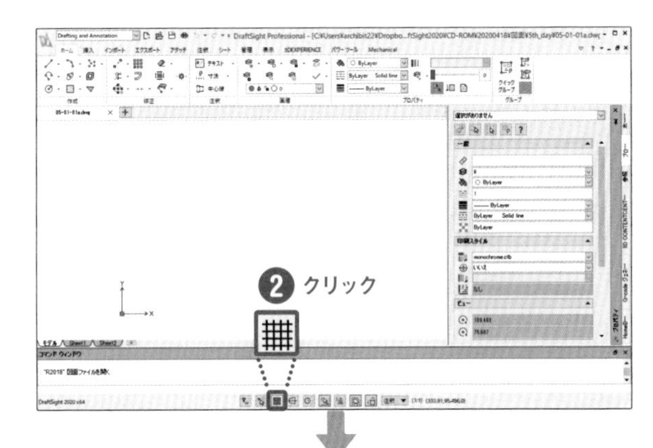

一定間隔で点（グリッド）が表示されます。

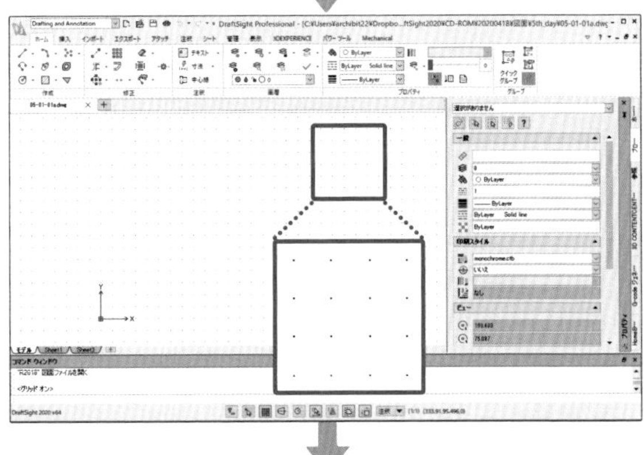

グリッドの間隔を変更します。

❸ [グリッド]ボタンを右クリックする。
❹ 表示されるコンテキストメニューの[設定]をクリックする。

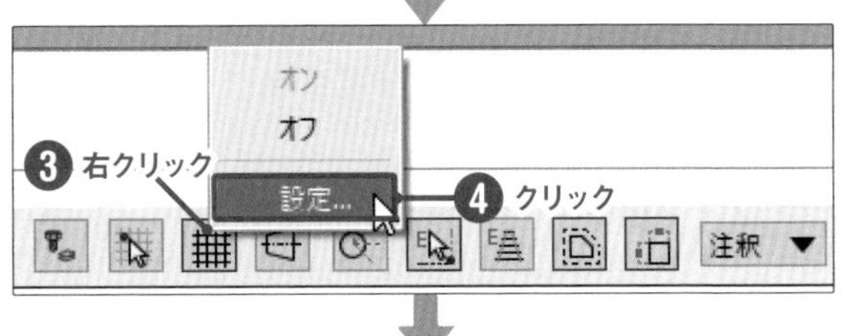

❺ [オプション]ダイアログの[ユーザープリファレンス]が表示される。[水平表示間隔]と[垂直表示間隔]が「10」に設定されているが、キーボードからそれぞれに「**20**」と入力して変更する。

❻ [OK]ボタンをクリックして[オプション]ダイアログを閉じる。

グリッドの間隔が倍の大きさに変更されます。

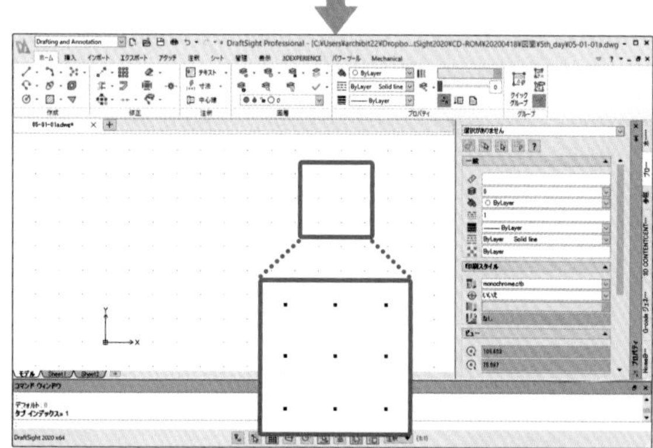

5-1-2 グリッドとスナップを併用する

「図面」-「5th_day」-「05-01-02a.dwg」(作図前)
「05-01-02b.dwg」(作図後)

グリッドを表示し、オプションを有効にします。

❶ 33ページ 1-3-1「既存ファイルを開く」を参考に、「05-01-02a.dwg」を開く。

❷ [スナップ]ボタンをクリックしてオンにする。[グリッド]ボタンがオフになっている場合はオンにしておく。

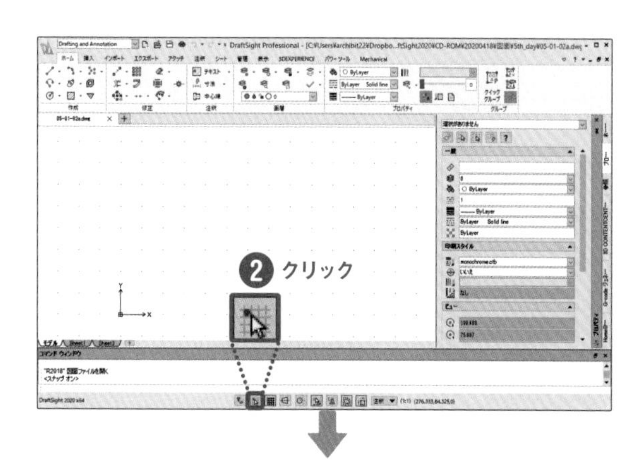

[線]コマンドで線を描いてみると、スナップが有効になっているため、カーソルがカクカクした動きになります。しかし、グリッドからずれた動きになります。

グリッドに沿ってカーソルが吸着(スナップ)するように設定します。

❸ [スナップ]ボタンを右クリックする。
❹ 表示されるコンテキストメニューの[設定]をクリックする。

❺ [オプション]ダイアログの[ユーザープリファレンス]が表示されるので、[グリッド間隔に合わせる]にチェックを入れる。[水平スナップ間隔]と[垂直スナップ間隔]が現在設定されているグリッド間隔の「20」に自動的に変更される。
❻ [OK]ボタンをクリックして[オプション]ダイアログを閉じる。

再度、[線]コマンドで線を描いてみると、グリッドに沿ってカーソルが動きます。

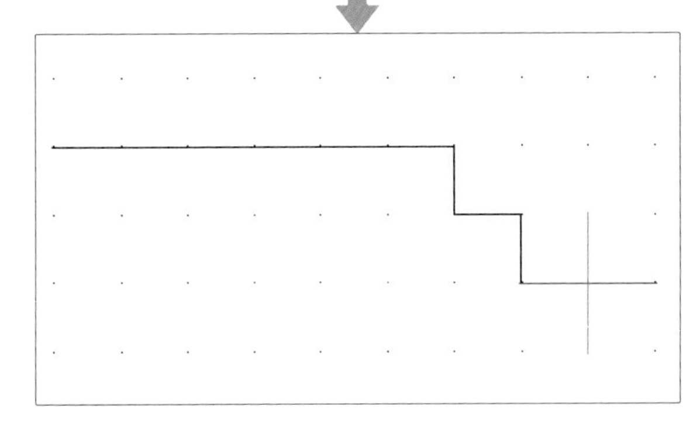

5-2 座標系を利用して編集する

傾いた図形を作図するには、X軸／Y軸／Z軸の座標系自体を変更して傾けると、作図効率が上がります。

5-2-1 座標系を傾ける

「図面」－「5th_day」－「05-02-01a.dwg」(作図前)
「05-02-01b.dwg」(作図後)

座標系を変更して傾けると、その座標系に従って傾いたエンティティを作図できます。ここでは、作図済みの長方形に合わせて座標系を傾けます。

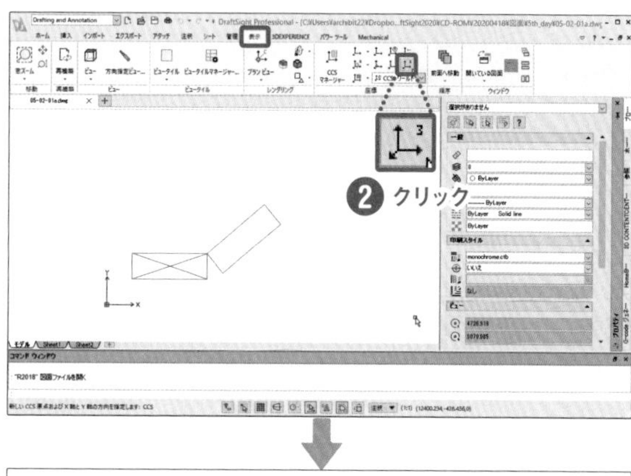

❶ 33ページ 1-3-1「既存ファイルを開く」を参考に、「05-02-01a.dwg」を開く。

❷ [表示]タブー[座標]パネルー[CCS、3点]をクリックする。

❸ コマンドウィンドウに「新しい原点の位置を指定»」と表示されるので、新しい座標系の原点になる点(ここでは、右の長方形の左下の 終点)をクリックする。

デフォルト: (0,0,0)
新しい原点の位置を指定»

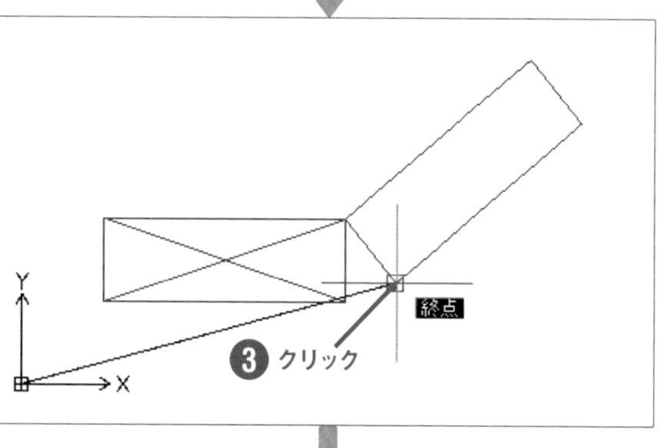

❹ コマンドウィンドウに「通過点を使用して正のX軸を指定»」と表示されるので、右の長方形の右下の 終点 をクリックして、原点からX軸になる方向を指定する。

通過点を使用して正の X 軸 を指定»

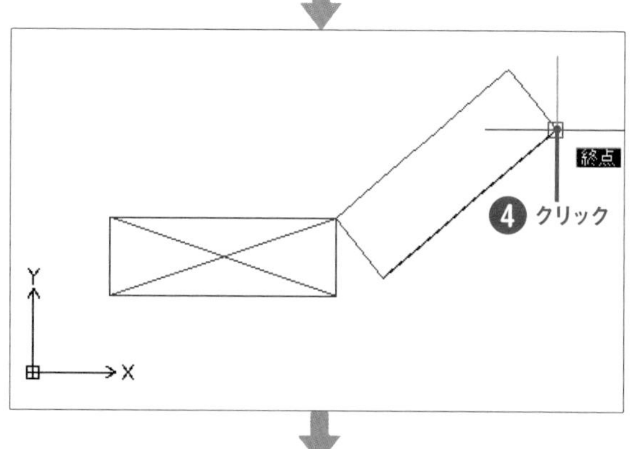

❺コマンドウィンドウに「CCS XY平面の正Y部分上の点を指定»」と表示されるので、右の長方形の左上の 終点 をクリックして、原点からY軸になる方向を指定する。

CCS XY平面の正Y部分上の点を指定»

座標系(CCSアイコン)が指定した原点の位置に変更されます。

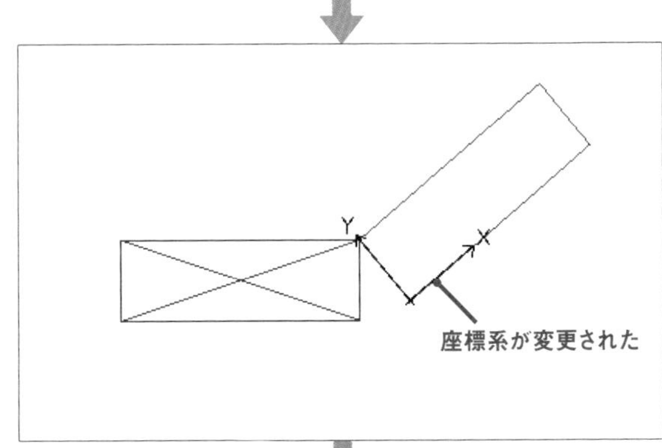

変更した座標系をいつでも使用できるように登録します。

❻[表示]タブー[座標]パネルー[CCSマネージャー]をクリックする。

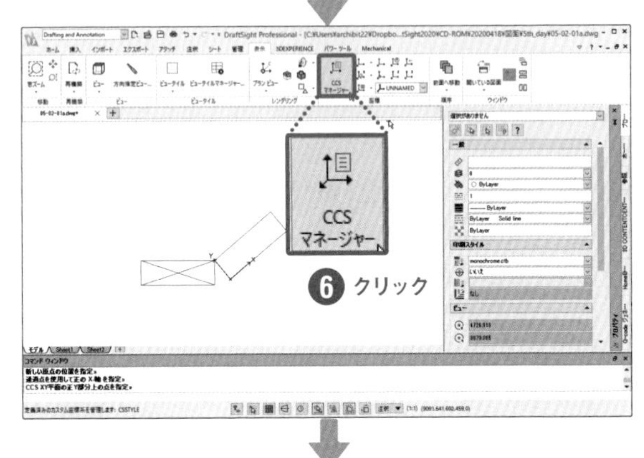

❼[オプション]ダイアログの[作図設定]が表示されるので、[名前指定]の[+]マークををクリックして展開する。

❽リストの[名前なし]をクリックして選択状態にする。

❾[名前変更]ボタンをクリックする。

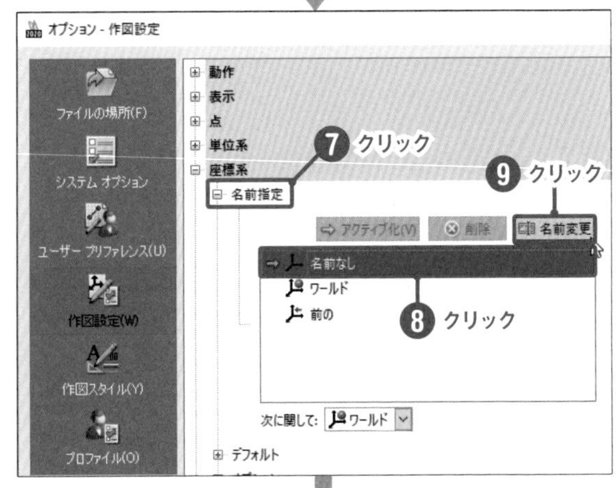

⑩キーボードから名前（ここでは「斜め」）を入力して Enter キーを押す。
⑪［OK］ボタンをクリックして［オプション］ダイアログを閉じる。

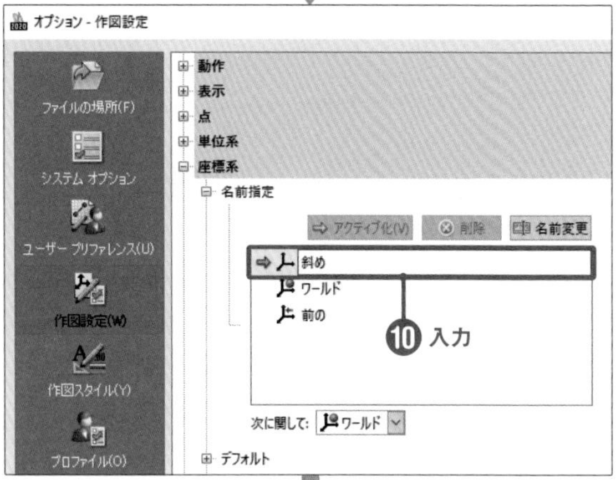

座標系「斜め」が登録されます。長方形や文字を作図すると、座標系に従って斜めに傾いた状態になります。

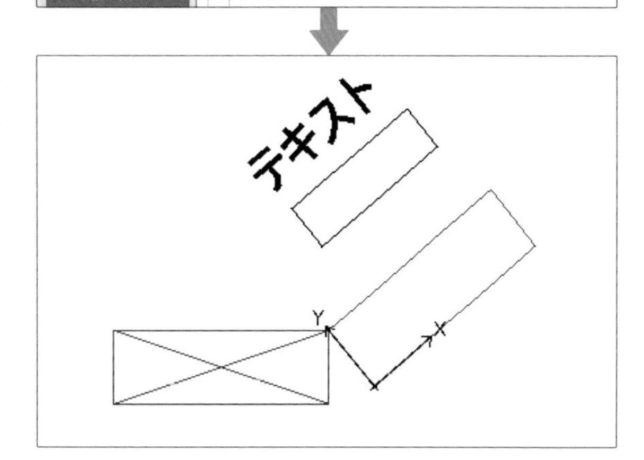

5-2-2 座標系に合わせて画面表示を回転する

「図面」-「5th_day」-「05-02-02a.dwg」(作図前)
「05-02-02b.dwg」(作図後)

座標系を傾けても、エンティティを選択するときのウィンドウ選択や交差選択(43ページ 1-6-2「範囲を指定して選択する」参考)の矩形は変わりません(図)。座標系に合わせて選択の矩形を斜めに傾けるには、画面表示そのものを回転する必要があります。

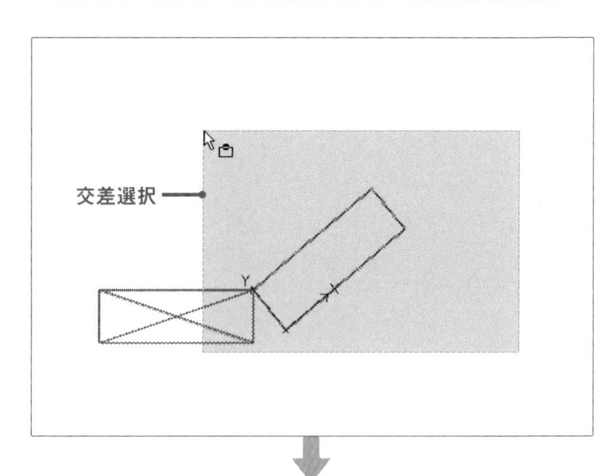

❶ 33ページ 1-3-1「既存ファイルを開く」を参考に、「05-02-02a.dwg」を開く。

❷ [表示]タブー[レンダリング]パネルー[プラン ビュー]ー[現在のCCS]をクリックする。

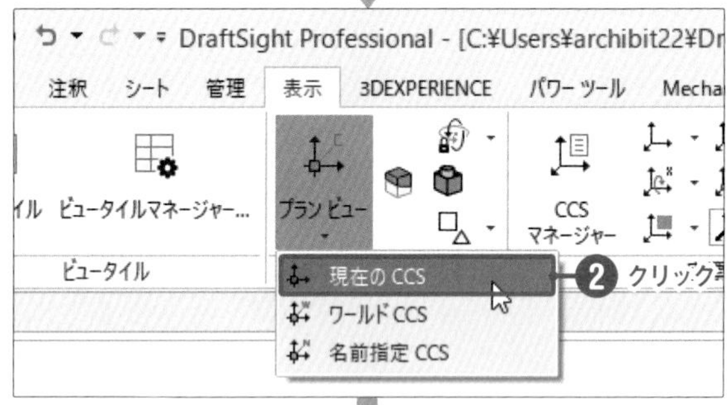

現在の座標系に合わせて画面表示が回転します。

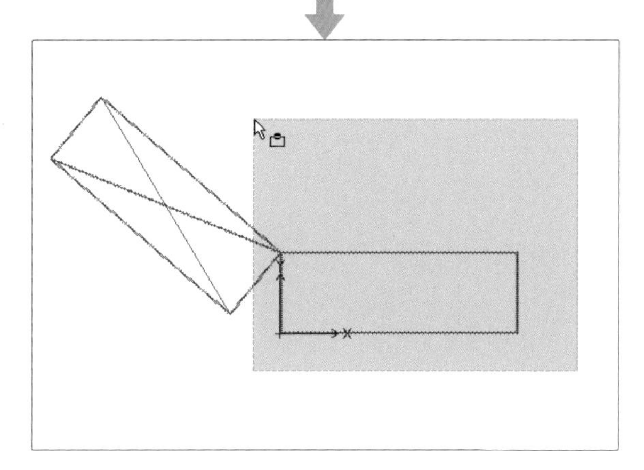

5-2-3 変更した座標系を元に戻す

「図面」－「5th_day」－「05-02-03a.dwg」(作図前)
「05-02-03b.dwg」(作図後)

5-2-1で傾けた座標系を元の「ワールド」に戻し、5-2-2で回転した画面表示も通常の状態に戻します。

❶ 33ページ 1-3-1「既存ファイルを開く」を参考に、「05-02-03a.dwg」を開く。
❷ [表示]タブー[座標]パネルー[名前指定CCS コンボ コントロール]のプルダウンリストから[CCS、ワールド]をクリックして選択する。

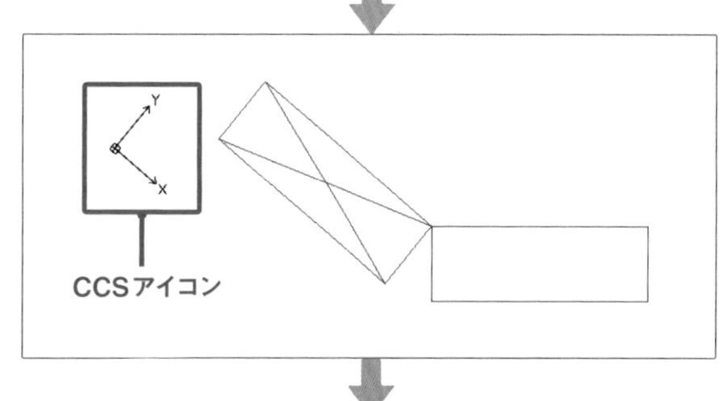

5-2-1で傾けた座標系(CCSアイコン)が元の「ワールド」に戻りました。ただし、画面表示はまだ回転したままなので戻します。

❸ [表示]タブー[レンダリング]パネルー[プランビュー]ー[ワールドCCS]をクリックする。

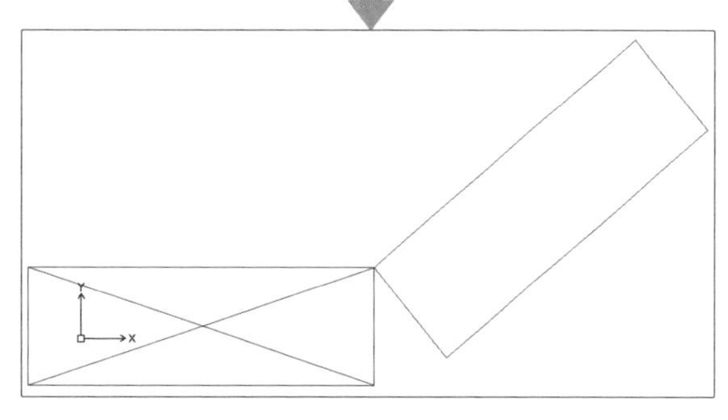

5-2-2で回転した画面表示も戻りました。

HINT 座標系(CCSアイコン)が見当たらないとき

CCSアイコンは、グラフィックス領域に原点がないときには左端に表示される。原点の位置を確かめたいときには、[表示]タブー[座標]パネルー[CSアイコン表示モード]ー[原点]をクリックする。

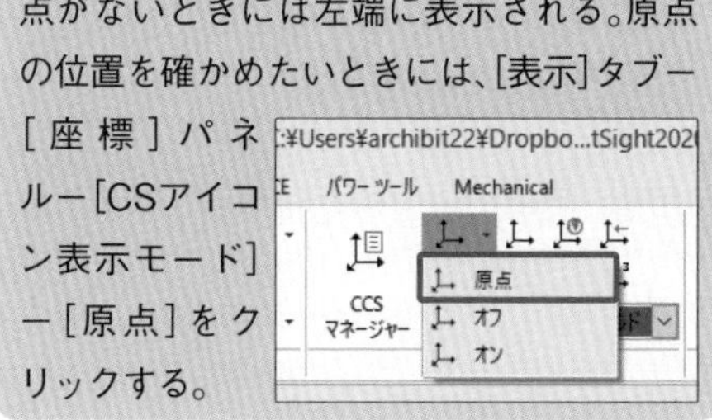

Day 1 Day 2 Day 3 Day 4 Day 5 応用操作を学ぶ Day 6 Day 7

5-3 距離や面積を計測する

2点間の距離を知りたいときには、[距離を表示]コマンドを使います。また、閉じた図形の面積を知りたいときには、[面積を表示]コマンドを使います。

5-3-1 距離を計測する

「図面」-「5th_day」-「05-03-01.dwg」

[距離を表示]コマンドは、2点間の距離を計測するコマンドです。きちんと端点を指示できるように、[Eスナップ]ボタンをオンにしてエンティティスナップを有効にしておく必要があります。ここでは、長方形の対角線の距離を計測します。

❶ 33ページ 1-3-1「既存ファイルを開く」を参考に、「05-03-01.dwg」を開く。

❷ [管理]タブ-[ユーティリティ]パネル-[情報]-[距離を表示]をクリックする。

❸ コマンドウィンドウに「始点を指定≫」と表示されるので、計測する線分の端点(ここでは、長方形の左下の 終点)をクリックする。

始点を指定»

❹ コマンドウィンドウに「終点を指定≫」と表示されるので、計測する線分のもう一方の端点(ここでは、長方形の右上の 終点)をクリックする。

終点を指定»

❺ コマンドウィンドウに2点間の距離や角度、X軸方向の距離、Y軸方向の距離などの計測結果が表示されます。

距離 = 5000、XY平面での角度 = 37、XY平面からの角度 = 0
デルタX = 4000、デルタY = 3000、デルタZ = 0

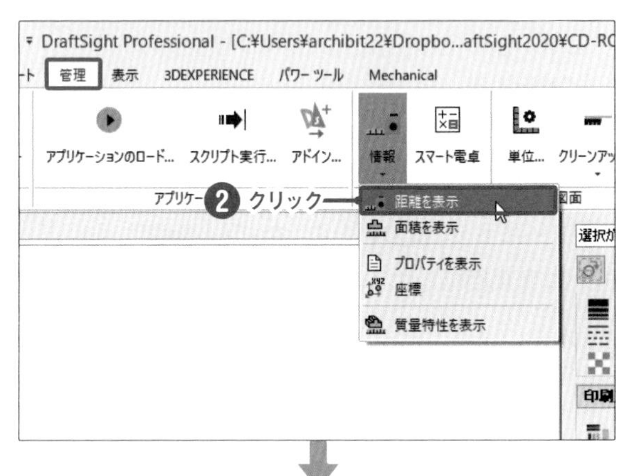

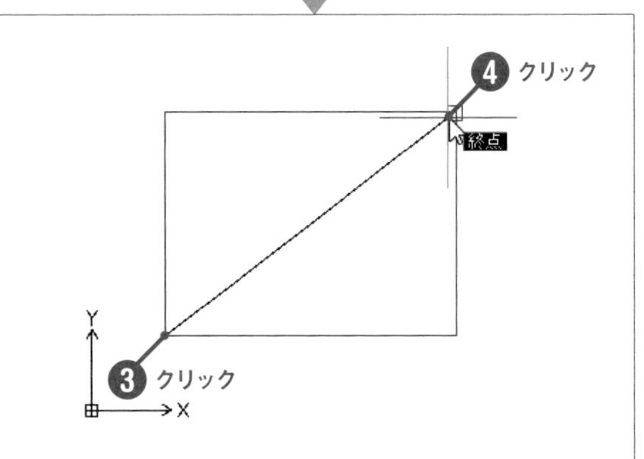

2点間の距離を計測できました。

5-3-2 面積を計測する

「図面」-「5th_day」-「05-03-02.dwg」

[面積を表示]コマンドでは、長方形や円など閉じた図形の面積を計測できます。[追加]オプションを使うと、複数のエンティティの合計面積を計算できます。ここでは、長方形と円の合計面積を計算します。

❶33ページ 1-3-1「既存ファイルを開く」を参考に、「05-03-02.dwg」を開く。

❷[管理]タブ-[ユーティリティ]パネル-[情報]-[面積を表示]をクリックする。

❸キーボードから「a」と入力して Enter キーを押し、オプションの[追加]を実行する。

オプション: 追加(A), エンティティを指定, 減算(S) または
1つ目の点を指定» a

❹キーボードから「e」と入力して Enter キーを押し、オプションの[エンティティを指定]を実行する。

オプション: エンティティを指定, 減算(S) または
1つ目の点を指定» e

❺コマンドウィンドウに「エンティティを指定»」と表示されるので、長方形をクリックする。

エンティティを指定»

❻長方形の面積が表示される。

面積 = 12000000、周囲長 = 14000
総面積 = 12000000
加算モード...

❼続けて、円をクリックする。

❽長方形と円の合計面積が表示される。

面積 = 7068583.471、周囲長 = 9424.778
総面積 = 19068583.471
加算モード...

❾ Enter キーを2回押して[面積を表示]コマンドを終了する。

長方形と円の面積を計測できました。

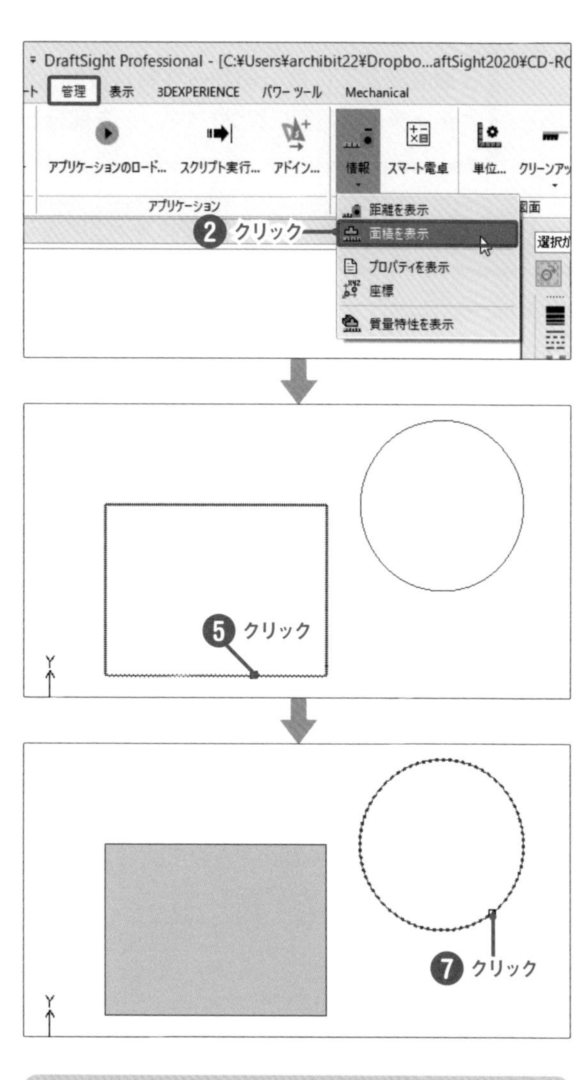

HINT [コマンドウィンドウ]を表示する

計測後に F2 キーを押すと、[コマンドウィンドウ]が開く(図)。[コマンドウィンドウ]にはコマンウィンドウの履歴が表示されるので、エンティティの面積と総面積を確認できる。

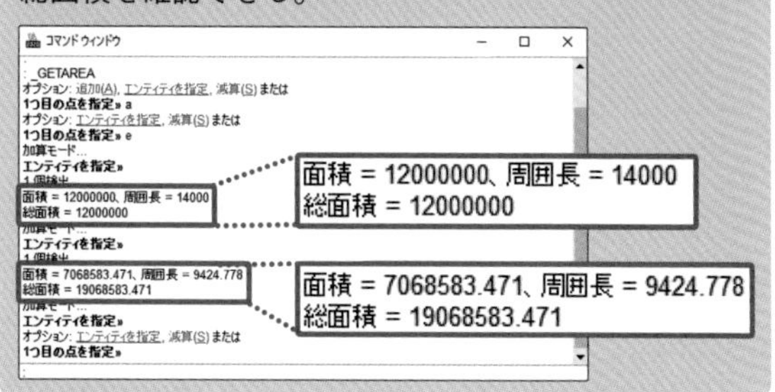

5-4 重なり順を変更する

通常エンティティは後から作図したものが前面に表示されます。この表示(重なり)順を変えるには、[前面へ移動][背面へ移動]「エンティティの前面に移動][エンティティの背面に移動]コマンドを実行します。

5-4-1 表示順序を変更する

「図面」-「5th_day」-「05-04-01a.dwg」(作図前)
「05-04-01b.dwg」(作図後)

前面のエンティティを背面に移動します。

❶33ページ 1-3-1「既存ファイルを開く」を参考に、「05-04-01a.dwg」を開く。
❷[表示]タブー[順序]パネルー[背面へ移動]をクリックする。

❸コマンドウィンドウに「エンティティを指定»」と表示されるので、背面に移動したいエンティティ(ここでは、緑の塗りつぶし)をクリックして Enter キーを押す。

エンティティを指定»

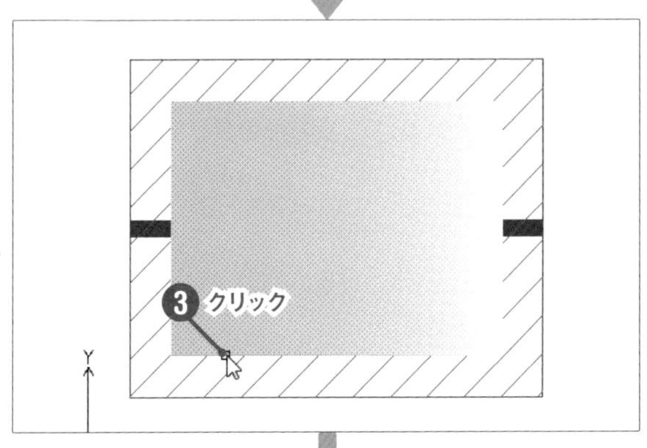

選択したエンティティが背面に移動しました。

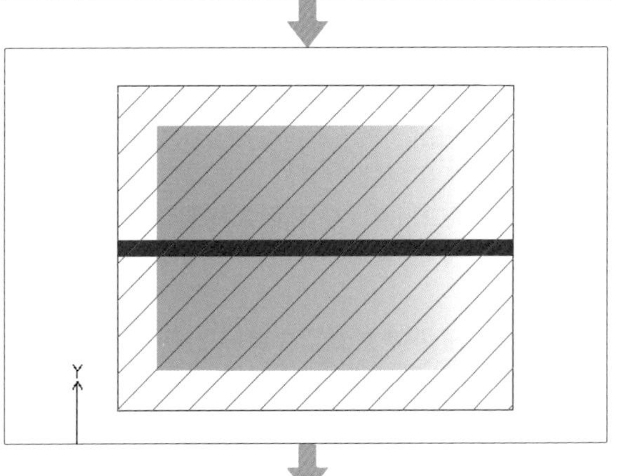

背面のエンティティを前面に移動します。

❹[表示]タブ－[順序]パネル－[前面へ移動]をクリックする。

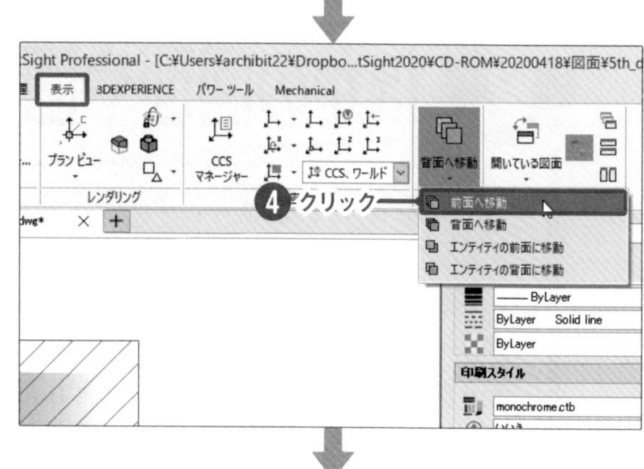

❺コマンドウィンドウに「エンティティを指定»」と表示されるので、前面に移動したいエンティティ（ここでは、青の線）をクリックして Enter キーを押す。

エンティティを指定»

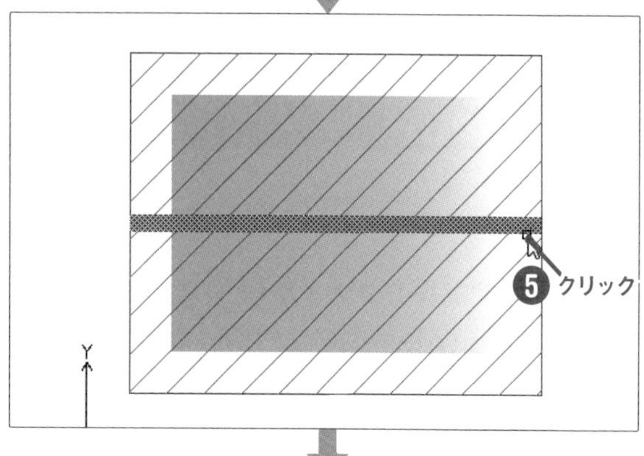

選択したエンティティが前面に移動しました。

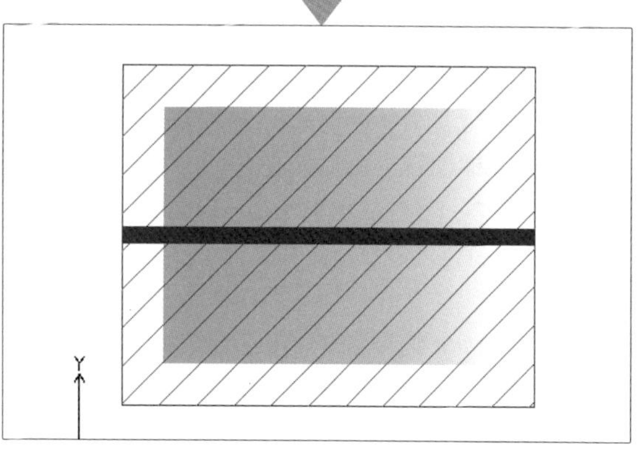

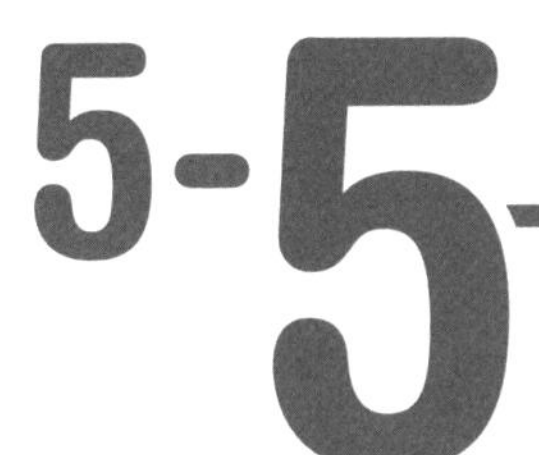

5-5 ほかの図面や画像を挿入する(参照)

「参照」は、現在のファイルにほかの図面ファイルや画像ファイルを挿入する機能です。ファイルを開いたり再ロードしたりするたびに、参照元の図面ファイルや画像ファイルを読み込みます。そのため、参照元のファイルに変更を加えると現在のファイルにも変更が反映されます。ファイル内には参照データが保存されないのでデータ容量は軽くなりますが、ファイルの受け渡しの際には参照元のデータも一緒に受け渡す必要があります。

5-5-1 ほかの図面を参照する

「図面」－「5th_day」－「05-05-01a.dwg」(作図前)
「05-05-01b.dwg」(作図後)
「waku_A3.dwg」(参照図面)

あらかじめ図面枠のファイル(ここでは「waku_A3.dwg」)を作成しておき、複数のファイルで参照することで、図面枠のファイルに変更を加えると、参照しているすべてのファイルに変更が反映されます。

❶ 33ページ 1-3-1「既存ファイルを開く」を参考に、「05-05-01a.dwg」を開く。
❷ [挿入]タブ－[ブロック]パネル－[参照マネージャー]をクリックする。

❸ [参照]パレットが表示されるので、[図面をアタッチ]をクリックする。

❹ [ファイルを選択]ダイアログが表示されるので、参照するファイル(ここでは「waku_A3.dwg」)をクリックして選択する。
❺ [開く]ボタンをクリックする。

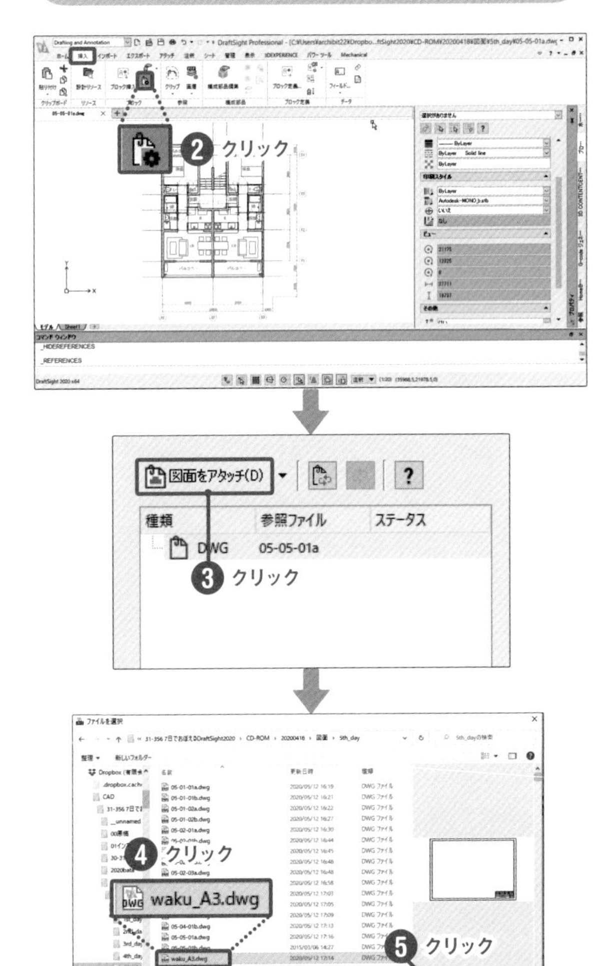

❻ [参照をアタッチ]ダイアログが表示されるので、[尺度]の[X][Y][Z]それぞれに「100」と入力する。

❼ [OK]ボタンをクリックする。

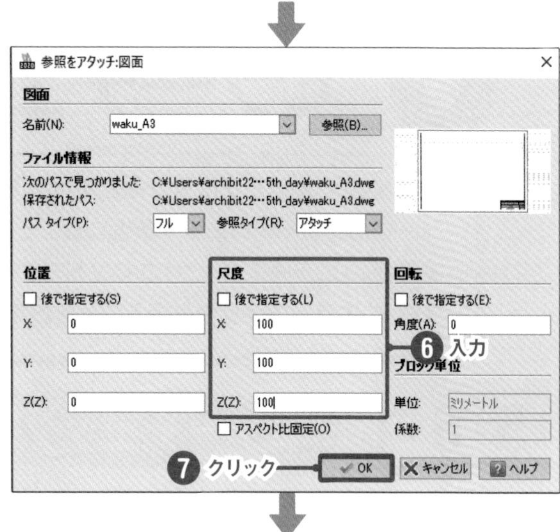

❽ 図面全体が見えるように[表示]タブ−[移動]パネル−[ズーム境界]をクリックする。

「waku_A3.dwg」が参照され、図面枠が表示されました。

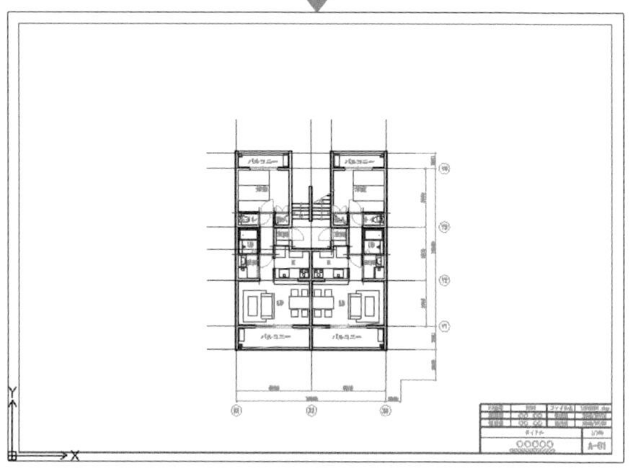

HINT 参照元のファイルの場所はなるべく移動しない

ファイルを参照すると、参照先ファイル内に参照元のファイルの場所を示すパスが保存される。参照元のファイルの場所を移動するとパスが変わってしまい、参照先ファイルに表示されなくなる。そのため、なるべく参照元のファイルの場所は移動しないほうがよい。

パスが変わってしまった場合、[参照]パレットの[ファイル情報]−[ステータス]に「見つかりません」と表示される(図)。[保存されたパス]を移動先のものに書き換えると、再表示できる。

ファイル情報
名前: waku_A3
ステータス: 見つかりません
ファイル サイズ:
参照タイプ: アタッチ
最終更新日:
次のパスで見つかりました:
保存されたパス:
C:¥Users¥archibit22¥Desktop¥5th_day¥waku_A3.dwg
書き換える

5-6 エラーチェックを行う

図面を描き進めてブロックなどを挿入したり、変更を重ねていくと、図面データベースに原因不明のエラーが生じることがあります。そんなエラーをチェックできるのが、[エラーチェック]コマンドです。図面が完成したときやファイルを受け渡す際は、エラーチェックを行うことをおすすめします。

5-6-1 エラーチェックを行う

「図面」－「5th_day」－「05-06-01.dwg」

[エラーチェック]コマンドを使うと、自動的にエラーを見つけて問題を解決してくれます。

❶ 33ページ 1-3-1「既存ファイルを開く」を参考に、「05-06-01.dwg」を開く。

❷ [アプリケーション]ボタン－[管理]－[エラーチェック]をクリックする。

❸ コマンドウィンドウに「図面データベースのエラーを自動的に解決しますか？」というメッセージが表示されるので、[はい]の「y」を入力して Enter キーを押す。

デフォルト: いいえ(N)
確認: **図面データベースのエラーを自動的に解決しますか?**
指定 はい(Y) または いいえ(N): y

チェックして見つかったエラーの個数と、解決されたエラーの数が表示されます。

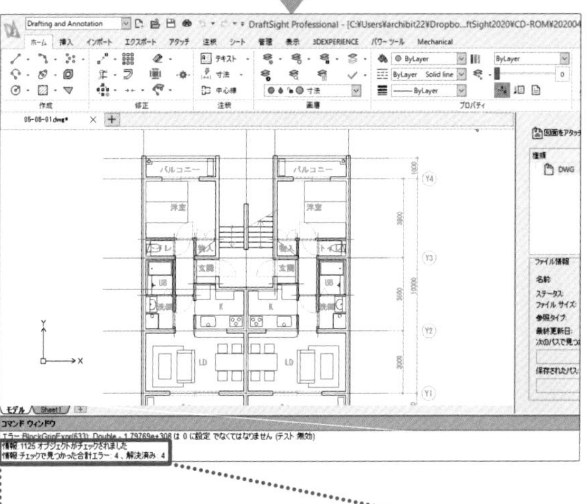

情報:1125 オブジェクトがチェックされました
情報:チェックで見つかった合計エラー: 4 、解決済み: 4

5-7 データを整理して容量を減らす(クリーンアップ)

ブロック図形を削除しても、定義データは図面データ内に残ります。使用していないブロックの定義データや画層名、文字スタイル、寸法スタイルは、[クリーンアップ]コマンドで削除できます。図面が完成したらクリーンアップを行い、データ容量を軽くしておきましょう。

5-7-1 クリーンアップを行う

「図面」-「5th_day」-「05-07-01.dwg」

[クリーンアップ]コマンドを使うと未使用データを見つけてくれるので、削除することでファイルのデータ容量を減らすことができます。

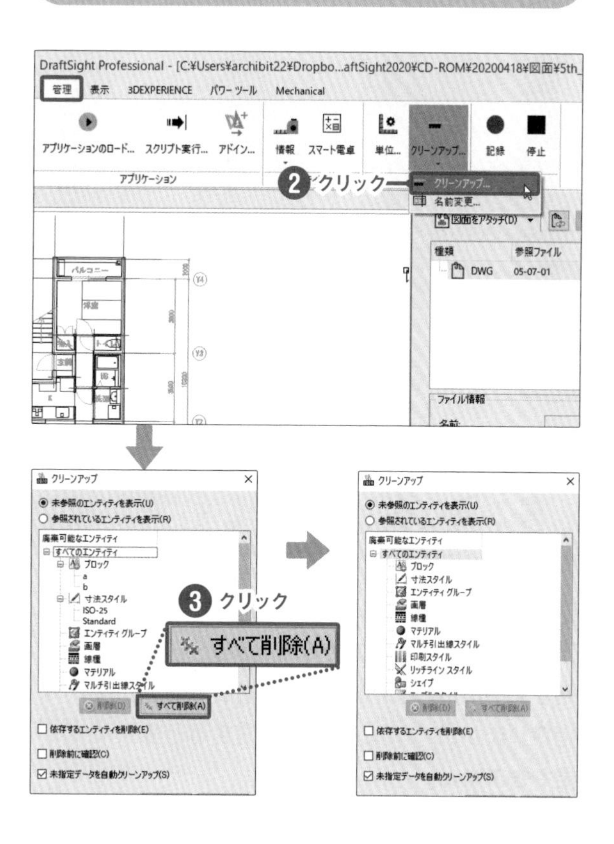

❶33ページ 1-3-1「既存ファイルを開く」を参考に、「05-07-01.dwg」を開く。

❷[管理]タブ-[図面]パネル-[クリーンアップ]をクリックする。

❸[クリーンアップ]ダイアログが表示され、[廃棄可能なエンティティ]がツリー表示されるので、[すべて削除]ボタンをクリックする。

HINT データを個別に削除する

ツリーで削除するエンティティ名を選択して[削除]ボタンをクリックすると、データを個別に削除できる。

ツリー表示から[廃棄可能なエンティティ]がなくなり、削除されたことがわかります。

5-8 テンプレートを作成する

テンプレートファイル(*.dwt)は、単位や画層、文字スタイル、寸法スタイルなどをあらかじめ設定したファイルです。プロジェクトごとや図面の種類ごとにテンプレートを作成しておき、作図を始める際にそれを利用すれば、その都度、単位や文字や寸法の設定をする手間を省いたり、設定の誤りや漏れを防いだりできます。

「図面」－「5th_day」－「MyTemplate.dwt」(完成ファイル)

■テンプレートファイルの作成手順

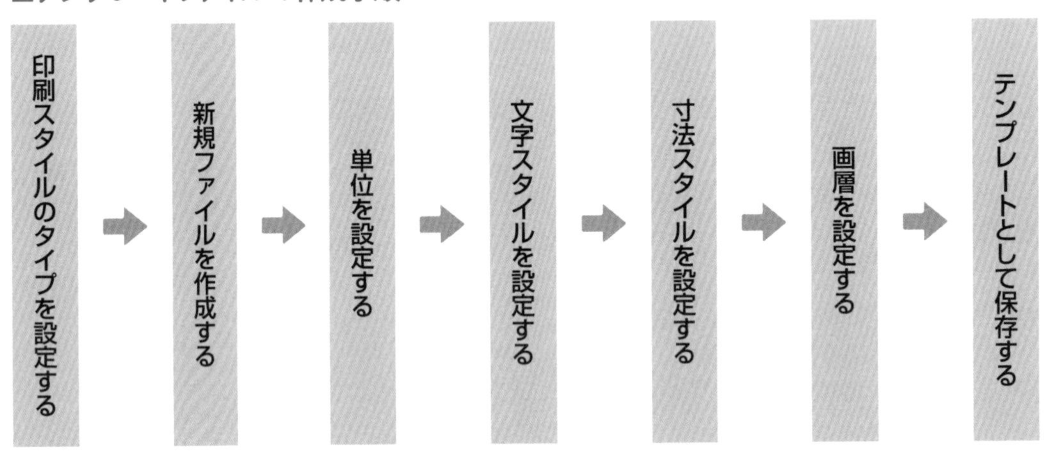

5-8-1 印刷スタイルのタイプを設定する

DraftSightでは、印刷時の線の太さを設定する方法が2種類あります。どちらを使用するかは、新規ファイルを作成する前に指定します。ファイルを一度作成すると変更できません。

❶ 24ページ 1-1-1「DraftSightの起動」を参考に、DraftSightを起動する。

❷ [管理]タブー[カスタマイズ]パネルー[オプション]をクリックする。

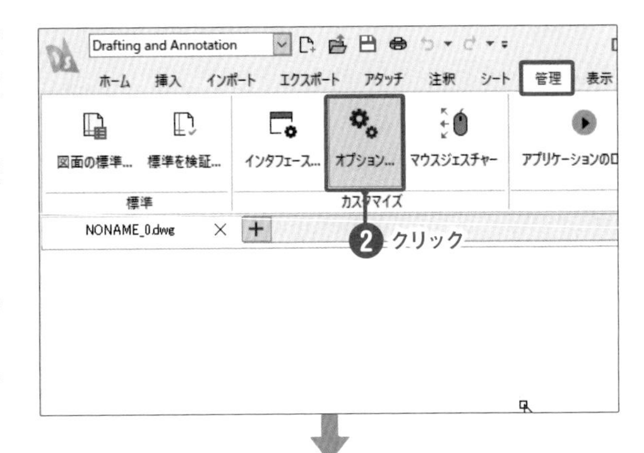

❸ [オプション]ダイアログが表示されるので、[システム オプション]をクリックする。
❹ [印刷]の[+]マークをクリックする。
❺ [デフォルト設定]の[+]マークをクリックする。
❻ [デフォルト タイプ]に[名前指定された印刷スタイルを使用]を選択する。
❼ [OK]ボタンをクリックして[オプション]ダイアログを閉じる。

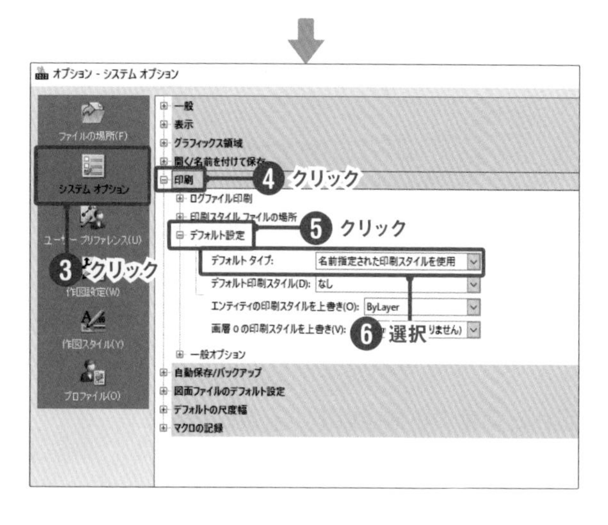

印刷スタイルのタイプが[名前指定された印刷スタイルを使用]に設定されました。

HINT [デフォルト タイプ]の種類

印刷時の線の太さを設定する2種類の方法の内容は下記のとおり。
[色依存の印刷スタイルを使用]:線の色ごとに太さを割り当てる。
[名前指定された印刷スタイルを使用]:印刷スタイルで、画層や線ごとに太さを割り当てる。こちらのほうが自由に線の太さを割り当てることができる。

5-8-2 単位を設定する

長さと角度の精度の小数点以下の桁数を設定します。ここでは、より精密に値を表示するため、小数点以下の桁数を多めに設定しておきます。

❶ 35ページ 1-3-3「新規ファイルを作成する」を参考に、「standardiso.dwt」を作成する。
❷ [管理]タブ－[図面]パネル－[単位...]をクリックする。

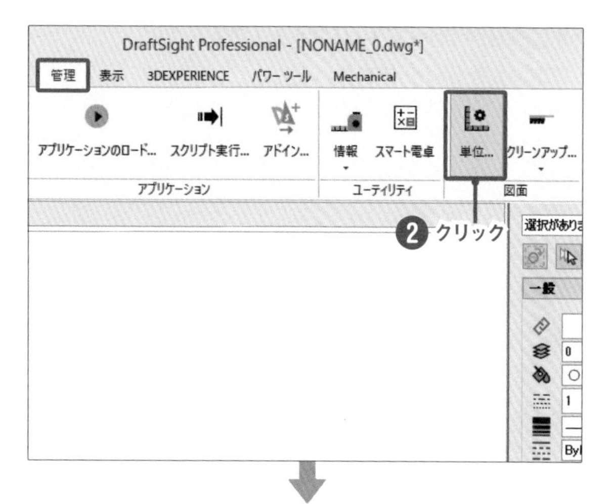

❸ [オプション]ダイアログの[作図設定]が表示される。

❹ [単位系]の[長さ]の[精度]に[0.00000000]を選択する。

❺ [角度]の[精度]に[0.00000000]を選択する。

❻ [OK]ボタンをクリックして[オプション]ダイアログを閉じる。

長さと角度の小数点以下の桁数が設定されました。

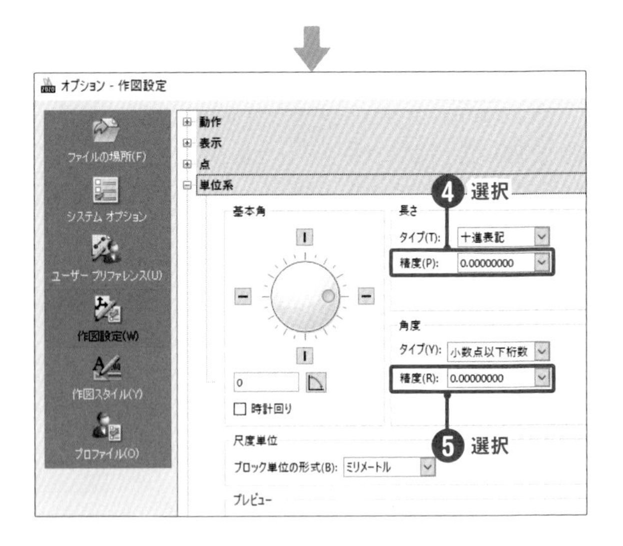

5-8-3 文字スタイルを設定する

「standardiso.dwt」のような標準のテンプレートファイルでは、全角文字はスタイル設定されていません。そこで、全角文字の日本語が使えるようにフォントを「MSゴシック」に変更します。

❶ [注釈]タブ－[文字]パネル－[文字スタイル]をクリックする。

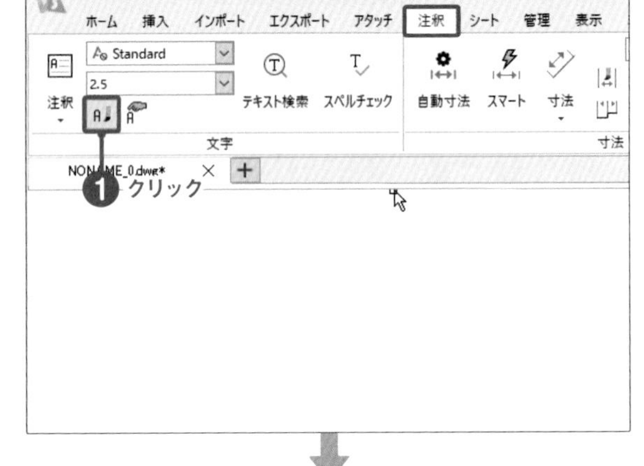

❷ [オプション]ダイアログの[作図スタイル]が表示される。

❸ [文字]の[フォント]に[MSゴシック]を選択する。

❹ [OK]ボタンをクリックして[オプション]ダイアログを閉じる。

文字スタイルがMSゴシックに設定されました。

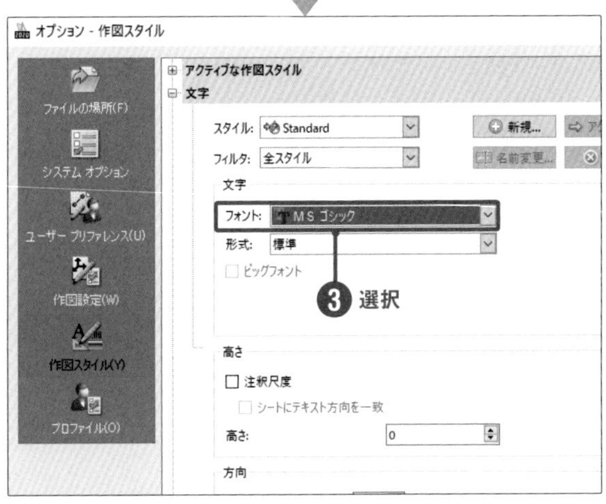

5-8-4 寸法スタイルを設定する

寸法の精度や矢印の形状などを設定し、「DIM」という名称の寸法スタイルを作成します。尺度は後からでも変更できるように「1/1」に設定します。

❶ [注釈]タブー[寸法]パネルー[寸法スタイル]をクリックする。

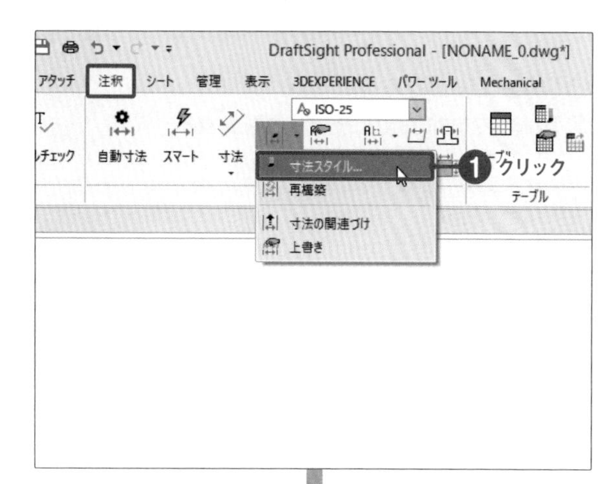

❷ [オプション]ダイアログの[作図スタイル]が表示される。
❸ [寸法]の[スタイル]にある[新規]ボタンをクリックする。

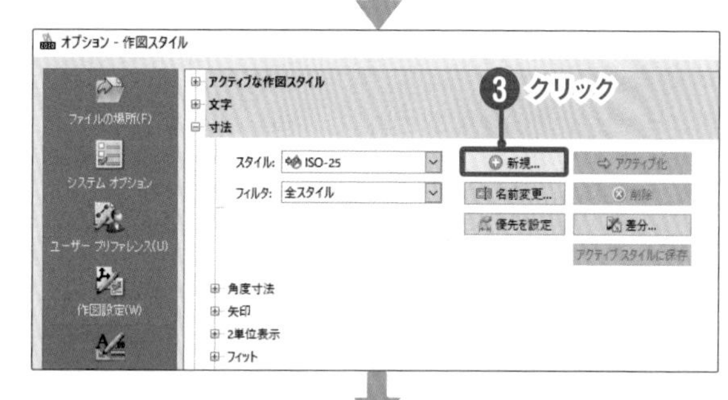

❹ [新規寸法スタイル作成]ダイアログが表示されるので、[名前]に「DIM」と入力する。
❺ [OK]ボタンをクリックしてダイアログを閉じる。

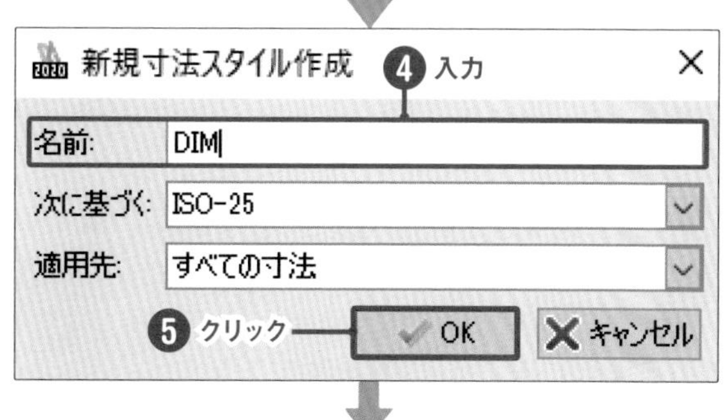

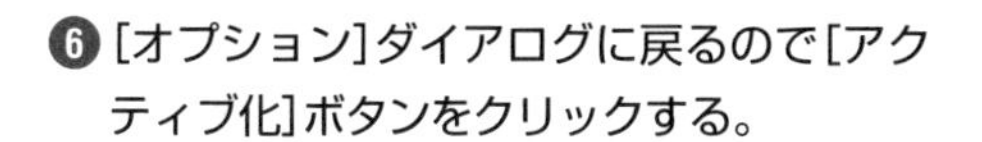
❻ [オプション]ダイアログに戻るので[アクティブ化]ボタンをクリックする。

❼ [角度寸法]の[+]マークをクリックする。
❽ [角度寸法設定]の[+]マークをクリックする。
❾ [精度]に[0.00]を選択する。
❿ [接尾の0を非表示]にチェックを入れる。

⓫ [矢印]の[+]マークをクリックする。
⓬ [開始矢印][終了矢印][引出矢印]に[黒丸]を選択する。
⓭ [サイズ]に「1」を入力する。

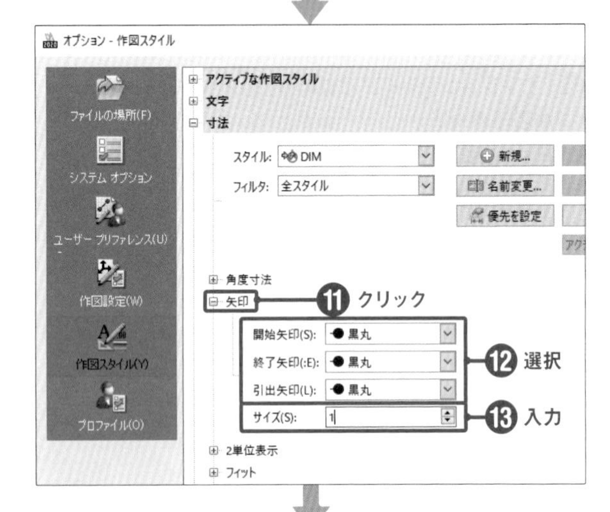

⓮ [フィット]の[+]マークをクリックする。
⓯ [ジオメトリ]の[+]マークをクリックする。
⓰ [補助線の内側に寸法文字を保持]をクリックして選択する。
⓱ [寸法文字]の[+]マークをクリックする。
⓲ [寸法線の上(引出線なし)]をクリックして選択する。
⓳ [寸法尺度]の[+]マークをクリックする。
⓴ [尺度係数]を「1」に設定する。

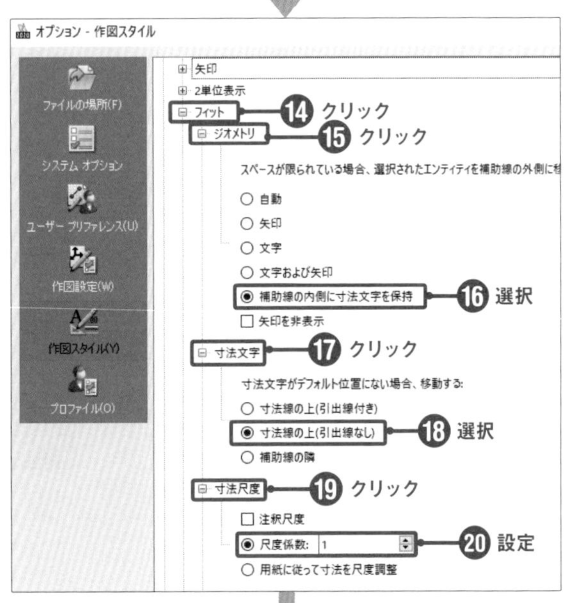

㉑[長さ寸法]の[+]マークをクリックする。
㉒[十進数の区切り]に['.'(ピリオド)]を選択する。

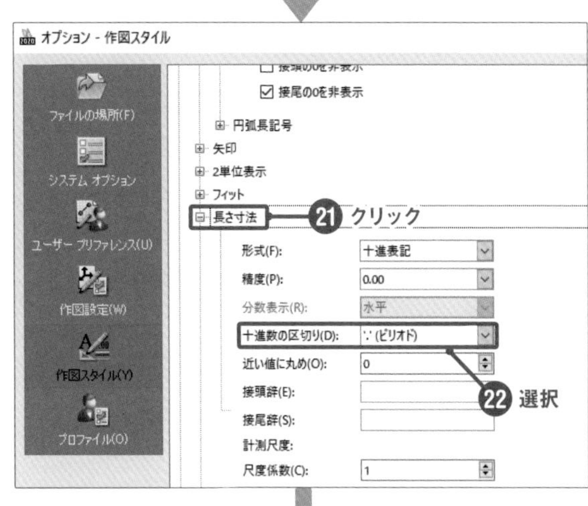

㉓[線分]の[+]マークをクリックする。
㉔[寸法線設定]の[+]マークをクリックする。
㉕[オフセット]に「7」を入力する。
㉖[補助線設定]の[+]マークをクリックする。
㉗[オフセット]に「0」を入力する。
㉘[寸法線を越えた距離]に「0」を入力する。
㉙[OK]ボタンをクリックして[オプション]ダイアログを閉じる。

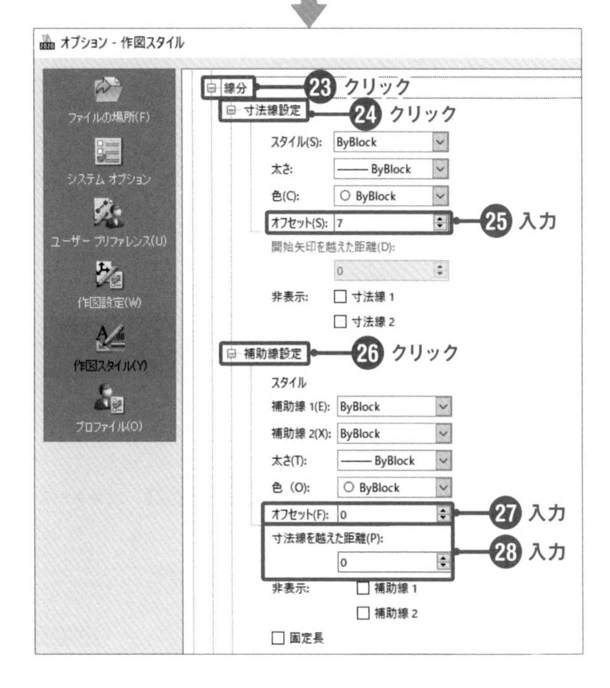

寸法スタイル「DIM」を作成／設定できました。

5-8-5 画層を設定する

画層は、線種やエンティティの種類、図面要素の種類ごとのルールや決まりに基づいて設定する必要があります。ここでは、どのような図面にでも対応しやすいように、線の太さと種類が異なる画層を5種類作成します。

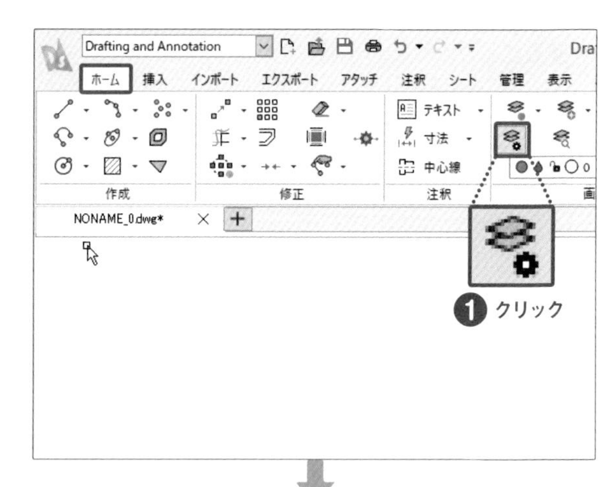

❶ [ホーム]タブ－[画層]パネル－[画層マネージャー]をクリックする。

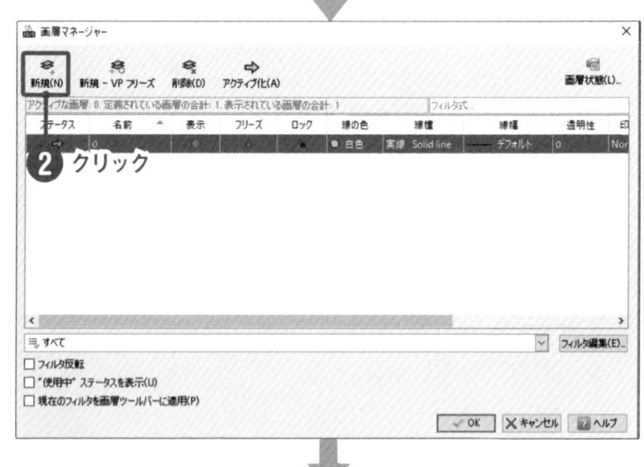

❷ [画層マネージャー]が表示されるので、[新規]をクリックする。

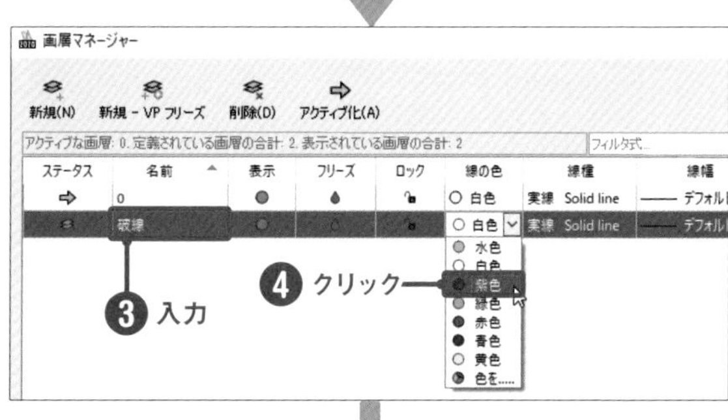

❸ 画層「0」の下に新規の「画層1」が作成されるので、画層名を「破線」に変更する。

❹ [線の色]のプルダウンリストから「紫色」をクリックして選択する。

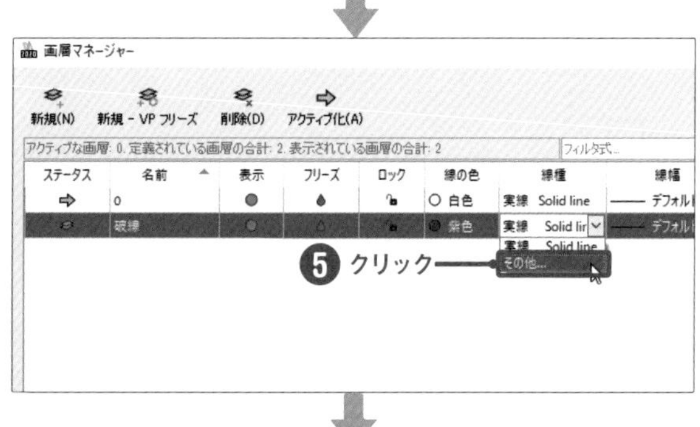

❺ [線種]のプルダウンリストから「その他」をクリックして選択する。

❻ [線種]ダイアログが表示される。リストには実線しかないので、ほかの線の種類(ここでは、破線)を読み込むために[ロード]をクリックする。

❼ [線種をロード]ダイアログが表示されるので、[HIDDEN]をクリックして選択状態にする。

❽ [OK]ボタンをクリックして[線種をロード]ダイアログボックスを閉じる。

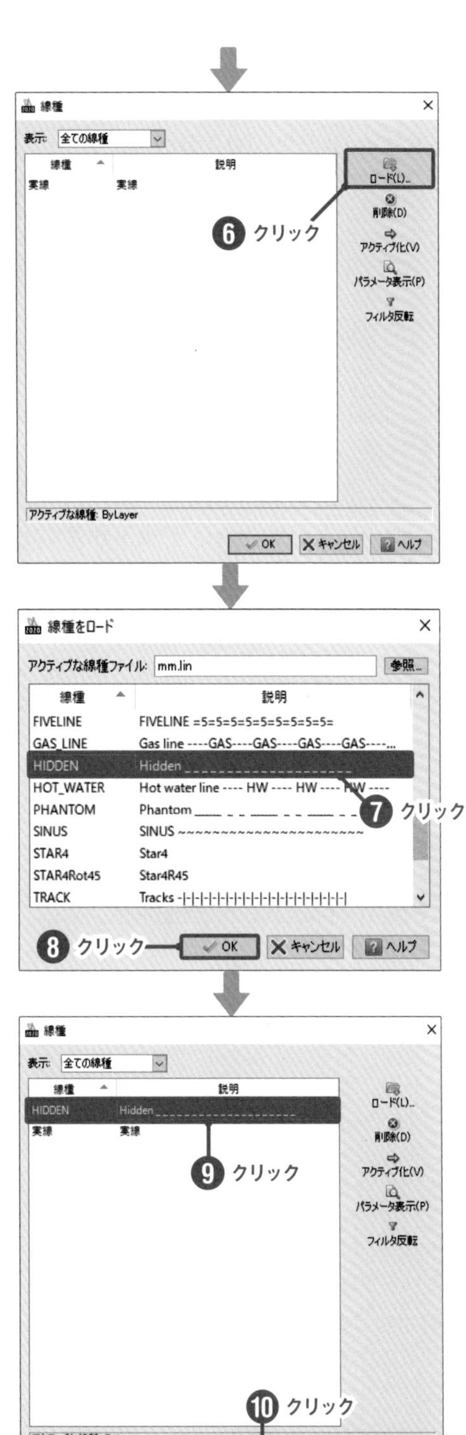

❾ [線種]ダイアログに戻り、[HIDDEN]がリストに追加されているのでクリックして選択状態にする。

❿ [OK]ボタンをクリックして[線種]ダイアログを閉じる。

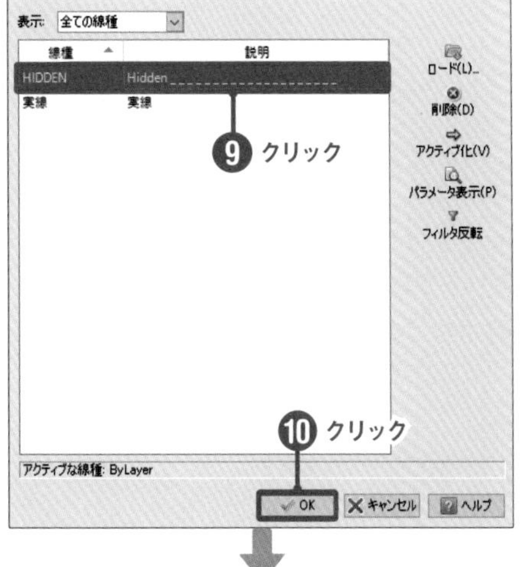

⓫ [画層マネージャー]に戻るので、[線幅]のプルダウンリストから「0.15㎜」をクリックして選択する。

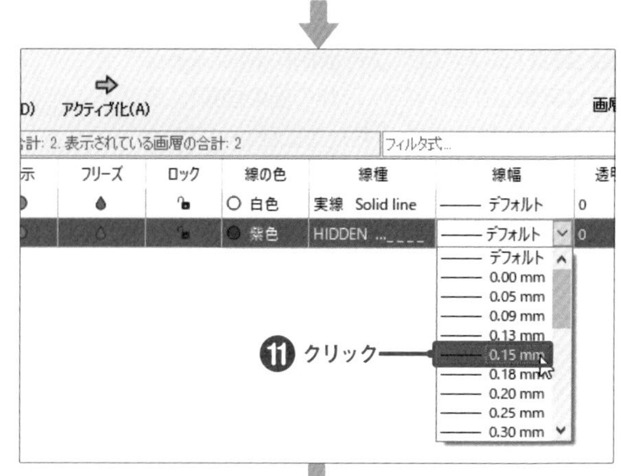

⓬ [印刷スタイル]のプルダウンリストから「その他」をクリックして選択する。

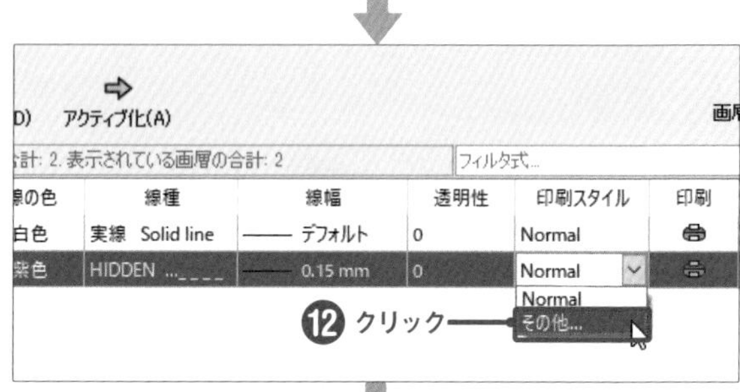

⓭ [印刷スタイル]ダイアログが表示されるので、[印刷スタイル ファイル]のプルダウンリストから「monochrome.stb」をクリックして選択する。

⓮ [Style_1]がリストに追加されているので、クリックして選択状態にする。

⓯ [OK]ボタンをクリックして[印刷スタイル]ダイアログを閉じる。

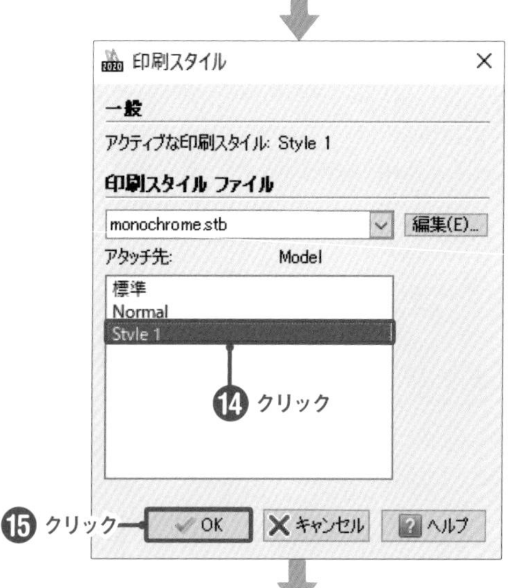

⑯[画層マネージャー]に戻り、[印刷スタイル]が「Style_1」になっていることが確認できる。

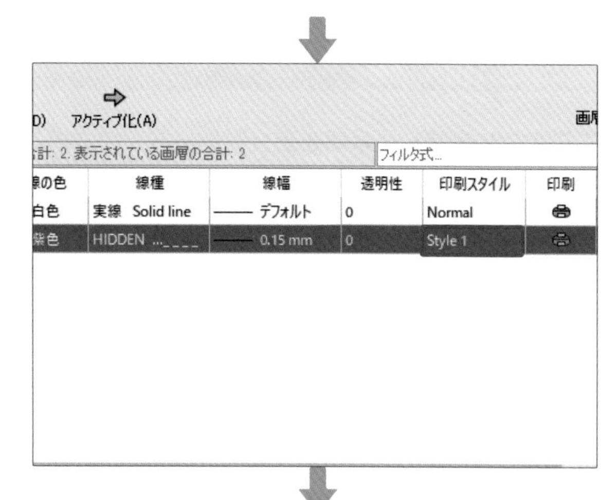

画層「破線」を作成できました。
同様の手順で、ほかの画層も下記のように設定します。画層の作成が終わったら、[OK]ボタンをクリックして[画層マネージャー]を閉じます。

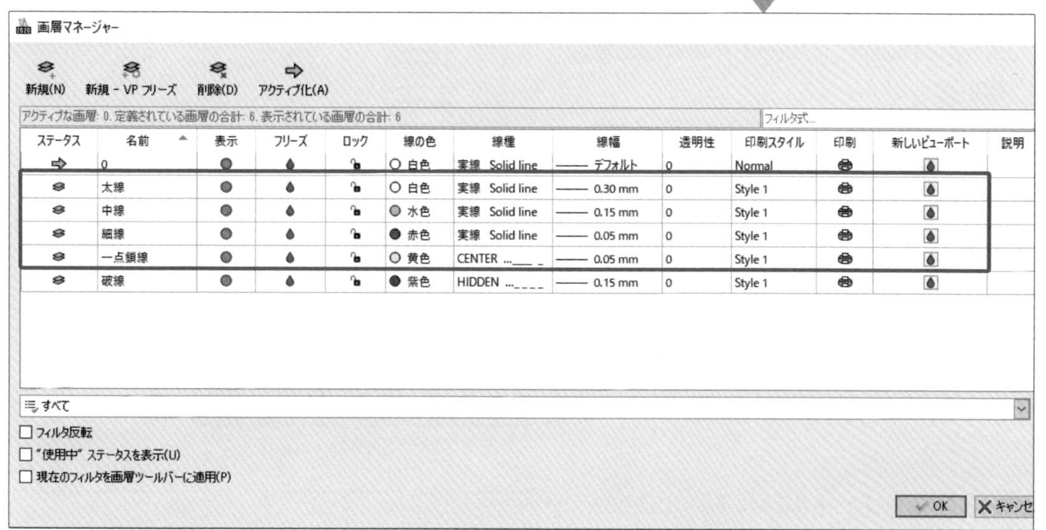

画層「太線」▶[線の色]:「白色」、[線種]:「実線」、[線幅]:「0.30mm」、[印刷スタイル]:「Style_1」
画層「中線」▶[線の色]:「水色」、[線種]:「実線」、[線幅]:「0.15mm」、[印刷スタイル]:「Style_1」
画層「細線」▶[線の色]:「赤色」、[線種]:「実線」、[線幅]:「0.05mm」、[印刷スタイル]:「Style_1」
画層「一点鎖線」▶[線の色]:「黄色」、[線種]:「CENTER」、[線幅]:「0.05mm」、[印刷スタイル]:「Style_1」

5-8-6 テンプレートとして保存する

ここまでに設定した状態をテンプレートファイルとして保存します。

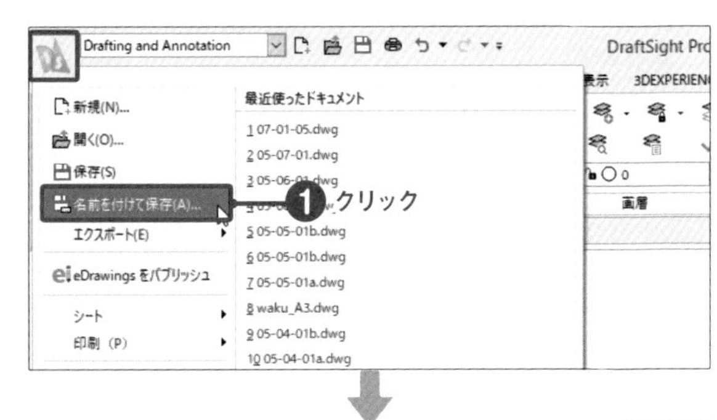

❶ [アプリケーション]ボタンー[名前を付けて保存]をクリックして選択する。

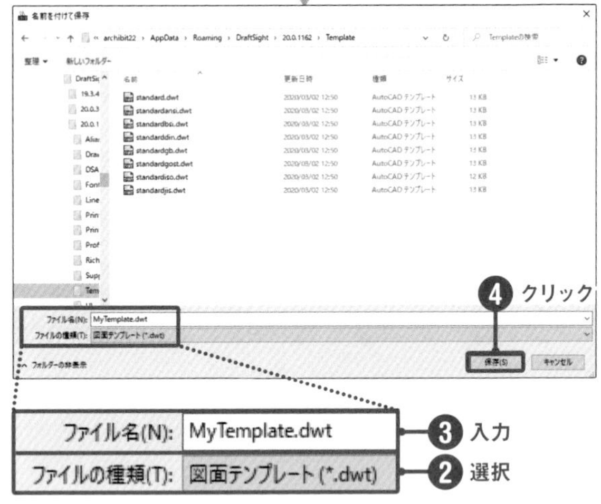

❷ [名前を付けて保存]ダイアログが表示されるので、[ファイルの種類]のプルダウンリストから「図面テンプレート(*.dwt)」を選択する。

❸ [ファイル名]に「MyTemplate.dwt」と入力する。

❹ [保存]ボタンをクリックする。

テンプレートファイル「MyTemplate.dwt」が保存されました。新規ファイルを開くとき(35ページ 1-3-3「新規ファイルを作成する」参照)に表示される[テンプレートを指定]ダイアログに「My Template.dwt」が表示されます。選択して[開く]ボタンをクリックすると、このテンプレートを使用できます。

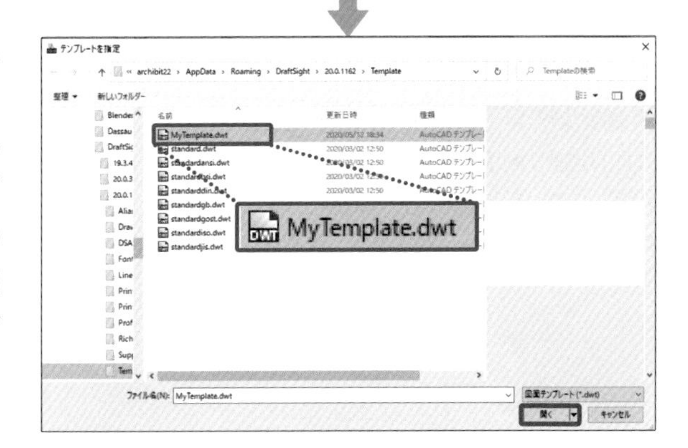

Day

6

印刷と
データ変換
を行う

Day 6

印刷とデータ変換を行う

６日目は、印刷とデータ変換を行う方法について解説します。DraftSightの印刷は、[モデル]タブと[シート]タブで設定が異なるので、仕組みをしっかり理解しましょう。

6-1 ● DraftSightの印刷の基本

- モデルとシートについて
- 印刷手順
- 印刷コンフィギュレーションについて
- 印刷スタイルについて

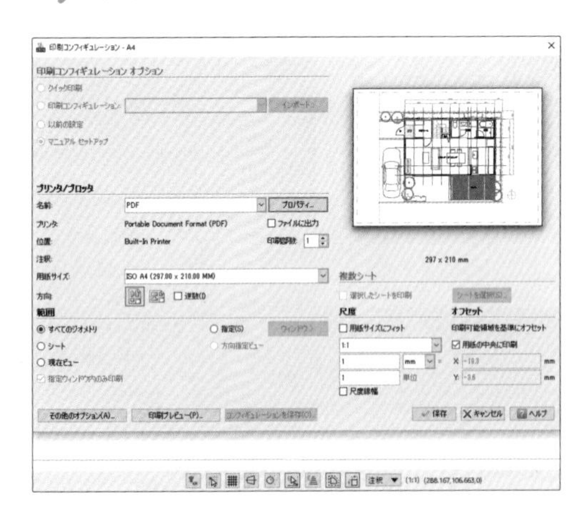

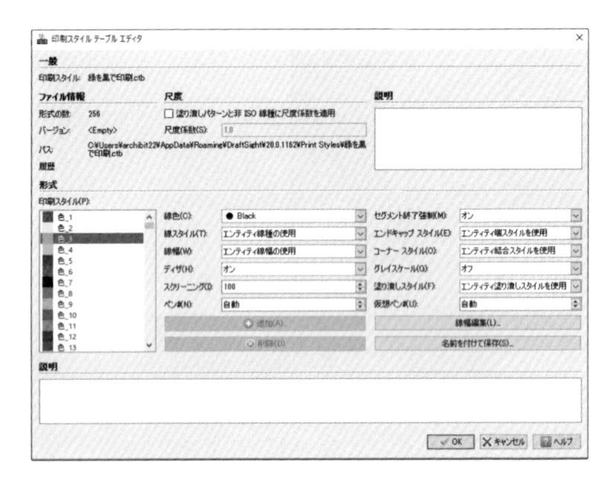

6-2 ● [モデル]タブでの印刷

- [モデル]タブでの印刷手順

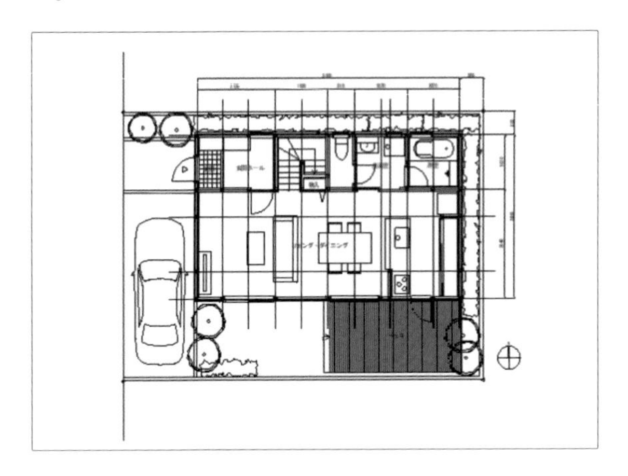

6-3 ● [シート]タブでの印刷

→ [シート]タブでの印刷手順

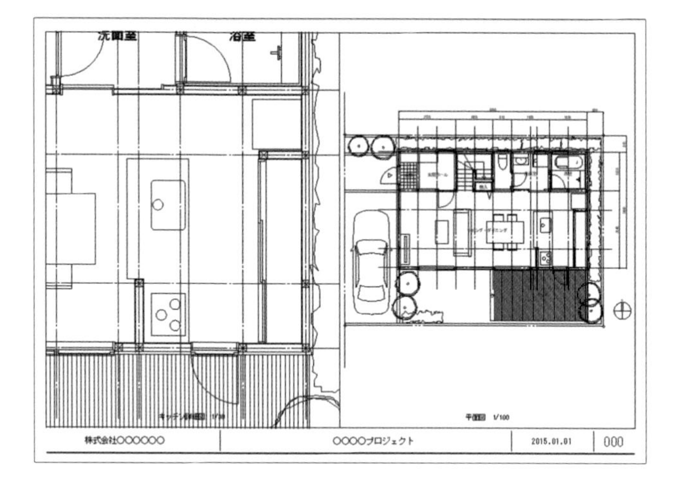

6-4 ● データ変換

→ DXFファイルで保存する

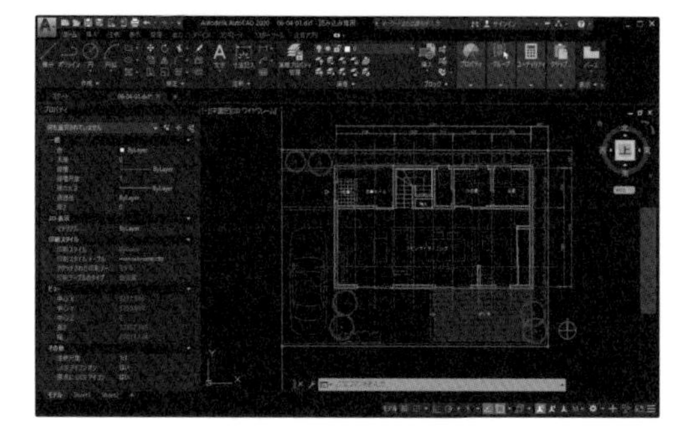

→ PDFファイルで書き出す

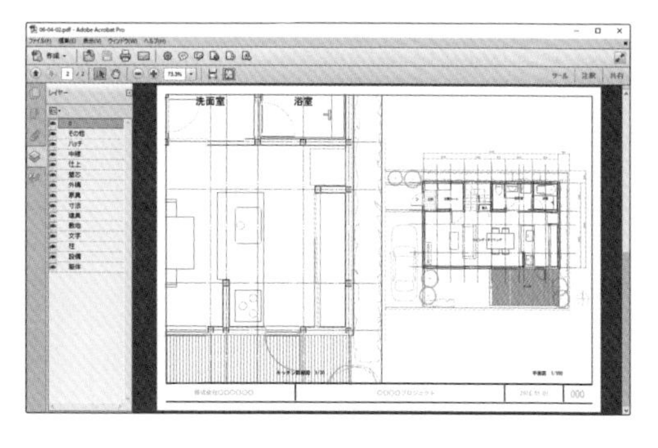

6-1 DraftSightの印刷の基本

DraftSightの印刷は、「モデル」と「シート」、印刷設定、ペンの設定などが絡み合っているため、複雑に思えるかもしれません。しかし、ポイントとなる「印刷コンフィギュレーション」や「印刷スタイル」を理解すれば、効率よく印刷できるようになります。実際に印刷作業に入る前に、ここで大まかな印刷の流れとポイントについて解説します。

6-1-1 モデルとシート

DraftSightには、「モデル」と「シート」という2種類のグラフィックス領域があり、表示の切り替えは画面下のタブで行います。

「モデル」は、作図を行う場所です。「シート」は、「モデル」で作成した図面を配置し、タイトルや部品リスト、凡例、注釈などを加えて設計資料やプレゼンテーション資料化する場所です。「モデル」で作図した図面を「シート」に配置する際に使う枠を「ビュータイル」といいます。尺度や画層設定を変えたビュータイルを作成して、さまざまな尺度の図面を1枚のシートにレイアウトしたり、部分的に表示して詳細図を描くことができます。ビュータイルを使うと縮尺を変えることができるので、「モデル」では縮尺を気にせず原寸で作図します。

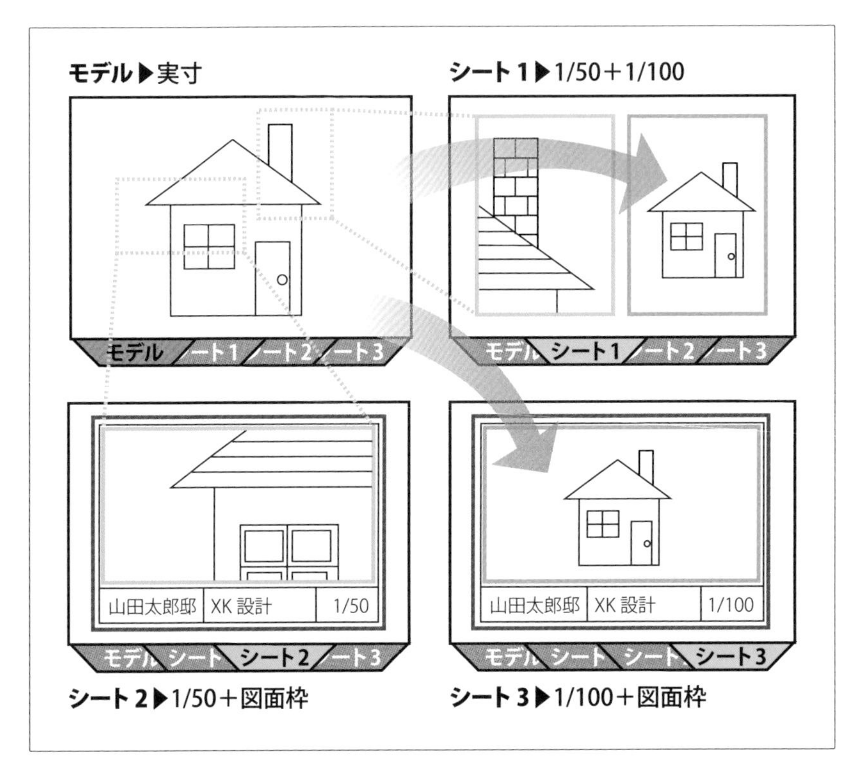

モデルとシートの概念図。黄緑色の枠は尺度1/50の図面、オレンジ色の枠は尺度1/100の図面、紫色の枠は図面枠の「ビュータイル」を表す。

6-1-2 印刷手順

前項で解説したとおり、作図は[モデル]タブで行い、[シート]タブで設計資料やプレゼン資料用に図面を仕上げます。[モデル]タブと[シート]タブでは、それぞれ印刷の手順が異なります。大まかな流れは下記のとおりです。[シート]タブで印刷をする場合は、ビュータイルを作成してシートに図面をレイアウトする必要があり、[モデル]タブでの印刷よりも工程が多くなります。

■モデルの印刷手順

[印刷]ダイアログでプリンタ、用紙、縮尺などを設定する

↓

[印刷スタイルテーブル]でペンを設定する(212ページ 6-1-4「印刷スタイル」参照)

↓

印刷を実行する

■シートの印刷手順

シートに図面をレイアウトする

↓

[印刷コンフィギュレーション]でシートの用紙を設定する
(208ページ 6-1-3「印刷コンフィギュレーション」参照)

ビュータイルを作成する

↓

[印刷]ダイアログでプリンタ、用紙、縮尺を設定する

↓

[印刷スタイルテーブル]でペンを設定する(212ページ 6-1-4「印刷スタイル」参照)

↓

印刷を実行する

6-1-3 印刷コンフィギュレーション

「図面」－「6th_day」－「06-01-03a.dwg」(作図前)
「06-01-03b.dwg」(作図後)
「A4.cfg」(設定ファイル)

[シート]タブで図面をレイアウトするには、あらかじめ[印刷コンフィギュレーション マネージャー]で、画面上の用紙の設定を行う必要があります。印刷コンフィギュレーションの設定はファイル(*.cfg)として保存できるため、よく使う設定を保存しておくことで、印刷のたびに設定を行う手間を省くことができます。

ここでは、A4サイズの画面上の用紙に1/1の尺度で印刷される「A4」という印刷コンフィギュレーションを作成します。

❶ 33ページ 1-3-1「既存ファイルを開く」を参考に、「06-01-03a.dwg」を開く。
❷ [Sheet1]タブをクリックする。

シートが表示されます。白い長方形は「画面上の用紙」、破線の矩形は「印刷範囲」、図面が収まっている実線の矩形は「ビュータイル」をそれぞれ表します。

❸ [Sheet1]タブを右クリックする。
❹ 表示されるコンテキストメニューの[印刷コンフィギュレーション マネージャー]をクリックする。

❺ [印刷コンフィギュレーション マネージャー]ダイアログが表示されるので、[新規]ボタンをクリックする。

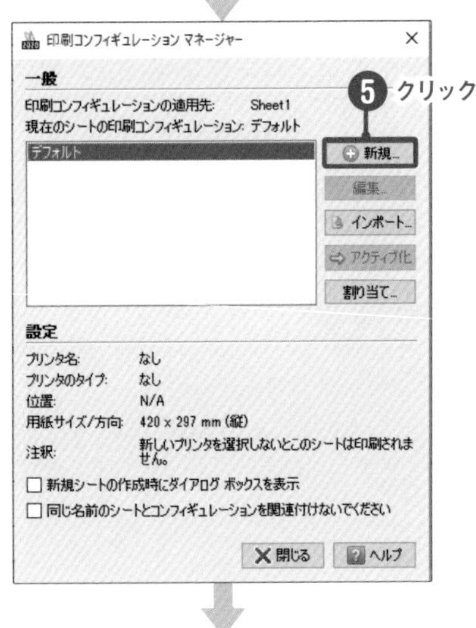

❻［新しい印刷コンフィギュレーション］ダイアログが表示されるので、［デフォルト］が選択状態になったままで［OK］ボタンをクリックする。

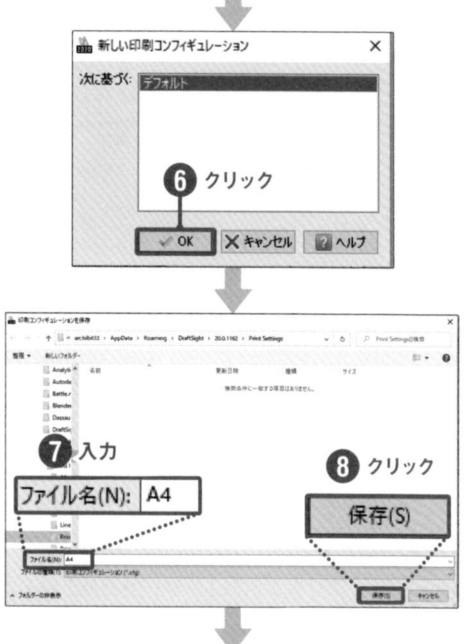

❼［印刷コンフィギュレーションを保存］ダイアログが表示されるので、ファイル名に「**A4**」と入力する。

❽［保存］ボタンをクリックする。

❾［印刷コンフィギュレーション］ダイアログが表示されるので、［プリンタ/プロッタ］にある［名前］プルダウンリストで［PDF］を選択する。

❿右上の［プレビュー］を見ると、図面が用紙内に収まっていないので、設定を行うために［プロパティ］ボタンをクリックする。

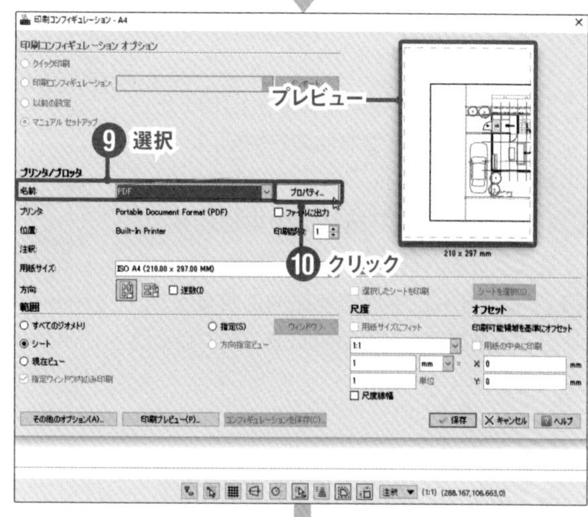

⓫［PDF：ユーザー定義用紙サイズ］ダイアログが表示されるので、リストで［ISO_A4_(297.00_x_210.00_MM)］をクリックして選択状態にする。

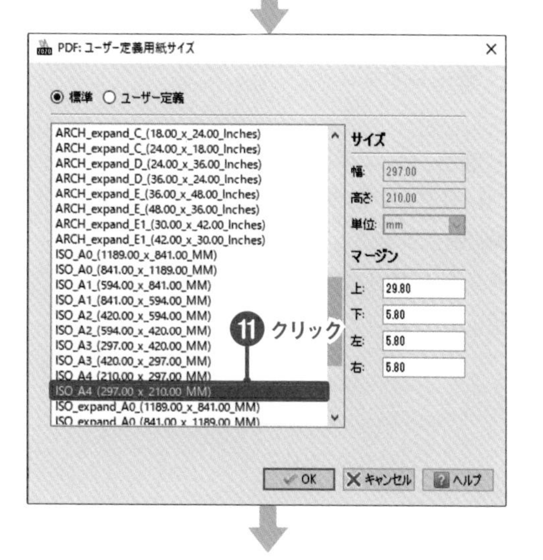

⓬［マージン］の［上］の値に、ほかと同じ「5.80」を入力して変更する。

⓭［OK］ボタンをクリックする。

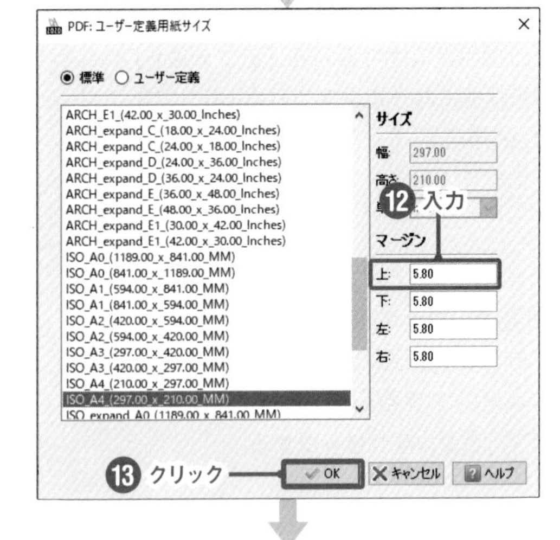

⓮［印刷コンフィギュレーション］ダイアログに戻るので、［プリンタ/プロッタ］の［方向］で［縦］をクリックして選択する。

⓯［範囲］の［すべてのジオメトリ］をクリックして選択する。

⓰［尺度］の［用紙サイズにフィット］のチェックを外し、プルダウンリストから［1：1］を選択する。

⓱［オフセット］の［用紙の中央に印刷］にチェックを入れる。

⓲［プレビュー］で図面が用紙内に収まっていることを確認して［保存］ボタンをクリックする。

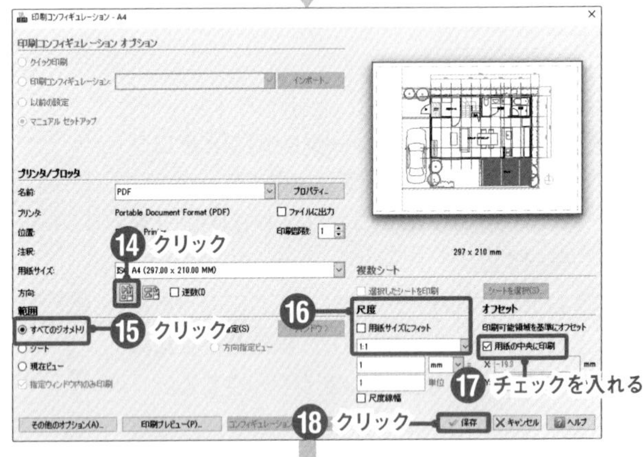

リストに「A4」が追加され、新しい印刷コンフィギュレーションを作成できたことがわかります。「A4」を印刷時の用紙設定として適用します。

⓳［印刷コンフィギュレーション マネージャー］ダイアログに戻るので、作成した「A4」をクリックして選択状態にする。

⓴［アクティブ化］ボタンをクリックする。

㉑［閉じる］ボタンをクリックする。

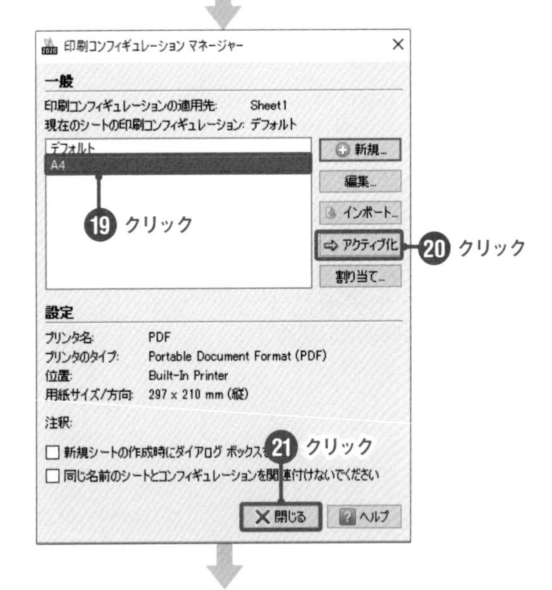

グラフィックス領域を確認すると、画面上の用紙の大きさや印刷範囲などが変更されたことがわかります。「A4」という名前の印刷コンフィギュレーションを適用できました。

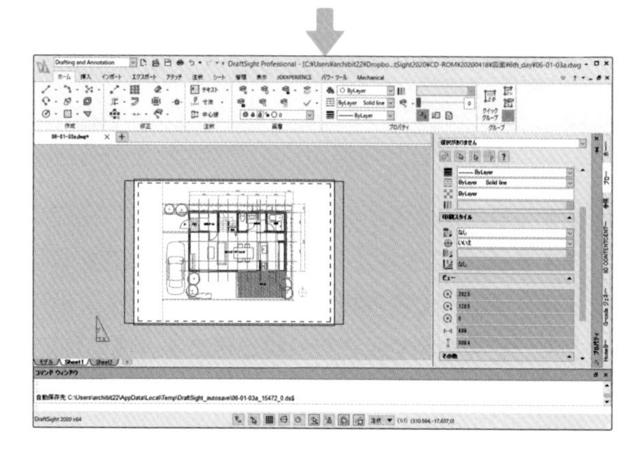

HINT 印刷コンフィギュレーションを[モデル]タブで作成／利用する

印刷コンフィギュレーションは基本的に[シート]タブで印刷を行うときに利用する機能だが、[モデル]タブでも作成して利用できる。よく使う印刷設定などを忘れないように保存しておくとよいだろう。ただし、[シート]タブで作成した印刷コンフィギュレーションは[モデル]タブでは使えないので、同じものを使いたいときは[モデル]タブで再度作成する必要がある。その逆も同じで、[モデル]タブで作成した印刷コンフィギュレーションは[シート]タブでは使うことができない。

HINT 印刷コンフィギュレーションファイルの受け渡し

印刷コンフィギュレーションを設定したファイルをほかの人に受け渡す際には、印刷コンフィギュレーションのファイルも一緒に渡す必要がある。ファイルが保存されている場所の確認方法は、[アプリケーション]ボタン－[オプション]を選択して表示される[オプション]ダイアログで、[ファイルの場所]を表示し、[図面サポート]－[印刷設定の場所]を展開すると表示される。

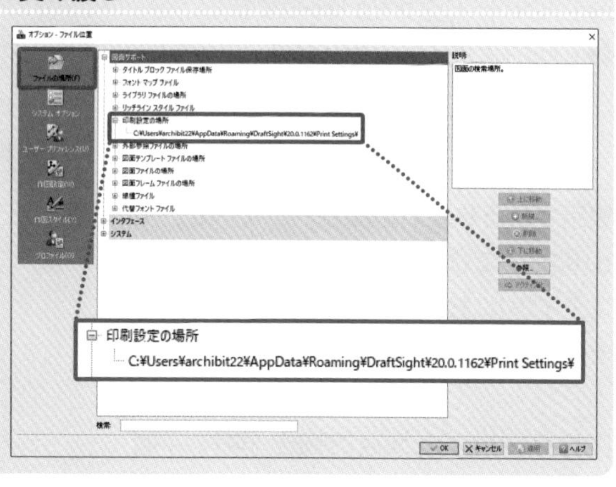

6-1-4 印刷スタイル

「図面」-「6th_day」-「06-01-04_ctb.dwg」
「06-01-04_stb.dwg」

印刷する際の線の太さや色は「印刷スタイル」で設定でき、設定は印刷スタイルファイルとして保存できます。印刷スタイルファイルには、「色依存の印刷スタイル(*.ctb)」と「名前指定された印刷スタイル(*.stb)」の2種類があります。「色依存の印刷スタイル」は、画面上に表示されている線の色ごとに印刷時の色や太さを分類できます。「名前指定された印刷スタイル」は、画層ごとに印刷スタイルを分類できます。

どちらのスタイルを使うかはファイルを新規作成する前に設定する必要があり(192ページ 5-8-1「印刷スタイルのタイプを設定する」参照)、後からは変更できないので注意が必要です。

ここでは、ファイルの印刷スタイルがどちらに設定されているのかを確認する方法と、それぞれの印刷スタイルで線の色と太さを設定する方法を解説します。

1 印刷スタイルの確認方法

1. 33ページ 1-3-1「既存ファイルを開く」を参考に、「06-01-04_ctb.dwg」を開く。
2. [モデル]タブをクリックする。
3. [プロパティ]タブをクリックする。
4. [プロパティ]パレットの[印刷スタイル]-[テーブル]の[▼]をクリックしてプルダウンリストを表示する。

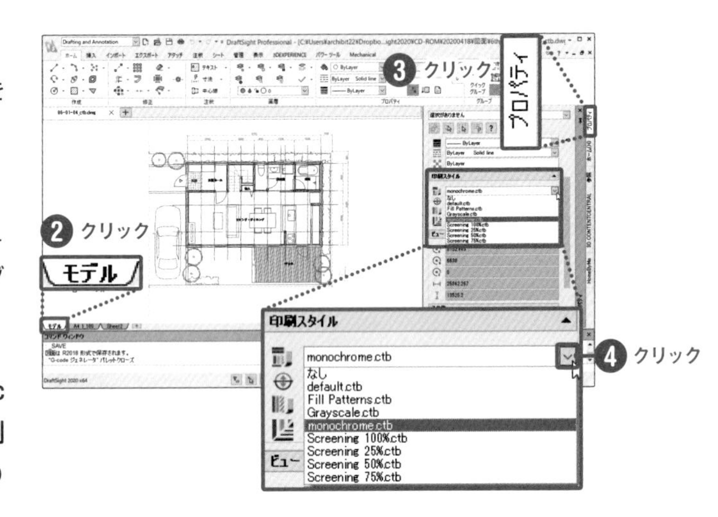

表示されるリストの拡張子がすべて「*.ctb」になっていることから、「色依存の印刷スタイル」に設定されていることがわかります。

「06-01-04_stb.dwg」を開き、同様の手順で確認すると、リストの拡張子が「*.stb」になっていることから、「名前指定された印刷スタイル」に設定されていることがわかります。

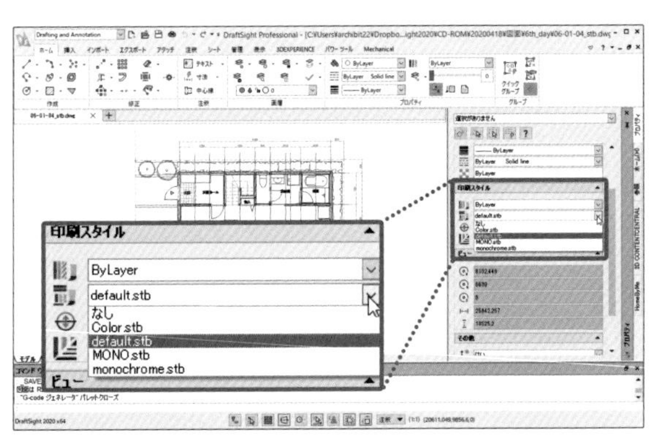

HINT システム変数で印刷スタイルを確認する

システム変数でも、印刷スタイルの種類を確認できる。コマンドウィンドウに「enblstbs」と入力して Enter キーを押し、結果が「0」の場合は「名前指定された印刷スタイル」で、「1」の場合は「色依存の印刷スタイル」で設定されている。

コマンド ウィンドウ
: «キャンセル»
: ENBLSTBS
ENBLSTBS = 0 (読み取り専用)

2「色依存の印刷スタイル」の場合

「色依存の印刷スタイル」の場合の設定方法を解説します。ここでは、画面上に緑色で作図されている線を黒色で印刷するように設定します。

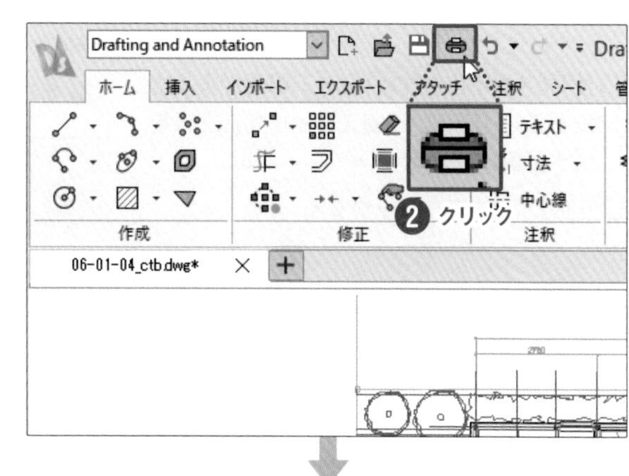

❶ 33ページ 1-3-1「既存ファイルを開く」を参考に、「06-01-04_ctb.dwg」を開く。

❷ クイックアクセスツールバーの[印刷]をクリックする。

最後に印刷プレビューで設定した印刷スタイルを確認するため、用紙などの設定をしておきます。

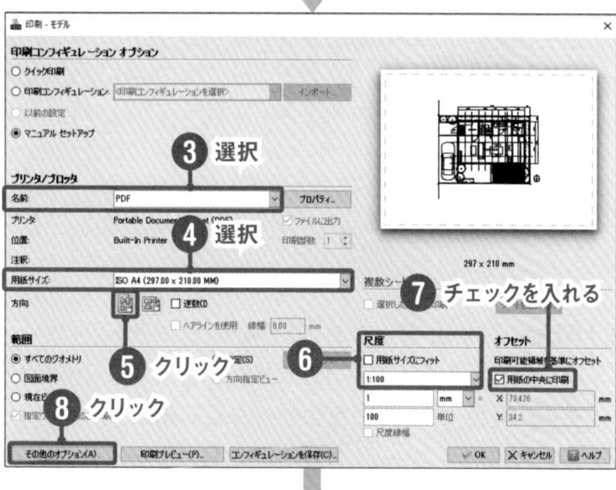

❸ [印刷]ダイアログが表示されるので、[プリンタ/プロッタ]にある[名前]プルダウンリストで[PDF]を選択する。

❹ [用紙サイズ]に[ISO A4 (297.00 x 210.00 MM)]を選択する。

❺ [方向]の[縦]をクリックして選択する。

❻ [尺度]の[用紙サイズにフィット]のチェックを外し、[1:100]を選択する。

❼ [オフセット]の[用紙の中央に印刷]にチェックを入れる。

印刷スタイルを作成します。

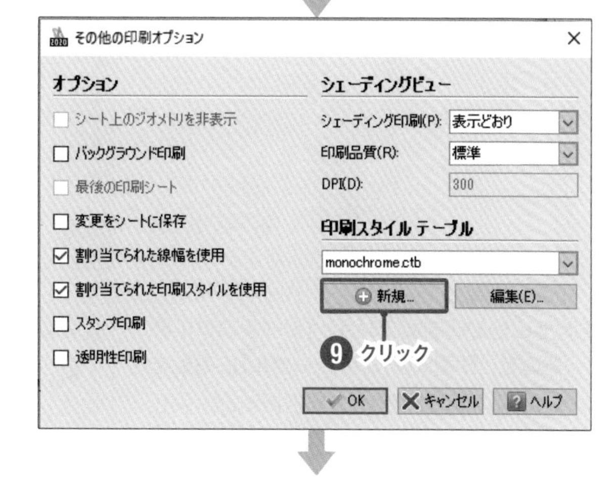

❽ [その他のオプション]ボタンをクリックする。

❾ [その他の印刷オプション]ダイアログが表示されるので、[印刷スタイル テーブル]の[新規]ボタンをクリックする。

❿ [印刷スタイルを作成]ダイアログが表示されるので、[新しい印刷スタイル名]に「緑を黒で印刷」と入力する。
⓫ [OK]ボタンをクリックする。

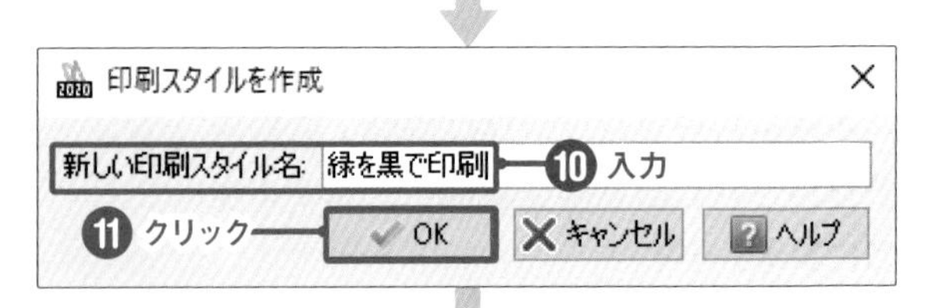

⓬ [その他の印刷オプション]ダイアログに戻ると、[印刷スタイル テーブル]に新しい印刷スタイルファイル「緑を黒で印刷.ctb」が選択されている。設定内容は初期設定の「default.ctb」と同じになっているので、設定を変更するため[編集]ボタンをクリックする。

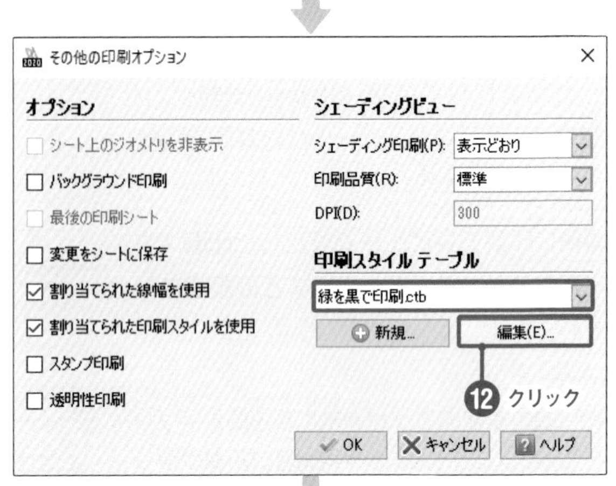

⓭ [印刷スタイル テーブル エディタ]ダイアログが表示されるので、[形式]の[印刷スタイル]の[色_3](緑色)をクリックして選択状態にする。
⓮ [線色]に[Black]を選択する。
⓯ [OK]ボタンをクリックする。

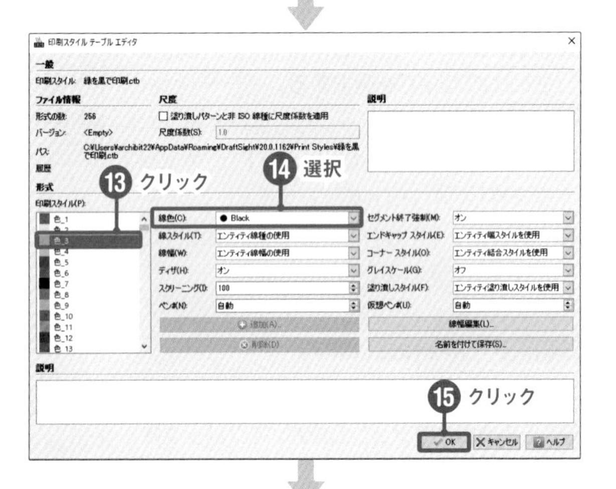

⓰ [その他の印刷オプション]ダイアログに戻るので、[印刷スタイル テーブル]に編集をした「緑を黒で印刷.ctb」を選択する。
⓱ [OK]ボタンをクリックする。

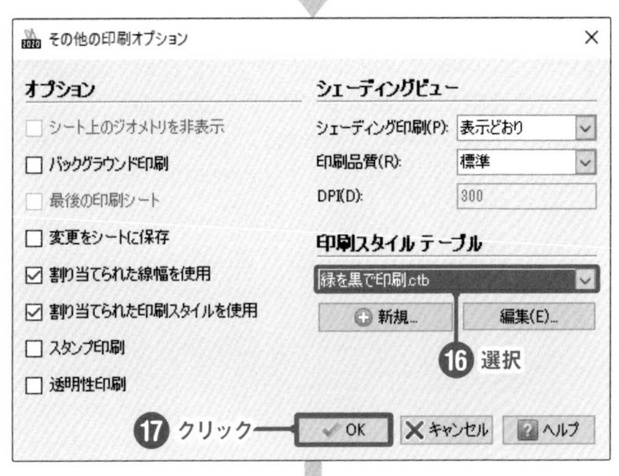

⑱ [印刷]ダイアログに戻るので、[印刷プレビュー]ボタンをクリックする。

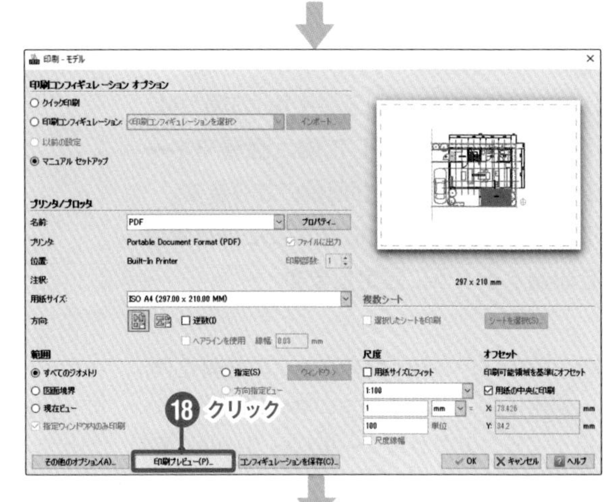

⑲ [印刷プレビュー]が表示される。

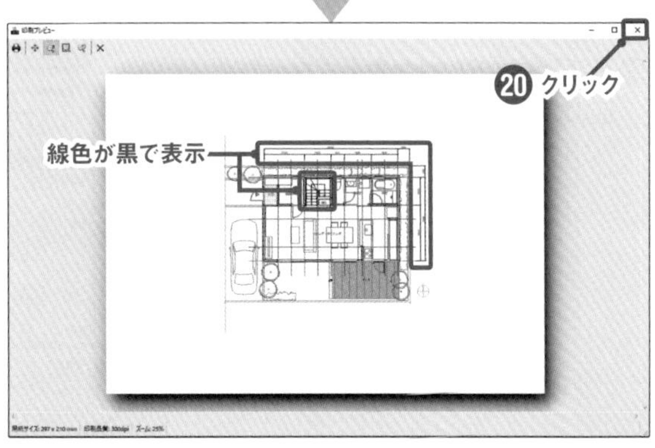

印刷プレビューと下の「画面上の表示」を比べると、画面上の表示では緑色になっている階段と寸法線が、印刷プレビューでは黒色に設定されていることがわかります。

⑳ [閉じる]ボタンをクリックして[印刷プレビュー]を閉じる。

㉑ [印刷]ダイアログに戻るので、[キャンセル]ボタンをクリックして閉じる。

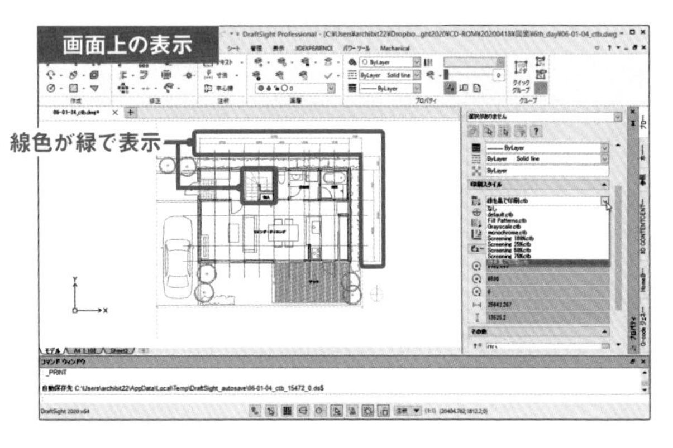

新しい印刷スタイル「緑を黒で印刷.ctb」を作成できました。

3「名前指定された印刷スタイル」の場合

「名前指定された印刷スタイル」の場合は、印刷スタイルを設定した後、[画層マネージャー]での設定変更が必要になります。ここでは、画層「寸法」に描かれた線を黒色で印刷するように設定します。

❶33ページ 1-3-1「既存ファイルを開く」を参考に、「06-01-04_stb.dwg」を開く。

❷クイックアクセスツールバーの[印刷]をクリックする。

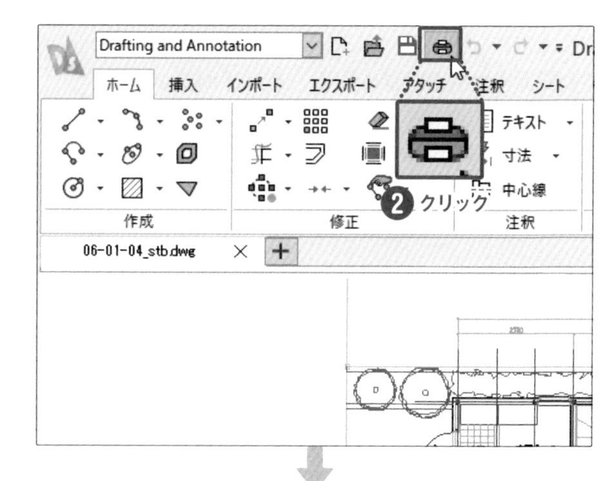

❸[印刷]ダイアログが表示されるので、[その他のオプション]ボタンをクリックする。

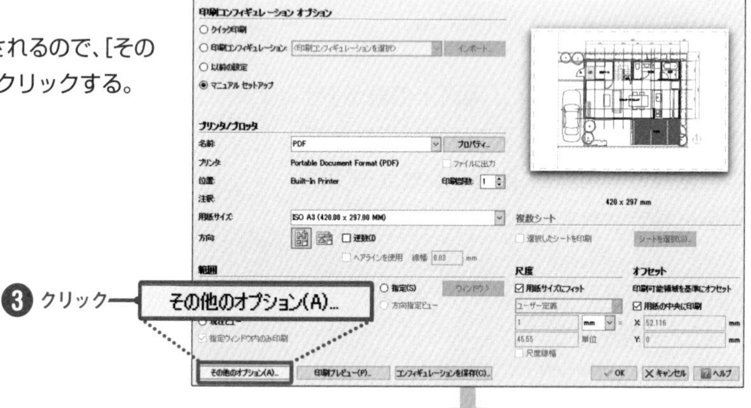

❹[その他の印刷オプション]ダイアログが表示されるので、[新規]ボタンをクリックする。

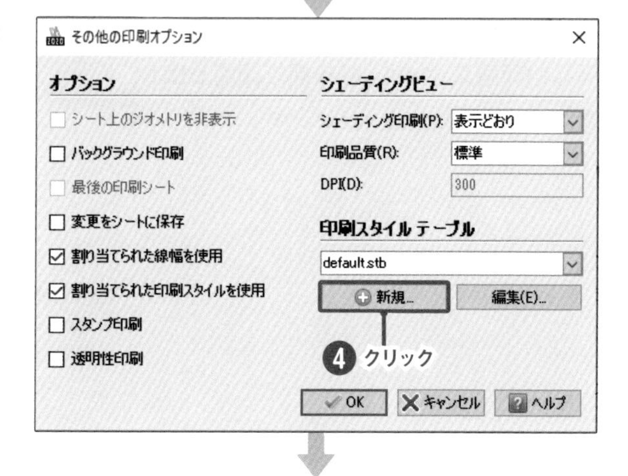

❺［印刷スタイルを作成］ダイアログが表示されるので、［新しい印刷スタイル名］に「Blackのみ黒で印刷」と入力する。
❻［OK］ボタンをクリックする。

❼［その他の印刷オプション］ダイアログに戻ると、［印刷スタイル テーブル］に新しい印刷スタイルファイル「Blackのみ黒で印刷.stb」が選択されている。設定内容は初期設定の「default.stb」と同じになっているので、設定を変更するため［編集］ボタンをクリックする。

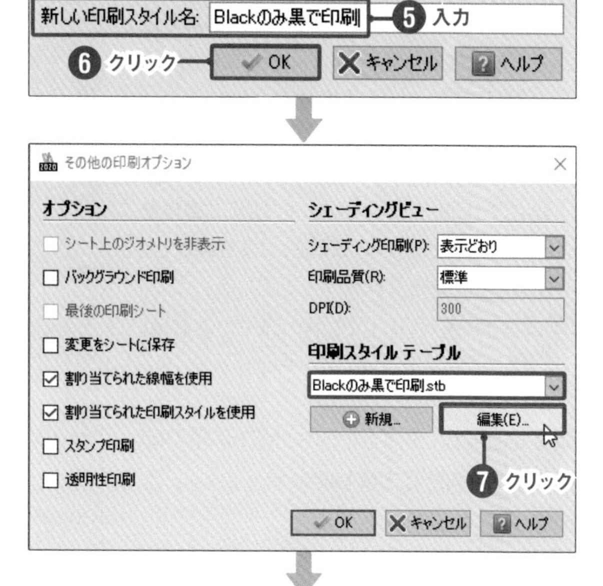

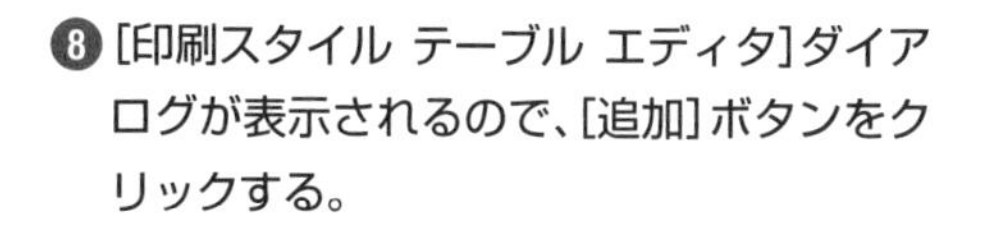
❽［印刷スタイル テーブル エディタ］ダイアログが表示されるので、［追加］ボタンをクリックする。

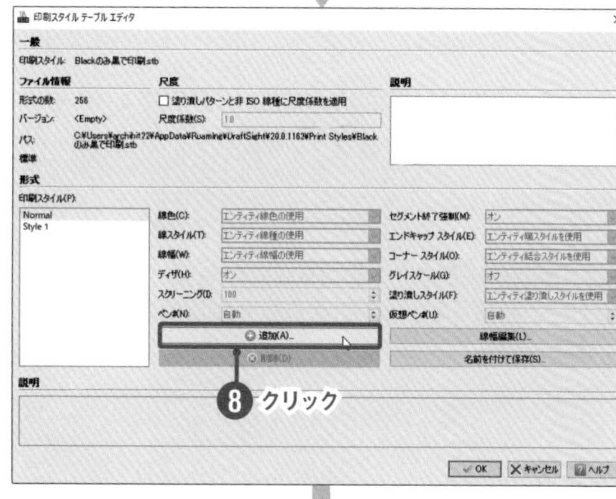

❾［印刷スタイル追加］ダイアログが表示されるので、［印刷スタイル名］に「Black」と入力する。
❿［OK］ボタンをクリックする。

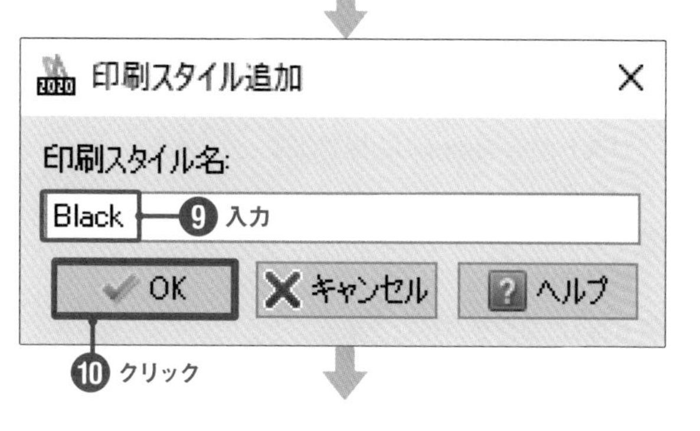

⑪ [印刷スタイル テーブル エディタ]ダイアログに戻る。[形式]の[印刷スタイル]に[Black]が追加されるのでクリックして選択状態にする。

⑫ [線色]に[Black]を選択する。

⑬ [OK]ボタンをクリックする。

⑭ [その他の印刷オプション]ダイアログに戻るので[印刷スタイル テーブル]に編集をした「Blackのみ黒で印刷.stb」を選択し、[OK]ボタンをクリックして閉じる。

⑮ [印刷]ダイアログに戻るので[キャンセル]ボタンをクリックして閉じる。

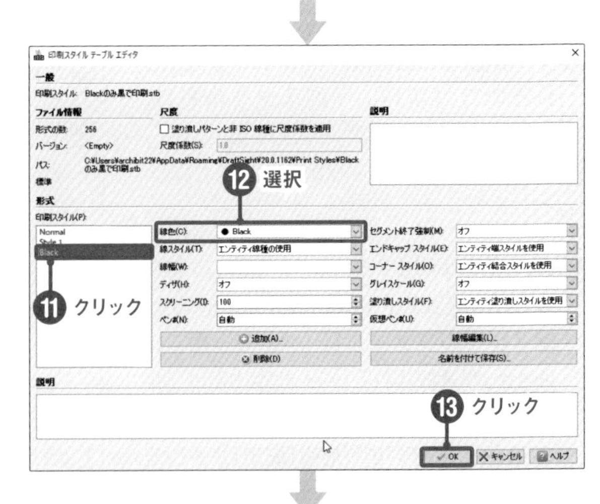

新しい印刷スタイル「Blackのみ黒で印刷.stb」を作成できました。

[画層マネージャー]で、画層「寸法」の[印刷スタイル]に「Black」を設定します。

⑯ [ホーム]タブ－[画層]パネル－[画層マネージャー] をクリックする。

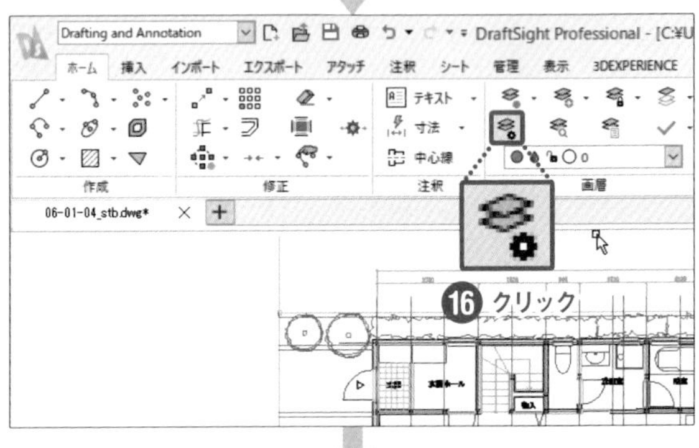

⑰ [画層マネージャー]が表示されるので画層「寸法」の[印刷スタイル]のプルダウンリストから一番下の[その他]をクリックして選択する。

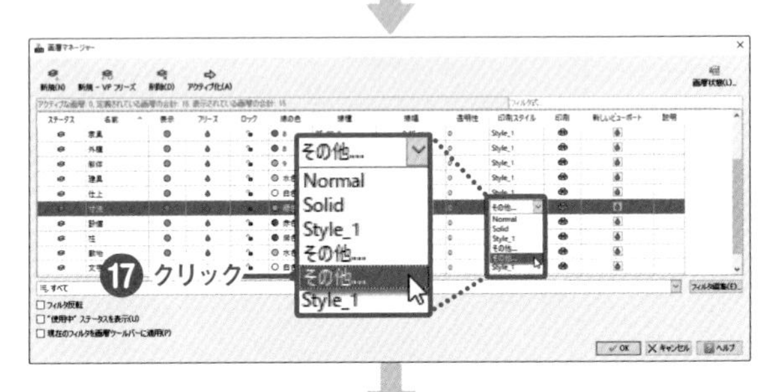

⑱ [印刷スタイル]ダイアログが表示されるので、[印刷スタイル ファイル]のプルダウンリストから「Blackのみ黒で印刷.stb」を選択する。

⑲ 下のリストから「Black」をクリックして選択状態にする。

⑳ [OK]ボタンをクリックする。

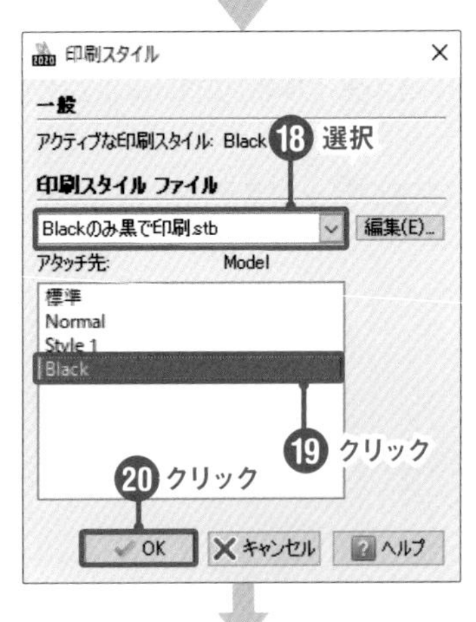

㉑[画層マネージャー]に戻るので、画層「寸法」の[印刷スタイル]に「Black」が選択されたことを確認する。

㉒[OK]ボタンをクリックして[画層マネージャー]を閉じる。

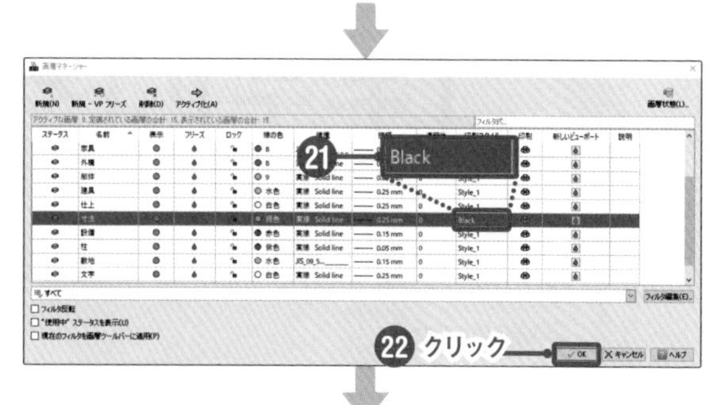

設定した印刷スタイルを確認するため、用紙などの設定を行い、印刷プレビューを表示します。

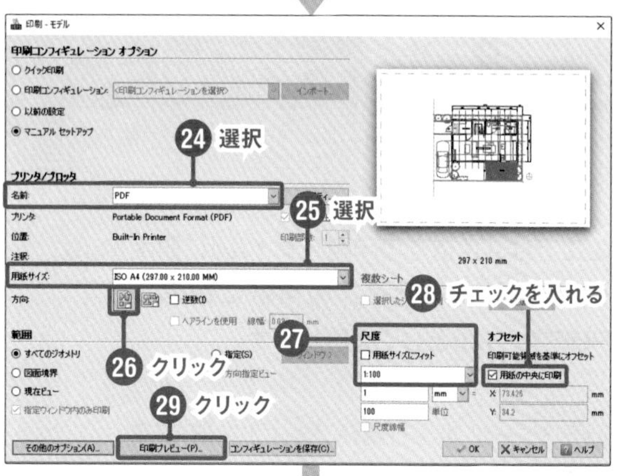

㉓クイックアクセスツールバーの[印刷]をクリックして、[印刷]ダイアログを表示する。

㉔[プリンタ/プロッタ]にある[名前]プルダウンリストで[PDF]を選択する。

㉕[用紙サイズ]に[ISO A4 (297.00 x 210.00 MM)]を選択する。

㉖[方向]の[縦]をクリックして選択する。

㉗[尺度]の[用紙サイズにフィット]のチェックを外し、[1:100]を選択する。

㉘[オフセット]の[用紙の中央に印刷]にチェックを入れる。

㉙[印刷プレビュー]ボタンをクリックする。

㉚[印刷プレビュー]が表示される。

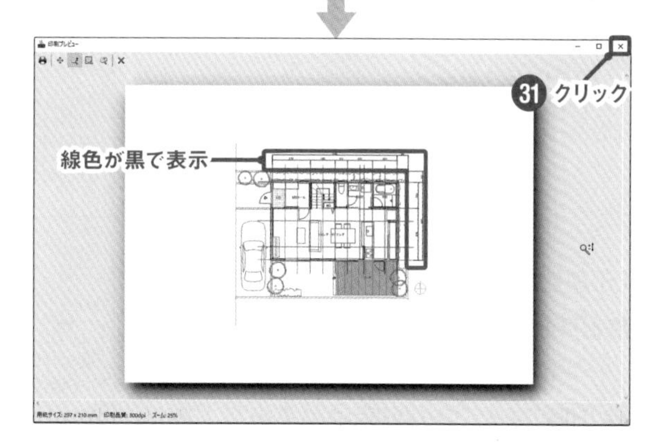

印刷プレビューと下の「画面上の表示」を比べると、印刷プレビューでは寸法が黒色に設定されていることがわかります。

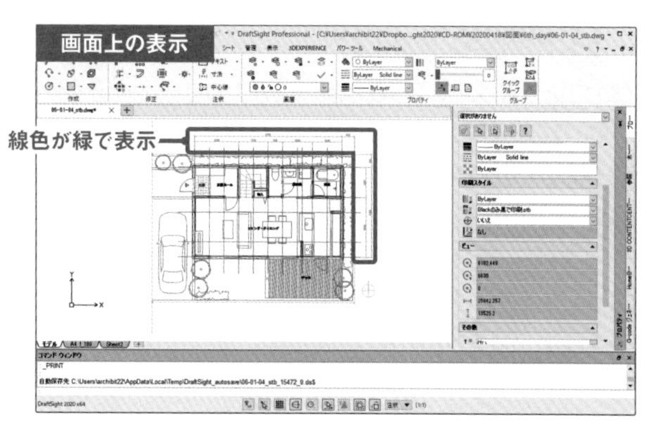

㉛[閉じる]ボタンをクリックして[印刷プレビュー]を閉じる。

㉜[印刷]ダイアログに戻るので、[キャンセル]ボタンをクリックして閉じる。

印刷スタイル「Blackのみ黒で印刷.stb」を設定できました。

6-2 ［モデル］タブでの印刷

［モデル］タブでは、印刷設定と印刷スタイル設定を行うだけで印刷を実行できます。ただし、［モデル］タブでは原寸で作図を行うので、尺度の設定を行う際には注意が必要です。

6-2-1 ［モデル］タブで印刷する

「図面」－「6th_day」－「06-02-01.dwg」(作図前)
「06-02-01.pdf」(印刷結果)

ここでは、「色依存の印刷スタイル」に設定した図面をA4サイズの用紙に白黒でPDFファイルとして印刷します。

❶ 33ページ 1-3-1「既存ファイルを開く」を参考に、「06-02-01.dwg」を開く。
❷ クイックアクセスツールバーの［印刷］をクリックする。

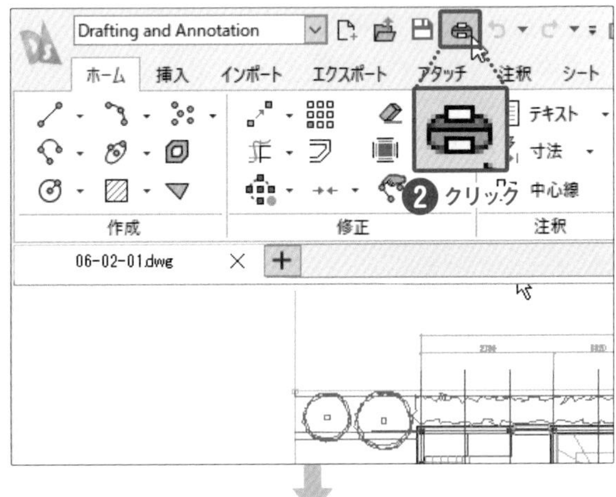

［印刷］ダイアログでプリンタ、用紙、縮尺などを設定します。

❸ ［印刷］ダイアログが表示されるので、［プリンタ/プロッタ］にある［名前］プルダウンリストで［PDF］を選択する。
❹ ［用紙サイズ］に［ISO A4 (297.00 x 210.00 MM)］を選択する。
❺ ［方向］の［縦］をクリックして選択する。
❻ ［尺度］の［用紙サイズにフィット］のチェックを外し、［1:100］を選択する。
❼ ［オフセット］の［用紙の中央に印刷］にチェックを入れる。
❽ ［その他のオプション］ボタンをクリックする。

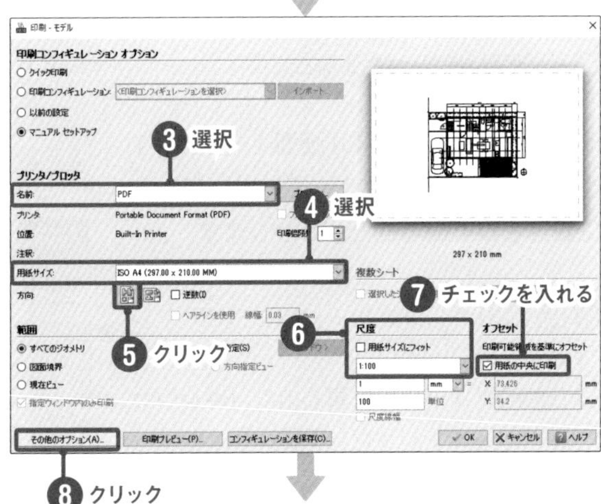

［印刷スタイルテーブル］でペンを設定します。

❾［その他の印刷オプション］ダイアログが表示されるので、［印刷スタイル テーブル］に［monochrome.ctb］を選択する。
❿［OK］ボタンをクリックする。

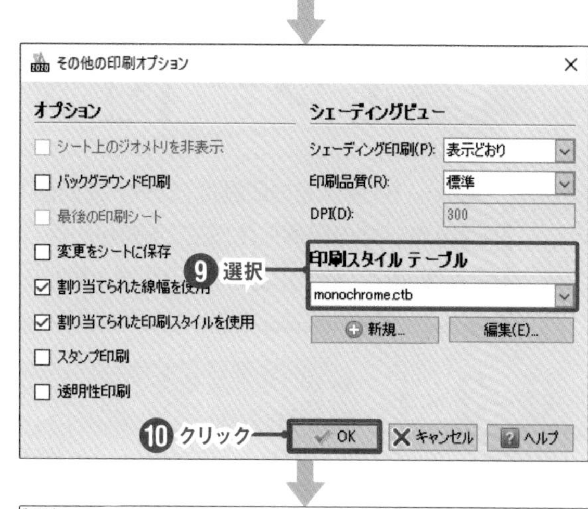

印刷を実行します。

⓫［印刷］ダイアログに戻るので、［印刷プレビュー］ボタンをクリックする。
⓬［印刷プレビュー］が表示されるので、確認して左上の［印刷］ボタンをクリックする。

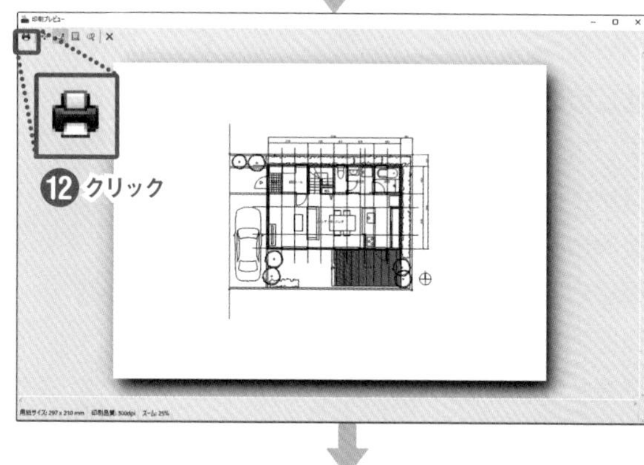

⓭ここでは、出力形式をPDFにしたので［名前を付けて保存］ダイアログが表示される。［ファイル名］（ここでは、「06-02-01」）を入力する。
⓮［保存］ボタンをクリックする。

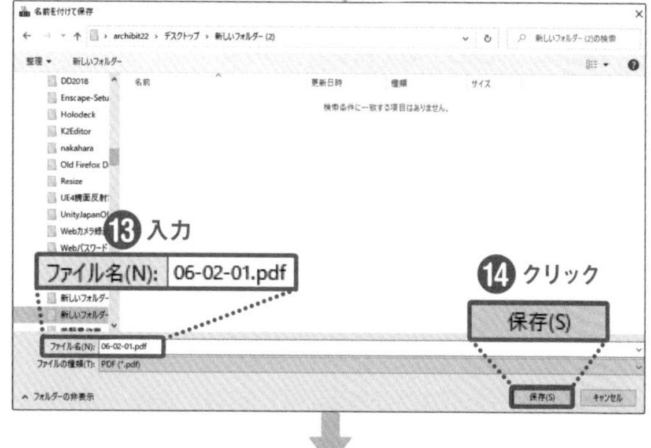

HINT プリンタ/プロッタを選択した場合

出力形式にプリンタ／プロッタ名を選択した場合は、［名前を付けて保存］ダイアログは表示されずに、指定したプリンタ／プロッタで出力が始まる。

印刷が実行され、ここでは「06-02-01.pdf」が作成されます。

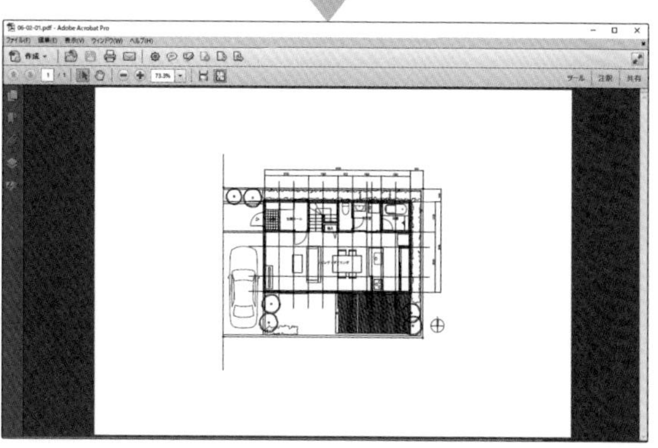

6-3 [シート]タブでの印刷

[シート]タブでの印刷は、シートに図面をレイアウトする作業がある分だけ[モデル]タブでの印刷に比べて、手間がかかります。ただし、レイアウトさえ行ってしまえば、後は[モデル]タブでの印刷と同じです。

6-3-1 [シート]タブで印刷する

「図面」－「6th_day」－「06-03-01a.dwg」(作図前)
「06-03-01b.dwg」(手順㊵まで)
「06-03-01.pdf」(印刷結果)

はじめに、シートに図面をレイアウトします。ここでは、6-1-3で設定した印刷コンフィギュレーションファイル「A4.cfg」を読み込んで設定し、ビュータイルを2つ作成して1/100と1/30の図面をシートにレイアウトします。印刷結果としてPDFファイルに書き出します。

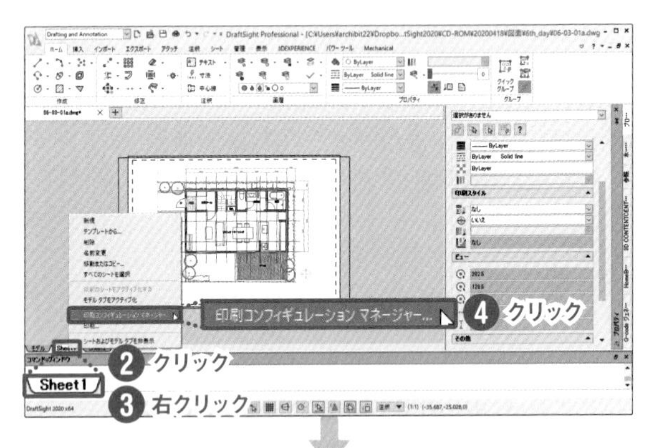

❶ 33ページ 1-3-1「既存ファイルを開く」を参考に、「06-03-01a.dwg」を開く。
❷ [Sheet1]タブをクリックする。
❸ [Sheet1]タブを右クリックする。
❹ 表示されるコンテキストメニューの[印刷コンフィギュレーション マネージャー]をクリックして選択する。

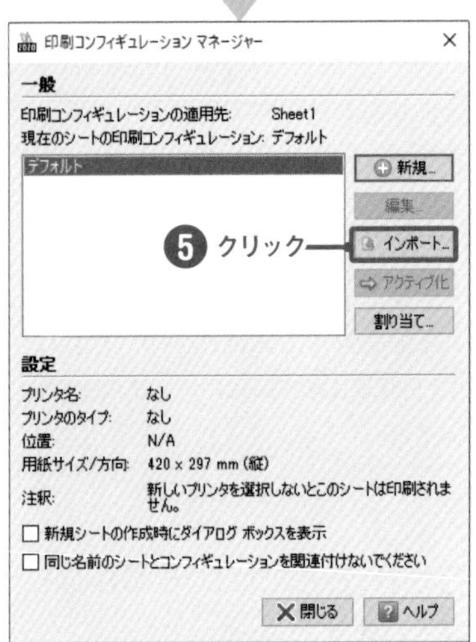

❺ [印刷コンフィギュレーション マネージャー]ダイアログが表示されるので、[インポート]ボタンをクリックする。

❻［開く］ダイアログが表示されるので、あらかじめデスクトップなどの任意の場所にコピーした教材データから「6th_day」フォルダに収録されている「A4.cfg」をクリックして選択状態にする。

❼［開く］ボタンをクリックする。

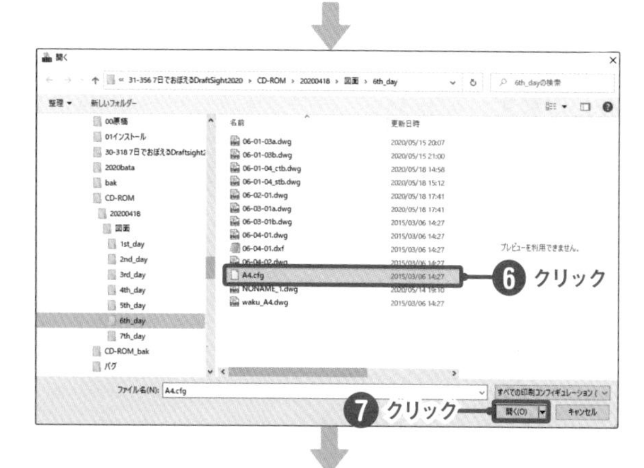

HINT 印刷コンフィギュレーションファイルの作成

印刷コンフィギュレーションファイルの作成手順については、208ページ 6-1-3「印刷コンフィギュレーション」を参照。

❽［印刷コンフィギュレーション マネージャー］ダイアログに戻るので、リストに追加された「A4」をクリックして選択状態にする。

❾［アクティブ化］ボタンをクリックする。

❿［閉じる］ボタンをクリックする。

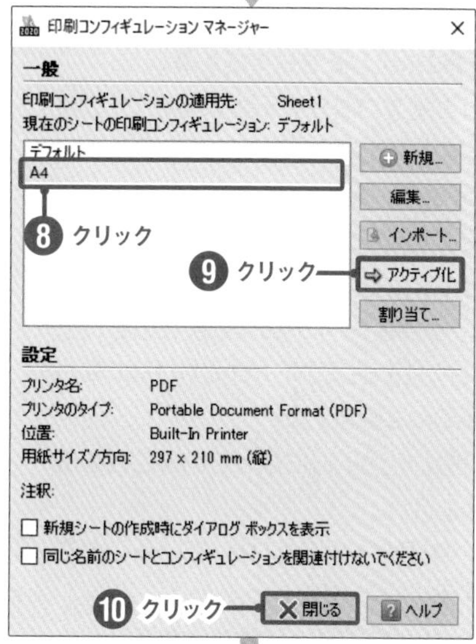

印刷コンフィギュレーションファイル「A4.cfg」を適用できました。

⓫現在のビュータイルの枠をクリックし、Deleteキーを押して削除する。ビュータイルが削除されると、図面が表示されなくなる。

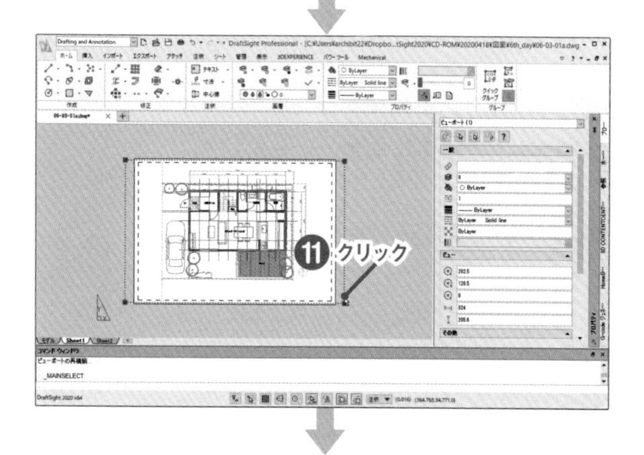

図面枠のブロック「waku_A4.dwg」を読み込みます。

⓬[挿入]タブー[ブロック]パネルー[ブロック挿入]をクリックする。

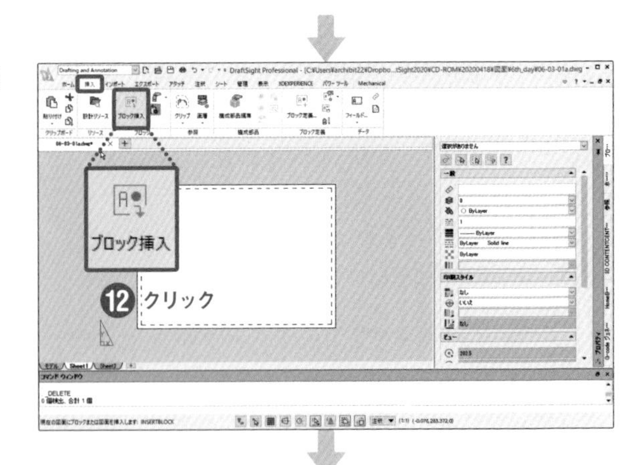

⓭[ブロック挿入]ダイアログが表示されるので、[参照]ボタンをクリックする。

⓮[開く]ダイアログが表示されるので、教材データの「6th_day」フォルダに収録されている「waku_A4.dwg」をクリックして選択状態にする。

⓯[開く]ボタンをクリックする。

⓰[ブロック挿入]ダイアログに戻るので、[位置]の[X:][Y:][Z:]がそれぞれ「0」になっていることを確認する。

⓱[尺度]の[X:]が「1」になっていることを確認する。

⓲[回転]の[角度]が「0」になっていることを確認する。

⓳[ブロック分解]にチェックを入れる。

⓴[OK]ボタンをクリックする。

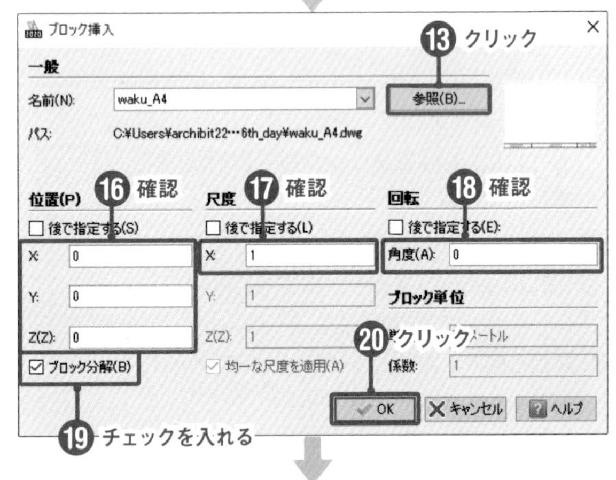

図面枠が読み込まれますが、印刷範囲がずれているので修正します。

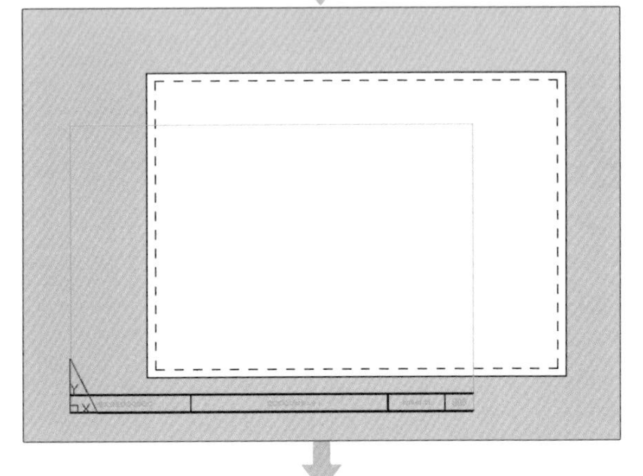

㉑222ページ❸❹と同様の手順で[Sheet1]タブを右クリックし、表示されるコンテキストメニューの[印刷コンフィギュレーション マネージャー]をクリックして選択する。

㉒223ページ❽と同じ要領で、[印刷コンフィギュレーション マネージャー]ダイアログの「A4」をクリックして選択状態にする。

㉓[編集]ボタンをクリックする。

㉔[印刷コンフィギュレーション]ダイアログが表示されるので、[範囲]の[すべてのジオメトリ]をクリックして選択する。

㉕再確認のため、[オフセット]にある[用紙の中央に印刷]のチェックを一度外して、再びチェックを入れる。

㉖[保存]ボタンをクリックする。

㉗[印刷コンフィギュレーション マネージャー]ダイアログに戻るので、[閉じる]ボタンをクリックする。

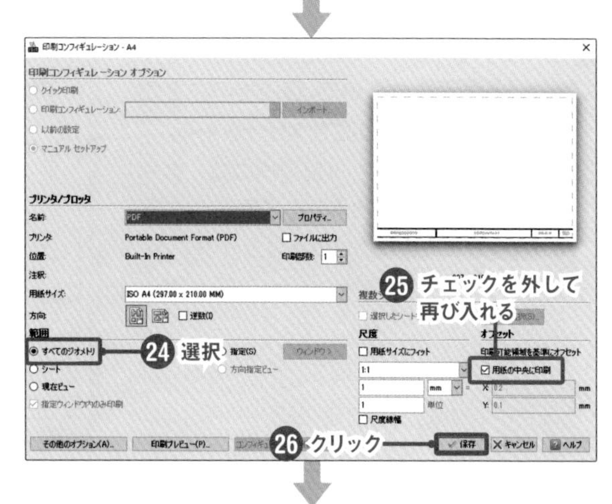

ずれが修正され、印刷範囲内に図面枠が収まりました。

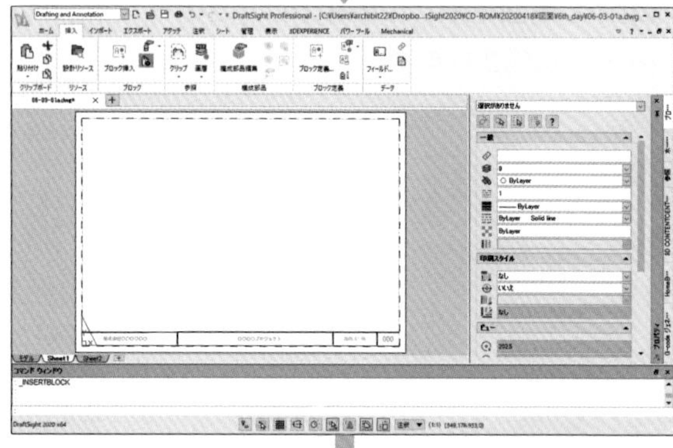

ビュータイルを作成します。

㉘[表示]タブ－[ビュータイル]パネル－[ビュータイル]－[2:垂直]をクリックする。

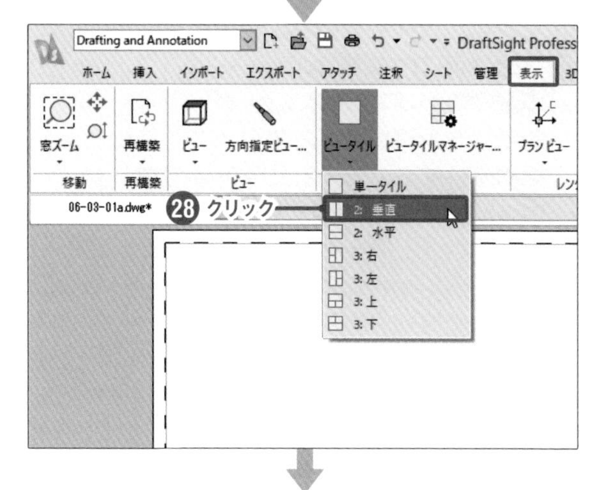

㉙ コマンドウィンドウに「始点コーナーを指定≫」と表示されるので、図面枠の左上の 終点 と表示される位置をクリックする。

㉚ コマンドウィンドウに「反対側のコーナーを指定≫」と表示されるので、図面枠の右下の 終点 と表示される位置をクリックする。

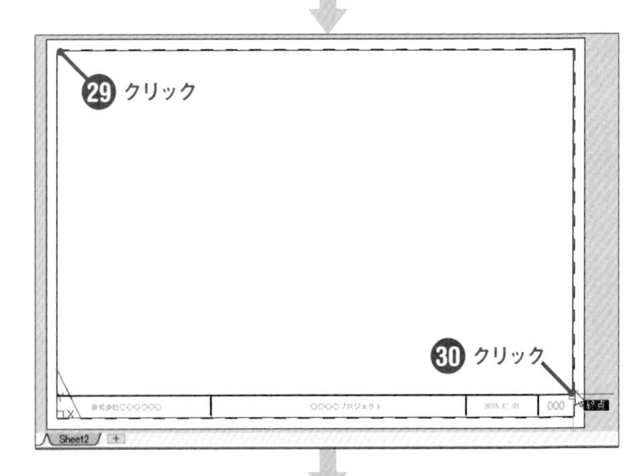

指定した範囲を左右に2等分したビュータイルが作成されます。

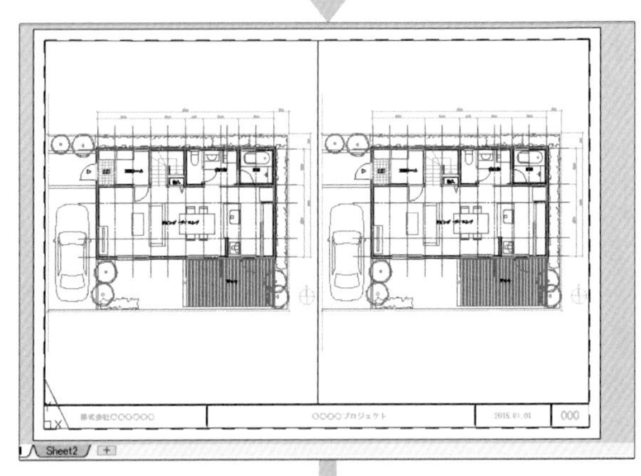

㉛ [簡易注釈]コマンド(107ページ **3-1-2**「任意の場所に文字を記入する(簡易注釈)」参照)でそれぞれのビュータイルの右下に文字を記入する。ここでは、文字の[高さ]を「2.5」、[文字角度]を「0」に設定し、左側のビュータイルに「**キッチン詳細図 1/30**」、右側のビュータイルに「**平面図 1/100**」と記入した。

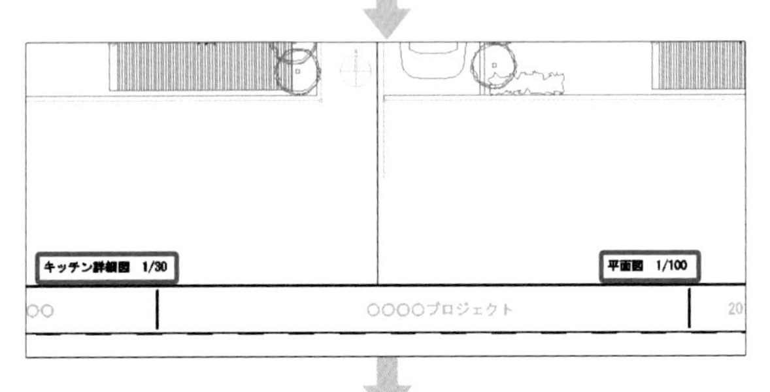

ビュータイル内の縮尺を変更します。

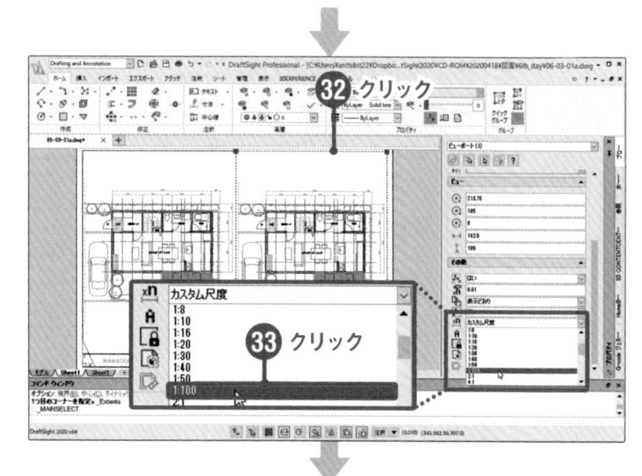

32 31で入力した文字のとおり、右側のビュータイルの図面の縮尺を「1/100」にする。右側のビュータイルの枠をクリックして選択状態にする。

33 [プロパティ]パネルを表示し、[その他]－xn[標準尺度]のプルダウンリストから[1:100]をクリックして選択する。

34 Escキーを押してビュータイルの枠の選択を解除する。

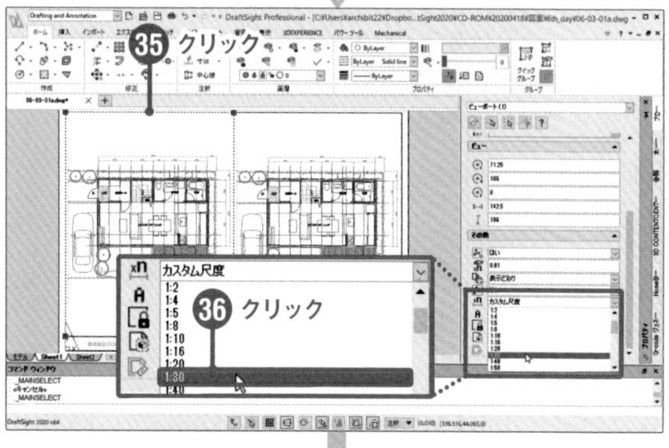

35 左側のビュータイルの枠をクリックして選択状態にする。

36 [プロパティ]パネルの[その他]－xn[標準尺度]のプルダウンリストから[1:30]をクリックして選択する。

37 Escキーを押してビュータイルの枠の選択を解除する。

ビュータイル内の図面を編集します。

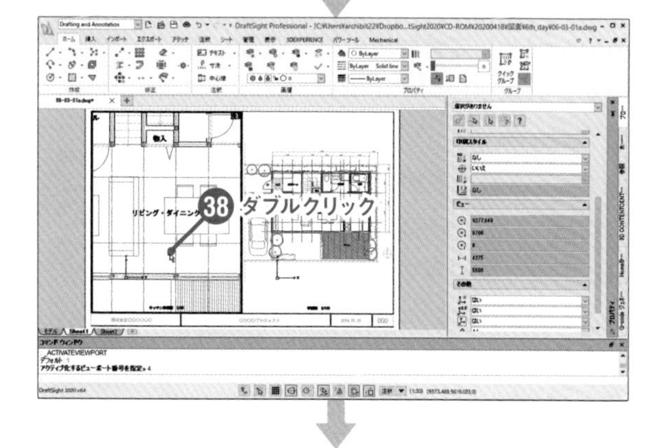

38 左側のビュータイル内の表示を正しい位置に変更する。左側のビュータイル枠の内側をダブルクリックする。

❸❾ ビュータイルの枠が太く表示され、ビュータイル内が編集できるようになる。マウスホイールを押すと、カーソルが手の形に変わる。マウスホイールを押したままドラッグし、キッチンが表示されるように位置を変更する。

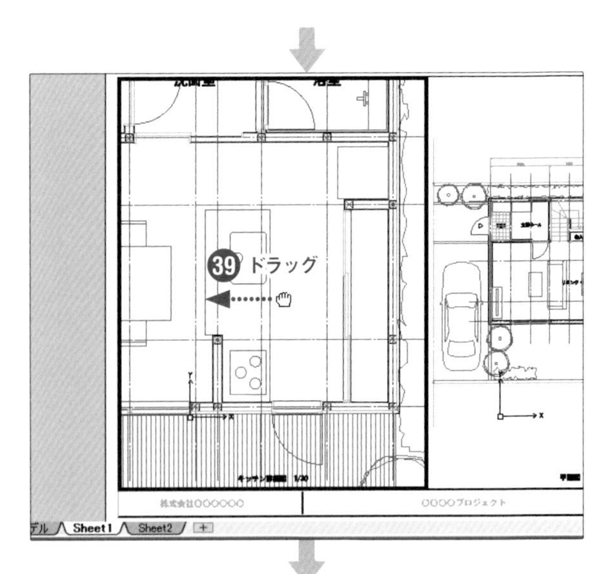

HINT ドラッグ時の注意

ビュータイル内の図面の表示位置を変更する際に、間違ってマウスホイールを回してズームしてしまうと縮尺が変わるので注意する。もし、ズームしてしまったら、ビュータイル枠の外側をダブルクリックしていったん編集状態を終了し、❸❺〜❸❼の手順で縮尺を再設定する。

❹⓿ ビュータイル枠の外側をダブルクリックし、編集状態を解除する。

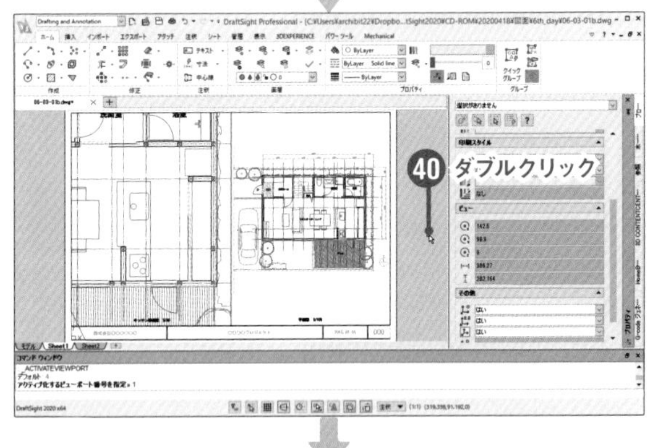

ビュータイルを作成できました。ここまで作業を行ったファイルは「06-03-01b.dwg」として教材データに収録しています。

印刷設定を行います。ここでは、A4サイズの用紙に白黒で印刷します。
[印刷]ダイアログでプリンタ、用紙、縮尺などを設定します。

❹❶ クイックアクセスツールバーの[印刷]をクリックする。

❹❷ [印刷]ダイアログが表示される。印刷コンフィギュレーションが「A4」に設定されているので、印刷設定は変更する必要がない。[その他のオプション]ボタンをクリックする。

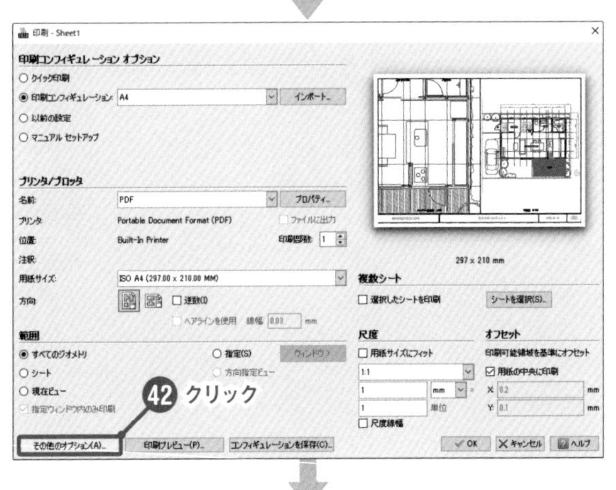

[印刷スタイルテーブル]でペンを設定します。

㊸ [その他の印刷オプション]ダイアログが表示されるので、[印刷スタイル テーブル]に[monochrome.ctb]を選択する。
㊹ [OK]ボタンをクリックする。

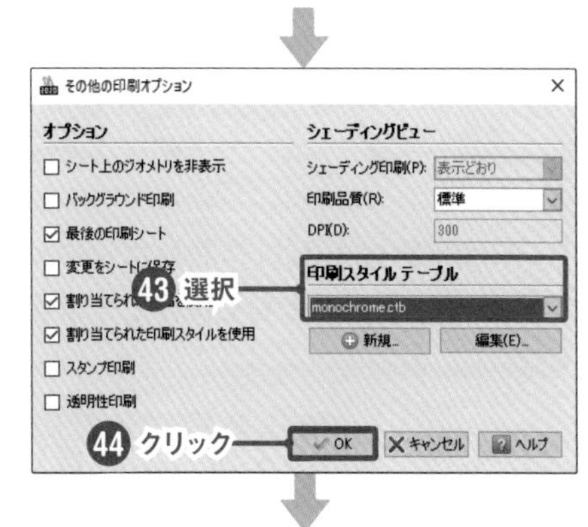

印刷を実行します。

㊺ [印刷]ダイアログに戻るので、[印刷プレビュー]ボタンをクリックする。
㊻ [印刷プレビュー]が表示されるので、確認して左上の[印刷]ボタンをクリックする。

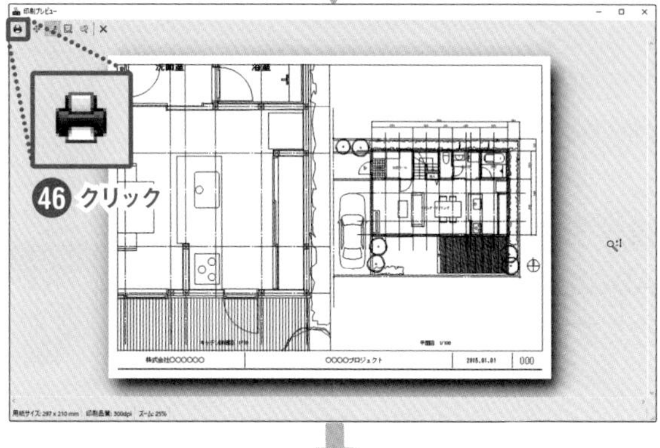

㊼ ここでは、出力形式をPDFにしたので[名前を付けて保存]ダイアログが表示される。[ファイル名](ここでは、「**06-03-01**」)を入力する。
㊽ [保存]ボタンをクリックする。

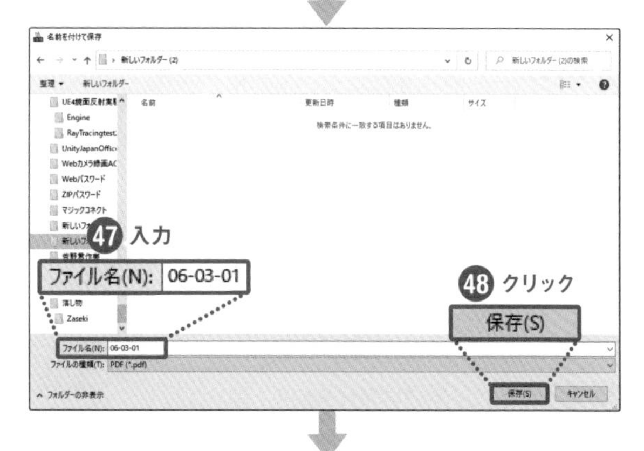

HINT プリンタ/プロッタを選択した場合

出力形式にプリンタ/プロッタ名を選択した場合は、[名前を付けて保存]ダイアログは表示されずに、指定したプリンタ/プロッタで出力が始まる。

印刷が実行され、ここでは「06-03-01.pdf」が作成されます。

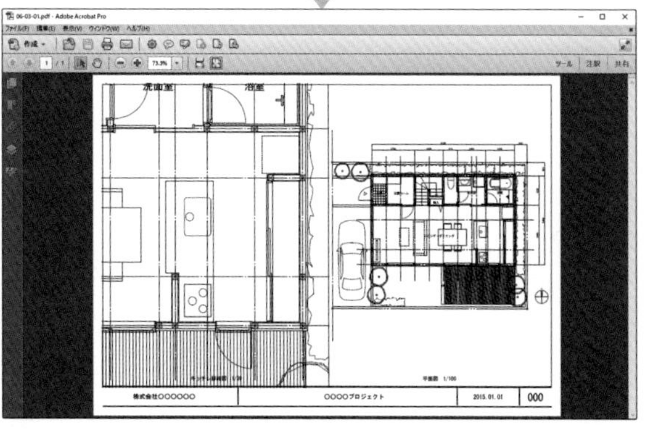

6-4 データ変換

DraftSightでは、作図したファイルをさまざまなバージョンのDXFファイルやDWGファイルとして保存できます。また、PDFファイルとしても書き出せます。

6-4-1 DXFファイルで保存する

「図面」－「6th_day」－「06-04-01.dwg」
「06-04-01.dxf」

DraftSightで作図した図面は、さまざまなバージョンのDXFやDWGファイルで保存できます。ここでは、「R2000-2002 ASCII」バージョンのDXFファイルで保存します。

❶ 33ページ 1-3-1「既存ファイルを開く」を参考に、「06-04-01.dwg」を開く。

❷ [アプリケーション]ボタンの[名前を付けて保存]をクリックして選択する。

❸ [名前を付けて保存]ダイアログが表示されるので、[ファイル名](ここでは、「**06-04-01**」)を入力する。

❹ [ファイルの種類]で「R2000-2002 ASCII 図面(*.dxf)」を選択する。

❺ [保存]ボタンをクリックする。

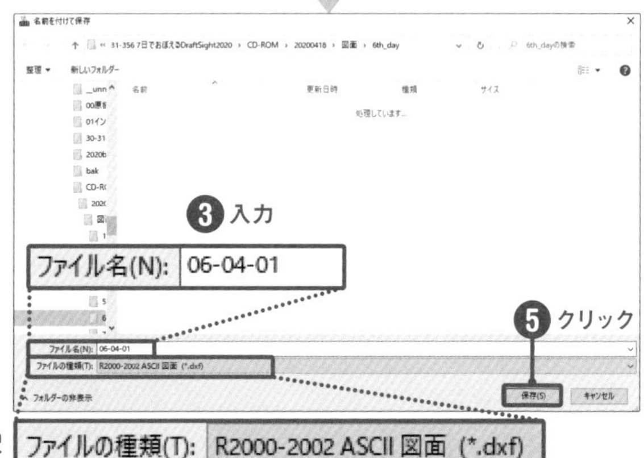

「R2000-2002 ASCII」バージョンのDXFファイル(「06-04-01.dxf」)で保存できました。

HINT DXFファイルを受け渡す際の注意

DXF形式で書き出したファイルをほかのCADのユーザーに受け渡す際、下の2つの条件に当てはまる場合は注意が必要です。

① 参照機能を使用している場合

参照機能(188ページ 5-5「ほかの図面や画像を挿入する(参照)」参照)を使って作成したファイルを、参照機能のないCADソフトで開くと、参照部分が表示されなくなる。これを防ぐには、図の方法であらかじめ「バインド」挿入をしておく必要がある。

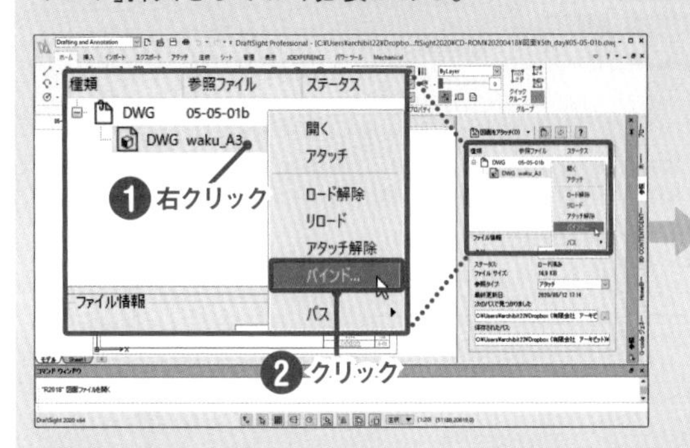

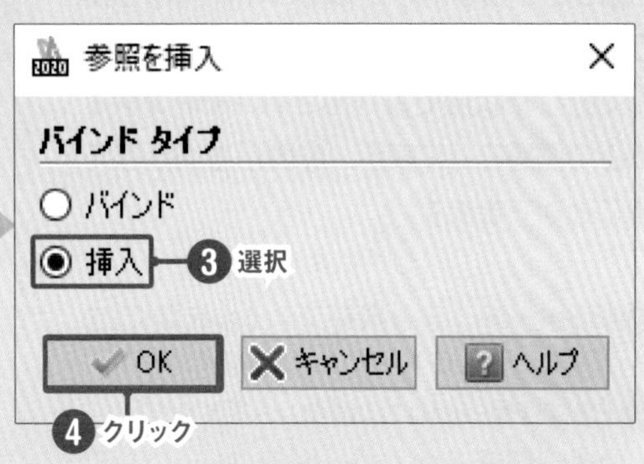

❶[参照]パレットを表示し、参照ファイル名(ここでは、「waku_A3」)を右クリックする。

❷表示されるコンテキストメニューの[バインド]をクリックして選択する。

❸表示される[参照を挿入]ダイアログで[バインド タイプ]の[挿入]をクリックして選択する。

❹[OK]ボタンをクリックする。

②「シート」機能を使用している場合

「シート」機能(206ページ 6-1-1「モデルとシート」参照)を使って図面の体裁を整えたファイルを「シート」機能のないCADソフトで開くと、「シート」部分のデータが体裁どおり表示されなくなる。「シート」機能のないCADソフトと連携してプロジェクトを進めるときには、「シート」機能を使わずに「モデル」のみで作図を行う。

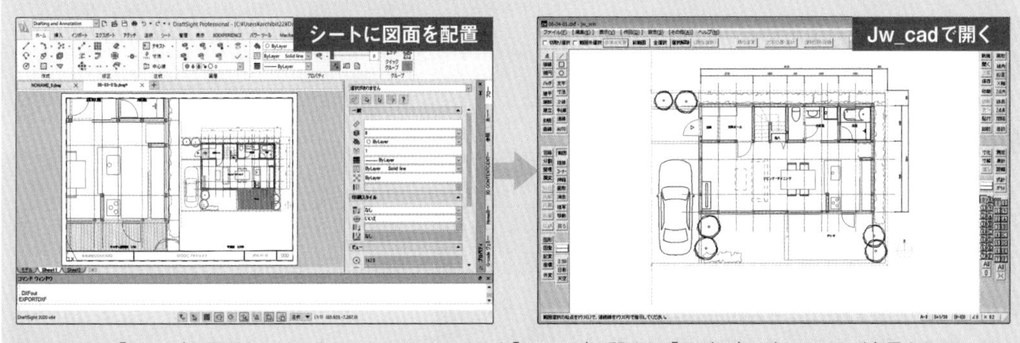

DraftSightの「シート」に図面をレイアウトしたDXFファイルを「Jw_cad」で開くと、「モデル」のデータのみが表示される。

6-4-2 PDFファイルで書き出す

「図面」－「6th_day」－「06-04-02.dwg」
「06-04-02.pdf」

PDFファイルに書き出すには、6-2や6-3で解説したような、[印刷]ダイアログを使う方法と、[PDFエクスポート]を使う方法の2通りあります。[PDFエクスポート]を使うと、[モデル]タブと[シート]タブをページで分けた状態で書き出され、PDFファイル上で画層ごとに表示／非表示を切り替えることができます。

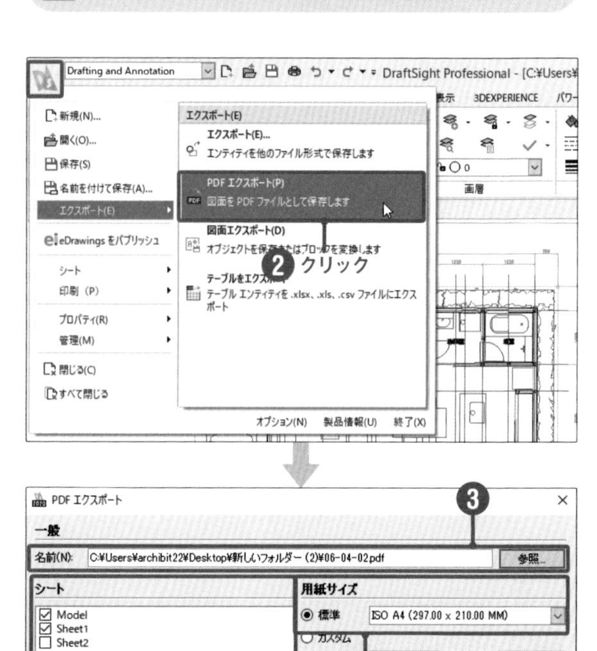

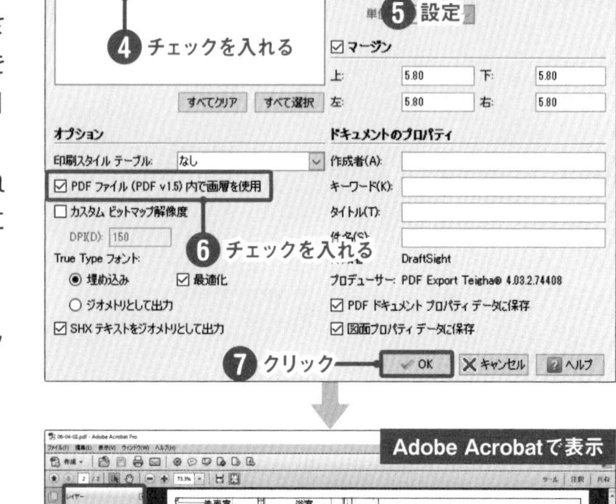

❶ 33ページ 1-3-1「既存ファイルを開く」を参考に、「06-04-02.dwg」を開く。

❷ [アプリケーション]ボタン－[エクスポート]－[PDFエクスポート]をクリックして選択する。

❸ [PDF エクスポート]ダイアログが表示される。[名前]にファイルの保存先が表示されている。変更する場合は[参照]ボタンをクリックして表示される[ファイルを保存]ダイアログで設定する。

❹ [シート]で保存するタブにチェックを入れる。ここでは、[Model]と[Sheet1]にチェックを入れる。

❺ [用紙サイズ]を設定する。

❻ [PDFファイル内で画層を使用]にチェックを入れる。

❼ [OK]ボタンをクリックする。

PDFファイルが保存されました。[モデル]タブの内容が1ページ目に、[シート]タブの内容が2ページ目に保存されます。また、DraftSightでの画層がPDFではレイヤーとして分けられるので、「Adobe Acrobat」などのPDF閲覧ソフトで開くと表示／非表示を切り替えることができます。

図面を描く

図面を描く

7日目は、ここまで解説した操作を使って、実際に図面を描く手順を解説します。簡単なテーブルの上面図、正面図、側面図を描き、PDFデータに印刷します。

7-1 ● 図面を描く

テンプレートを開く

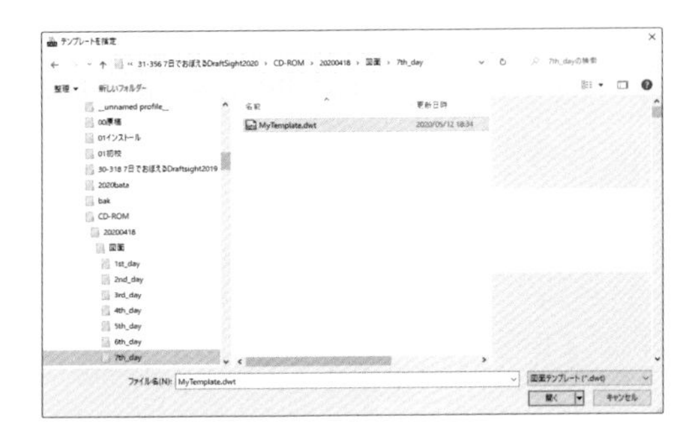

上面図を描く

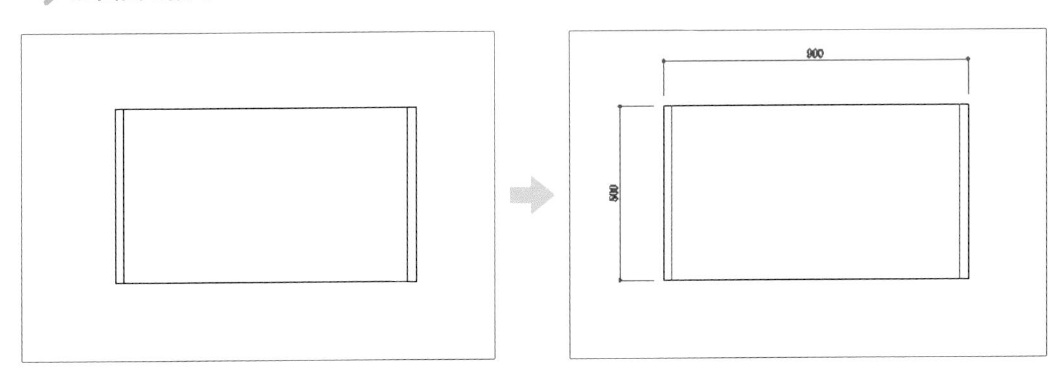

正面図を描く

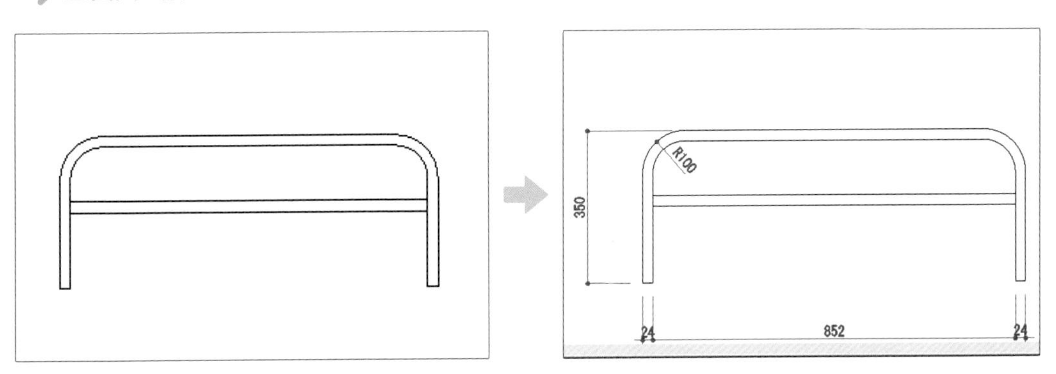

側面図を描く

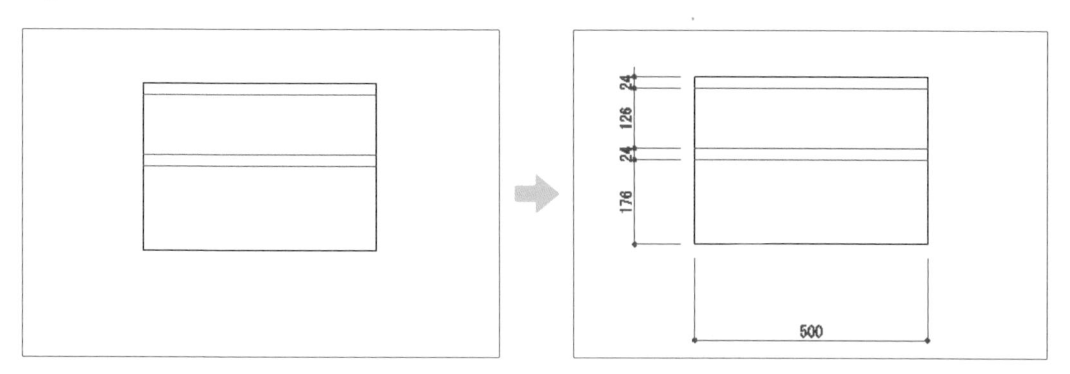

印刷する

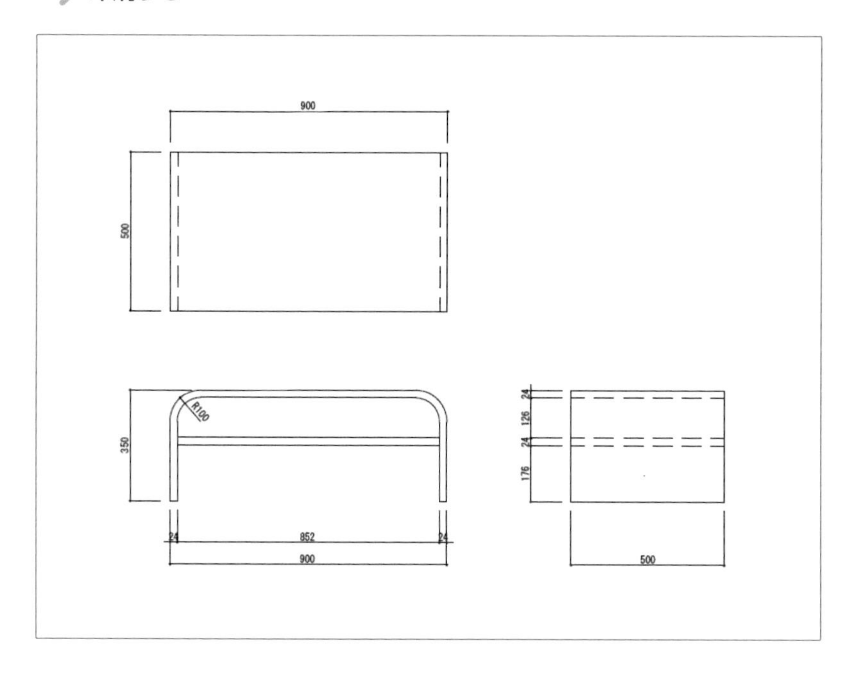

7-1 図面を描く

6日目までに学んだことのまとめとして、簡単なテーブルの図面を作図します。コマンド操作の順序や画層の切り替え、寸法の記入方法などを解説に盛り込んだので、作図の参考にしてください。

「図面」－「7th_day」－「07-01-05.dwg」(完成図面)
「07-01.pdf」(印刷ファイル)

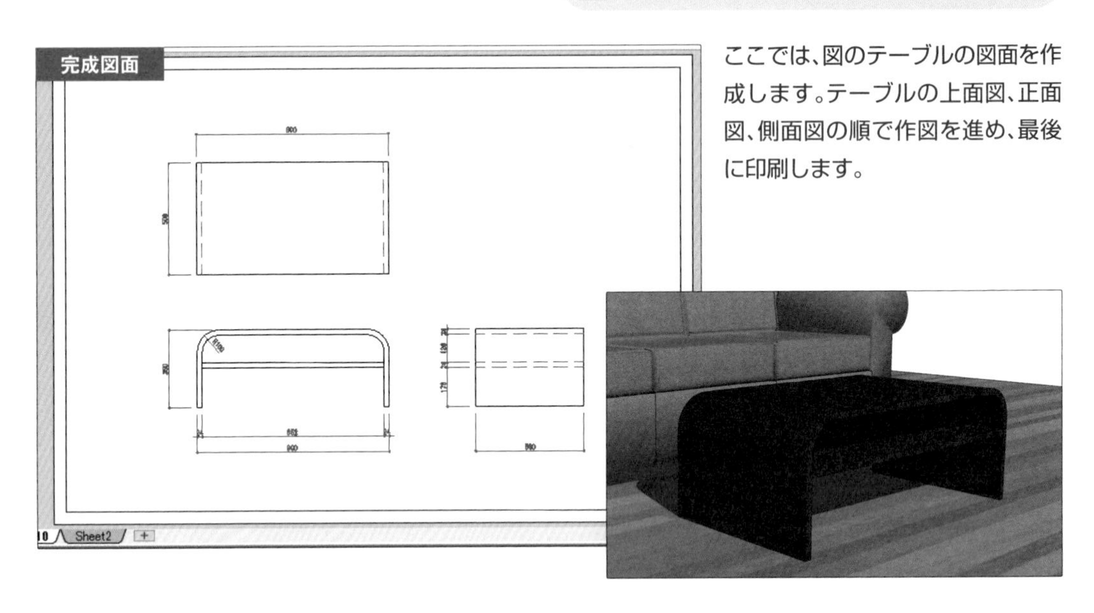

ここでは、図のテーブルの図面を作成します。テーブルの上面図、正面図、側面図の順で作図を進め、最後に印刷します。

7-1-1 テンプレートを開く

「図面」－「7th_day」－「MyTemplate.dwt」
「07-01-01.dwg」(作図後)

5-8で作成した「MyTemplate.dwt」を基に作図を行います。テンプレートファイルを開く前に、印刷スタイルのタイプを選択します。ここでは、「色依存の印刷スタイルを使用」に設定します。

❶ 24ページ 1-1-1「DraftSightの起動」を参考に、DraftSightを起動する。
❷ グラフィックス領域を右クリックして表示されるコンテキストメニューから[オプション]をクリックして選択する。

❸[オプション]ダイアログが表示されるので、[システム オプション]をクリックする。
❹[印刷]の[+]マークをクリックする。
❺[デフォルト設定]の[+]マークをクリックする。
❻[デフォルト タイプ]に[色依存の印刷スタイルを使用]を選択する。
❼[OK]ボタンをクリックして[オプション]ダイアログを閉じる。

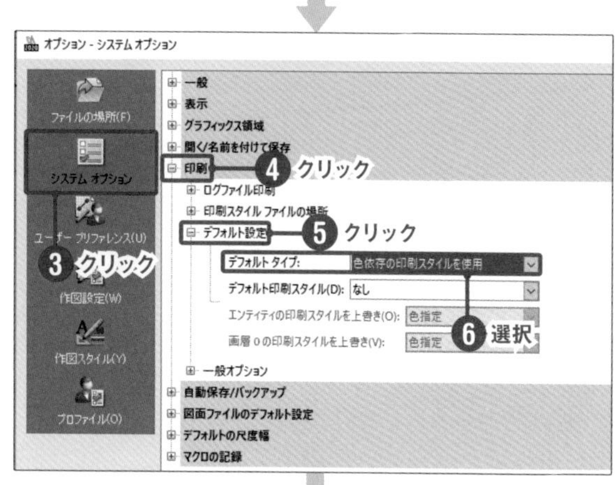

❽クイックアクセスツールバーの[新規]をクリックする。
❾[テンプレートを指定]ダイアログが開くので、あらかじめデスクトップなどの任意の場所にコピーしておいた「MyTemplate.dwt」をクリックして選択状態にする。
❿[開く]ボタンをクリックする。

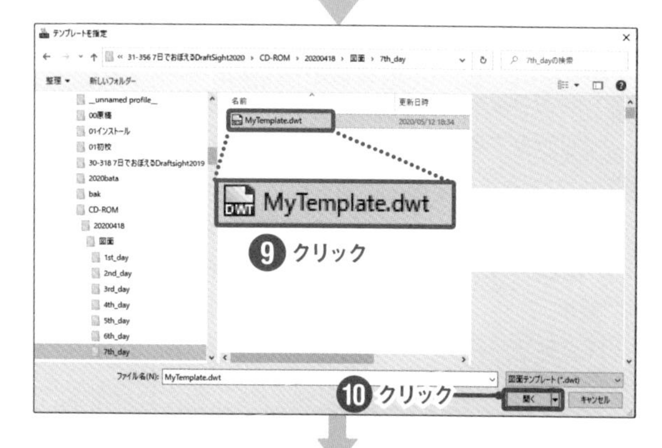

テンプレートファイルが開きます。ステータスバーのボタンの設定を確認します。

⓫[直交][Eスナップ][Eトラック]ボタンをオンにする。
⓬[Eスナップ]の設定を確認するため、[Eスナップ]ボタンを右クリックする。
⓭表示されるコンテキストメニューの[設定]をクリックして選択する。

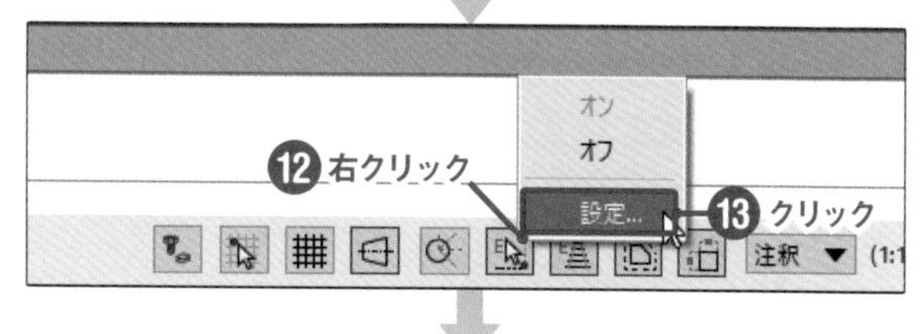

⓮[オプション]ダイアログが開き、[ユーザープリファレンス]が表示されるので、[エンティティスナップ]の[終点][中点][中心][四半円点][ノード][挿入][交点][垂直]にチェックが入っていることを確認する。入っていない場合はクリックしてチェックを入れる。
⓯[OK]ボタンをクリックして[オプション]ダイアログを閉じる。
⓰クイックアクセスツールバーの[保存]をクリックして選択し、ファイルを保存する。ここまでの作業ファイルは、「07-01-01.dwg」という名前で教材データに収録されている。

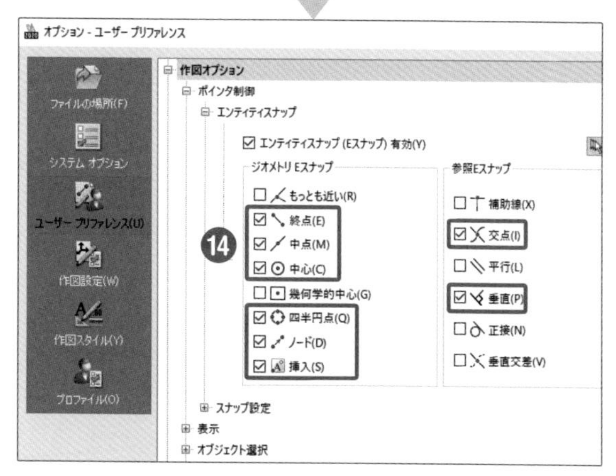

7-1-2 上面図を描く

「図面」－「7th_day」－「07-01-01.dwg」(作図前)
「07-01-02.dwg」(作図後)

上面図を描きます。天板の線は画層「太線」に、寸法は画層「細線」に作図します。

❶ [ホーム]タブー[画層]パネルー[画層マネージャー]のプルダウンリストから[太線]をクリックして選択する。

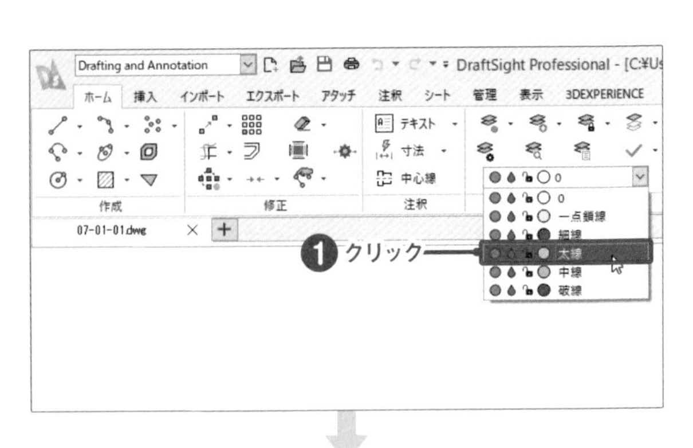

❷ [ホーム]タブー[作成]パネルー[四角形]をクリックする。

❸ コマンドウィンドウに「始点コーナーを指定»」と表示されるので、キーボードから「1000,1000」と入力して Enter キーを押す。

オプション: 3コーナー(3C), 3点中心(3P), 中央(CE), コーナー(CO), (P), 厚さ(T), 線幅(W) または
始点コーナーを指定» 1000,1000

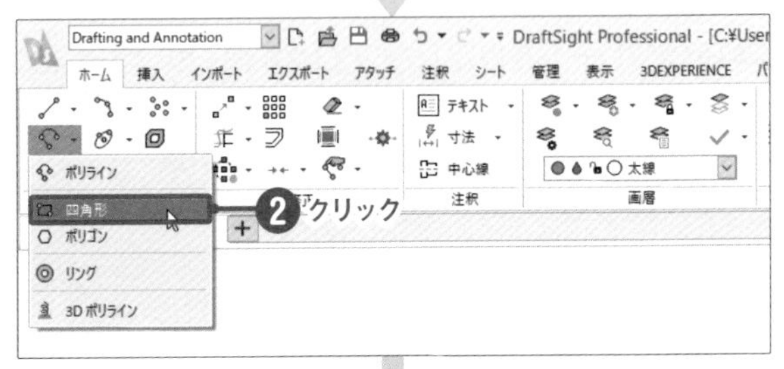

❹ コマンドウィンドウに「反対側のコーナーを指定»」と表示されるので、キーボードから「@900,500」と入力して Enter キーを押す。

オプション: 領域(A), 寸法(D), 回転(R) または
反対側のコーナーを指定» @900,500

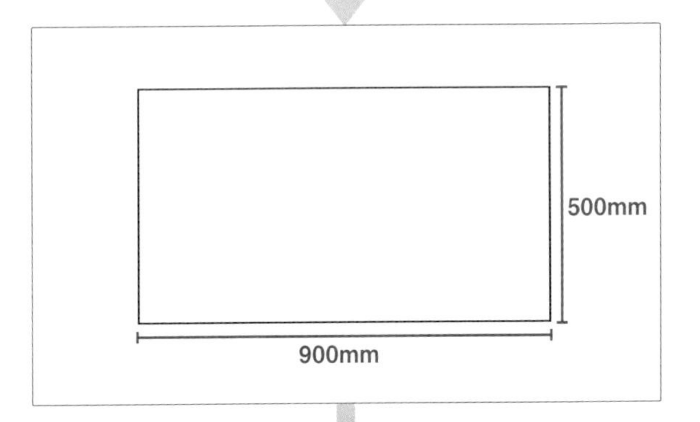

❺ [表示]タブー[移動]パネルー[ズーム境界]やマウスのホイールボタンを使って画面を縮小表示する。

指定した位置(1000,1000)からX軸方向に900㎜、Y軸方向に500㎜の長方形が描けました。

側板の厚みの線を描きます。

❻ [ホーム]タブー[修正]パネルー[オフセット]をクリックする。

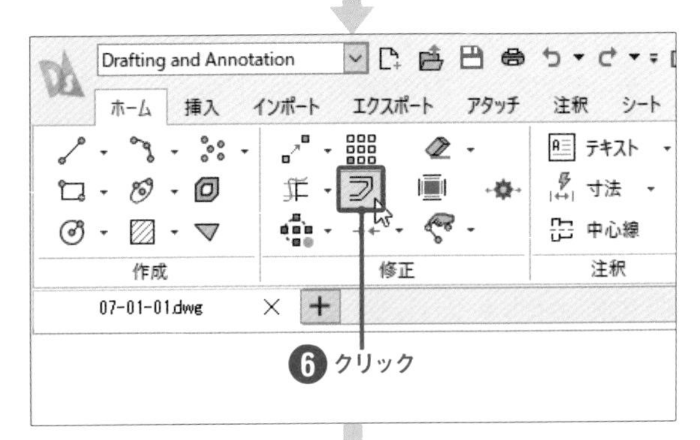

❼コマンドウィンドウに「距離を指定≫」と表示されるので、キーボードから基のエンティティとの距離(ここでは、「**24**」)を入力して Enter キーを押す。

オプション: 削除(D), 距離(DI), 目的の画層(L), 通過点(T), ギャップ
距離を指定» 24

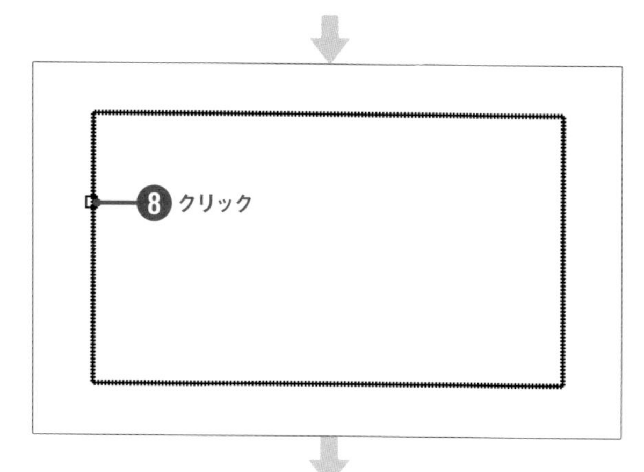

❽コマンドウィンドウに「ソース エンティティを指定≫」と表示されるので、長方形をクリックする。

❾コマンドウィンドウに「目的点の側を指定≫」と表示されるので、長方形の内側をクリックする。

❿ Enter キーを押して[オフセット]コマンドを終了する。長方形が内側に24mmオフセットされる。

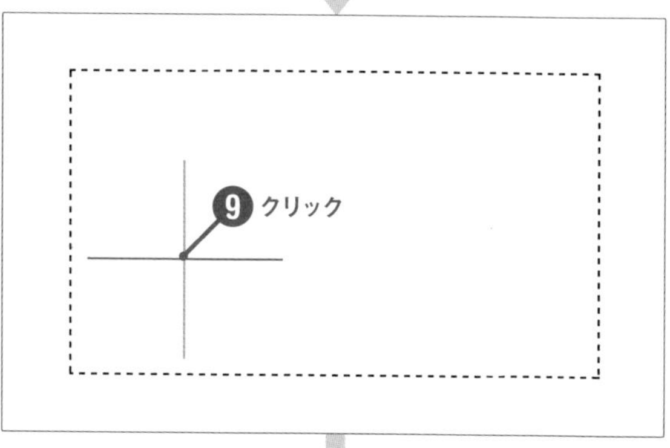

⓫[ホーム]タブー[修正]パネルー[分解]をクリックする。

⓬コマンドウィンドウに「エンティティを指定≫」と表示されるので、オフセットしてできた内側の長方形をクリックする。

⓭ Enter キーを押すと、長方形の線が分解される。

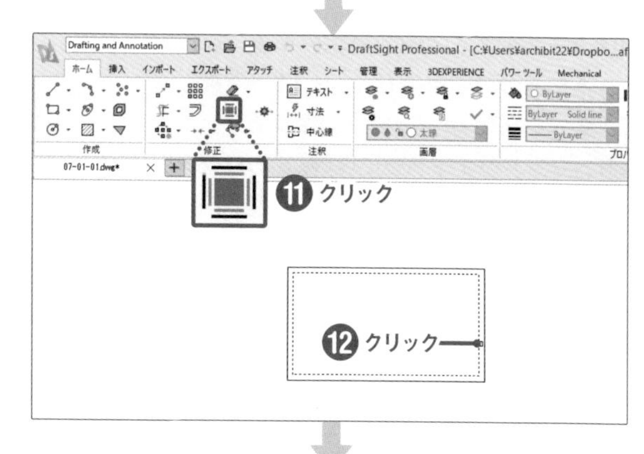

⓮内側の長方形の上下の辺をクリックして選択状態にする。

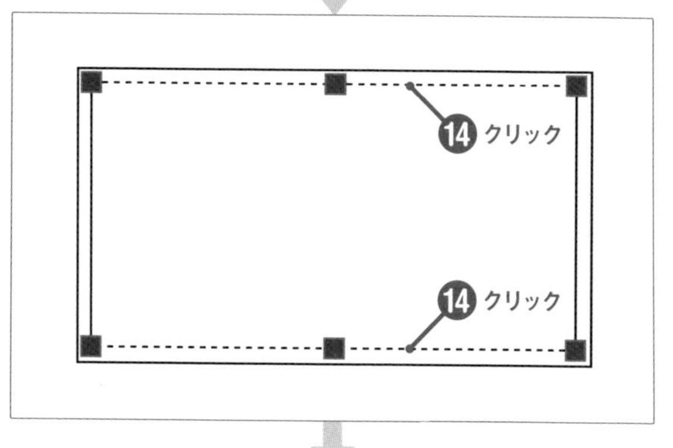

⑮ [Delete] キーを押すと、選択した上下の辺が削除される。

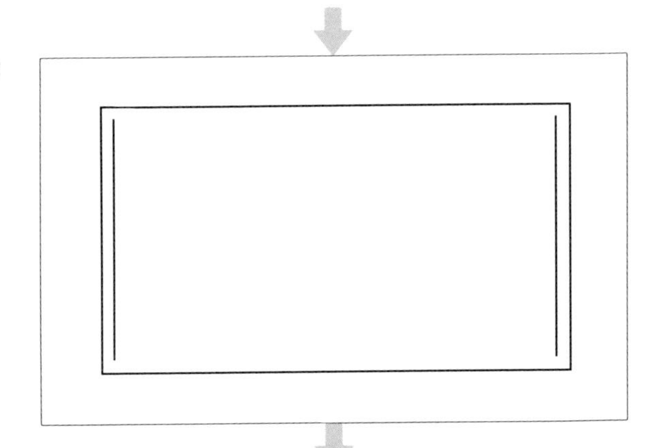

⑯ [ホーム]タブー[修正]パネルー[延長]をクリックする。

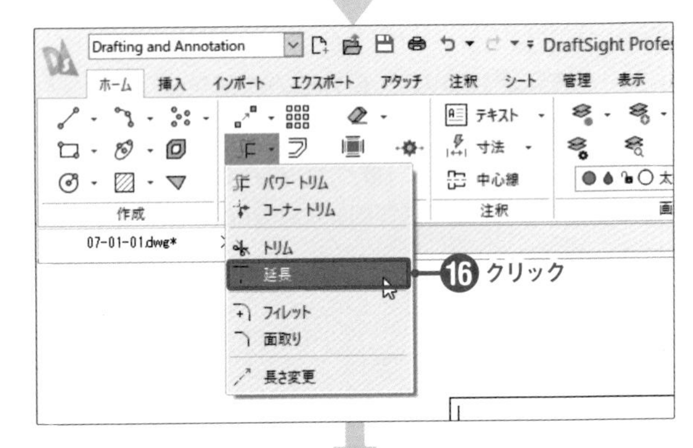

⑰ コマンドウィンドウに「境界エッジを指定≫」と表示されるので、[Enter] キーを押してすべてのエンティティを指定する。

⑱ コマンドウィンドウに「延長するセグメントを指定≫」と表示されるので、内側の左右の線の上下端点付近をクリックすると、線が延長される。

⑲ [Enter] キーを押して[延長]コマンドを終了する。

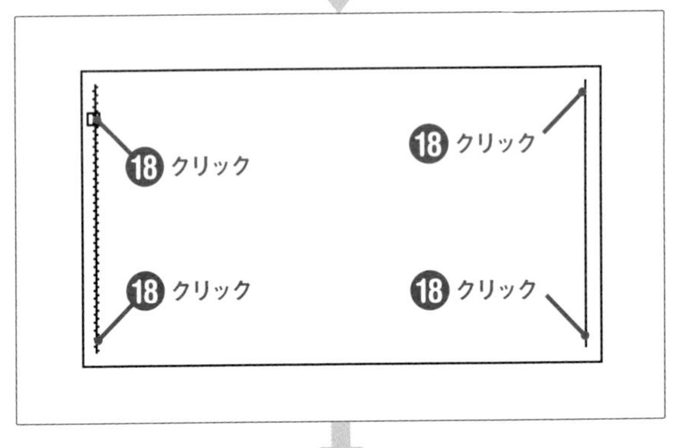

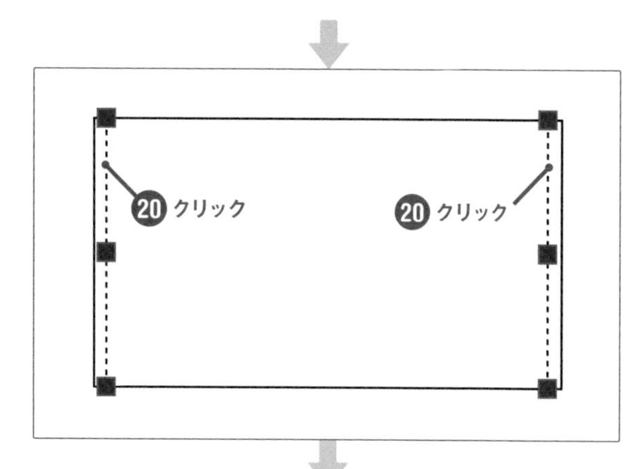

⑳ 内側の線の画層を変更するため、クリックして選択状態にする。

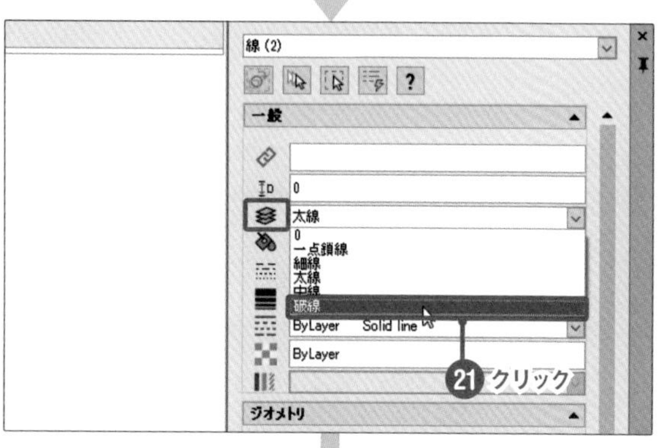

㉑ [プロパティ]パレットの [画層]のプルダウンリストで[破線]を選択すると、線が破線に変更される。

㉒ Esc キーを押して線の選択を解除する。

側板の厚みの線が描けました。

寸法線を記入します。はじめに寸法スタイルを設定します。ここでは、縮尺を1/10にして印刷することを考えて、1/10の寸法スタイルを作成します。

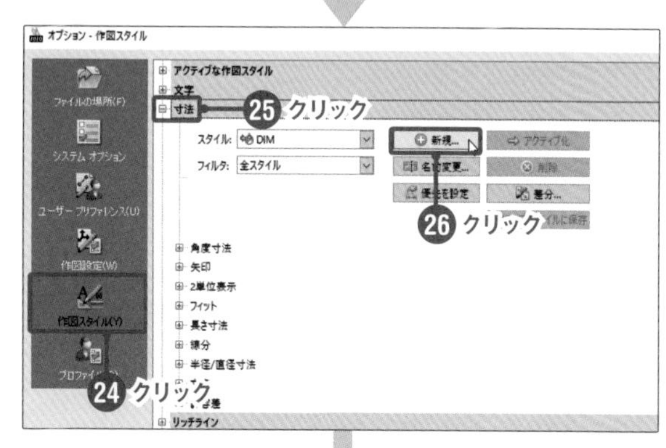

㉓ グラフィックス領域の何もない位置を右クリックして表示されるコンテキストメニューから[オプション]をクリックして選択する。

㉔ [オプション]ダイアログが表示されるので、[作図スタイル]をクリックする。

㉕ [寸法]の[+]マークをクリックする。

㉖ [新規]ボタンをクリックする。

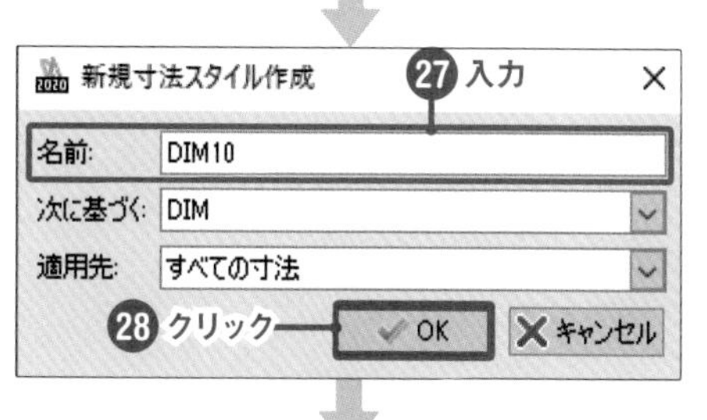

㉗ [新規寸法スタイルを作成]ダイアログが表示されるので、名前(ここでは「DIM10」)を入力する。

㉘ [OK]ボタンをクリックする。

㉙［オプション］ダイアログに戻るので、［アクティブ化］ボタンをクリックする。
㉚［フィット］の［＋］マークをクリックする。
㉛［寸法尺度］の［＋］マークをクリックする。
㉜［尺度係数］に「10」と入力する。

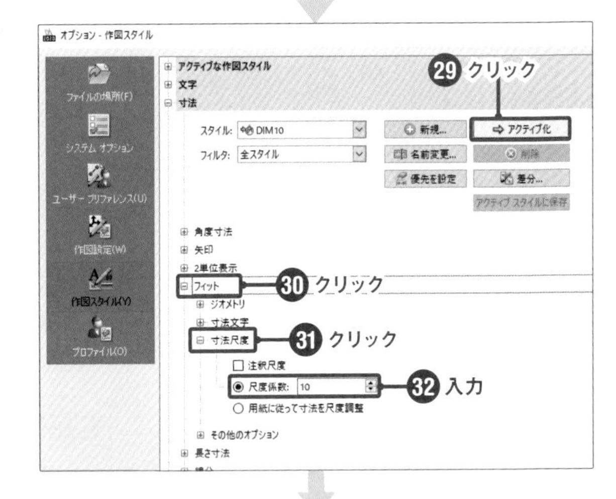

㉝［線分］の［＋］マークをクリックする。
㉞［補助線設定］の［＋］マークをクリックする。
㉟［オフセット］に「3」と入力する。
㊱［OK］ボタンをクリックして［オプション］ダイアログを閉じる。

1/10の寸法スタイル「DIM10」を作成できました。

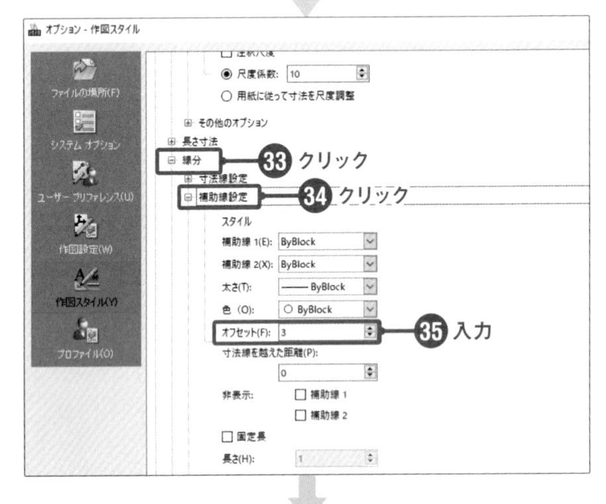

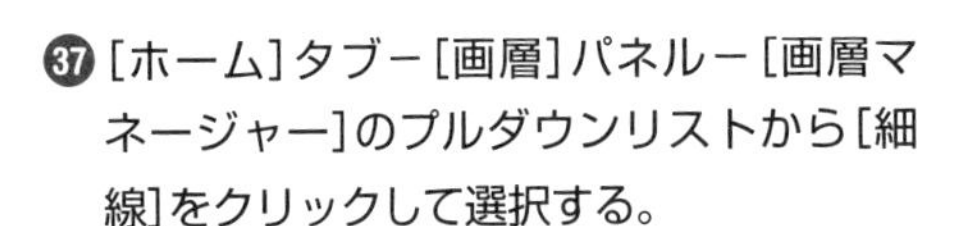
㊲［ホーム］タブ－［画層］パネル－［画層マネージャー］のプルダウンリストから［細線］をクリックして選択する。

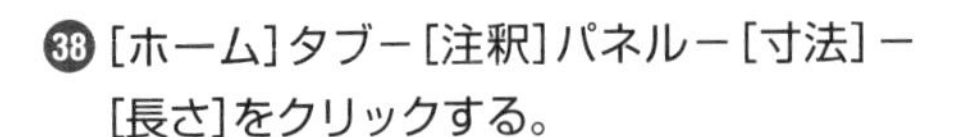
㊳［ホーム］タブ－［注釈］パネル－［寸法］－［長さ］をクリックする。

㊴コマンドウィンドウに「1本目の補助線を指定≫」と表示されるので、長方形の左辺上の **終点** と表示される位置でクリックする。

㊵コマンドウィンドウに「2本目の補助線を指定≫」と表示されるので、長方形の左辺下の **終点** と表示される位置でクリックする。

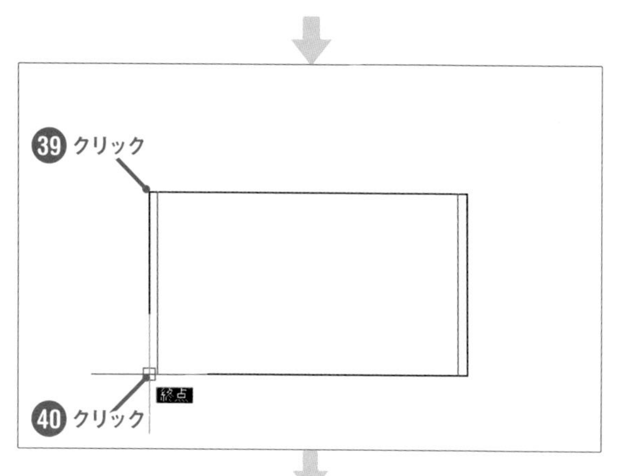

㊶コマンドウィンドウに「寸法線の位置を指定≫」と表示されるので、キーボードから「@-130,0」と入力して Enter キーを押す。

オプション: 角度(A), 水平(H), 注釈(N), 回転(R), 文字(T), 垂直(V
寸法線の位置を指定: @-130,0

寸法が数値指定した位置に記入されます。

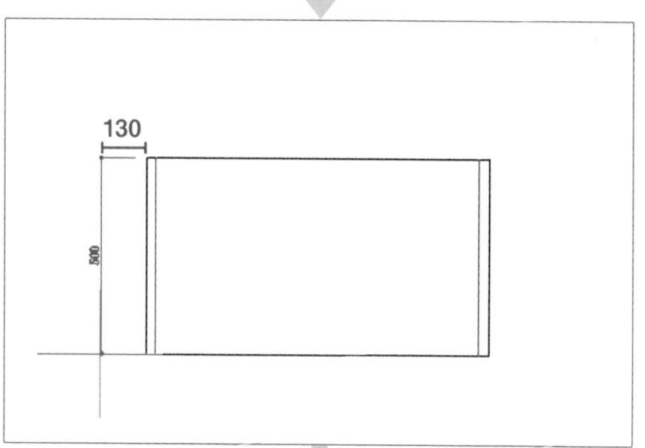

㊷再度、㊳と同様にして[長さ]コマンドを実行する。

㊸コマンドウィンドウに「1本目の補助線を指定≫」と表示されるので、長方形の上辺左の **終点** と表示される位置でクリックする。

㊹コマンドウィンドウに「2本目の補助線を指定≫」と表示されるので、長方形の上辺右の **終点** と表示される位置でクリックする。

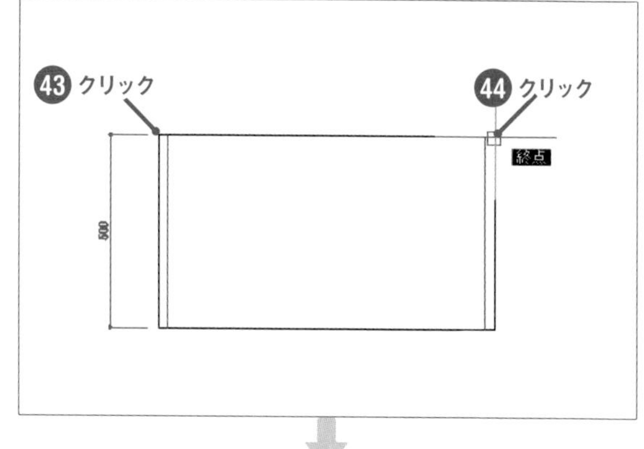

㊺コマンドウィンドウに「寸法線の位置を指定≫」と表示されるので、キーボードから「@0,130」と入力して Enter キーを押す。

オプション: 角度(A), 水平(H), 注釈(N), 回転(R), 文字(T), 垂直(V
寸法線の位置を指定: @0,130

上面図が描けました。

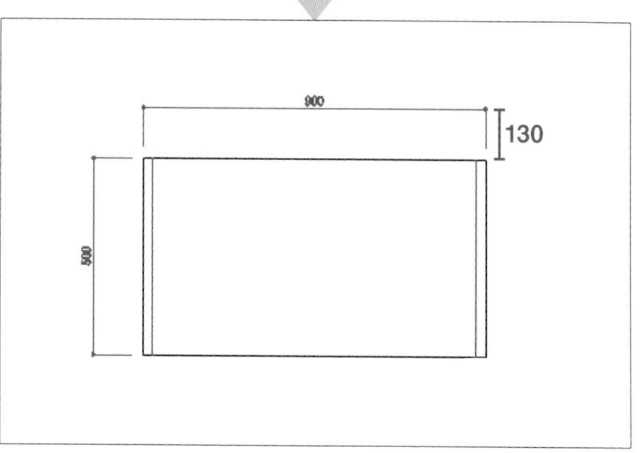

㊻クイックアクセスツールバーの[保存]をクリックしてファイルを保存する。ここまでの作業ファイルは、「07-01-02.dwg」という名前で教材データに収録されている。

7-1-3 正面図を描く

「図面」−「7th_day」−「07-01-02.dwg」(作図前)
「07-01-03.dwg」(作図後)

正面図を描きます。

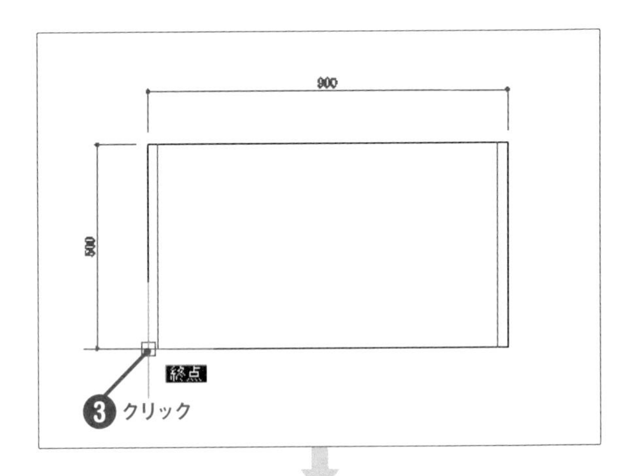

❶ [ホーム]タブ−[画層]パネル−[画層マネージャー]のプルダウンリストから[太線]をクリックして選択する。
❷ [四角形]コマンドをクリックする。
❸ コマンドウィンドウに「始点コーナーを指定≫」と表示されるので、上面図の左下頂点の 終点 と表示される位置をクリックする。
❹ コマンドウィンドウに「反対側のコーナーを指定≫」と表示されるので、キーボードから「@900,350」と入力して Enter キーを押す。

オプション: 領域(A), 寸法(D), 回転(R) または
反対側のコーナーを指定≫ @900,350

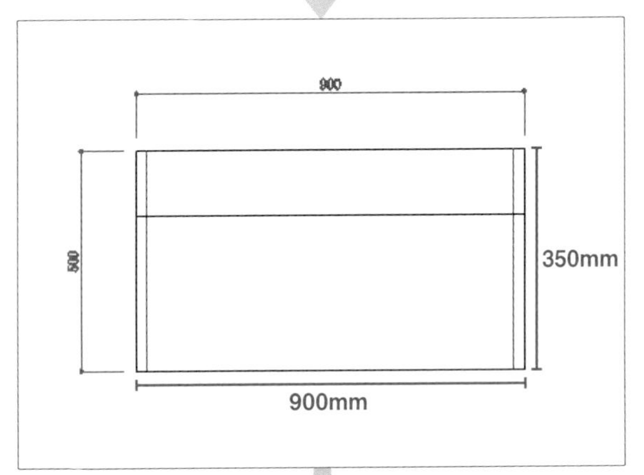

指定した位置からX軸方向に900㎜、Y軸方向に350㎜の長方形が描けました。

❺ [ホーム]タブ−[修正]パネル−[移動]をクリックする。
❻ コマンドウィンドウに「エンティティを指定≫」と表示されるので、作図した長方形をクリックして Enter キーを押す。

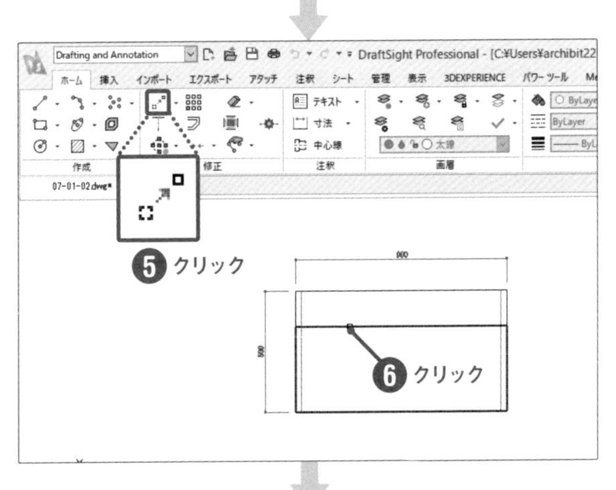

❼ コマンドウィンドウに「始点を指定≫」と表示されるので、任意の位置をクリックする。

❽ コマンドウィンドウに「目的点を指定≫」と表示されるので、カーソルを下方向へ移動する。このとき、ステータスバーの[直交]ボタンがオンになっているかを確認し、オフになっている場合はオンにする。キーボードから「**600**」と入力して Enter キーを押す。

オプション: *Enter キーで始点を移動距離として使用*または **目的点を指定»** 600

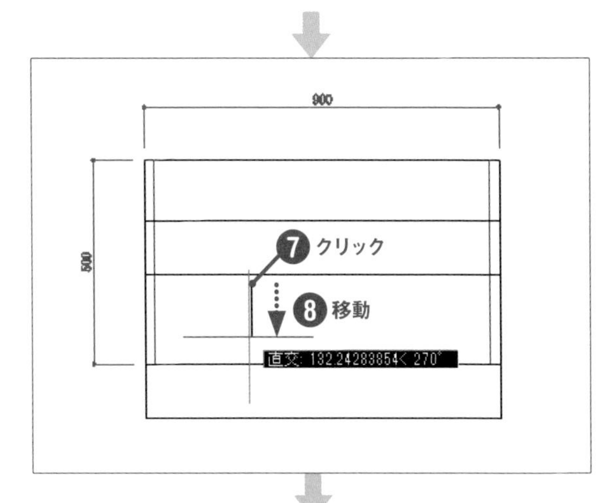

長方形が下方向に600㎜移動しました。

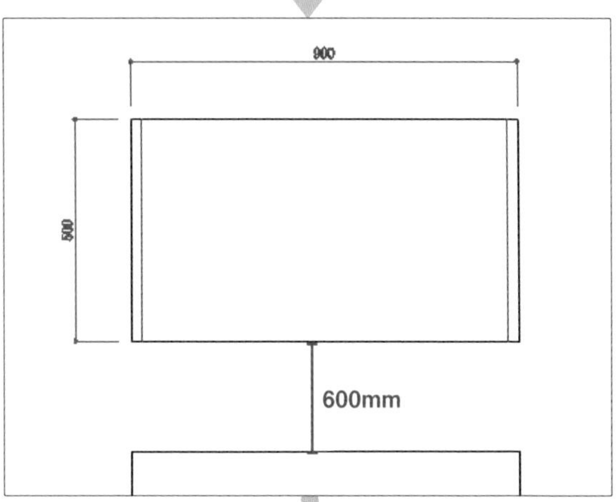

作図した長方形の全体が見えるように表示を変更します。長方形の角を丸くします。

❾ [ホーム]タブ－[修正]パネル－[フィレット]をクリックする。

❿ キーボードから「r」と入力して Enter キーを押し、オプションの[半径]を実行する。

オプション: 複数(M), ポリライン(P), 半径(R), トリム モード(T), 元に戻 **1つ目のエンティティを指定»** r

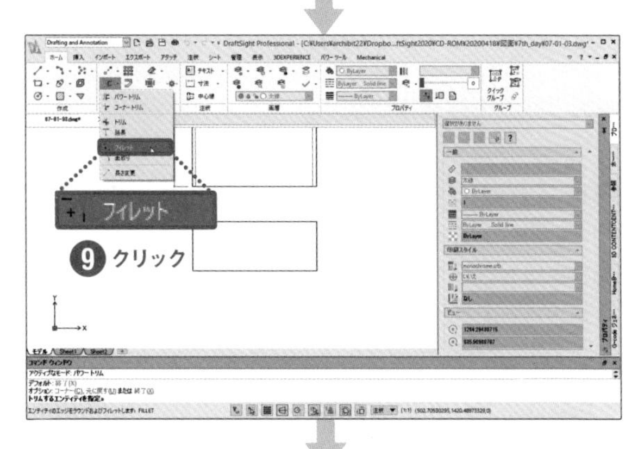

⓫ コマンドウィンドウに「半径を指定≫」と表示されるので、キーボードから「**100**」と入力して Enter キーを押す。

デフォルト: 10 **半径を指定»** 100

Day 1 Day 2 Day 3 Day 4 Day 5 Day 6 Day 7 図面を描く

⑫コマンドウィンドウに「1つ目のエンティティを指定≫」と表示されるので、長方形の左辺の上側をクリックする。

⑬コマンドウィンドウに「2つ目のエンティティを指定≫」と表示されるので、長方形の上辺の左側をクリックする。

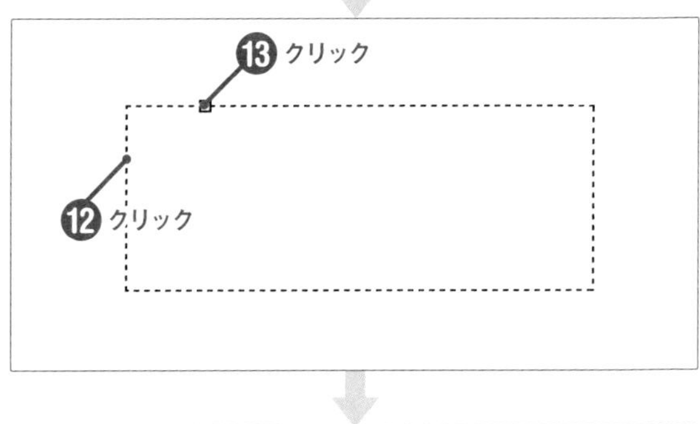

⑭指示した角が丸くなる。

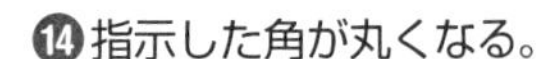

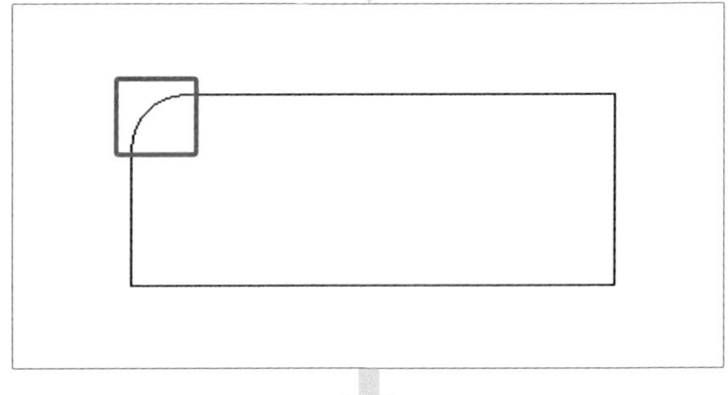

⑮再度[フィレット]コマンドを実行し、長方形の右上も⑫～⑬と同様にして角を丸くする。

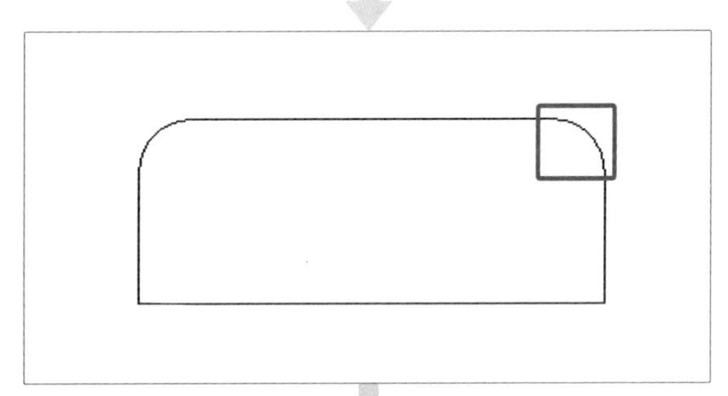

側板の厚みの線を描きます。

⑯[ホーム]タブ－[修正]パネル－[オフセット]をクリックする。

⑰コマンドウィンドウに「距離を指定≫」と表示されるので、キーボードから「24」と入力して Enter キーを押す。

オプション: 削除(D), 距離(DI), 目的の画層(L), 通過点(T), ギャップ
距離を指定» 24

⑱コマンドウィンドウに「ソース エンティティを指定≫」と表示されるので、図形をクリックする。

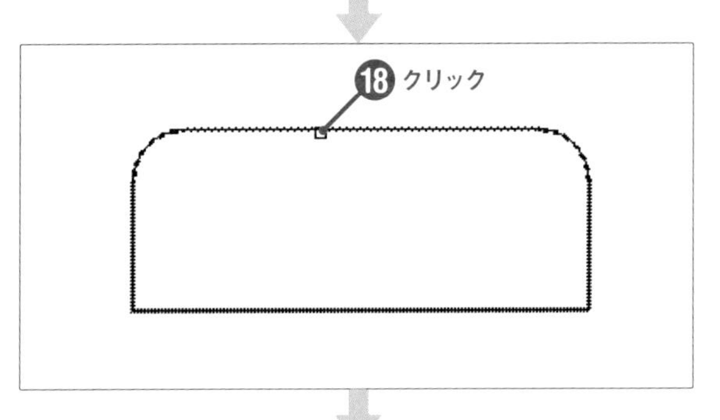

⑲コマンドウィンドウに「目的点の側を指定≫」と表示されるので、図形の内側をクリックする。

⑳ Enter キーを押して[オフセット]コマンドを終了する。図形が内側に24mmオフセットされる。

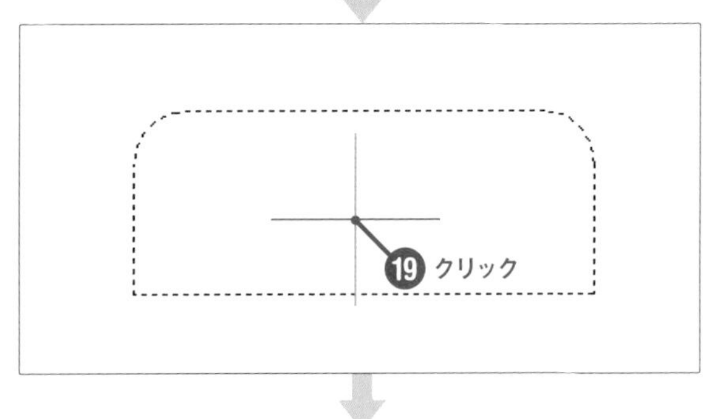

㉑［ホーム］タブ－［修正］パネル－［分解］をクリックする。

㉒ コマンドウィンドウに「エンティティを指定≫」と表示されるので、基の図形とオフセットしてできた内側の図形をそれぞれクリックする。

㉓ Enter キーを押すと、図形が分解される。

㉔ 内側の図形の下の線をクリックして選択状態にする。

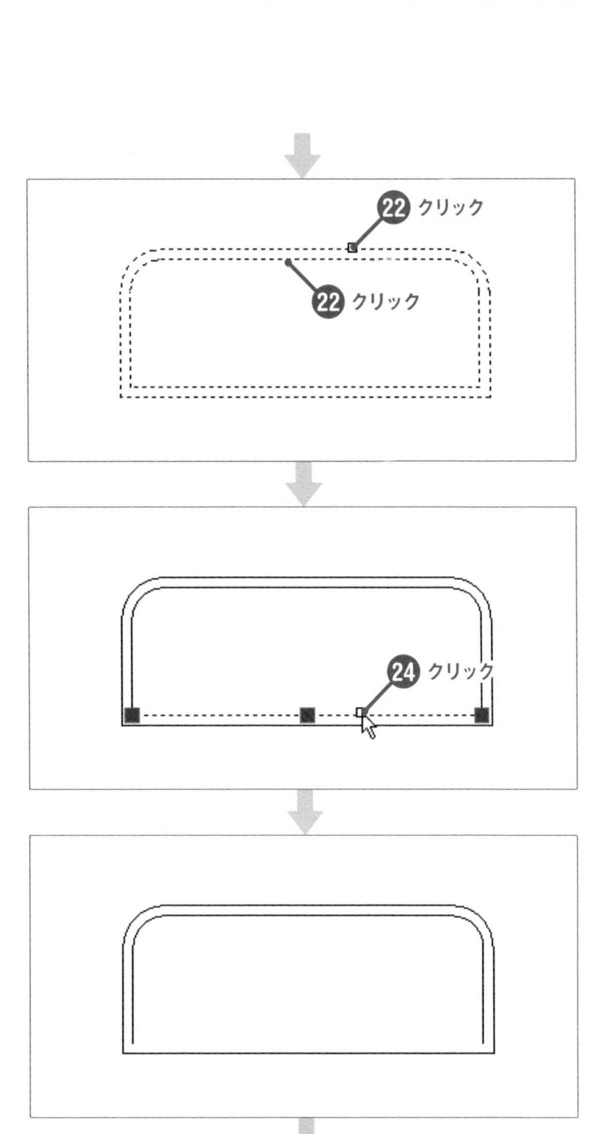

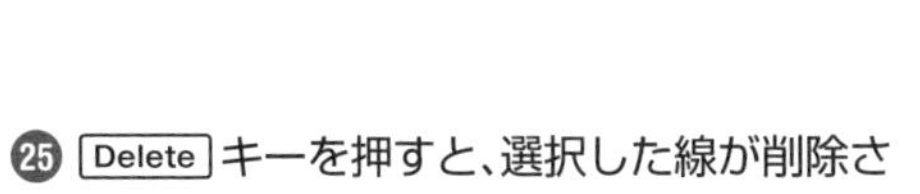

㉕ Delete キーを押すと、選択した線が削除される。

㉖［ホーム］タブ－［修正］パネル－［延長］をクリックする。

㉗ コマンドウィンドウに「境界エッジを指定≫」と表示されるので、Enter キーを押してすべてのエンティティを指定する。

㉘ コマンドウィンドウに「延長するセグメントを指定≫」と表示されるので、内側の左右の線の下端点付近をクリックすると、線が延長される。

㉙ Enter キーを押して［延長］コマンドを終了する。

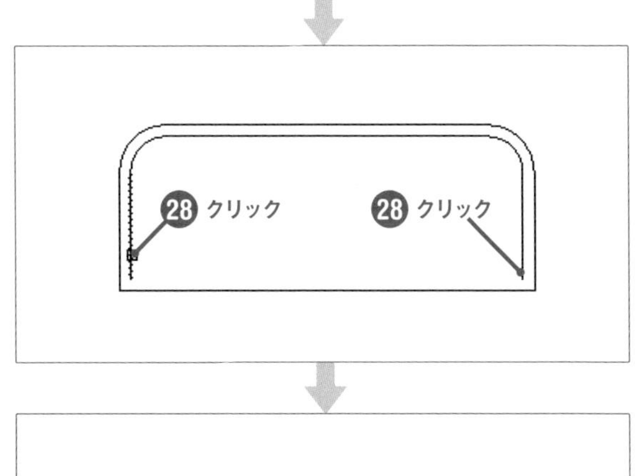

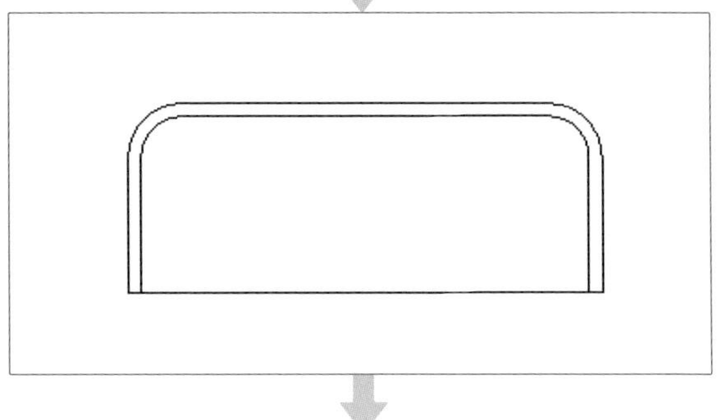

❸⓪ [ホーム]タブー[修正]パネルー[トリム]をクリックする。

❸❶ コマンドウィンドウに「切り取りエッジを指定≫」と表示されるので、Enter キーを押してすべてのエンティティを指定する。

オプション: *Enter キーで全エンティティを指定*または
切り取りエッジを指定 ...»

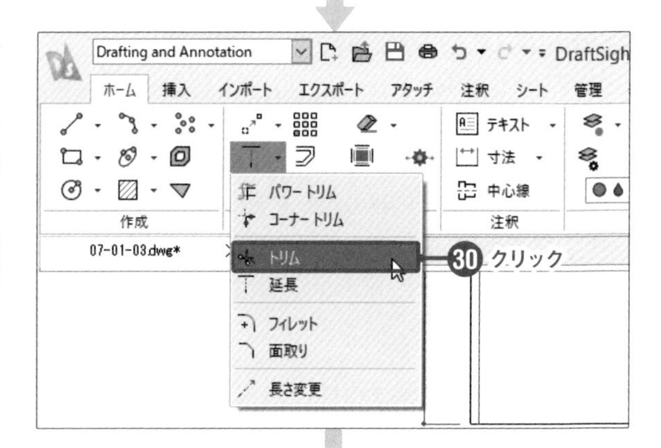

❸❷ コマンドウィンドウに「削除するセグメントを指定≫」と表示されるので、下の線をクリックする。

オプション: 交差(C), 交差線(CR), 投影(P), エッジ(E), 消去(R), 元
は
削除するセグメントを指定»

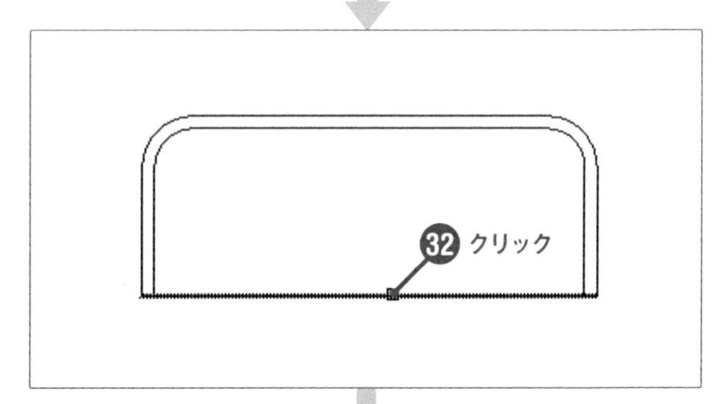

❸❸ Enter キーを押して[トリム]コマンドを終了する。指定した線が削除される。

側板の厚みの線が描けました。

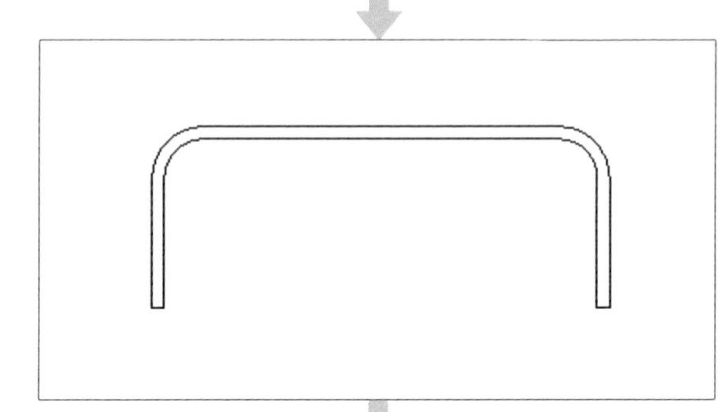

棚板を描きます。

❸❹ [ホーム]タブー[修正]パネルー[コピー]をクリックする。

❸❺ コマンドウィンドウに「エンティティを指定≫」と表示されるので、上の線2本をそれぞれクリックして Enter キーを押す。

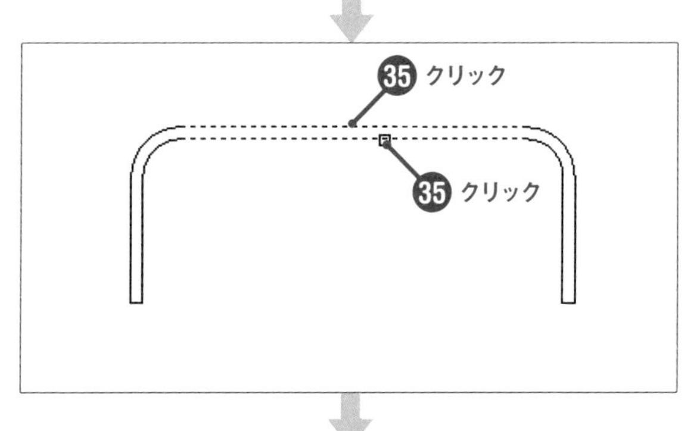

㊱コマンドウィンドウに「始点を指定≫」と表示されるので、任意の位置をクリックする。

㊲コマンドウィンドウに「2つ目の点を指定≫」と表示されるので、カーソルを下方向へ移動する。キーボードから「**150**」と入力して Enter キーを押す。基の線から150mm下に2本の線がコピーされる。

オプション: パターン(P) Enter キーで1つ目の点を移動距離として使
2つ目の点を指定» 150

㊳ Enter キーを押して[コピー]コマンドを終了する。

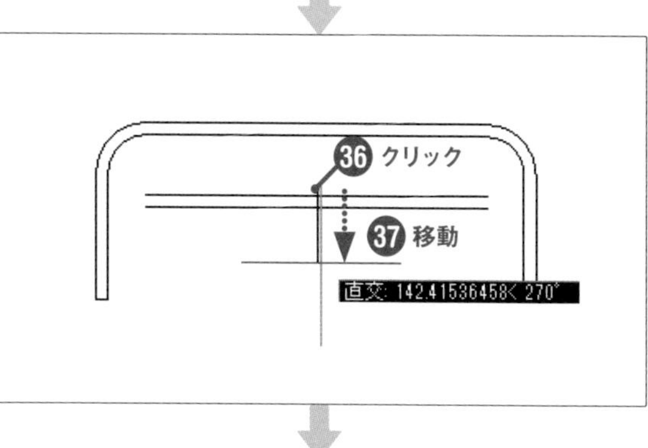

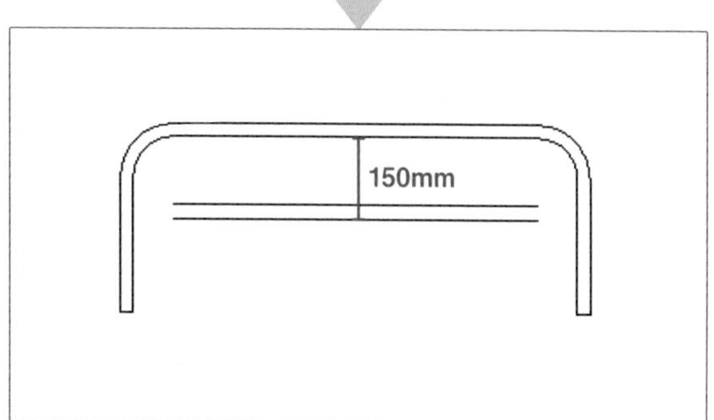

㊴[ホーム]タブ－[修正]パネル－[延長]をクリックする。

㊵コマンドウィンドウに「境界エッジを指定≫」と表示されるので、Enter キーを押してすべてのエンティティを指定する。

㊶コマンドウィンドウに「延長するセグメントを指定≫」と表示されるので、図の位置付近をクリックすると、線が延長される。

㊷ Enter キーを押して[延長]コマンドを終了する。

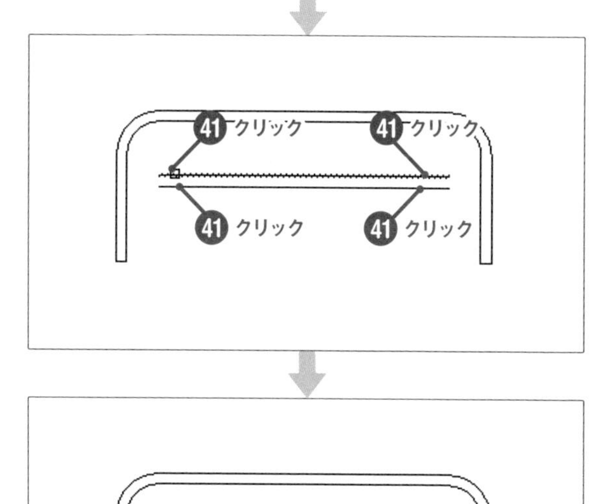

棚板が描けました。

寸法線を記入します。

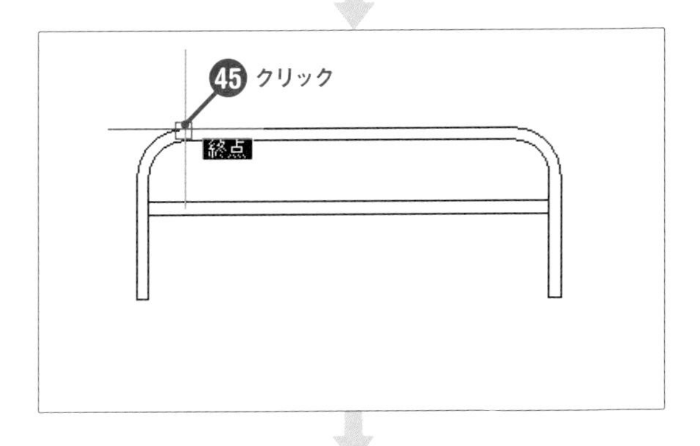

㊸[ホーム]タブ－[画層]パネル－[画層マネージャー]のプルダウンリストから[細線]をクリックして選択する。

㊹[ホーム]タブ－[注釈]パネル－[寸法]－[長さ]をクリックする。

㊺コマンドウィンドウに「1本目の補助線を指定≫」と表示されるので、上の線の左側端点にカーソルを近づけ、終点が表示されることを確認してクリックする。

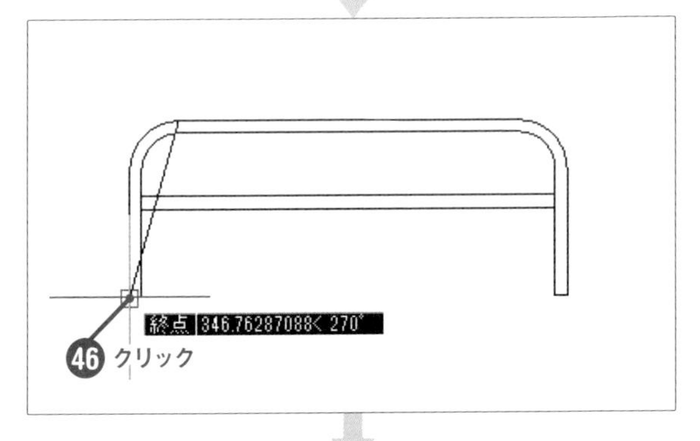

㊻コマンドウィンドウに「2本目の補助線を指定≫」と表示されるので、脚部分の線の端点にカーソルを近づけ終点が表示されることを確認してクリックする。

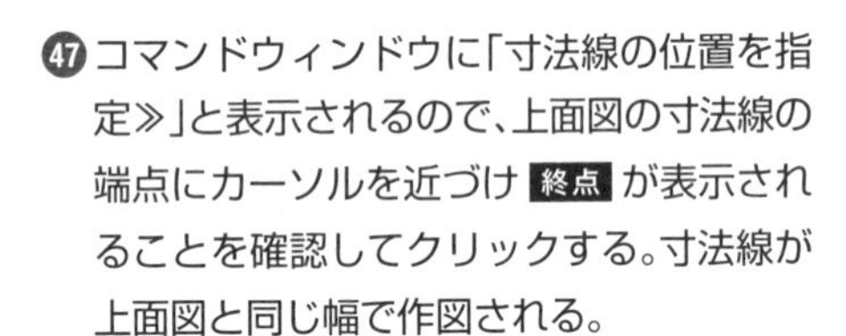

㊼コマンドウィンドウに「寸法線の位置を指定≫」と表示されるので、上面図の寸法線の端点にカーソルを近づけ終点が表示されることを確認してクリックする。寸法線が上面図と同じ幅で作図される。

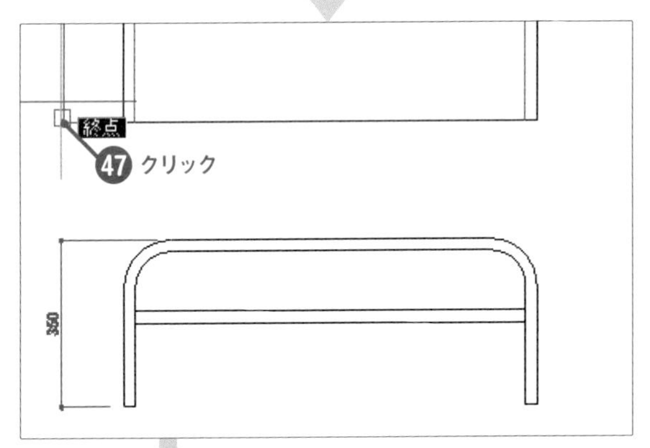

㊽[ホーム]タブ－[注釈]パネル－[寸法]－[長さ]をクリックする。

㊾コマンドウィンドウに「1本目の補助線を指定≫」と表示されるので、左脚の左下端点にカーソルを近づけ、終点が表示されることを確認してクリックする。

㊿コマンドウィンドウに「2本目の補助線を指定≫」と表示されるので、左脚の右下端点にカーソルを近づけ、終点が表示されることを確認してクリックする。

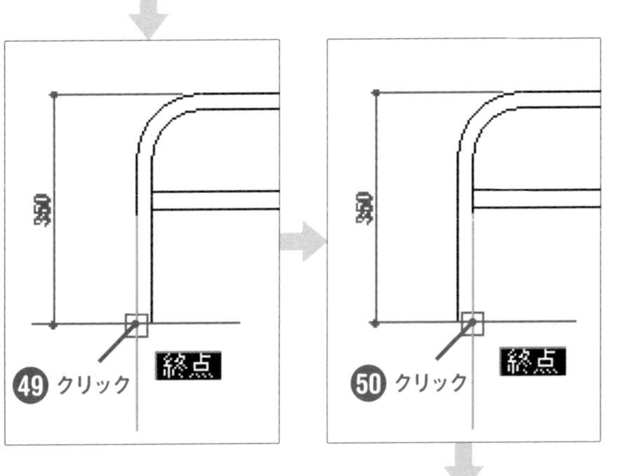

51 コマンドウィンドウに「寸法線の位置を指定≫」と表示されるので、キーボードから「@0, -130」と入力して Enter キーを押す。寸法が数値指定した位置に作図される。

オプション: 角度(A), 水平(H), 注釈(N), 回転(R), 文字(T), 垂直(V
寸法線の位置を指定» @0,-130

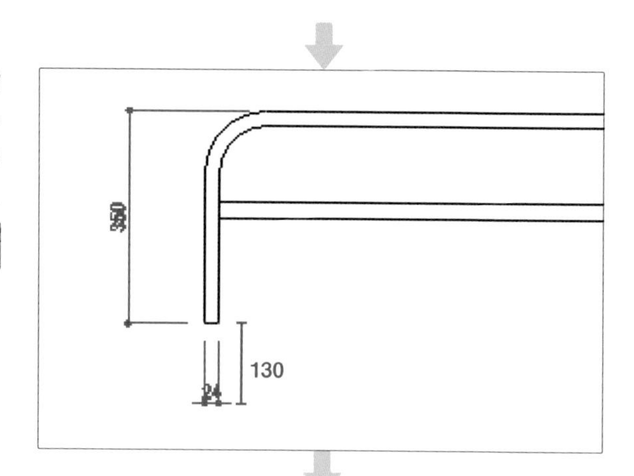

52 ［注釈］タブー［寸法］パネルー［直列］をクリックする。

53 前回指示した点が自動的に始点となり、コマンドウィンドウに「2本目の補助線を指定≫」と表示されるので、右脚の左下端点にカーソルを近づけ、**終点** が表示されることを確認してクリックする。左脚と右脚の間隔の寸法が作図される。

54 再度、コマンドウィンドウに「2本目の補助線を指定≫」と表示されるので、右脚の右下端点にカーソルを近づけ、**終点** が表示されることを確認してクリックする。脚の厚みの寸法が作図される。

55 Enter キーを押して［直列］コマンドを終了する。

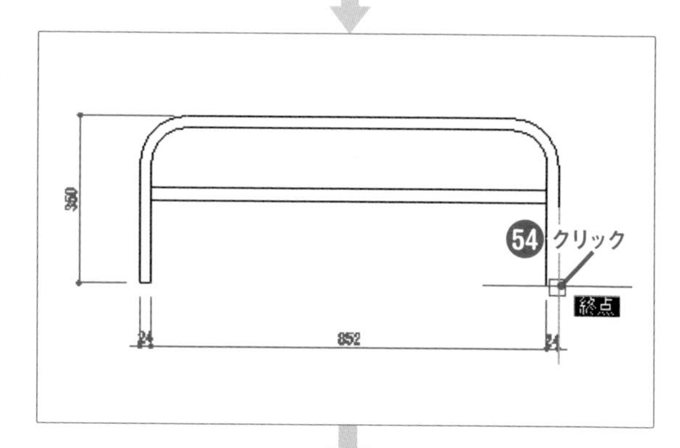

56 ［注釈］タブー［寸法］パネルー［並列］をクリックする。

57 キーボードから「b」と入力して Enter キーを押し、オプションの［ベース寸法］を実行する。

オプション: ベース寸法(B), 元に戻す(U) または
2本目の補助線を指定» b

58 コマンドウィンドウに「ベース寸法を指定≫」と表示されるので、左脚の左側の寸法補助線をクリックする。

ベース寸法を指定»

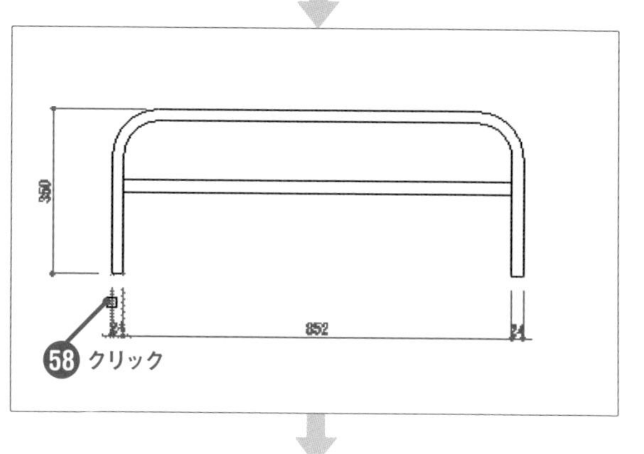

59 コマンドウィンドウに「2本目の補助線を指定≫」と表示されるので、右脚の右下端点にカーソルを近づけ、終点が表示されることを確認してクリックする。横方向の全体寸法が段組で作図される。

60 Enter キーを押して[並列]コマンドを終了する。

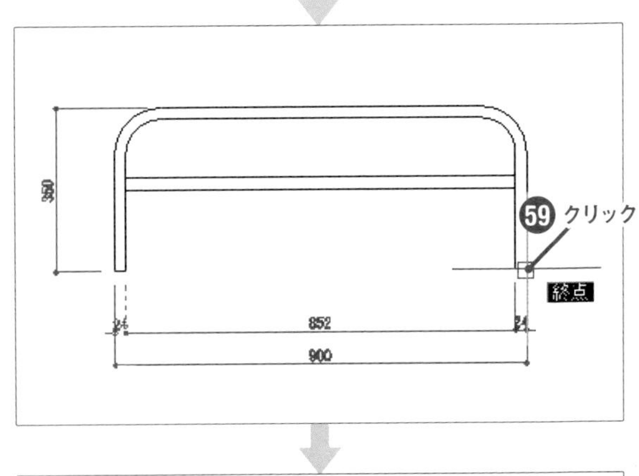

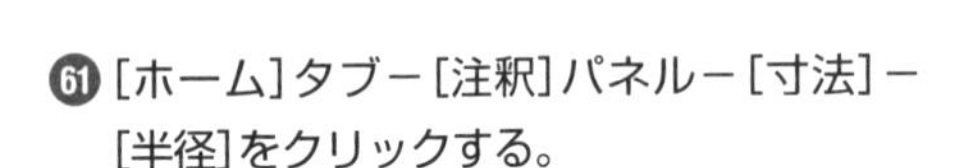

61 [ホーム]タブー[注釈]パネルー[寸法]ー[半径]をクリックする。

62 コマンドウィンドウに「カーブエンティティを指定≫」と表示されるので、左上の角丸の線をクリックする。

カーブ エンティティを指定»

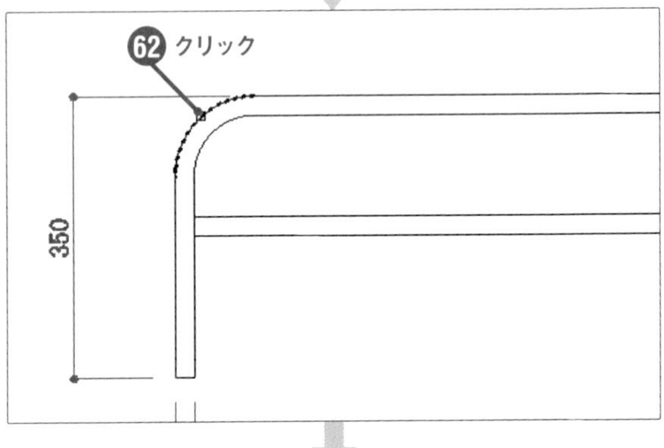

63 コマンドウィンドウに「寸法位置を指定≫」と表示されるので、文字と寸法線が重ならない任意の位置をクリックする。半径寸法が作図される。

オプション: 角度(A), 注釈(N), 文字(T) または
寸法位置を指定»

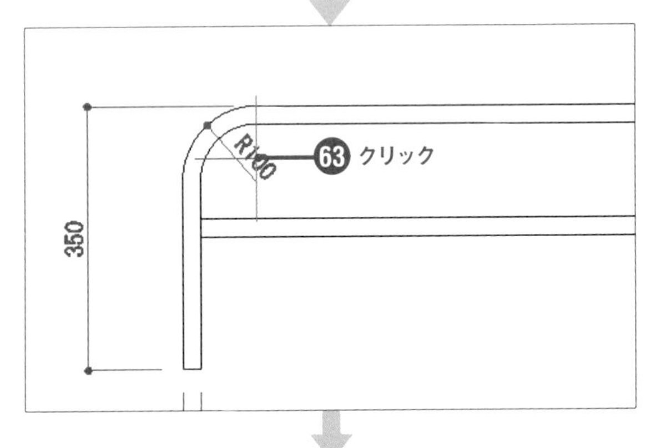

正面図が描けました。

64 クイックアクセスツールバーの[保存]をクリックし、ファイルを保存する。ここまでの作業ファイルは、「07-01-03.dwg」という名前で教材データに収録されている。

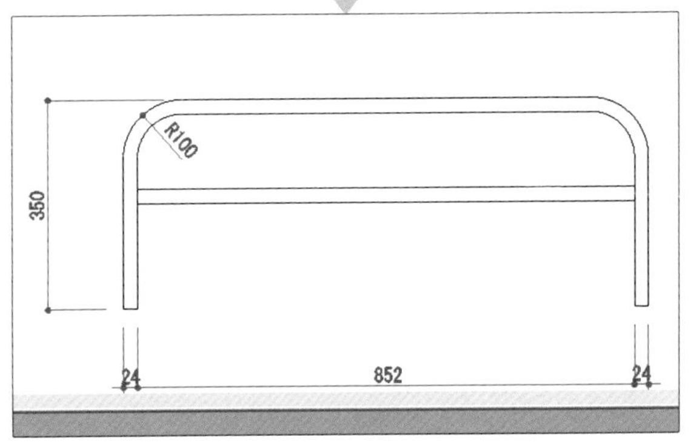

7-1-4 側面図を描く

「図面」－「7th_day」－「07-01-03.dwg」（作図前）
「07-01-04.dwg」（作図後）

側面図を描きます。

❶ ［ホーム］タブ－［画層］パネル－［画層マネージャー］のプルダウンリストから［太線］をクリックして選択する。

❷ ［ホーム］タブ－［作成］パネル－［四角形］をクリックする。

❸ コマンドウィンドウに「始点コーナーを指定»」と表示されるので、正面図の右脚端点の 終点 と表示される位置をクリックする。

❹ コマンドウィンドウに「反対側のコーナーを指定»」と表示されるので、キーボードから「@500,350」と入力して Enter キーを押す。

オプション: 領域(A), 寸法(D), 回転(R) または
反対側のコーナーを指定» @500,350

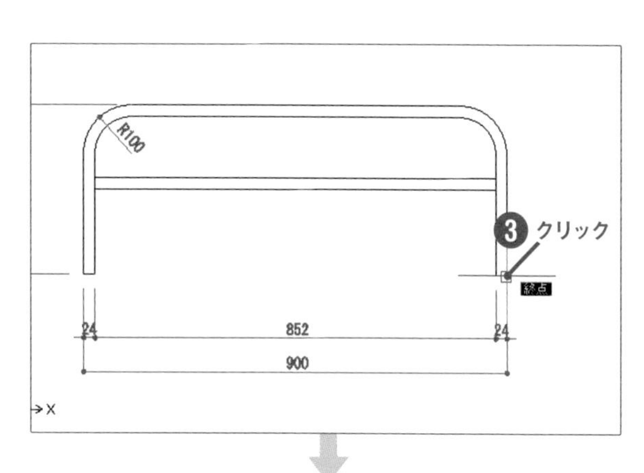

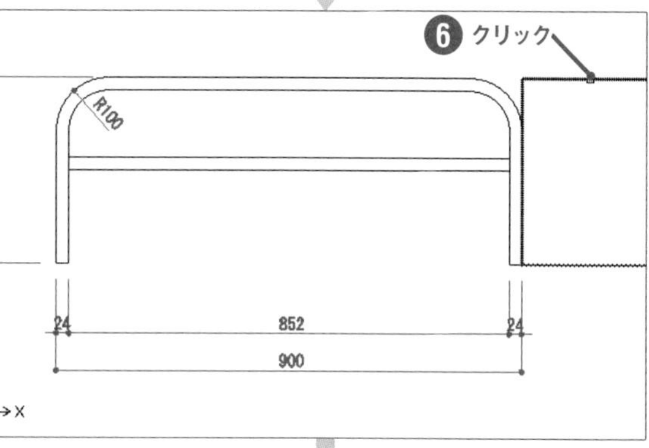

指定した位置からX軸方向に500㎜、Y軸方向に350㎜の長方形が描けました。

❺ ［ホーム］タブ－［修正］パネル－［移動］をクリックする。

❻ コマンドウィンドウに「エンティティを指定»」と表示されるので、長方形をクリックして Enter キーを押す。

❼ コマンドウィンドウに「始点を指定»」と表示されるので、任意の位置をクリックする。

❽ コマンドウィンドウに「目的点を指定»」と表示されるので、カーソルを右方向へ移動する。キーボードから「400」と入力して Enter キーを押す。

オプション: Enter キーで始点を移動距離として使用 または
目的点を指定» 400

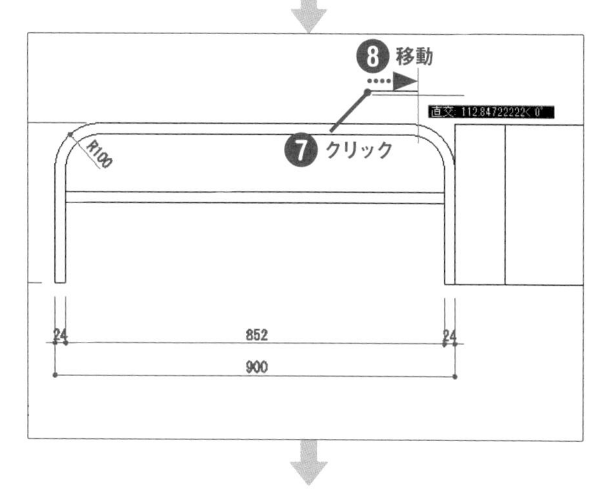

長方形が右方向に400㎜移動しました。作図した長方形の全体が見えるように表示を変更します。

棚板の厚みを描きます。

❾［ホーム］タブー［修正］パネルー［コピー］ をクリックする。

❿ コマンドウィンドウに「エンティティを指定≫」と表示されるので、正面図の段板と天板の下線のみ3本をクリックして Enter キーを押す。

⓫ コマンドウィンドウに「始点を指定≫」と表示されるので、任意の位置をクリックする。

⓬ コマンドウィンドウに「2つ目の点を指定≫」と表示されるので、カーソルを右方向へ移動し、仮表示の3本の線が作図した長方形の左右にはみ出す位置でクリックする。

⓭ Enter キーを押して［コピー］コマンドを終了する。

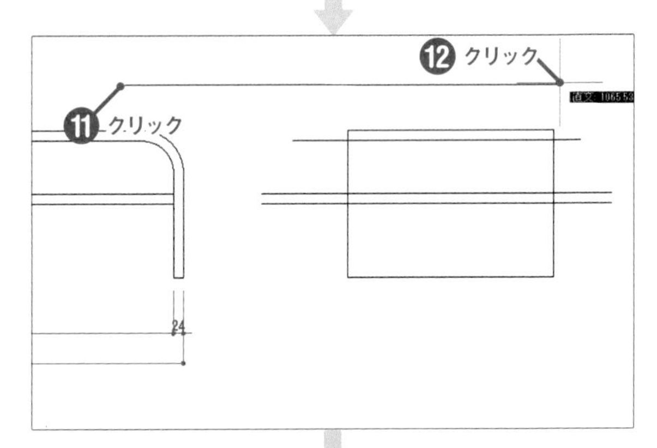

⓮［ホーム］タブー［修正］パネルー［トリム］をクリックする。

⓯ コマンドウィンドウに「切り取りエッジを指定≫」と表示されるので、Enter キーを押してすべてのエンティティを指定する。

⓰ コマンドウィンドウに「削除するセグメントを指定≫」と表示されるので、左右にはみ出した部分（6カ所）をクリックする。

⓱ Enter キーを押して［トリム］コマンドを終了する。

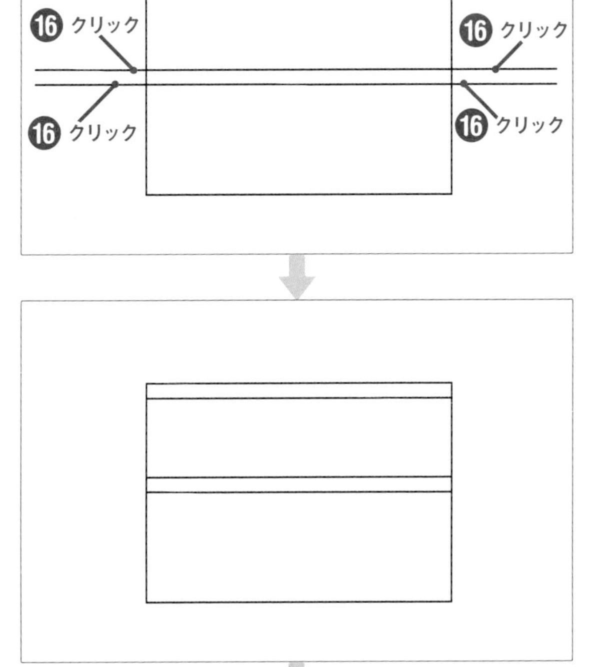

⑱ 3本の線の画層を変更するため、クリックして選択状態にする。

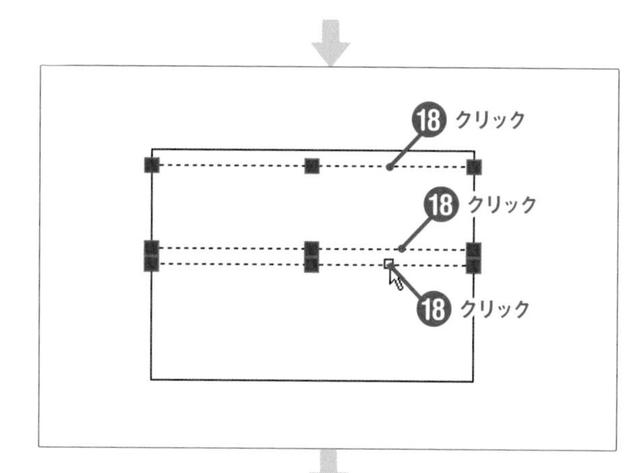

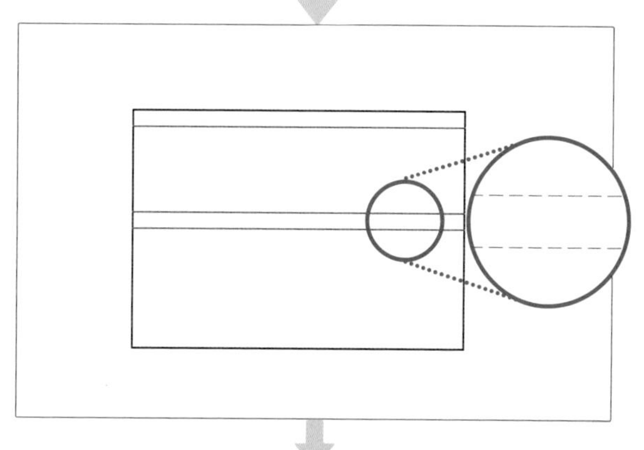

⑲ [プロパティ]パレットの [画層]のプルダウンリストで[破線]を選択すると、線が破線に変更される。

⑳ Esc キーを押して選択を解除する。

棚板の厚みが描けました。

HINT 破線がよく見えない場合

破線の表現がよく見えないときは、表示を拡大する。

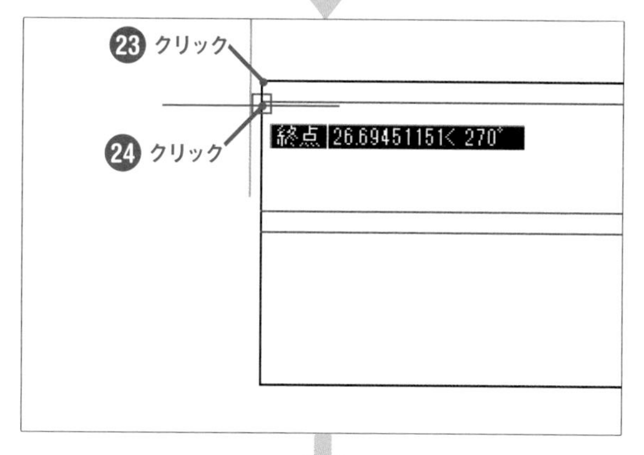

寸法線を記入します。

㉑ [ホーム]タブ－[画層]パネル－[画層マネージャー]のプルダウンリストから[細線]をクリックして選択する。

㉒ [ホーム]タブ－[注釈]パネル－[寸法]－[長さ]をクリックする。

㉓ コマンドウィンドウに「1本目の補助線を指定≫」と表示されるので、左上の端点にカーソルを近づけ、**終点** が表示されることを確認してクリックする。

㉔ コマンドウィンドウに「2本目の補助線を指定≫」と表示されるので、上から2番目の線の左側端点にカーソルを近づけ **終点** が表示されることを確認してクリックする。

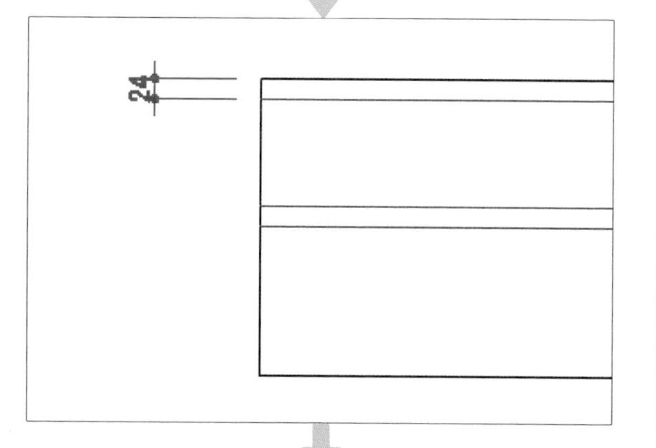

㉕ コマンドウィンドウに「寸法線の位置を指定≫」と表示されるので、キーボードから「@-130,0」と入力して Enter キーを押す。寸法が数値指定した位置に作図される。

オプション: 角度(A), 水平(H), 注釈(N), 回転(R), 文字(T), 垂直(V
寸法線の位置を指定» @-130,0

㉖[注釈]タブー[寸法]パネルー[直列]をクリックする。

㉗前回指示した点が自動的に始点となり、コマンドウィンドウに「2本目の補助線を指定≫」と表示されるので、上から3番目の線の左側端点にカーソルを近づけ 終点 が表示されることを確認してクリックする。2点間の寸法が作図される。

㉘コマンドウィンドウに「2本目の補助線を指定≫」と表示されるので、上から4番目の線の左側端点にカーソルを近づけ 終点 が表示されることを確認してクリックする。2点間の寸法が作図される。

㉙コマンドウィンドウに「2本目の補助線を指定≫」と表示されるので、左下の端点にカーソルを近づけ 終点 が表示されることを確認してクリックする。2点間の寸法が作図される。

㉚ Enter キーを押して[直列]コマンドを終了する。

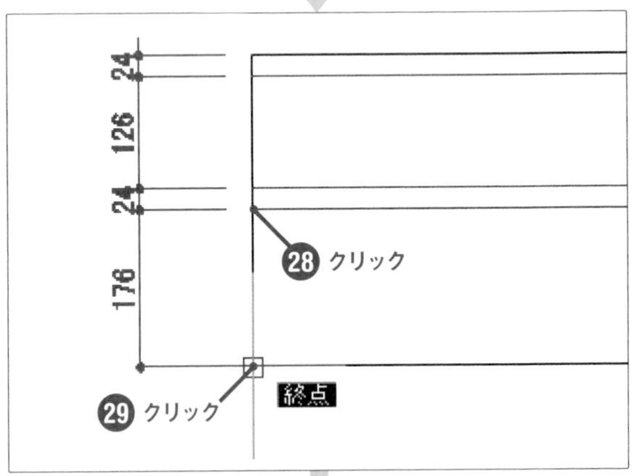

㉛[ホーム]タブー[注釈]パネルー[寸法]ー[長さ]をクリックする。

㉜コマンドウィンドウに「1本目の補助線を指定≫」と表示されるので、左下の頂点の 終点 と表示される位置でクリックする。

㉝コマンドウィンドウに「2本目の補助線を指定≫」と表示されるので、右下の頂点の 終点 と表示される位置でクリックする。

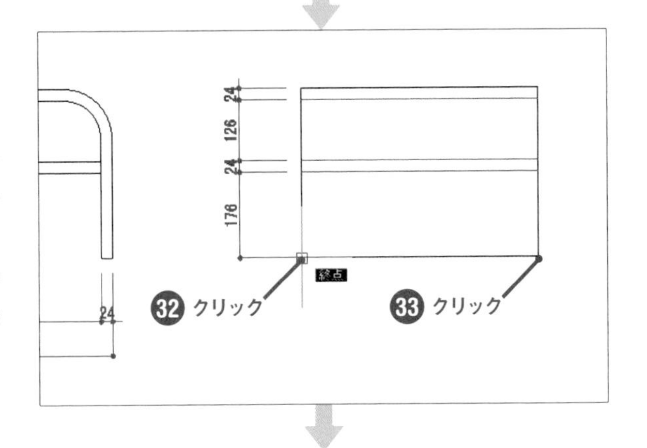

❸❹ コマンドウィンドウに「寸法線の位置を指定≫」と表示されるので、正面図の寸法線の図の端点にカーソルを近づけ 終点 が表示されることを確認してクリックする。寸法線が正面図と同じ高さに作図される。

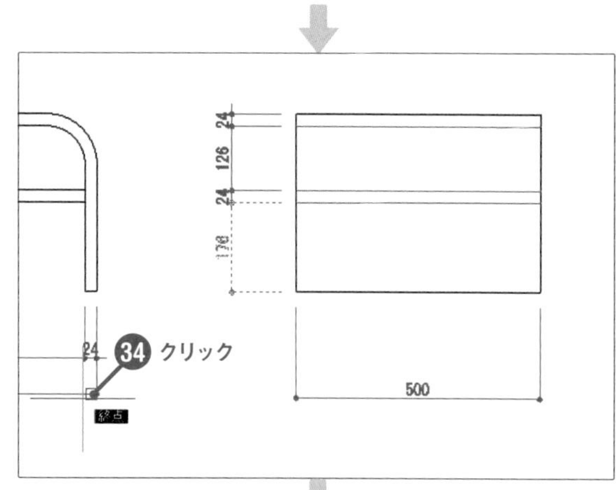

側面図が描けました。

❸❺ クイックアクセスツールバーの[保存]をクリックしてファイルを保存する。ここまでの作業ファイルは、「07-01-04.dwg」という名前で教材データに収録されている。

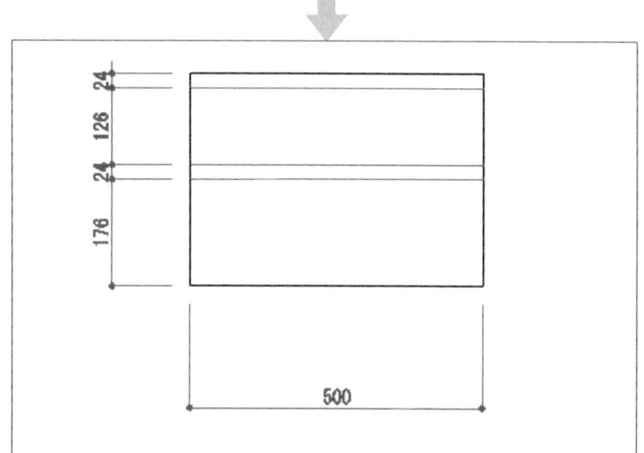

7-1-5 印刷する

「図面」－「7th_day」－「07-01-04.dwg」(作図前)
「07-01-05.dwg」(作図後)
「A4.cfg」(印刷コンフィギュレーションファイル)

作成した図面を印刷します。ここでは、[シート]タブで印刷を行います。まず、シートに図面をレイアウトします。6-1-3で設定した印刷コンフィギュレーションファイル「A4.cfg」を読み込んで設定し、ビュータイルで縮尺を1/10にします。

❶ [Sheet1]タブをクリックする。
❷ [Sheet1]タブを右クリックする。
❸ 表示されるコンテキストメニューの[印刷コンフィギュレーション マネージャー]をクリックして選択する。

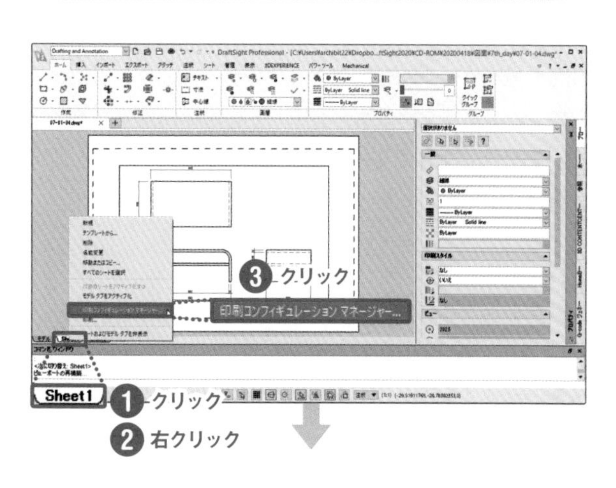

❹[印刷コンフィギュレーション マネージャー]ダイアログが表示されるので、「A4」を読み込むために[インポート]ボタンをクリックする。リストに「A4」が表示されている場合は、❼に進む。

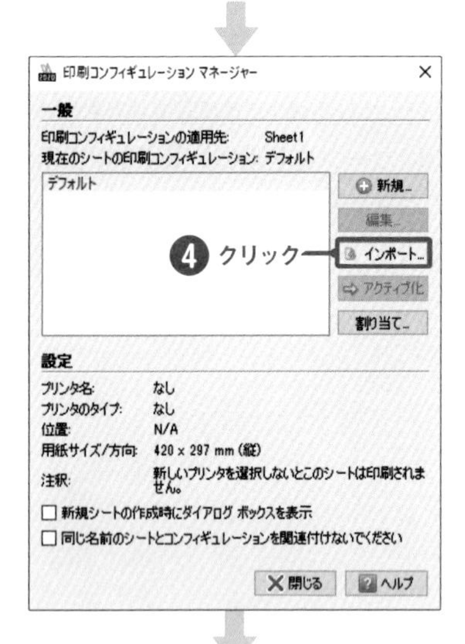

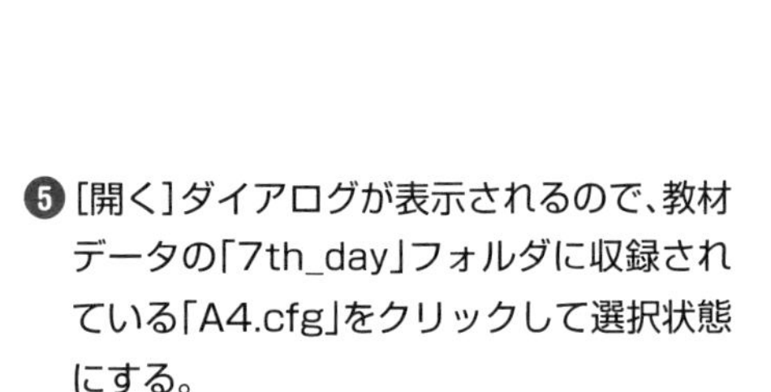

❺[開く]ダイアログが表示されるので、教材データの「7th_day」フォルダに収録されている「A4.cfg」をクリックして選択状態にする。

❻[開く]ボタンをクリックする。

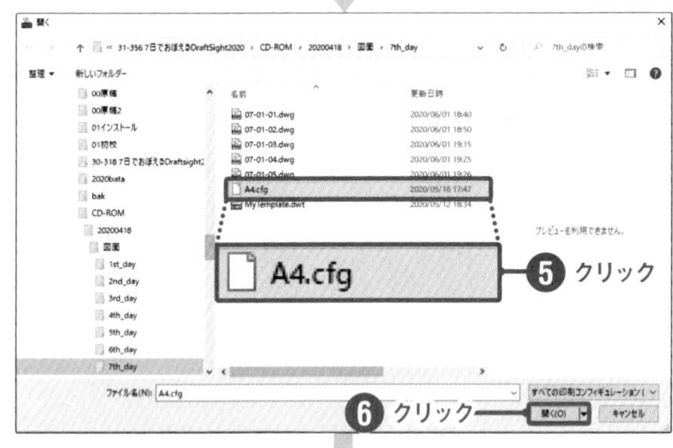

❼[印刷コンフィギュレーション マネージャー]ダイアログに戻るので、リストに追加された「A4」をクリックして選択状態にする。

❽[アクティブ化]ボタンをクリックする。

❾[閉じる]ボタンをクリックする。

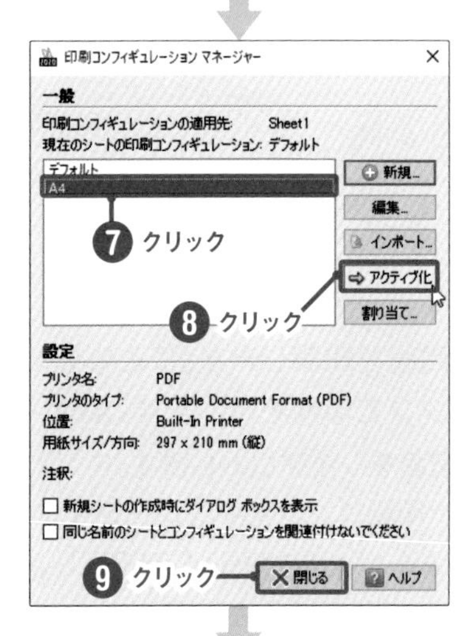

HINT 用紙サイズの表示がおかしい場合

❿で用紙サイズの表示がおかしくなっている場合、次の方法で正しい表示になる。

❶[印刷コンフィギュレーション マネージャー]ダイアログで「A4」が選択されているのを確認し、[編集]ボタンをクリックする。

❷表示される[印刷コンフィギュレーション]ダイアログで[保存]ボタンをクリックする。

❸[印刷コンフィギュレーション マネージャー]ダイアログに戻るので[閉じる]ボタンをクリックする。

⑩ 現在のビュータイルをクリックし、Delete キーを押して削除する。

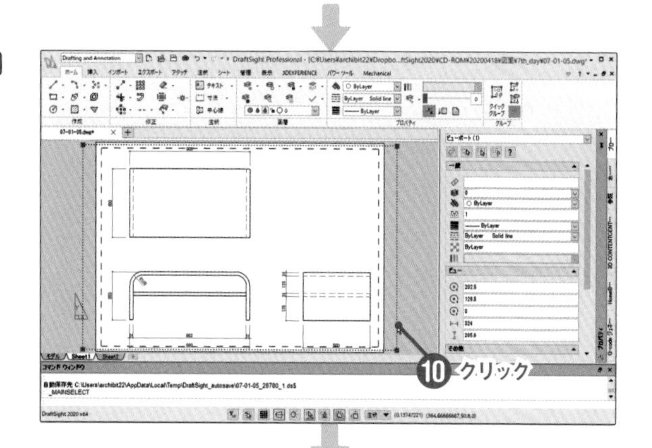

⑪ [ホーム]タブ－[画層]パネル－[画層マネージャー]のプルダウンリストから[Defpoints]をクリックして選択する。

HINT 印刷しないものは画層「Defpoints」に

画層「Defpoints」は、寸法を作成すると生成され、印刷されない特別な画層。ここでは、ビュータイルの枠が印刷されないように、画層「Defpoints」に設定して作図を行う。

⑫ [表示]タブ－[ビュータイル]パネル－[ビュータイル]－[単一タイル]をクリックする。

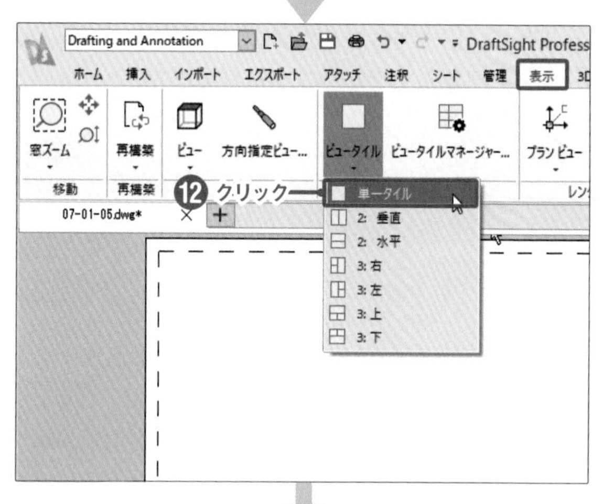

⑬ キーボードから「f」と入力して Enter キーを押し、オプションの[フィット]を実行する。

オプション: 2, 3, 4, 整列(A), エンティティ(E), フィット(F), ロック(L), オ
ディングビュー(SH) または
始点コーナーを指定: f

⑭ 印刷範囲と同じ大きさのビュータイルが作成される。

⑮ 作成したビュータイルの枠をクリックする。

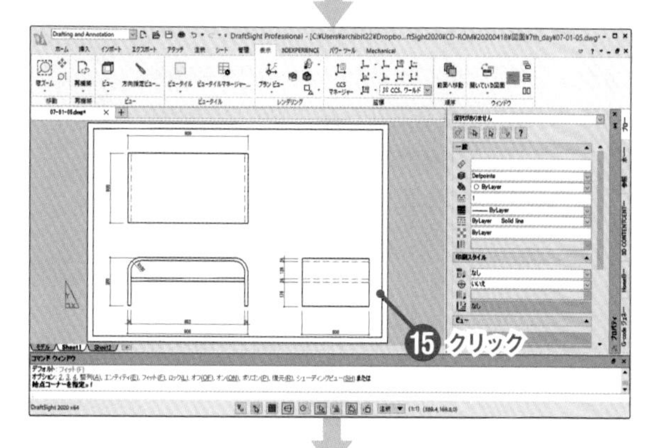

⑯ [プロパティ]パレットの[標準尺度]のリストから[1:10]を選択すると、ビュータイル内の表示が1/10に設定される。

⑰ Esc キーを押してビュータイルの枠の選択を解除する。

⑱ [Sheet1]タブをダブルクリックする。

⑲ シート名が入力できる状態になるので、「A4 1_10」と入力して Enter キーを押す。

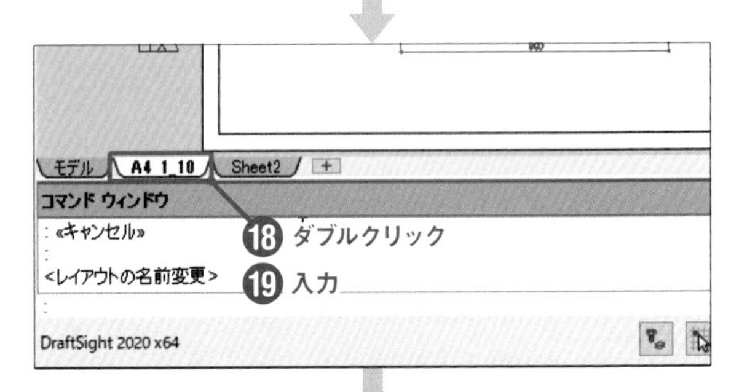

シートに図面をレイアウトできました。

[印刷]ダイアログで設定を行い、印刷を実行します。印刷コンフィギュレーションが「A4」に設定されているので、印刷スタイルのみ設定を行います。

⑳ クイックアクセスツールバーの[印刷]をクリックして選択する。

㉑ [印刷]ダイアログが表示されるので[その他のオプション]ボタンをクリックする。

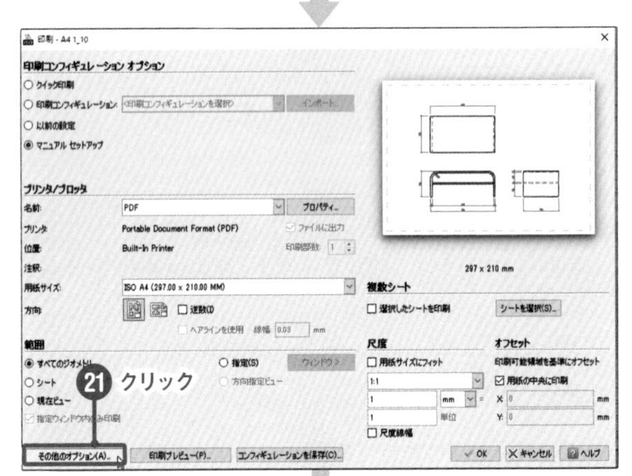

㉒［その他の印刷オプション］ダイアログが表示されるので、［印刷スタイル テーブル］に［monochrome.ctb］を選択する。
㉓［OK］ボタンをクリックする。

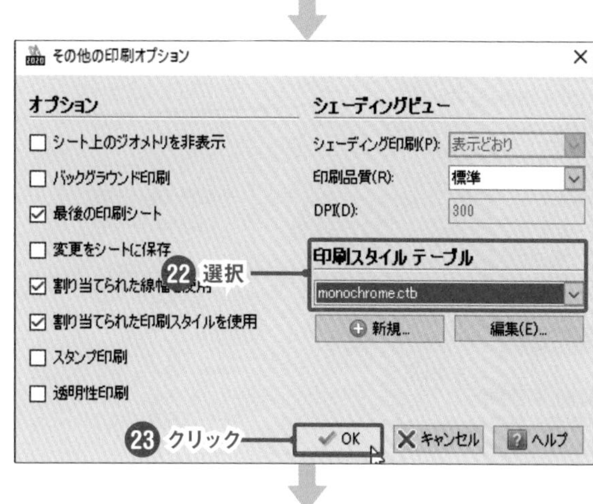

㉔［印刷］ダイアログに戻るので、［印刷プレビュー］ボタンをクリックする。
㉕［印刷プレビュー］が表示されるので、確認して左上の［印刷］ボタンをクリックする。

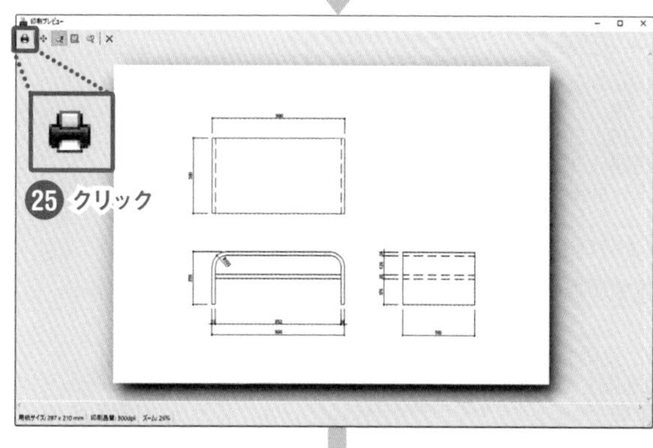

㉖ここでは、出力形式をPDFにしているので［名前を付けて保存］ダイアログが表示される。［ファイル名］（ここでは、「07-01」）を入力する。
㉗［保存］ボタンをクリックする。

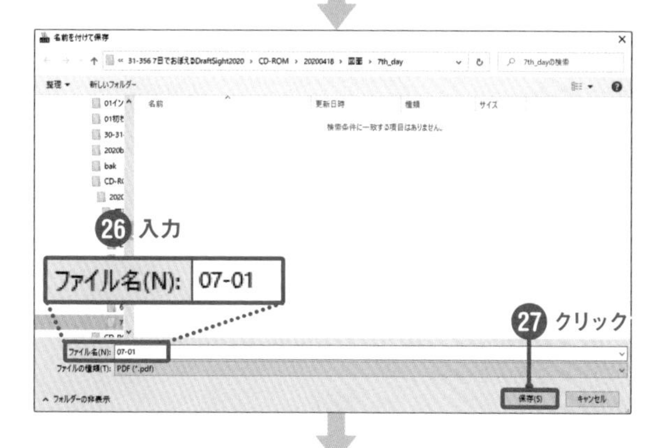

HINT プリンタ／プロッタを選択した場合

出力形式にプリンタ／プロッタ名を選択した場合は、［名前を付けて保存］ダイアログは表示されずに、指定したプリンタ／プロッタで出力が始まる。

印刷が実行されます。ここでは「07-01.pdf」が作成されました。

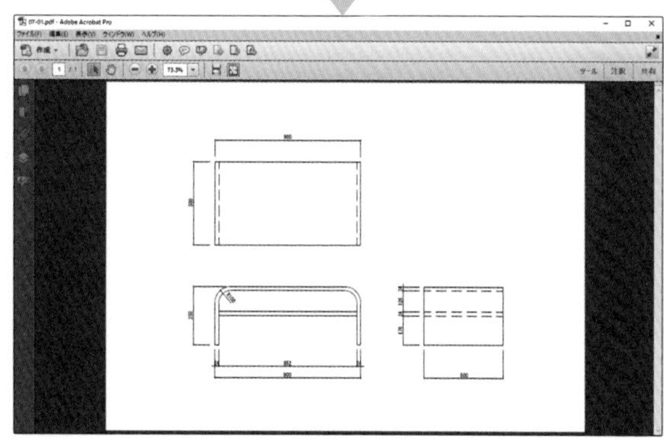

INDEX

[送付先]／FAX **03-3403-0582**　メールアドレス **info@xknowledge.co.jp**
インターネットからのお問合せ **http://xknowledge-books.jp/support/toiawase**

FAX質問シート

7日でおぼえるDraftSight[DraftSight 2020対応]

P.002の「必ずお読みください」と以下を必ずお読みになり、ご了承いただいた場合のみご質問をお送りください。

- 「本書の手順通り操作したが記載されているような結果にならない」といった本書記事に直接関係のある質問にのみご回答いたします。「このようなことがしたい」「このようなときはどうすればよいか」など特定のユーザー向けの操作方法や問題解決方法については受け付けておりません。
- 本質問シートでFAXまたはメールにてお送りいただいた質問のみ受け付けております。お電話による質問はお受けできません。
- 本質問シートはコピーしてお使いください。また、必要事項に記入漏れがある場合はご回答できない場合がございます。
- メールの場合は、書名と当質問シートの項目を必ずご記入のうえ、送信してください。
- ご質問の内容によってはご回答できない場合や日数を要する場合がございます。
- パソコンやOSそのもの、ご使用の機器や環境についての操作方法・トラブルなどの質問は受け付けておりません。

ふりがな

氏名　　　　　　　　**年齢**　　　**歳**　　　**性別**　**男　・　女**

回答送付先(FAXまたはメールのいずれかに○印を付け、FAX番号またはメールアドレスをご記入ください)

FAX　・　メール

※送付先ははっきりとわかりやすくご記入ください。判読できない場合はご回答いたしかねます。※電話による回答はいたしておりません

ご質問の内容(本書記事のページおよび具体的なご質問の内容)
※例)2-1-3の手順4までは操作できるが、手順5の結果が別紙画面のようになって解決しない。

【本書　　　　ページ　～　　　　ページ】

ご使用のWindowsのバージョンとビット数　※該当するものに○印を付けてください
10　　8.1　　8　　7　　その他(　　　　　　　　)　　32bit ／ 64 bit

ご使用のDraftSightの種類とバージョン　※例)DraftSight Premium バージョン2020
(　　　　　　　　　　　　　　　　　　　　　　)

◆ 著者プロフィール

阿部 秀之（あべひでゆき）

有限会社アーキビット代表。一級建築士、一級建築施工管理技士。建築設計のほか、Webアプリケーション開発なども手がける。著書に『やさしく学ぶDraftSight』『SketchUpパーフェクト作図実践＋テクニック編』『AutoCADを200%使いこなす本』『AutoCAD逆引き大事典』（いずれもエクスナレッジ刊）などがある。

7日でおぼえるDraftSight

［DraftSight 2020対応］

2020年9月11日　初版第1刷発行

著　者………阿部秀之

発行者………澤井聖一

発行所………株式会社エクスナレッジ
〒106-0032　東京都港区六本木7-2-26
http://www.xknowledge.co.jp/

問合せ先

編集………263ページのFAX質問シートを参照してください

販売………TEL 03-3403-1321／FAX 03-3403-1829／info@xknowledge.co.jp